Remo H. Largo
Babyjahre

Zu diesem Buch

Die Bedürfnisse eines Säuglings und Kleinkinds zu erkennen und richtig zu deuten ist für Eltern nicht immer leicht, besonders wenn es ihr erstes Kind ist. Sprechen kann das Baby nicht, aber es hat eine Vielzahl von Möglichkeiten, sich auszudrücken. Der erfahrene Kinderarzt Professor Remo H. Largo will mit seinem Buch das Verständnis bei Eltern und Erziehern für die biologischen Gegebenheiten und die Vielfalt des kindlichen Verhaltens wecken. Dabei orientiert er sich nicht an abstrakten Normen oder überlieferten Erziehungsprinzipien, sondern schärft den Blick für das individuelle Kind und vermittelt Einsichten in seine entwicklungs- und altersspezifischen Eigenheiten. Der Bestseller »Babyjahre« wurde für diese Taschenbuchausgabe grundlegend überarbeitet und aktualisiert.

*Remo H. Largo*, geboren 1943 in Winterthur, ist Professor für Kinderheilkunde, Autor zahlreicher wissenschaftlicher Arbeiten und Vater dreier Töchter. Von ihm liegt außerdem die erfolgreiche Fortsetzung des Bestsellers »Babyjahre« unter dem Titel »Kinderjahre« vor. Zuletzt erschien »Glückliche Scheidungskinder« (zusammen mit Monika Czernin).

Remo H. Largo

# Babyjahre

## Die frühkindliche Entwicklung aus biologischer Sicht

Aktualisierte Neuausgabe

Piper München Zürich

*Mehr über unsere Autoren und Bücher:*
*www.piper.de*

Von Remo H. Largo liegen bei Piper im Taschenbuch vor:
Babyjahre
Kinderjahre
Glückliche Scheidungskinder

*Für Eva, Kathrin und*
*Johanna, Brigitt und Sibi*

Dieses Taschenbuch wurde auf FSC-zertifiziertem Papier gedruckt. FSC (Forest Stewardship Council) ist eine nichtstaatliche, gemeinnützige Organisation, die sich für eine ökologische und sozialverantwortliche Nutzung der Wälder unserer Erde einsetzt (vgl. Logo auf der Umschlagrückseite).

Aktualisierte Taschenbuchausgabe
Mai 2001 (SP 1977)
18. Auflage Januar 2009

Erstausgabe: Carlsen Verlag GmbH, Hamburg 1993
Umschlag: Büro Hamburg
Stefanie Oberbeck, Isabel Bünermann
Foto Umschlagvorderseite: Image Bank, München
Satz: KCS GmbH, Buchholz/Hamburg
Papier: Munken Print von Arctic Paper Munkedals AB, Schweden
Druck und Bindung: CPI – Clausen & Bosse, Leck
Printed in Germany ISBN 978-3-492-23319-4

# Inhalt

# Einführung

*Der zweijährige Tobias liegt auf dem Fußboden, wälzt sich und schreit Zeter und Mordio. Ausgelöst hat den Tobsuchtsanfall die Ankündigung, daß es Zeit sei, ins Bett zu gehen. Die Eltern stehen ratlos vor ihrem Kind. Sind solche Tobsuchtsanfälle ein Fehlschlag ihrer Erziehungsbemühungen, oder gehören sie ganz einfach zu Tobias' Temperament?*

Die Frage nach der Bedeutung von Veranlagung und Erziehung ist nur eine von vielen Fragen, die sich Eltern im Umgang mit ihren Kindern immer wieder stellen. Andere Fragen, die sie gleichermaßen beschäftigen, sind: Was soll man unter einer normalen Entwicklung verstehen? Wieviel Zuwendung braucht ein Kind? Wie kann es am besten gefördert werden?

Dieses Buch versucht, darauf Antworten zu geben. Ausgangspunkt ist dabei nicht eine bestimmte Theorie, sondern das Kind mit seinen Eigenheiten und Bedürfnissen. Einige grundsätzliche Aspekte der kindlichen Entwicklung werden in diesem einleitenden Kapitel erörtert.

## Veranlagung und Erziehung

Was ist bei unserem Kind angeboren und was erziehungsbedingt? Ist sein Verhalten Ausdruck der Veranlagung oder der Art und Weise, wie wir mit ihm umgehen? Diese Fragen stellen sich insbesondere dann, wenn ein Kind wie Tobias Schwierigkeiten bereitet und die Eltern sich als Erzieher verunsichert fühlen.

Eltern nehmen eine unterschiedliche Erziehungshaltung ein, je nachdem, ob sie der Erbanlage oder ihrem erzieherischen Einfluß eine größere Bedeutung zumessen. Wenn sie davon ausgehen, daß alle zukünftigen Eigenschaften und Fähigkeiten des Kindes vererbt sind, werden sie zu Fatalisten: Die Natur nimmt ihren Lauf; als Erzieher sind sie Statisten. Wenn die Eltern der Meinung sind, das Milieu, in dem das Kind aufwächst, sei allein entscheidend für seine Entwicklung und sein Verhalten, laden sie sich eine übergroße Verantwortung auf: Das Kind ist ausschließlich das Produkt ihrer Erziehung.

Veranlagung und Umwelt sind keine Gegensätze, sie ergänzen sich. Das Erbgut, welches das Kind zu gleichen Teilen von Mutter und Vater erhält, besteht aus einem Entwicklungsplan sowie den Anlagen für körperliche und psychische Eigenschaften. Körperliche Merkmale wie Körpergröße, Augenfarbe, aber auch motorische oder sprachliche Fähigkeiten sind in der Erbanlage in groben Zügen festgelegt. Die Anlage schafft die Voraussetzungen, daß ein Kind entstehen kann, vermag aber allein kein Lebewesen hervorzubringen. Dazu bedarf es der Umwelt und im besonderen der Eltern.

Mit solch allgemeinen Überlegungen sind die Eltern von Tobias kaum zufriedenzustellen. Sie möchten sein Verhalten verstehen und wünschen sich für den Umgang mit ihm konkrete Orientierungshilfen: Warum hat Tobias Tobsuchtsanfälle? Wodurch werden diese Anfälle ausgelöst? Wie sollen sie sich Tobias gegenüber verhalten?

Auf Frustrationen mit Trotz zu reagieren gehört zum normalen Verhalten von Kleinkindern. Auffällig wäre ein fehlendes Trotzverhalten! Bereitschaft und Ausmaß der Trotzreaktionen sind je nach angeborenem Temperament von Kind zu Kind unterschiedlich stark ausgeprägt. Genauso wie Erwachsene verschieden heftig auf einen abschlägigen Bescheid reagieren, gibt es Kinder, die der Aufforderung, ins Bett zu gehen, widerwillig Folge leisten, während andere wie Tobias einen Tobsuchtsanfall bekommen. Gegen solche temperamentvollen Auftritte können auch die fähigsten Eltern nichts ausrichten. Die Häufigkeit aber, mit der die Tobsuchtsanfälle auftreten, ist wesentlich vom Verhalten der Eltern abhängig. Geben sie dem Kind nach, wird es immer häufiger so reagieren, um seinen Willen durchzusetzen.

Bestehen sie auf ihrer Haltung, werden die Anfälle immer seltener werden. Das Temperament von Tobias können die Eltern nicht verändern, sein Verhalten aber können sie sehr wohl beeinflussen.

In jedem Entwicklungs- und Verhaltensbereich bringt das Kind bestimmte Eigenschaften und Fähigkeiten mit. Welches Verhalten es sich in seiner Entwicklung aneignet, hängt wesentlich von den Eltern und anderen Bezugspersonen ab.

## Voraussetzungen

Damit sich ein Kind gut entwickeln kann, beziehungsfreudig, neugierig und motorisch aktiv ist, braucht es gewisse Voraussetzungen.

Eine innere Voraussetzung bringt das Kind mit: Es will sich entwickeln. Es hat einen inneren Drang, zu wachsen und sich Fähigkeiten und Kenntnisse anzueignen. Wenn es einen bestimmten Entwicklungsstand erreicht hat, will es nach Gegenständen greifen, sich fortbewegen und sich sprachlich ausdrücken.

Diese Bereitschaft, sich zu entwickeln, wird von den Eltern als Entlastung und von vielen als Geschenk empfunden. Sie müssen sich nicht ständig aktiv bemühen, damit ihr Kind Fortschritte macht. Es braucht nicht »gefördert« zu werden. Das Kind entwickelt sich aus sich heraus, wenn körperliches und psychisches Wohlbefinden gewährleistet sind.

Körperliches Wohlbefinden setzt Gedeihen und Gesundheit voraus. Hunger und Durst, aber auch andere körperliche Bedürfnisse wie etwa Schutz vor Kälte sowie trockene und saubere Bekleidung wollen zuverlässig befriedigt sein. Nur Kinder, die ausreichend ernährt, gepflegt und gesund sind, können sich auch normal entwickeln. Die Medien führen uns mit Nachrichten aus den Ländern der Dritten Welt tagtäglich vor Augen, wie nachteilig sich Mangelernährung, Vernachlässigung und Krankheit auf die kindliche Entwicklung auswirken.

Eltern erfreuen sich an der guten Gesundheit ihres Kindes. Krankheiten, sei es auch nur eine harmlose Erkältung, können ihnen große Sorgen bereiten. Ein Säugling, der viel trinkt, oder ein Kleinkind, das kräftig ißt, erfreut die Eltern. Ein appetitloses Kind kann die ganze Verwandtschaft beängstigen. Eltern fragen sich daher: Wieviel Milch muß ein Säugling trinken? Wann soll mit den Breimahlzeiten begonnen werden? Für alle diese Fragen gibt es Richtlinien, zum Beispiel auf den Packungen der Säuglingsmilchnahrung. Richtlinien entsprechen den einzelnen Kindern aber zumeist nicht, weil deren Bedürfnisse sehr verschieden sind. So trinken manche Säuglinge nur halb soviel Milch wie andere gleichaltrige. Die Bereitschaft, Brei zu essen, setzt von Kind zu Kind in ganz unterschiedlichem Alter ein. Für die Ernährung gilt genauso wie für andere Entwicklungsbereiche: Ein Kind gedeiht dann am besten, wenn sich die Eltern an seinen Bedürfnissen orientieren. Mehr ist keineswegs immer besser, sondern häufig zuviel und daher nachteilig.

Von welchen Faktoren hängt das psychische Wohlbefinden eines Kindes ab? Diese Frage ist weit schwieriger zu beantworten als diejenige nach dem körperlichem Wohlbefinden. Das wichtigste Element ist das Gefühl von Geborgenheit. Säuglinge und Kleinkinder brauchen die körperliche Nähe vertrauter Personen. Wohlbefinden bedeutet Zuwendung und das Gefühl des Angenommenseins. Letzteres entsteht nur im Umgang mit vertrauten Menschen.

Die Auswirkungen von ungünstigen Lebensbedingungen und psychischer Vernachlässigung (Deprivation) bei Säuglingen und Kleinkindern sind in zahlreichen Studien nachgewiesen worden (Rutter, Ernst). Die Folgen der Deprivation sind auch Laienkreisen weitgehend bekannt: Kinder brauchen für ihr Gedeihen die körperliche Nähe und gefühlsmäßige Zuwendung der Eltern oder anderer Bezugspersonen. Werden sie psychisch vernachlässigt, sind sie in ihrer Entwicklung beeinträchtigt.

Davon abzuleiten, daß sich ein Kind um so besser entwickelt, je mehr Zuwendung es erhält, wäre aber verfehlt. Auch das gefühlsmäßige Umsorgtwerden hat seine Grenzen und bei deren Überschreiten nachteilige Folgen. Jedermann begreift, daß ein Kind durch eine übermäßige Nahrungszufuhr keineswegs besser gedeiht, sondern nur fettleibig wird. Genauso wie mit der Überfütterung verhält es sich mit der Überbehütung: Sie vermehrt nicht das Wohlbefinden, sondern hält das Kind in einer gefühlsmäßigen Abhängigkeit und macht es unselbständig. Unselbständige Kinder sind verstimmt, je nach Temperament ängstlich oder aggressiv und zeigen wenig Neigung, neue Erfahrungen zu machen.

Für die elterliche Zuwendung gilt das gleiche wie für Ernährung und Pflege: Das Bedürfnis nach körperlicher Nähe und gefühlsmäßiger Zuwendung ist von Kind zu Kind unterschiedlich groß. Das richtige Maß an Nähe und Zuwendung vermag keine Theorie anzugeben. Das Kind teilt uns mit seinem Verhalten und Befinden mit, wieviel Nähe und Zuwendung es braucht.

## Einheit und Vielfalt

Die kindliche Entwicklung zeichnet sich gleichermaßen durch Einheit und Vielfalt aus. Einheitlich verläuft der Entwicklungsprozeß: Die verschiedenen Stadien der Entwicklung weisen bei allen Kindern im wesentlichen die gleiche Abfolge auf. So macht jedes Kind in seiner Sprachentwicklung zuerst bestimmte Stadien des Lautierens durch, kommt zu den ersten Wörtern, bildet Zweiwortsätze, eignet sich die grammatikalischen Regeln der Wort- und Satzbildung an und kann sich schließlich im Alter von vier bis fünf Jahren in korrekten Sätzen ausdrücken.

Sehr vielfältig verläuft die Entwicklung von Kind zu Kind, wenn wir auf die Ausprägung bestimmter Verhaltensweisen und das zeitliche Auftreten von Entwicklungsstadien achten. Bereits Neugeborene sind unterschiedlich groß und schwer. Einige haben ein Geburtsgewicht von weniger als drei Kilogramm, andere wiegen mehr als vier Kilogramm. Sie unterscheiden sich voneinander auch in ihrem mimischen Ausdruck, Bewegungsverhalten und Schreien. In der Entwicklung nehmen die Unterschiede zwischen den Kindern immer mehr zu. Ende des ersten Lebensjahres sind gewisse Kinder acht, andere bis zu 13 Kilogramm schwer. Einige machen die ersten Schritte bereits mit zehn Monaten, die meisten mit zwölf bis 16 und vereinzelte erst mit 18 Monaten. Das eine Kind spricht die ersten Wörter gegen Ende des ersten Lebensjahres, die meisten Kinder mit 15 bis 24

Monaten, und bei einigen lassen die ersten Wörter bis in die Mitte des dritten Jahres auf sich warten. Es gibt kein Verhalten, das bei allen Kindern im selben Alter auftritt und gleich ausgeprägt ist.

Kinder sind nicht nur untereinander sehr verschieden, das einzelne Kind ist oftmals in sich unterschiedlich weit entwickelt, das heißt, die einzelnen Entwicklungsbereiche wie Sprache oder Motorik sind ungleich fortgeschritten. So kann ein Kind bereits mit zwölf Monaten frei gehen, die ersten Wörter spricht es aber erst mit 28 Monaten.

Alle Entwicklungsstadien und Verhaltensweisen treten von Kind zu Kind in unterschiedlichem Alter auf und sind verschieden ausgeprägt. Jedes ist auf seine Weise einmalig. Wie gelingt es den Eltern, sich auf die individuellen Eigenheiten und Bedürfnisse ihres Kindes einzustellen?

Vieles, was Eltern tun, geschieht, ohne daß sie ihr Handeln bewußt planen. Sie erfassen das Verhalten ihres Kindes intuitiv richtig. Wenn eine Mutter ihr Kind vom Bettchen aufnimmt, es in den Armen hält und durch Wiegen beruhigt, paßt sie sich ihm instinktiv an. Sie spürt, wie rasch sie es aufnehmen darf, in welcher Haltung es ihm am wohlsten ist und wie sie es am leichtesten beruhigen kann. Ohne diese angeborene Fähigkeit, das Verhalten eines Kindes zu deuten und sinnvoll darauf zu reagieren, könnten Eltern ihre Kinder gar nicht aufziehen.

Neben der Intuition spielen die eigenen Kindheitserfahrungen eine wesentliche Rolle. Wie sich die Eltern als Kinder gefühlt und wie sie ihre eigenen Eltern erlebt haben, beeinflußt sie in ihrem Erziehungsverhalten. Dieses wird schließlich, je älter das Kind wird, desto mehr von überlieferten Grundhaltungen und Normvorstellungen bestimmt. Letztere übernehmen die Eltern in Gesprächen mit Verwandten und Bekannten oder aus den Medien. Sie gehen beispielsweise davon aus, daß ein Kind im Alter von drei Monaten nachts durchschläft, daß es mit einem Jahr die ersten Schritte macht und mit zwei Jahren spricht. Solche Vorstellungen entsprechen den Kindern aber nur ausnahmsweise, weil sie sich sehr unterschiedlich entwickeln. Normvorstellungen sind Fehlerwartungen. Sie sind weniger eine Hilfe als vielmehr eine Verunsicherung für Eltern. Sie erwarten beispielsweise, daß ein einjähriges Kind zwölf Stunden pro Nacht schläft. Es gibt Kinder, auf die diese Annahme zutrifft, für die Mehrheit gilt sie aber nicht. Ein Teil der Kinder schläft länger, einige bis zu 15 Stunden pro Nacht, andere schlafen weniger, einige lediglich neun bis zehn Stunden. Was geschieht, wenn die Eltern ihr Kind um sieben Uhr abends zu Bett bringen, in der Erwartung, daß es bis sieben Uhr morgens schläft, dieses aber nur zehn Stunden schlafen kann? Das Kind wird abends nicht einschlafen, nachts ein- bis mehrmals aufwachen oder frühmorgens wach sein. Im ungünstigsten Fall haben die Eltern unter allen drei Verhaltensauffälligkeiten zu leiden. Ein Kind, das nur zehn Stunden Schlaf pro Nacht braucht, entwickelt sich nicht besser, wenn es zwölf Stunden im Bett liegen muß. Im Gegenteil, sein Schlafverhalten wird dadurch oftmals gestört sein.

Wie können sich Eltern von Normvorstellungen, überlieferten Grundhaltungen und festgefügten Ratgeberkonzepten lösen? Wie gelingt es ihnen, sich am aktuellen Entwicklungsstand und den individuellen Bedürfnissen ihres Kindes zu orientieren? Dazu sind zwei Dinge hilfreich: Gewisse Kenntnisse über den Ablauf und die Vielfalt der kindlichen Entwicklung und die Bereitschaft, auf das kindliche Verhalten zu achten und sich darauf einzustellen. Wenn Eltern wissen, daß der Schlafbedarf unter Kindern unterschiedlich groß ist, werden sie sich nicht nach irgendwelchen Angaben richten. Sie werden vielmehr darauf achten, wieviel Schlaf ihr Kind braucht. Wenn sie feststellen, daß es lediglich zehn Stunden Schlaf pro Nacht benötigt, was nicht ungewöhnlich ist, können sie die Schlafenszeit den kindlichen und ihren eigenen Bedürfnissen entsprechend einrichten.

## Nachahmung

Die wohl wichtigste Form des Lernens in den ersten Lebensjahren beruht auf der Fähigkeit zur Nachahmung. Bereits der Säugling hat ein starkes Bedürfnis nachzuahmen. Er imitiert einfache mimische Ausdrucksweisen und Laute. Über die Nachahmung erschließen sich dem Kind während des ersten Lebensjahres die

Ausdrucksformen der menschlichen Kommunikation wie Mimik und Gestik. Die phonologischen und kommunikativen Eigenheiten der Sprache eignet sich das Kind an, indem es zuhört, Laute und Worte wiederholt, Konversationsformen im Spiel nachahmt und verinnerlicht. Über die Nachahmung lernt es schließlich auch den funktionellen Gebrauch von Gegenständen. So sieht es am Familientisch, wie Eltern und Geschwister mit Löffel und Gabel essen. Am Anfang des zweiten Lebensjahres beginnt es, selber den Löffel zu benützen.

Damit das Kind nachahmen kann, muß es von den Eltern, Geschwistern und anderen Bezugspersonen in ihren Alltag mit einbezogen werden, an ihrem Tun und gegenseitigen Umgang teilhaben können. Die Eltern brauchen ihm nicht beizubringen, wie man miteinander umgeht, spricht oder einen Löffel benützt. Wenn sie das Kind an ihrem Leben teilhaben lassen, eignet es sich die Verhaltensweisen über die Nachahmung selber an.

*Zulutanz in Natal, Südafrika*

In vielen Ländern dieser Erde leben die Kinder noch in einer Gemeinschaft mit den Erwachsenen. Sie übernehmen gesellschaftliche und religiöse Bräuche durch gemeinsames Erleben und Nachahmung. In der Industriegesellschaft wurden die Kinder, im besonderen Maße Säuglinge und Kleinkinder, zunehmend aus dem Leben der Erwachsenen ausgegrenzt. Eine solche Isolierung wirkt sich ungünstig auf die Entwicklung der Kinder aus, da die frühe Sozialisierung und die ersten Lernerfahrungen in hohem Maße aus dem gemeinsamen Erleben heraus entstehen. Die heutige Elterngeneration bezieht ihre Kinder wieder vermehrt in den Alltag mit ein. Es ist die beste, weil natürlichste Art, ihre soziale, sprachliche und geistige Entwicklung zu fördern.

## Kenntnisse spielerisch erwerben

Kenntnisse über die dingliche Umwelt erwirbt das Kind durch die aktive Auseinandersetzung mit Gegenständen. Physikalische Eigenschaften wie Größe, Gewicht und Gestalt erfaßt es, indem es sich seinem Entwicklungsstand entsprechend mit den Gegenständen spielerisch beschäftigt. Die Eltern können ihm die materielle Welt nicht erklären. Daß ein Behälter gefüllt und durch Kippen entleert werden kann, muß das Kind selbst herausfinden. Niemand kann ihm diesen Sachverhalt begreiflich machen. Allein Selbsterfahrung führt zum Begreifen.

»Alles, was wir einem Kind beibringen, kann das Kind nicht mehr lernen.« (Piaget) Es ist nicht die Aufgabe der Eltern, dem Kind die dingliche Umwelt zu vermitteln. Sie müssen ihm weder erklären noch zeigen, was man alles mit einem Gegenstand machen kann. Das Kind will und kann es in seinem Spiel selbst herausfinden. Die Eltern können aber dennoch einen wesentlichen Beitrag zum kindlichen Lernprozeß leisten, wenn sie dem Kind Gegenstände zum Spielen geben, die zu seinem Entwicklungsstand passen. So ist der sechsmonatige Säugling an Dingen interessiert, die sich beim Erkunden mit dem Mund und der Zunge unterschiedlich anfühlen. Im Alter von zwölf Monaten möchte das Kind Behälter mit verschiedenen Inhalten ein- und ausräumen. Im Alter von 18 Monaten ist es vor allem an Gegenständen interessiert, die sich stapeln lassen. Jeder Gegenstand, der für das Kind interessant ist, ist ein Spielzeug. Ein Spielzeug ist aus seiner Sicht nicht ein Produkt, das im Spielwarengeschäft gekauft wird.

Kinder beschäftigen sich mit Gegenständen oft in einer Weise, die für Erwachsene unverständlich ist. So steckt der Säugling alle Dinge, deren er habhaft werden kann, in den Mund. Warum tut er das? Nimmt er an, es sei etwas Eßbares? Eltern wundern sich nicht nur über das kindliche Verhalten. Sie stellen sich auch erzieherische Fragen: Ist das nicht unhygienisch? Könnte ihr Kind nicht ersticken, wenn es ständig Dinge in den Mund nimmt? Müßten sie es nicht davon abhalten?

Der Säugling steckt Gegenstände in den Mund, weil er sie nicht über die Augen, sondern über den Mund kennenlernt. Indem er sie mit den Lippen und der Zunge betastet, erspürt er deren Form, Größe, Konsistenz und Oberfläche. Der Mund, und nicht die Augen, ist das erste Sinnesorgan im Umgang mit der dinglichen Umwelt. Es ist also geradezu eine Notwendigkeit, daß der Säugling Gegenstände in den Mund nehmen kann.

Einsicht in sein Verhalten hilft uns, das Kind gewähren zu lassen. Wenn wir verstehen, warum der Säugling alles in den Mund nimmt, werden wir nicht mehr mit unguten Gefühlen seinem Treiben zuschauen oder gar versuchen, das Mundeln zu unterbinden. Wir werden uns vielmehr überlegen, welche Gegenstände für das Kind sinnvolle und ungefährliche Spielsachen sind.

Die Entwicklung in den ersten Lebensjahren zeigt viele Verhaltensweisen, die Eltern nicht ohne weiteres verstehen. Wenn ein Kind in einem bestimmten Alter genußvoll Gegenstände vom Kindersitzchen auf den Boden wirft und einige Monate später mit Eifer Schubladen ausräumt, so dient dies einem bestimmten Zweck, auch wenn er für Erwachsene nicht ohne weiteres verständlich ist. Auch wenn wir ein Verhalten nicht verstehen, dieses aber für das Kind ungefährlich ist, sollten wir es gewähren lassen. Wir sollten davon ausgehen, daß das kindliche Spiel zumeist sinnvoll ist, auch wenn wir dessen Sinn nicht immer einzusehen vermögen.

## Selbständig werden

Das Kind hat einen tiefen Drang, selber zu bestimmen und selbständig zu werden. Bereits das Neugeborene will, wenn auch in einer begrenzten Weise, selbständig sein. Es möchte mitbestimmen, wann und wieviel es trinken, wann und wieviel es schlafen oder wach sein soll. Sobald der Säugling greifen kann, hat er seine eigenen Vorstellungen, wie er mit den Gegenständen umgehen will. Beginnt er, sich fortzubewegen, hat er seine bestimmten Absichten, wohin er kriechen oder gehen will.

Bedeutet dies nun, daß das Kind vom ersten Tag an bestimmend sein soll? Etwa in dem Sinne: »Lassen wir das Kind ganz einfach machen. Es weiß schon, was ihm guttut.« Eine solche Haltung wurde und wird immer noch beispielsweise für das Stillen propagiert. Das Kind soll entscheiden, wann, wie oft und wieviel es trinken will. Manche Kinder entwickeln sich unter diesem Regime prächtig. Andere trinken aber nicht ausreichend. Wieder andere haben selbst nach Monaten noch einen unregelmäßigen Tagesablauf, wachen nachts auf, sind verstimmt und schreien viel. Diese Kinder brauchen die Unterstützung der Eltern, damit sie gedeihen, einen regelmäßigen Rhythmus aufbauen und nachts durchschlafen können.

Was für das Stillen gilt, trifft auch auf andere Verhaltensbereiche zu: Gleichaltrige Kinder sind in ihren Anlagen verschieden und unterschiedlich weit entwickelt. Es gibt daher keine erzieherische Haltung, die für alle Kinder richtig wäre. Während einige Säuglinge in ihrem Trinkverhalten so weit fortgeschritten sind, daß sie selber Menge und Zeitpunkt der Mahlzeiten bestimmen können, sind andere noch auf die Hilfestellung der Eltern angewiesen. Es ist wohl *die* erzieherische Herausforderung zu spüren, in welchen Situationen und bei welchen Aktivitäten das Kind kompetent ist und sein Handeln selbst bestimmen kann und in welchen es auf die elterliche Fürsorge angewiesen ist.

*Idealerweise sollte das Kind in den Belangen bestimmend sein, in denen es auch kompetent ist.* Verlangen die Eltern vom Kind eine Tätigkeit, die es noch nicht ausführen kann, überfordern sie es. Hindern sie es daran, eine Tätigkeit auszuführen, die es ausüben möchte, entmutigen sie es und machen es unselbständig.

Unter- wie auch Überforderung wirken sich nachteilig auf sein Selbstwertgefühl aus.

Für jeden Entwicklungsschritt gibt es einen bestimmten Zeitpunkt, an dem das Kind innerlich bereit ist, diesen Schritt zu machen, und dies mit seinem Verhalten auch anzeigt. Diesen Zeitpunkt gilt es zu erfassen. Im zweiten Lebensjahr will das Kind selbständig essen. Das Alter, in dem es geistig und motorisch so weit entwickelt ist, daß es mit dem Löffel umgehen kann, ist von Kind zu Kind verschieden. Einige sind bereits mit zehn bis zwölf Monaten am Hantieren mit dem Löffel interessiert, andere erst mit 18 bis 24 Monaten. Versuchen die Eltern, dem Kind den Umgang mit dem Löffel beizubringen, bevor es dazu bereit ist, überfordern sie es. Verweigern sie dem interessierten Kind das Hantieren mit dem Löffel, resigniert es. Es stellt sich darauf ein, daß es für alle Zeiten gefüttert werden wird – was die Eltern sicherlich nicht beabsichtigen. Lassen sie es gewähren und die entsprechenden Erfahrungen mit dem Löffel machen, wenn sie spüren, daß sein Interesse am Löffel erwacht ist, wird es zwei wesentliche Erfahrungen machen: Es wird in einem weiteren Lebensbereich selbständig und festigt damit sein Selbstwertgefühl.

## Das Ziel

Welche Erwartungen haben die Eltern an das Kind und an sich als Erzieher? Die meisten Eltern erhoffen sich wohl, daß ihr Kind ein beziehungsfähiger Erwachsener wird, der seine Fähigkeiten und Kenntnisse umsetzen kann, ein gutes Selbstvertrauen besitzt und in jeder Beziehung für sich und seine Familie zu sorgen imstande ist. Die ersten Bausteine dazu werden in den ersten Lebensjahren gelegt.

Idealerweise verläuft die frühkindliche Entwicklung folgendermaßen:

- Das Kind fühlt sich angenommen und geborgen. Es erlebt, daß seine Bedürfnisse von den Eltern und anderen Bezugspersonen zuverlässig wahrgenommen und befriedigt werden.

- Es macht die Erfahrung, daß die anderen Menschen sich ihm zuwenden und daß es auf sie Einfluß nehmen kann.
- Es erfährt im Umgang mit seiner dinglichen Umwelt, daß es etwas bewirken, die Umwelt verändern und Erkenntnisse machen kann.
- Es darf in den Bereichen, wo es kompetent ist, selbständig sein. Die Selbstbestimmung stärkt sein Selbstwertgefühl. Es erlebt, daß es dieser Welt nicht hilflos ausgeliefert ist, sondern etwas bewirken kann.

Der Umgang mit dem Kind besteht für die Eltern in einem ständigen Abwägen zwischen Fürsorge, Grenzensetzen und Loslassen. Dabei das richtige Maß zu finden ist die hohe Kunst des Erziehens. Das richtige Maß kann nicht allgemeingültig sein. Es orientiert sich am einzelnen Kind und an seinem momentanen Entwicklungsstand.

Das richtige Maß zu finden ist eine Aufgabe, die sich den Eltern immer wieder aufs neue stellt und die sich oft nicht ideal lösen läßt. So gibt es Abende, wo sie zu müde sind, um auf ihr Kind einzugehen. Sie können und wollen sich auch nicht nur um das Kind kümmern. Sie brauchen Zeit und Muße für ihre eigenen Interessen und ihre Partnerschaft. Haben sie die Zeit und die Kraft dafür nicht, fühlen sie sich zunehmend unzufrieden, was sich wiederum nachteilig auf das Kind auswirken kann.

Manche Eltern haben berufliche und familiäre Verpflichtungen, die sie daran hindern, sich in dem Ausmaß um ihre Kinder zu kümmern, wie sie es sich vorgenommen haben. Zu ihrem und unserem Trost: Die Natur rechnet nicht mit perfekten Eltern. Sie hat die Kinder mit einer gewissen Anpassungsfähigkeit und Krisenfestigkeit ausgestattet.

## Das Wichtigste in Kürze

1. Im Erbgut sind der Entwicklungsplan und die Anlagen für die körperlichen und psychischen Eigenschaften in groben Zügen festgelegt. Das Erbgut allein vermag kein Lebewesen hervorzubringen.

2. Die Umwelt und vor allem die Eltern ermöglichen dem kindlichen Organismus das Wachstum und die Entfaltung seiner Eigenschaften und Fähigkeiten.

3. Das Kind hat einen inneren Drang, sich zu entwickeln. Es will wachsen und sich Fähigkeiten und Wissen aneignen.

4. Körperliches und psychisches Wohlbefinden sind wesentliche Voraussetzungen für eine normale Entwicklung. Dazu braucht ein Kind *das ihm entsprechende Maß* an Nahrung, Pflege, körperlicher Nähe und Zuwendung.

5. Die kindliche Entwicklung ist einheitlich in der Abfolge der Entwicklungsstadien. Sie ist sehr vielfältig hinsichtlich des zeitlichen Auftretens und der Ausprägung bestimmter Verhaltensmerkmale.

6. Wegen der großen Vielfalt in der kindlichen Entwicklung sollten sich die Eltern am aktuellen Entwicklungsstand und den Bedürfnissen des Kindes orientieren. Normvorstellungen, überlieferte Grundhaltungen und festgefügte Ratgeberkonzepte entsprechen den individuellen Bedürfnissen des Kindes nicht.

7. Die wichtigste Form des Lernens in den ersten Lebensjahren beruht auf der Nachahmung. Das Kind braucht die Anregung und den Umgang mit vertrauten Personen, um sich sozial, sprachlich und auch geistig entwickeln zu können.

8. Die beste und natürlichste Art, ein Kind in seiner sozialen, sprachlichen und geistigen Entwicklung zu fördern,

besteht darin, daß Eltern, Geschwister und andere Bezugspersonen das Kind in ihren gegenseitigen Umgang und ihre Tätigkeiten soweit wie möglich mit einbeziehen.

9. Kenntnisse über die dingliche Umwelt erwirbt das Kind in der spielerischen Auseinandersetzung mit Gegenständen. Für jedes Entwicklungsalter gibt es bestimmte Dinge, die als Spielsachen besonders gut geeignet sind.

10. Kindliches Verhalten ist zumeist sinnvoll, auch wenn wir dessen Sinn nicht immer einzusehen vermögen. Verstehen wir ein Verhalten nicht und ist sein Tun für das Kind ungefährlich, sollten wir das Kind gewähren lassen.

11. Das Kind hat einen tiefen inneren Drang, selbständig zu werden. Die Eltern sollten das Kind in den Belangen, in denen es kompetent ist, bestimmen lassen. Die Entwicklung seines Selbstwertgefühls hängt davon ab, wie selbständig es sein kann.

12. Für jeden Entwicklungsschritt gibt es einen bestimmten Zeitpunkt, an dem das Kind innerlich bereit ist, diesen Schritt zu machen, und dies mit seinem Verhalten auch anzeigt. Diesen Zeitpunkt gilt es zu erfassen.

# Beziehungsverhalten

# Einleitung

*Die Eltern fahren mit ihrer sechs Monate alten Tochter im Bus. Sarah sitzt auf dem Schoß des Vaters. Sie plaudert vor sich hin und lächelt die Fahrgäste freundlich an. Eine ältere Frau erwidert Sarahs Geplauder. Sarah betrachtet sie aufmerksam. Die Frau erkundigt sich nach Sarahs Alter. Die Erwachsenen beginnen sich miteinander zu unterhalten.*

Wenn Menschen sich begegnen, kommt es immer zu einer Form der Kommunikation. Selbst wenn sie einander ignorieren, haben sie miteinander Beziehung aufgenommen. Zu kommunizieren ist ein Grundbedürfnis des Menschen und – wie Watzlawick wohl zu Recht behauptet – ein unabdingbarer Bestandteil des Lebens. Der Mensch ist ein soziales Wesen: Er braucht andere Menschen. Dies gilt besonders für die Kinder.

Unsere Beziehungen bestimmen in einem hohen Maße unser psychisches Wohlbefinden. Sie sind so sehr ein Bestandteil unseres Lebensgefühles, daß es uns große Mühe bereitet, darüber nachzudenken und zu reden. Die Vielzahl psychologischer Bücher und Lebenshilferatgeber in den Buchhandlungen zeugen von unserem angestrengten Bemühen, das menschliche Beziehungsverhalten und damit uns selber besser zu verstehen. Theorien über das Sozialverhalten des Menschen, wie sie von Psychiatern und Psychologen wie Sigmund Freud und Erik Erikson entwickelt wurden, sind Gedankengut breiter Bevölkerungsschichten geworden; wieweit sie deren Beziehungsverhalten auch wirklich verändert haben, bleibt fraglich.

In diesem einleitenden Kapitel zur Entwicklung des kindlichen Beziehungsverhaltens wollen wir versuchen, möglichst ohne Theorien auszukommen. Wir werden uns vier Bereiche näher ansehen, die das Verhalten des Säuglings und Kleinkindes bestimmen: das Bindungsverhalten, die Wahrnehmung und der Ausdruck sozialer Signale, die Ich-Entwicklung und die Entwicklung zur Selbständigkeit. Wir wollen uns dabei an diejenigen Aspekte des Beziehungsverhaltens halten, die wir aus eigener Erfahrung kennen.

## Bindungsverhalten

Der Mensch strebt ein Leben lang nach Geborgenheit. Damit wir uns wohl fühlen, brauchen wir ein »Daheimgefühl«. Wir wollen angenommen sein, uns sicher fühlen. Ein Gefühl von Geborgenheit können uns nur andere Menschen geben.

Das Bedürfnis nach Geborgenheit ist von Mensch zu Mensch unterschiedlich ausgeprägt, und das Beziehungsverhalten kann die vielfältigsten Formen annehmen. So gibt es Menschen, die sich wohl fühlen, wenn sie einen oberflächlichen Kontakt mit vielen Menschen haben, andere ziehen eine tiefe Bindung zu wenigen Menschen vor. Wie auch immer die Beziehungen gestaltet sind, ein Grundmuster findet sich immer wieder: Menschen binden sich an andere Menschen in der Erwartung, von ihnen angenommen, umsorgt und beschützt zu werden. Menschen umsorgen und beherrschen andere Menschen, weil ihnen deren Abhängigkeit ein Gefühl von Sicherheit vermittelt.

Das Bedürfnis nach Geborgenheit ist bei Kindern und Erwachsenen gleichermaßen vorhanden, es verändert sich aber ständig im Laufe des Lebens. Der Säugling hat nicht die gleichen Bedürfnisse wie das Neugeborene, das Kleinkind hat wiederum andere als der Säugling. So hat jeder Altersabschnitt seine eigene Bedeutung für die sozioemotionale Entwicklung des Kindes und geht auch mit bestimmten Verhaltenseigenheiten einher, wie beispielsweise dem Fremdeln gegen Ende des ersten Lebensjahres. Als Eltern neigen wir dazu, einmal erreichte Beziehungsformen erhalten zu wollen, die Kind-Eltern-Beziehung aber wandelt sich ständig. Das Kind hat die etwas mühselige Aufgabe, uns immer wieder vor Augen zu führen, daß es sich weiterentwickelt hat und wir – bitte – mit ihm anders umgehen möchten.

Warum haben wir Menschen ein solch starkes Bindungsverhalten? Kinder sind in allen Kulturkreisen während zwölf und mehr Jahren auf die Eltern und andere Bezugspersonen angewiesen. Sie würden ohne ihre Fürsorge nicht überleben. Sie wollen ernährt, umsorgt und beschützt sein. Damit die Kinder sich das komplexe Sozialverhalten in unserer Gesellschaft aneignen können, brauchen sie während vieler Jahre Eltern und Geschwister sowie im Schulalter und in der Adoleszenz Gleichaltrige als Vorbilder.

Um sich Kulturtechniken wie Schreiben und Lesen sowie Teile des Wissens, das unsere Zivilisation hervorgebracht hat,

*Gemeinsam backen*

anzueignen, dienen dem Kind während zehn und mehr Jahren fremde Erwachsene als Lehrmeister. Eine starke gegenseitige Bindung zwischen dem Kind und seinen Eltern, aber auch zu anderen Kindern und Erwachsenen ist notwendig, damit dieser jahrelange Sozialisierungs- und Bildungsprozeß gelingen kann.

Die Bindung zu den Eltern geht das Kind bedingungslos ein. Bowlby spricht von einem instinktiven Bindungsverhalten. Es bindet sich – unbesehen, ob es sich um liebevolle und verständige Eltern oder aber um Rabeneltern handelt. Ein Kind kann von seinen Eltern noch so sehr vernachlässigt werden, es wird die Beziehung zu ihnen nie grundsätzlich in Frage stellen. Kein Kind im Vorschulalter kündigt je die Beziehung auf und sucht sich andere Eltern. Kinder sind den Eltern vorbehaltlos zugetan und ihnen damit auch auf Gedeih und Verderb ausgeliefert! Dies sollten wir als Eltern immer bedenken. Sie lieben uns nicht nur, weil wir so großartige Eltern sind. Bei seiner Geburt schenkt uns jedes Kind einen sehr großen Bonus auf beständige und langjährige Zuwendung.

Ein Vater bei der Geburt seines ersten Kindes: Man ist überwältigt, man muß es ganz einfach gern haben! Die Bindung der Eltern an ihr Kind ist nicht so bedingungslos wie diejenige des Kindes an die Eltern. Sie ist aber immer noch sehr mächtig. Eltern sind bei der Geburt zutiefst bereit, das Kind anzunehmen und zu umsorgen. Falls nötig, nehmen sie für sein Wohl während Jahren größte Mühsal auf sich.

In der Vergangenheit wurde der Mutter-Kind-Beziehung eine einzigartige Bedeutung für das psychische Wohlbefinden des Säuglings und Kleinkindes zugeschrieben. Diese Vorstellung hat die Rolle der Frau in der Familie und im Berufsleben sowie den gesellschaftlichen Stellenwert von Krippen und Horten in einem hohen Maße bestimmt. Die Ausschließlichkeit der Mutter-Kind-Beziehung ist in den letzten Jahren ernsthaft in Frage gestellt worden. Neuere Studien zeigen, daß ein Säugling gleichzeitig Beziehungen zum Vater und anderen Bezugspersonen aufbauen kann, die in ihrer Stärke durchaus mit derjenigen zur Mutter vergleichbar sind (Lamb, Field, Parke). Voraussetzung ist, daß das Kind regelmäßige, zeitlich ausreichende und beständige Erfahrungen mit dem Vater und anderen Bezugspersonen machen kann.

Dem frühkindlichen Bindungsverhalten wurde von namhaften Autoren ebenfalls eine Schlüsselrolle für die spätere Beziehungsfähigkeit zugeschrieben (Bowlby, Mahler, Erikson). Auch diese Vorstellung wurde durch neuere Studien in ihrer Bedeutung erheblich abgeschwächt (Scarr). Ohne Zweifel sind die ersten Lebensjahre für die sozioemotionale Entwicklung von Wichtigkeit. Eine solch ausschließliche Bedeutung, wie ihnen in der Vergangenheit zugedacht wurde, haben sie aber nicht. Die Beziehungsfähigkeit eines Menschen wird nicht unabänderlich in der frühen Kindheit festgelegt. Die sozialen Erfahrungen im Schulalter und in der Adoleszenz sind für die soziale Kompetenz und das psychische Wohlbefinden des erwachsenen Menschen genauso wichtig wie die frühkindlichen Erfahrungen.

## Wahrnehmung und Ausdruck sozialer Signale

Wie teilen wir uns anderen Menschen mit? Wie nehmen wir Beziehung zu ihnen auf?

Stellen wir uns eine alltägliche Situation vor: Eine Frau sitzt allein im Zug. Beim nächsten Halt betritt ein Mann das Abteil. Ist der Mann ein älterer, sorgfältig angezogener Herr, wird sich die Frau anders auf den Neuankömmling einstellen, als wenn es sich um einen jungen Mann mit Punkfrisur, Lederjacke und Stiefeln handelt. Andererseits werden das Alter der Frau, ihr Aussehen und ihre Kleidung den Mann in seinem Verhalten bestimmen. Betritt der Mann das Abteil erst, nachdem er durch ein Kopfnicken der Frau dazu aufgefordert wurde, wird sich die Frau dem Mitreisenden gegenüber anders verhalten, als wenn der Mann mit großen Schritten und abgewinkelten Ellenbogen ins Abteil stürmt. Ob die Frau strickt oder aber Bankauszüge studiert und einen Aktenkoffer neben sich stehen hat, wird wiederum einen bestimmten Eindruck auf den Mann machen. Der Mann kann sich gegenüber oder neben die Frau setzen oder aber die entfernteste Sitzgelegenheit wählen. Wie auch immer er sich entscheidet, seine Wahl wird für die Frau Bedeutung haben. Die

Frau kann interessiert zuschauen, wie der Mann sein Gepäck verstaut, sie kann zum Fenster hinausschauen oder zu einer Zeitschrift greifen. Was auch immer sie tut, der Mann wird daraus ablesen, ob sie ihm gegenüber interessiert, gleichgültig oder gar ablehnend ist. Der Mann zieht sich still auf einen Sitz zurück oder läßt sich mit einem erleichterten Seufzer in den Sitz fallen und streckt genüßlich seine Beine quer durch das Abteil aus: Es wird die Frau nicht unbeteiligt lassen. Vielleicht breitet sie ihre Sachen auf dem Nebensitz aus oder schlägt die Beine übereinander und zieht ihre Jacke über der Brust etwas enger zu.

Worte haben die beiden Menschen bislang noch nicht gewechselt, und doch haben sie kommuniziert. Sie haben dem anderen in den ersten Sekunden ihrer Begegnung einiges darüber mitgeteilt, wer sie sind, was sie vom anderen halten und was sie von ihm erwarten. Wenn die beiden sich nun begrüßen, ist weit weniger der Inhalt ihrer Worte als der Tonfall und die Wärme ihrer Stimme für den anderen von Bedeutung.

Beziehungen stellen wir nicht so sehr mit Worten her als vielmehr mit der Sprache unseres Körpers, der sogenannten nichtverbalen Kommunikation. Die Körpersprache entstand in einem sehr frühen Zeitpunkt der Evolution, als sich Tierarten entwickelten, die auf ein Zusammenleben angewiesen waren. Sie ist erheblich älter und für unser Sozialverhalten weit bedeutsamer als die gesprochene Sprache.

Sehen wir uns einige Elemente der Körpersprache näher an:
**Aussehen.** Ob wir es wahrhaben wollen oder nicht: Die Körpermaße und die Kleidung sagen etwas über eine Person aus und beeinflussen unsere Haltung ihr gegenüber. Es ist uns nicht gleichgültig, ob ein Gesprächspartner einen Kopf größer ist und auf uns herabschaut oder ob wir auf ihn herabblicken. Kleider können Bewunderung und Verehrung, aber auch Abscheu und Verachtung auslösen. Kleider sagen etwas über den sozialen Status eines Menschen aus. Die Milliardengeschäfte der Textilindustrie beweisen wohl besser als jede wissenschaftliche Studie die soziale Bedeutung, die wir der Kleidung beimessen. Kleider machen Leute.

Das Aussehen des jungen Säuglings und Kleinkindes beeinflußt erwachsene Menschen nachhaltig: Junge Kinder weisen ein

*Kindchenschema*

Erscheinungsbild auf, das beim Erwachsenen, aber auch beim adulten Säugetier ein zugewandtes Verhalten auslöst. Dieses Erscheinungsbild, das sogenannte Kindchenschema (nach Konrad Lorenz, zitiert bei Eibl-Eibesfeldt), besteht aus folgenden Merkmalen: Im Vergleich mit Erwachsenen haben Kinder einen großen Kopf und einen kleinen Körper. Sie weisen einen großen Hirnschädel mit mächtiger Stirn, aber einen kleinen Gesichtsschädel auf. Ihre Wangen wirken groß und voll, ihre Augen in den kleinen Gesichtchen riesig. Junge Säugetiere verfügen ebenfalls über diese Merkmale. Ihr Anblick löst daher bei uns ähnliche Gefühle aus, wie wir sie dem Säugling entgegenbringen.

Die Wirkung des Kindchenschemas wird in unserer Gesellschaft weidlich ausgenützt. So werden Babys, aber auch junge Hunde und Kätzchen in der Werbung mit großem Erfolg eingesetzt. In Comics und Trickfilmen wie auch auf Gratulationskarten werden die Merkmale des Kindchenschemas übertrieben dargestellt. Die Produzenten haben die biologisch berechtigte

*Austoben auf dem Spielplatz*

Erwartung, daß das Kindchenschema beim Betrachter Gefühle der Zuwendung auslösen wird.

**Körperhaltung.** Wenn wir müde sind, hängen unsere Schultern. Sind wir voller Tatendrang, ist unser Körper gestrafft. In aggressiver Stimmung stellen wir die Ellenbogen heraus. Mit der Körperhaltung drücken wir unser emotionales Befinden aus und wie wir den anderen Menschen gegenüber gestimmt sind. Wenn wir an einer Person Interesse haben, wenden wir uns ihr nicht nur gefühlsmäßig, sondern auch körperlich zu. Sind wir ihr besonders zugetan, nehmen wir – um ihr unsere Zuneigung kundzutun – ihre Körperhaltung ein. Wir schlagen beispielsweise die Beine in der gleichen Art wie der Gesprächspartner übereinander.

Der Säugling, der auf dem Rücken liegt und strampelt, macht auf uns den Eindruck, hilflos zu sein, was er in der Tat auch ist. Seine Haltung löst bei uns Zuwendung aus.

**Körperbewegungen.** Wie die Körperhaltung spiegeln auch unsere Bewegungen unsere Befindlichkeit wider. Kinder schlenkern voller Lebenslust Arme und Beine. Soldaten an einer Parade werfen Arme und Beine streng ausgerichtet nach vorn, um den Eindruck von Disziplin und geballter Kraft zu erwecken. Unsere Ungeduld drücken wir aus, indem wir auf dem Stuhl herumrutschen, mit den Füßen scharren oder an den Kleidern nesteln. Im Tanz vermögen talentierte Menschen eine ganze Fülle von Gefühlen auszudrücken.

Genauso wie das Aussehen und die Körperhaltung eines Kindes wirken auch seine Körperbewegungen auf uns. Ein Säugling, der seine Arme nach uns ausstreckt, ist unwiderstehlich: Wir müssen ihn aufnehmen. Der Dreijährige, der sich in seiner Trotzreaktion auf den Boden wirft und mit allen vieren um sich schlägt, macht uns hilflos. Auf dem Spielplatz drücken die Kinder mit ihren kraftvollen Bewegungen ihre ganze Lebensenergie aus.

**Mimik.** Freude, Trauer, Heiterkeit, Mißtrauen, Erstaunen und Furcht: Die ganze Palette unserer Gefühle bringen wir in unserem Gesicht zum Ausdruck. Der Mund, die Gesichtsfalten, die Nase, die Augen und Augenbrauen, die Stirne und nicht zuletzt auch die Kopfhaltung dienen uns als Ausdrucksmittel. Jeder Gesichtspartie kommt dabei eine spezifische Bedeutung zu. Welche Wirkung die Anordnung der Augen auf uns ausübt, können wir auf der folgenden Abbildung sehen. A und B sind zwei Punkte in unterschiedlicher räumlicher Anordnung, C jedoch wirkt wie ein Augenpaar.

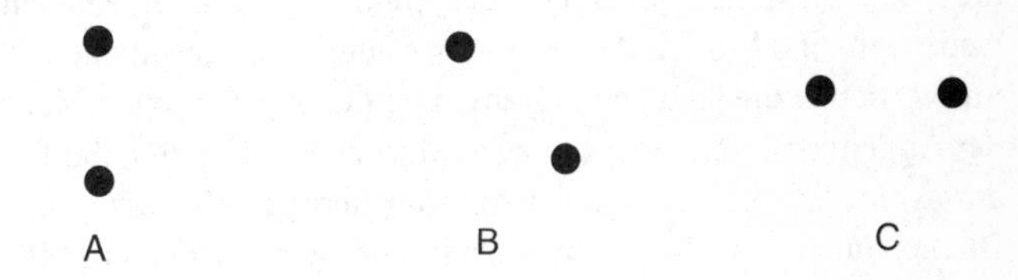


*Welche Punkte schauen uns an?*

Die Stellung der Augenbrauen signalisiert uns eine ganz bestimmte Gemütsverfassung. Im Kummer hängen die Augenbrauen tief (D), im Erstaunen werden sie hochgezogen (E), im Zorn verlaufen sie schräg nach außen oben (F). Die Augenlider schließen wir in der Ablehnung schlitzförmig und reißen sie in der Angst weit auf.

Berührt uns etwas unangenehm, rümpfen wir die Nase. Sind wir erstaunt, ist unser Mund weit offen. Wenn wir zweifeln, ist

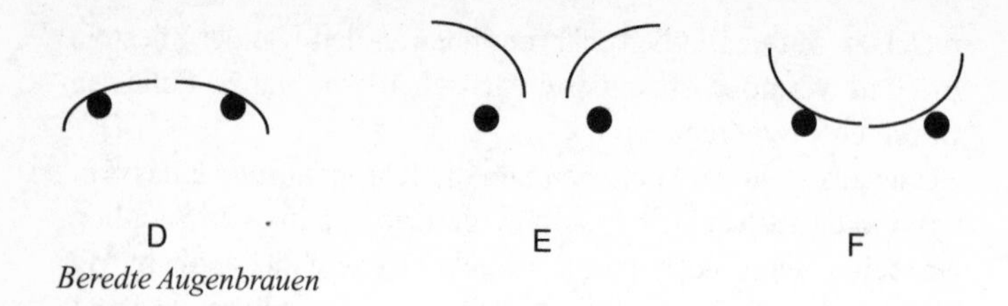

*Beredte Augenbrauen*

der Mund verkniffen, freuen wir uns, sind die Mundwinkel hochgezogen.

Die Zahl unserer mimischen Ausdrucksmöglichkeiten vermehren wir, indem wir die einzelnen mimischen Elemente kombinieren. Sind wir verblüfft, ziehen wir die Augenbrauen hoch. Sind wir verlegen, ziehen wir ebenfalls die Augenbrauen hoch, reißen aber die Augen nicht auf wie in der Verblüffung, sondern richten sie himmelwärts. Im Kummer kriegen wir tiefe Falten auf der Stirn und zwischen den Augenbrauen. Unser Blick ist matt, Augenlider und Mundwinkel hängen herunter. Ist der Blick aber stechend und der Mund strichförmig zusammengepreßt, drücken die Stirnfalten Zorn aus.

**Blickverhalten.** Zwei Menschen schauen sich lange und tief in die Augen. Ein nicht allzu häufiger Anblick. Es handelt sich entweder um eine Mutter, die mit ihrem Säugling Zwiesprache hält, um Verliebte, die sich gemeinsam in den unergründlichen Tiefen der Augen verlieren, oder um zwei Menschen, die sich haßerfüllt anstarren. Wir gehen zumeist sparsam und gezielt mit unseren Blicken um, denn: Blicke sprechen Bände. Wenn wir einem Menschen einen Lidschlag zu lang oder zu kurz in die Augen schauen, haben wir ihm Unterschiedliches mitgeteilt. Wenn wir, anstatt einen Gesprächspartner anzusehen, ein Loch in den Boden starren, können unsere Worte noch so überzeugend sein, der Partner spürt, daß wir an seiner Person kein Interesse haben oder das Interesse so groß ist, daß wir es nicht wagen, ihn anzusehen.

Neugeborene und Säuglinge sind Augenwesen. Man darf und muß sie lange anschauen. Aber selbst Neugeborenen kann es zuviel werden. Dann schließen sie ganz einfach die Augen oder schauen weg. Je älter die Kinder werden, desto ausdrucksvoller wird ihr Blickverhalten und desto bedeutungsvoller wird unser Blickverhalten für das Kind. Es gibt für jedes Kind und für jede Situation ein richtiges Maß an Hinschauen und Wegblicken.

**Stimme.** Die menschliche Stimme kann warm und weich, schneidend kalt, schmeichelnd oder verletzend sein. Wenn wir reden, ist für den anderen Menschen oft weniger der Inhalt unserer Mitteilung als vielmehr die Art und Weise, wie wir sprechen, von Bedeutung. Ein Politiker überzeugt mit seiner hinreißenden Art zu reden die Massen. Liest man seine Rede, stellt man überrascht fest, daß sie bar jeden Inhalts ist. Ein Professor hat sensationelle Resultate mitzuteilen; weil seine Sprechweise monoton und langweilig ist, läuft er Gefahr, daß das Publikum ihm nicht zuhört und nicht glaubt. Decken sich der Inhalt und der Ausdruck der Stimme nicht, erscheint uns zumeist die Sprechweise glaubwürdiger als der Inhalt. »Du kleiner Lump«, liebevoll gesagt, wird zu einem Kosewort. Eine gepreßte und kalte Stimme macht umgekehrt jeden Liebesschwur unglaubwürdig.

Kinder verstehen den Inhalt der gesprochenen Sprache während vieler Monate nicht. Der Ausdruck der Stimme aber ist für sie bereits in den ersten Lebenstagen bedeutungsvoll. Sie reagieren empfindlich auf die Lautstärke und Tonlage sowie auf die melodischen Qualitäten der Stimme. Gegen Ende des ersten Lebensjahres beginnen die Kinder die Bedeutung von Alltagswörtern zu verstehen. Der gefühlsmäßige Ausdruck der Sprache bleibt für das Kind aber bestimmend. Der Stimme entnimmt das Kind, wie die Mutter gelaunt ist, was der Vater von ihm will. Wenn es in das Territorium seines Geschwisters eindringt, signalisiert ihm das aufgebrachte Gekreische und nicht der konkrete Inhalt der Wörter, daß es das Geschwister erzürnt hat.

**Distanzverhalten.** Der Mensch hat wie die meisten Tiere ein ausgeprägtes Distanzverhalten. Jeden Menschen umgibt eine unsichtbare, aber wohldefinierte Sicherheitszone. Dringt eine Person in diese Zone ein, löst dies Aggressionen oder eine Fluchtbewegung aus. Wir zeigen täglich dutzendmal intuitiv ein der jeweiligen Situation angepaßtes Distanzverhalten. Der Ladenfrau, dem Busfahrer, dem Vorgesetzten, dem lieben Verwandten, dem verhaßten Bekannten, jedem begegnen wir mit einer der Person und Situation angepaßten Distanz.

Der Abstand, den wir von einem anderen Menschen respektiert haben wollen, ist unterschiedlich groß je nach Situation und Vertrautheit der anderen Person. Auf ein nichtangepaßtes Distanzverhalten reagieren wir überaus empfindlich. Wenn wir an einem einsamen Meeresstrand liegen, weit und breit keine Menschenseele zu sehen ist, sind wir irritiert, wenn sich ein Fremder in zehn Meter Entfernung niederläßt. Der will etwas von uns, sei es im Guten oder im Bösen! In der Straßenbahn zu den Hauptverkehrszeiten werden wir es aber zulassen, daß sich eine fremde Person während längerer Zeit in unserer nächsten Nähe aufhält. Ein Umstand, den Taschendiebe sehr wohl zu nutzen wissen! Die fremde Person halten wir uns gefühlsmäßig auf Distanz, indem wir tunlichst jeden Blickkontakt vermeiden – und sei die Fahrt noch so lang.

Wir haben wenig Hemmungen, ein Neugeborenes oder einen wenige Wochen alten Säugling rasch zu berühren und aufzunehmen. Sein Verhalten veranlaßt uns anzunehmen, daß das Distanzverhalten in diesem Alter noch kaum entwickelt ist. Im Alter von zwei bis drei Monaten beginnen wir auf das Kind Rücksicht zu nehmen. Wir spüren, daß sich unsere Art der Annäherung und die Distanz, die wir zu ihm einnehmen, auf sein Wohlbefinden auswirken. Spätestens ab dem sechsten Lebensmonat reagiert ein Kind empfindlich auf eine Verletzung des Sicherheitsabstands durch eine fremde Person. Nähert sich ein Fremder langsam, reagiert es mit wachsendem Interesse. In einer kritischen Distanz erreicht sein Interesse an der Person ein Maximum. Überschreitet der Fremde diese Distanz, verwandelt sich das Interesse in Ablehnung.

Die Mutter oder eine andere Bezugsperson beeinflussen mit ihrem eigenen Verhalten das Distanzverhalten eines Kindes. Verhält sich die Mutter skeptisch oder gar ablehnend einer fremden Person gegenüber, wird sich das Kind von dieser frühzeitig abwenden. Ist die Mutter dem Fremden wohlgesinnt, wird das Kind diesen näher an sich heranlassen. Wendet sich die Mutter der fremden Person aber allzusehr zu, kann es sich vernachlässigt fühlen. Es kann eifersüchtig werden und beginnen, den Fremden abzulehnen. Beziehungsfaktoren bestimmen das Distanzverhalten ganz wesentlich mit.

Dies war lediglich ein kleiner Abriß über unsere Körpersprache. Leser, die sich eingehender mit der Körpersprache des Menschen befassen möchten, sind die Bücher von Samy Molcho und Desmond Morris empfohlen. Faszinierende Bücher über die Körpersprache der Kinder wurden von Suzanne Szasz und Elizabeth Taleporos veröffentlicht.

## Ich-Entwicklung

Im dritten Lebensjahr geschieht ein kleines Wunder: Das Kind gebraucht das Wörtchen »ich«. Vordergründig scheint dies vor allem eine sprachliche Leistung zu sein. Es ist aber weit mehr. Eltern und Geschwister reden das Kind beim Namen oder mit »du« an, und von sich selbst reden sie in der Ichform. Es wäre daher naheliegend, daß das Kind, wenn es von sich spricht, seinen eigenen Namen oder das Wörtchen »du« benutzt. Das tun Kinder gelegentlich auch, aber nur für kurze Zeit. Damit ein Kind die Ich-, Du- und einige Zeit später auch die Wirform richtig anwenden kann, muß es eine erste Form einer Ich-Vorstellung entwickelt haben: Das Kind erlebt sich als eine Person und nimmt die Mitmenschen als eigenständige Personen wahr.

Die Ich-Entwicklung beginnt Ende des zweiten Lebensjahres und dauert ein ganzes Leben lang an (vgl. »Beziehungsverhalten 10 bis 24 Monate«). Sie ist mit einer Festigung und Differenzierung der Persönlichkeit, aber auch mit Krisen und schwierigen Verhaltensweisen verbunden. Eine eigene Persönlichkeit zu entwickeln bedeutet unter anderem, sich von den anderen Menschen abzugrenzen und seinen eigenen Willen durchzusetzen. Sich abgrenzen und durchsetzen aber heißt Konflikte austragen und Frustrationen ertragen sowie die Grenzen des eigenen Handelns akzeptieren lernen. Trotzreaktionen und Tobsuchtsanfälle, bekannte Verhaltensweisen des Kleinkindes, spiegeln diese Auseinandersetzungen wider. Sie sind unangenehm für die Eltern, aber notwendig für die kindliche Entwicklung. Sie sind ein untrügliches Indiz dafür, daß sich das Kind auf dem Weg zu seinem eigenen Ich befindet.

Mit der Entwicklung einer eigenen Persönlichkeit versucht das

Kind nicht nur seinen eigenen Willen durchzusetzen. Es nimmt seine eigenen Gefühle und auch diejenigen seiner Mitmenschen zunehmend wahr. Es beginnt sich in andere Menschen einzufühlen, Freud und Leid anderer Menschen mitzuempfinden, sich empathisch zu verhalten.

## Selbständigkeit

Die ersten Lebensjahre sind geprägt von dem unablässigen Bemühen des Kindes, selbständig zu werden. Selbständig werden heißt, seine Bedürfnisse selbst zu befriedigen. Ein Neugeborenes hat eine erste beschränkte Selbständigkeit errungen: Es ist körperlich getrennt von der Mutter und kann sich mit Sauerstoff und Nahrung versorgen. Wenn der Säugling mit vier bis fünf Monaten zu greifen beginnt, will er sich die Gegenstände selber zuführen, deren er habhaft werden kann. Fängt das Kind mit sieben bis zehn Monaten an, sich fortzubewegen, will es selbst bestimmen, wohin es kriechen will. Zwischen zwölf und 18 Monaten erwacht im Kind das Bedürfnis, selbständig aus der Tasse zu trinken und mit dem Löffel zu essen.

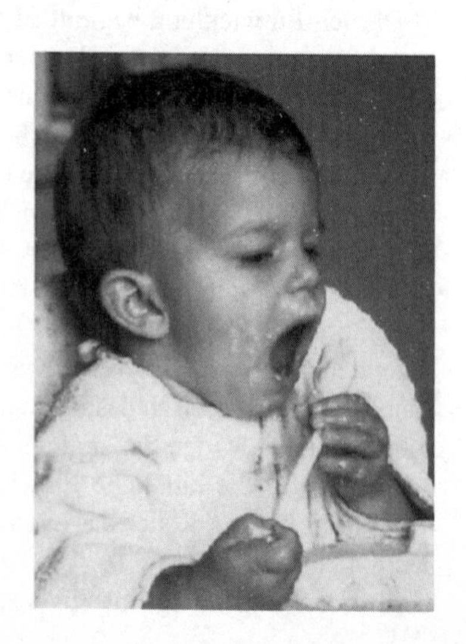

*Erstmals selbständig essen*

An diesen Beispielen können wir sehen, daß Selbständigwerden mit dem Auftreten bestimmter Fähigkeiten verbunden ist. Wenn eine Funktion einen gewissen Reifegrad erreicht hat, ist das Kind aus sich heraus motiviert, sich das entsprechende Verhalten anzueignen. Ein zwölf Monate altes Kind versucht andeutungsweise, den Löffel zum Munde zu führen. Einige Monate später sind seine Motorik und sein Verständnis für den Umgang mit dem Löffel so weit herangereift, daß es selbständig essen will.

Wenn die Eltern das Kind nicht mit dem Löffel essen lassen, wird es passiv und abhängig werden. Es wird die Einstellung entwickeln, daß es in dieser Welt wohl für alle Zeiten gefüttert werden wird. Sein Wille, selbständig zu werden, schwindet.

## Das richtige Maß

Das kindliche Verhalten erscheint den Eltern oft widersprüchlich. Einer der häufigsten Widersprüche entsteht durch das Nebeneinander von Bedürfnis nach Geborgenheit und dem Drang nach Selbständigkeit. Ein zweijähriges Kind braucht die Nähe der Eltern, um sich geborgen zu fühlen. Es will aber nicht mehr von ihnen gefüttert werden. Es will selbständig trinken und essen. Wenn die Eltern das Kind füttern, ist dies aus seiner Sicht eine falsche Form der Zuwendung.

Das richtige Maß zu finden, dem Kind einerseits Geborgenheit zu geben und es andererseits selbständig werden zu lassen, gehört zur großen Kunst des Elternseins. Das Kind hilft uns dabei, wenn wir bereit sind, auf sein Verhalten zu achten.

## Das Wichtigste in Kürze

1. Der Mensch ist ein soziales Wesen. Für sein Wohlbefinden braucht er ein Gefühl der Geborgenheit. Geborgenheit können dem Kind nur vertraute Personen vermitteln.

2. Das Kind bindet sich bedingungslos an die Eltern. Die Eltern haben eine große innere Bereitschaft, das Kind anzunehmen und zu umsorgen.

3. Unsere sozialen Bedürfnisse und unser psychisches Befinden teilen wir durch die Körpersprache mit, deren wesentliche Elemente sind: Aussehen, Mimik, Blickverhalten, Haltung und Bewegung des Körpers, Ausdruck der Stimme und Distanzverhalten.

4. In den ersten Lebensmonaten kommunizieren Kind und Eltern ausschließlich über die Körpersprache.

5. Die Selbstwahrnehmung setzt Ende des zweiten Lebensjahres ein: Das Kind beginnt sich selbst und andere Menschen als eigenständige Personen wahrzunehmen.

6. Jedes Kind will selbständig werden. Es will seinem Entwicklungsstand entsprechend selbst bestimmen und handeln.

7. Dem Kind Geborgenheit zu geben, ohne es dabei in seiner Entwicklung zur Selbständigkeit zu behindern, ist die hohe Kunst des Erziehens.

8. Unselbständigkeit führt zu Abhängigkeit, einer für Kind und Eltern nachteiligen Form von Bindung.

## Vor der Geburt

*Vor der ersten Ultraschalluntersuchung macht Erika ihren Geburtshelfer darauf aufmerksam, daß sie über das Geschlecht ihres Kindes nicht informiert werden will. Der Geburtshelfer nickt verständnisvoll. Erika ist nicht die erste Frau, die mit diesem Anliegen an ihn herantritt.*

Die Beziehung zwischen Eltern und Kind beginnt nicht erst bei der Geburt. Sie entsteht aus den Erwartungen, welche die Eltern mit ihrem zukünftigen Kind verbinden, aus ihren partnerschaftlichen und familiären Vorstellungen sowie aus den Erfahrungen, welche die Eltern während der Schwangerschaft mit dem Kind und mit dem Ehepartner machen.

Das Ungeborene ist mit seiner Mutter auf das innigste körperlich verbunden. Ob dies gefühlsmäßig gleichermaßen zutrifft? Unser Wissen über die emotionale Beziehung des ungeborenen Kindes zur Mutter ist überaus spärlich. Eine mehr oder weniger gesicherte Beobachtung ist, daß das ungeborene Kind während der Schwangerschaft mit der mütterlichen Stimme vertraut wird; sie hat für das Kind eine besondere Bedeutung.

In der Beziehung der Eltern zum ungeborenen Kind können drei Erlebnisperioden unterschieden werden.

### Das Kind als Verheißung

Die Schwangerschaft macht sich in den ersten Wochen für die meisten Frauen körperlich nur wenig bemerkbar. Vermehrte Müdigkeit und Übelkeit, Heißhunger für und Widerwillen gegen bestimmte Speisen können auftreten. Die schwangere Frau spürt ihr Kind noch nicht, zahlreiche Fragen beschäftigen sie aber gleichwohl: Wie werde ich Schwangerschaft und Geburt ertragen? Werde ich eine gute Mutter sein? Wann soll ich mit dem Arbeiten aufhören? Werde ich meine Arbeit, die Kollegen und die Kolleginnen vermissen? Wie wird sich der Partner als Vater bewähren? Erinnerungen an die eigene Kindheit und an die

Eltern werden wach. Die Frau beginnt sich innerlich auf ihre neue Rolle und die Veränderungen in ihrem privaten und beruflichen Leben vorzubereiten. Neben der Freude auf das Kind und die Mutterschaft gibt es auch bange Stunden. Ängste und Zweifel sind mit ein Ausdruck der großen inneren Umstellungen, die eine schwangere Frau durchmacht. Sie gehören zu einer normalen Schwangerschaft.

Für die meisten Väter ist das Kind im ersten Drittel der Schwangerschaft lediglich angekündigt. Der Mann nimmt aber die Veränderungen an seiner Frau wahr. Sie wird stiller oder reizbarer. Sie sucht die Nähe des Mannes oder möchte häufiger allein sein. Ihre sexuellen Bedürfnisse ändern sich. Der angehende Vater macht sich Gedanken, wie sich die Berufsaufgabe der Mutter auf das Haushaltsbudget und wie sich das Familienleben auf seine Arbeit auswirken wird. Für viele ist die Ankunft eines Kindes mit Einschränkungen, vor allem auch finanzieller Art, verbunden.

Die angehenden Eltern wissen noch nichts über das Wesen ihres Kindes. Sie freuen sich auf das Kind und spüren: Das Kind wird ihr Leben verändern.

## Das Kind macht sich bemerkbar

Mit den ersten Kindsbewegungen in der 16. bis 20. Schwangerschaftswoche nimmt die Mutter das Ungeborene erstmals als ein unabhängiges Wesen wahr. Die Bewegungen helfen ihr, in den folgenden Wochen und Monaten eine Vorstellung vom Kind heranzubilden: Ein kräftiger Junge, der im Bauch herumstrampelt und nachts gerne aktiv ist. Oder ein sanftes Mädchen, dessen streichelnde Bewegungen die Mutter nur bemerkt, wenn sie sich darauf konzentriert. Nicht wenige Mütter wie Erika wollen bei den Schwangerschaftsuntersuchungen die Ultraschallbilder ihrer Kinder nicht sehen. Sie wollen auch das Geschlecht nicht wissen. Sie schaffen sich ihr eigenes inneres Bild.

Mit den Bewegungen wird das Kind auch für den Vater zu einer Realität. Mit fortschreitender Schwangerschaft werden seine Bewegungen immer kräftiger und damit für den Vater fühlbar und schließlich auch sichtbar.

## Hoffen und Bangen

Im letzten Schwangerschaftsdrittel nimmt das Kind an Gewicht stark zu. Der mütterliche Bauch wird rasch größer. Neben der Freude auf die bevorstehende Geburt stellen sich den meisten schwangeren Frauen auch in diesem Abschnitt der Schwangerschaft bange Fragen: Wird sich das Kind normal entwickeln? Wird es nicht mißgebildet sein? Hätte ich früher mit dem Arbeiten aufhören sollen? Haben dem Kind die zwei Zigaretten pro Tag nicht geschadet? Werde ich bei der Geburt nicht versagen? Solche Bedenken sind keine schlechten Vorzeichen, sondern ebenfalls Ausdruck der inneren Umstellungen, welche die Mutter durchmacht. In der gedanklichen und gefühlsmäßigen Auseinandersetzung mit der Geburt zieht sie auch einen möglichen ungünstigen Ausgang in Betracht.

In den letzten Wochen vor der Geburt beginnt sich das innere Bild, das sich die Mutter während der Schwangerschaft von ihrem Kind gemacht hat, aufzulösen. Sie wird damit innerlich frei für die Beziehungsaufnahme mit ihrem realen Kind. Je näher der Termin rückt, desto stärker wird die Freude auf die bevorstehende Geburt. Das Kinderzimmer wird eingerichtet, der »Nestbauinstinkt« erwacht, und Namenlisten werden gewälzt. Viele Frauen warten in den letzten Schwangerschaftswochen geradezu ungeduldig auf das Einsetzen der Wehen.

## Praktische Vorbereitung auf die Geburt

Schwangerschaftskurse sind für manche werdende Mutter nicht nur wegen der konkreten Geburtsanleitung nützlich. Die Übungen helfen ihnen, ihren Ängsten mit Handeln zu begegnen und Vertrauen in ihre eigenen Fähigkeiten zu fassen. Im Gespräch mit anderen Frauen erfahren sie, daß sie mit ihren Ängsten und Zweifeln keineswegs allein sind.

Schwangerschaft, Geburt und die ersten Lebensmonate werden von Mutter und Kind besser bewältigt, wenn der Vater die Mutter durch die verschiedenen Umstellungsphasen der Schwangerschaft begleitet. Er kann die Mutter wesentlich unterstützen, wenn er Verständnis und Anpassungsbereitschaft zeigt für die Veränderungen, die sich in ihrem privaten und beruflichen Leben durch die Schwangerschaft und die Geburt ergeben. Wenn die schwangere Frau spürt, daß der Mann ihre Bedürfnisse und die der zukünftigen Familie wahrnimmt und bereit ist, sein Leben dementsprechend einzurichten, fällt ihr die eigene Neuorientierung leichter.

Immer mehr Eltern nehmen an Schwangerschafts- und Säuglingskursen teil. Eine hilfreiche Art, sich durch gemeinsames Erleben auf die Geburt vorzubereiten, durch konkretes Tun die Angst vor dem winzigen Säugling zu mindern und sich eine gewisse Kompetenz im Umgang mit Milchflasche und Windeln anzueignen.

Das Wichtigste aber ist die innere Bereitschaft der Eltern, in ihrem Leben Raum freizumachen für die zukünftige Familie.

## Das Wichtigste in Kürze

1. Die frühe Eltern-Kind-Beziehung entsteht aus den Erwartungen, welche die Eltern in ihr zukünftiges Kind setzen, aus den partnerschaftlichen und familiären Vorstellungen und den Erfahrungen, welche die Eltern während der Schwangerschaft mit dem Kind und miteinander machen.

2. Die Eltern-Kind-Beziehung entwickelt sich während der Schwangerschaft in drei Erlebnisperioden, die jeweils mit bestimmten inneren Umstellungen verbunden sind.

3. Die Umstellungen, welche die schwangere Frau und in einem geringeren Maße auch der Vater zu vollziehen haben, sind nicht nur von positiven Gefühlen begleitet.

Ängste und Zweifel, die bei jeder Neuorientierung auftreten, gehören zu einer normalen Schwangerschaft. Sie weichen schließlich einer zuversichtlichen Haltung und freudigen Erwartung auf die bevorstehende Geburt des Kindes.

4. Schwangerschaft und Geburt eines Kindes führen bei manchen Frauen zu einschneidenden Veränderungen in ihrem privaten und beruflichen Leben. Der Vater kann wesentlich zu einem guten Gelingen von Schwangerschaft und Geburt beitragen, wenn er die Mutter durch die verschiedenen Umstellungsphasen der Schwangerschaft begleitet und Verständnis und eigene Anpassungsbereitschaft zeigt für die Veränderungen in ihrem Leben.

5. Schwangerschafts- und Säuglingskurse sind für angehende Eltern eine hilfreiche Gelegenheit, sich durch praktisches Handeln und in Gesprächen auf die Geburt und die ersten Lebenswochen mit ihrem Kind vorzubereiten.

# 0 bis 3 Monate

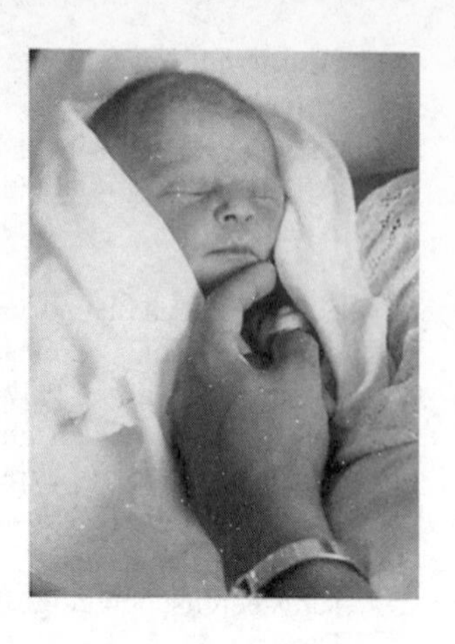

*Martin ist sieben Tage alt. Vor einer Stunde hat die Mutter ihn gestillt und anschließend mit ihm gespielt. Nun ist Martin eingeschlafen. Die Mutter sieht, wie ein Lächeln seine Mundwinkel umspielt. Engelslächeln oder Träume?*

Was braucht ein Neugeborenes, damit es sich wohl fühlt in dieser Welt? Als erstes müssen seine vitalen Bedürfnisse gestillt sein: Schutz vor äußerer Unbill wie Kälte, Zufuhr von Nahrung und körperliche Nähe. Die meisten Neugeborenen haben ein gut ausgebildetes Fettpolster, das sie vor sofortiger Auskühlung schützt. Sie können ihre Körpertemperatur aber nur in einem engen Bereich selber regulieren. Sie sind deshalb darauf angewiesen, daß die Eltern für einen entsprechenden Schutz vor übermäßiger Kälte oder Wärme sorgen. Die Kinder legen sich in den letzten Schwangerschaftswochen ein Fett- und Kohlehydratpolster zu, das ihnen in den ersten Lebenstagen als Nährstoff- und Energiequelle dient. Spätestens nach der ersten Lebenswoche brauchen die Kinder eine regelmäßige und ausreichende Nahrungszufuhr (vgl. »Trinken und Essen 0 bis 3 Monate«). Schließlich haben Neugeborene ein ausgesprochenes Bedürfnis nach körperlicher Nähe. Sie wollen gehalten, herumgetragen und gestreichelt werden. Sie wollen bei den Eltern sein.

Seine Bedürfnisse tut der Säugling der Umgebung lautstark und wirksam kund. Er schreit, wenn er Hunger hat, wenn er gewickelt werden will, wenn ihm kalt ist oder wenn er sich verlassen fühlt. Wir Erwachsenen können gar nicht anders, wir müssen auf sein Schreien reagieren. Ein Baby schreien zu lassen halten wir nur kurze Zeit aus. Wenn ein Kind weint, haben die Eltern, aber auch fremde Frauen und Männer, einen unwiderstehlichen Drang nachzuschauen, warum es weint. Damit hat die Natur sichergestellt, daß die vitalen Bedürfnisse des jungen Säuglings zuverlässig befriedigt werden. In einem separaten Kapitel beschäftigen wir uns ausführlich mit seinem Schreiverhalten.

Das Schreien ist eine sehr wirksame, wenn auch wenig differenzierte Form, der Umgebung seine Bedürfnisse mitzuteilen. Das Neugeborene kann aber mehr als nur schreien. Es zeigt bereits in den ersten Lebensstunden Interesse an anderen Menschen und kann sich in einem beschränkten Maße mitteilen. Neugeborene und Säuglinge sind beziehungsfähig, wenn auch ihre Wahrnehmung und ihre Ausdrucksmöglichkeiten noch sehr begrenzt sind. Das Kind gestaltet die Beziehung zu seinen Eltern von seinem ersten Lebenstag an aktiv mit.

Mit dem Beziehungsverhalten des Neugeborenen und Säuglings wollen wir uns in diesem Kapitel beschäftigen.

## Erstes Kennenlernen

Die Stunden nach der Geburt sind für Eltern und Kind eine außergewöhnliche Zeit. Sie haben ein intensives Bedürfnis, sich gegenseitig kennenzulernen. Die Eltern betrachten ihr Kind sehr genau vom Kopf bis zu den Händen und Füßen. Sie streicheln und befühlen das Neugeborene. Sie riechen an ihm, legen es an ihren Körper und spüren seine Wärme. Sie betrachten seine Mimik und seine Körperbewegungen. Sie achten darauf, wie es atmet. Jede Regung des Kindes nehmen sie wahr und kommentieren sie.

Die meisten neugeborenen Kinder sind in den ersten Lebensstunden ungewöhnlich wach und aufmerksam, oft deutlich mehr als in den folgenden Tagen. Ihre Augen sind weit offen. Mit ihrer Mimik, Körperhaltung und ihren Bewegungen geben sie ihren Eltern zu verstehen, daß sie an ihnen interessiert sind.

Den ersten Lebensstunden wurde von einigen Autoren eine große Bedeutung für das mütterliche Bindungsverhalten zugeschrieben (Klaus/Kennell). Anlaß dazu gaben tierexperimentelle Untersuchungen bei Huftieren wie Schafen und Ziegen. Bei die-

ser Tiergattung bindet sich das Muttertier in den ersten 15 Minuten nach der Geburt an ihr Junges. Wird das Junge unmittelbar nach der Geburt der Mutter weggenommen und ihr nach zwei oder mehr Stunden zurückgegeben, ist die Mutter nicht mehr bereit, es anzunehmen. Andererseits nimmt die Mutter ein fremdes Junges an, wenn es ihr, unmittelbar nachdem sie geboren hat, zugeführt wird. Verschiedene Studien haben gezeigt, daß ein solch zeitlich fixierter Bindungsvorgang nur bei bestimmten Tierarten vorkommt (Svejda).

Beim Menschen haben die ersten Stunden nach der Geburt – wie oben beschrieben – zweifelsohne eine besondere Bedeutung für Eltern und Kind. Der Bindungsvorgang ist beim Menschen aber kein zeitgebundenes Reflexgeschehen. Die ersten Lebensstunden haben nicht die ausschlaggebende Bedeutung für die Eltern-Kind-Bindung wie bei den Huftieren und gewissen anderen Tiergattungen. Dies ist ein Glück für alle Eltern und Kinder, denen ein erstes Kennenlernen nach der Geburt aus äußeren Gründen verwehrt ist. Eine solche Situation kann eintreten, wenn das Kind beispielsweise durch Kaiserschnitt entbunden wird oder wegen Frühgeburt in ein anderes Krankenhaus verlegt werden muß.

Die Erfahrungen der ersten Lebensstunden spielen keine Schlüsselrolle in dem Sinne, daß, wenn dieser Kontakt zwischen Eltern und Kind nach der Geburt ausbleibt, eine bleibende

Beeinträchtigung ihrer Beziehung zu befürchten wäre. Die Beziehung zwischen Kind und Eltern entwickelt sich langsam und stetig. Sie entsteht und verändert sich aufgrund unzähliger Erfahrungen, die Kind und Eltern über Monate und Jahre hinweg miteinander machen. Das erste Kennenlernen nach der Geburt ist nur eine, wenn auch wichtige Erfahrung.

## Wahrnehmen und sich mitteilen

Neugeborene und Säuglinge können nicht nur sehen und hören. Sie haben ein angeborenes Interesse am menschlichen Gesicht und an der menschlichen Stimme. Nichts in dieser Welt vermag sie so zu fesseln wie der Anblick eines Gesichts und die menschliche Stimme. Sie haben überdies einen sehr gut entwickelten Geruchssinn. Sie erkennen einige Wochen nach der Geburt ihre Mutter untrüglich an ihrem Körpergeruch (MacFarlane). Säuglinge haben ein Sensorium für Berührung und Gehaltenwerden. Sie spüren, ob sie von der Mutter, vom Vater oder einer fremden Person aufgenommen, gehalten und gestreichelt werden.

Neugeborene Kinder haben nicht nur Interesse am anderen Menschen, sie verfügen auch über ein beschränktes Repertoire an Ausdrucksmöglichkeiten. Viele Neugeborene haben einen für viele Eltern überraschend differenzierten Gesichtsausdruck. Wenn sie aufmerksam ein Gesicht betrachten, werden ihre Augen weit und glänzend, der Mund öffnet sich leicht, und die Wangen

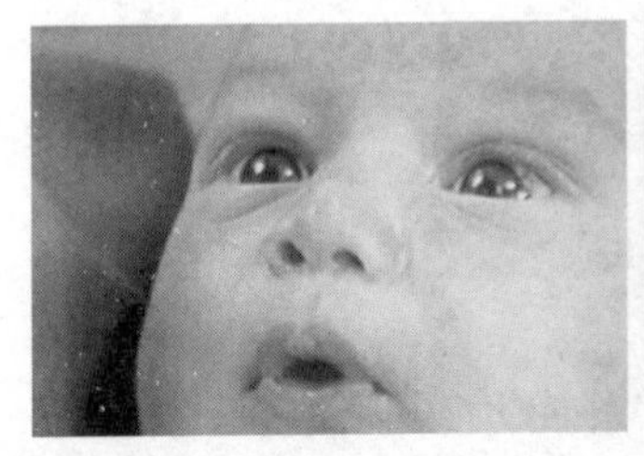

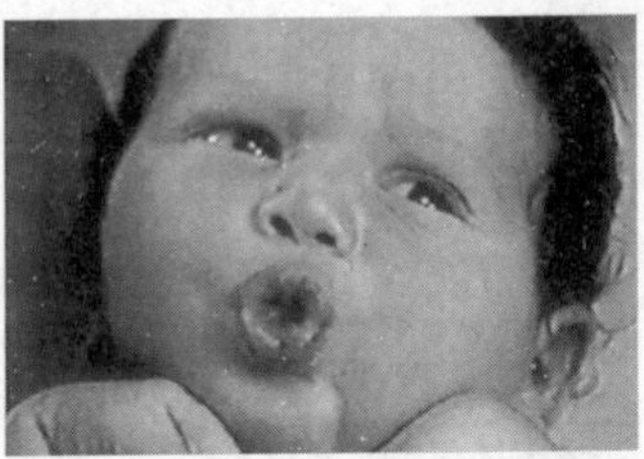

*Mimischer Ausdruck eines zwei Tage alten Kindes: betrachtet aufmerksam das mütterliche Gesicht (links); blickt ermüdet von der Mutter weg (rechts).*

sind angespannt. Werden sie müde, schauen sie weg, ihre Augen verlieren an Glanz.

Bereits im Neugeborenenalter bringen die Kinder verschiedene Gefühle in ihrem Gesicht zum Ausdruck (Izard). Sie können mimisch nicht nur ihr Interesse am menschlichen Gesicht zeigen. Wenn sie nach dem Trinken die verschluckte Luft im Magen plagt, machen sie ein bekümmertes Gesicht. Wenn sie etwas Salziges oder Saures in den Mund bekommen, drückt ihr Gesicht Ekel aus. Werden Neugeborene unsanft aufgenommen oder abgelegt, reißen sie erschreckt Augen und Mund auf. Interesse, Unbehagen, Ekel und Erschrecken sind angeborene Ausdrucksformen. Sie finden sich bei allen Neugeborenen auf der ganzen Welt unabhängig davon, in welche Kultur sie hineingeboren werden.

Fühlt sich ein Kind wohl, macht es Laute. Seine Stimmung und seine Bereitschaft, mit der Umgebung Beziehung aufzunehmen, drückt es mit der Körperhaltung sowie mit Arm- und Beinbewegungen aus. Ist der Säugling an der Mutter interessiert, wendet er sich ihr zu, häufig bewegt er sich lebhaft. Wird er müde, wendet er sich von ihr ab, seine Arme und Beine werden schlaff.

Eine weitere bemerkenswerte Fähigkeit des Säuglings besteht im Nachahmen. Andrew Melzoff konnte als erster nachweisen, daß Säuglinge und selbst das Neugeborene zwei, vielleicht auch drei Mundstellungen nachahmen können: den Mund öffnen, die Zunge herausstrecken und die Lippen spitzen.

Die Wahrnehmung und die Ausdrucksmöglichkeiten des Neu-

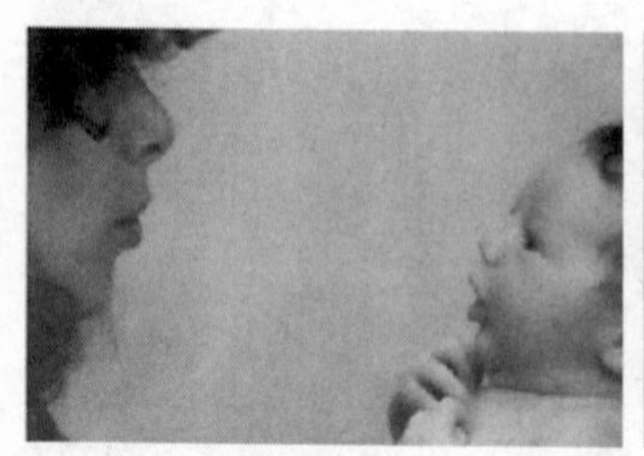

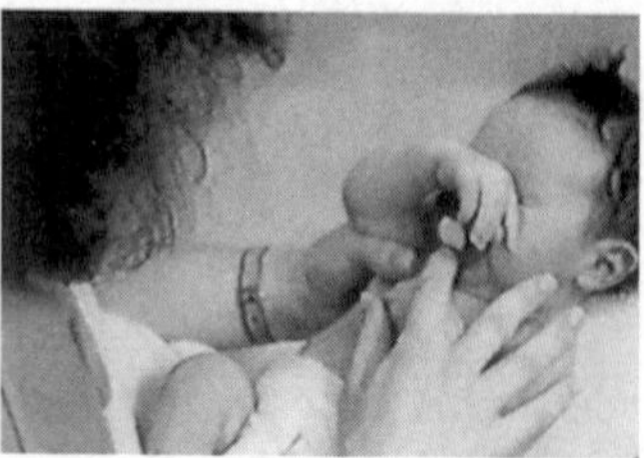

*Zu- und abgewandte Körperhaltung eines zwei Tage alten Jungen*

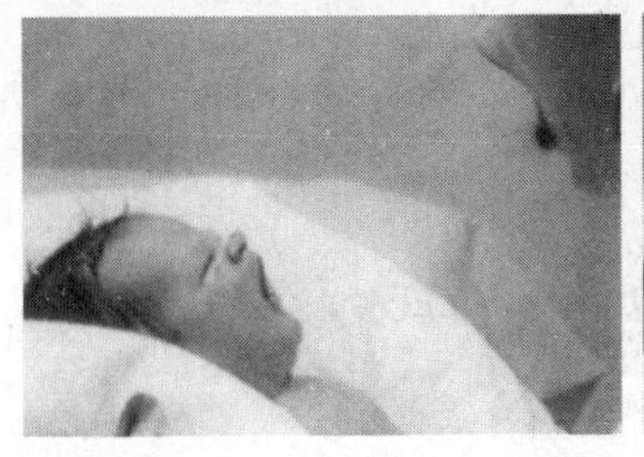
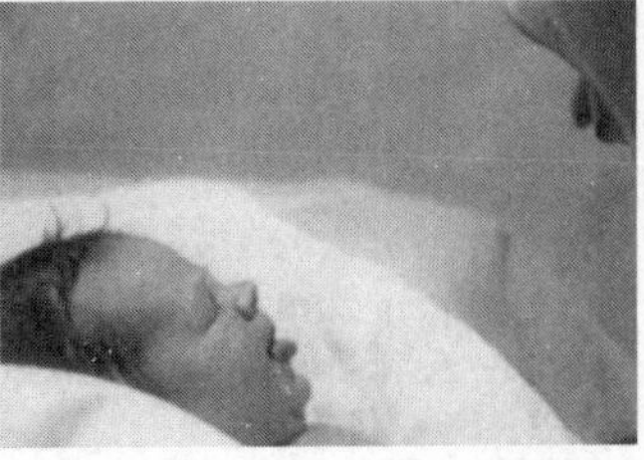

*Zwei Tage alter Junge ahmt Mundöffnen und Zungeherausstrecken nach.*

geborenen und Säuglings sind noch ziemlich begrenzt. Sie brauchen viel Zeit, um einen Reiz aufzunehmen und zu verarbeiten. Sie sind darauf angewiesen, daß der Reiz stark ist, lange andauert und wiederholt auftritt. Sie ermüden rasch in ihrem Bemühen, sich mit Mimik, Blickverhalten und Plaudern der Umgebung mitzuteilen.

Diesen begrenzten Fähigkeiten ihres Kindes paßt sich die Mutter intuitiv an (vgl. »Spielverhalten 0 bis 3 Monate«). Sie hat eine starke Neigung, das kindliche Verhalten zu spiegeln. So ahmt sie einen erstaunten wie auch einen bekümmerten Gesichtsausdruck nach. Sie wiederholt die Töne, die ihr Kind macht. Sie variiert dabei leicht ihre Nachahmung in Stärke und Ausdruck und steigert damit das Interesse des Kindes. Die Mutter spielt ihm seine eigenen Gefühle vor und drückt ihre Zuneigung zum Kind aus. Die Nachahmung kann selbst unter erwachsenen Menschen eine überaus wirksame Form sein, Zuneigung zu zeigen.

---

*Gesichtsausdruck*
Augen und Mund wiederholt weit geöffnet. Augenbrauen stark angehoben, ausgeprägte und nickende Kopfbewegungen zum und vom Kind weg. Ein bestimmter Gesichtsausdruck formt sich langsam und wird für lange Zeit beibehalten. Gespielter Ausdruck des Erstaunens und Überraschtseins

*Sprache*
Ammensprache: hohe Tonlage, singende Qualität, ausgeprägter Wechsel der Tonlage, Sprachfluß verlangsamt. Vokale gedehnt

und eindringlich artikuliert. Vielfaches Wiederholen des Gesprochenen mit kleinen Variationen in Inhalt, Tonhöhe und zeitlichem Ablauf

*Körper-, Arm- und Handbewegungen*
Bewegungen zum Kind hin und vom Kind weg. Übertriebene Körper-, Arm- und Handbewegungen

*Nachahmung*
des kindlichen Gesichtsausdruckes und der kindlichen Laute

---

*Merkmale des elterlichen Verhaltens im Umgang mit dem Neugeborenen und dem Säugling (nach Stern)*

Das Verhalten von Müttern gegenüber ihren Säuglingen ist, wenn wir es mit dem Beziehungsverhalten älterer Kinder und Erwachsener vergleichen, einmalig. Diese Ausdrucksweisen können wir aber nicht nur bei Müttern, sondern auch bei Erwachsenen und älteren Kindern beobachten, die Erfahrung im Umgang mit Säuglingen haben. Zwischen Erwachsenen empfinden wir solche Ausdrucksweisen als höchst ungewöhnlich, es sei denn, es handelt sich um eine emotionale Extremsituation wie Verliebtsein oder Streit.

Bereits in den ersten Lebenstagen lassen sich Unterschiede im Verhalten zwischen neugeborenen Kindern feststellen. Während ein Kind eine ausdrucksstarke Mimik zeigt, macht ein anderes viele und verschiedene Laute. Gewisse Kinder sind sehr interessiert am Gesicht der Mutter, andere hören besonders aufmerksam auf ihre Stimme, und wieder andere wollen vor allem gehalten und berührt werden. Die Mütter stellen sich intuitiv auf die Eigenheiten ihrer Kinder ein. Die eine Mutter spricht mehr mit ihrem Kind als eine andere, weil sie spürt, daß ihr Kind sehr gut darauf reagiert. Eine andere Mutter gibt ihrem Kind häufig Gelegenheit, ihr Gesicht zu betrachten, weil ihr Kind ein »Augenkind« ist. Eine dritte Mutter hält und streichelt eines ihrer Kinder mehr als die anderen, weil sie spürt, daß dieses Kind so am besten den Kontakt zu ihr findet.

## Nur die Mutter?

Das Kind macht in den ersten Lebenswochen die Erfahrung, daß seine Bedürfnisse zuverlässig durch die Mutter befriedigt werden. Wenn es Hunger hat und schreit, kommt sie und ernährt es. Wenn es sich unwohl fühlt, nicht allein sein will oder nicht einschlafen kann, steht sie ihm bei. Das Kind kann sich auf die Mutter verlassen. Es erlebt, daß es der Umwelt nicht hilflos ausgeliefert ist und daß diese ein bestimmtes Maß an Beständigkeit und Voraussagbarkeit hat. Diese Erfahrungen sind die ersten Bausteine für ein Vertrauen in diese Welt. Erikson spricht vom Urvertrauen.

Füttern und Körperpflege des Säuglings nehmen viel Zeit in Anspruch, Zeit für Mutter und Kind, sich gegenseitig kennenzulernen und Gefühle gegenseitiger Zuneigung auszutauschen. Es entsteht eine tiefe Beziehung zwischen Mutter und Kind. Bedeutet dies aber zwangsläufig, daß der Säugling nur zu seiner Mutter eine Beziehung aufbauen kann? Es gibt Fachleute, die diese Meinung vertreten. Die Mehrheit der Entwicklungspsychologen ist anderer Ansicht (Field, Lamb, Parke).

Es ist richtig: Der Beziehungsfähigkeit des Säuglings sind Grenzen gesetzt. Seine Wahrnehmung ist noch wenig entwickelt. Er braucht viel Zeit, einen Reiz über seine Sinnesorgane aufzunehmen. Ein bestimmter Reiz wird ihm nur vertraut, wenn der Reiz wiederholt über längere Zeit auf ihn einwirkt. Damit der Säugling eine Beziehung zu einer Person aufbauen kann, braucht er lang dauernde und stabile Erfahrungen mit dieser Person. Bereits der Säugling kann aber zu mehreren Personen (wohl nicht mehr als drei) Beziehungen aufbauen, sofern die Voraussetzungen von zuverlässigen und zeitlich ausreichenden Erfahrungen gegeben sind. Er kann nicht nur Beziehungen zu verschiedenen Bezugspersonen eingehen, er ist auch in der Lage, sich auf das unterschiedliche Verhalten von Mutter, Vater und anderen Bezugspersonen einzustellen.

## Erstes Lächeln

Beim schlafenden Neugeborenen können wir gelegentlich Zuckungen um die Augen, auf der Stirn und vor allem um den Mund beobachten (vgl. »Schlafverhalten 0 bis 3 Monate«). Werden beide Mundwinkel gleichzeitig hochgezogen, scheint das Kind im Schlaf zu lächeln. Im Volksmund spricht man von einem Engelslächeln. Es ist ein Vorläufer des eigentlichen Lächelns (Emde).

Beim wachen Kind können wir ein Lächeln frühestens mit zwei bis vier Wochen beobachten. Das Lächeln tritt oftmals spontan ohne einen äußeren Anlaß auf. Man hat den Eindruck, daß das Kind lächelt, weil ihm wohl ist. Mit etwa sechs bis acht Wochen erscheint die erste soziale Form des Lächelns: Der Anblick eines menschlichen Gesichts ruft beim zufriedenen Kind zuverlässig ein Lächeln hervor. Auf dieses Lächeln warten die Eltern sehnlichst. Sie erleben sein Erscheinen als eine Belohnung für ihre Fürsorge. Dieses erste Lächeln ist noch ziemlich unspezifisch: Der Säugling lächelt vertraute und fremde Personen gleichermaßen an. Es kann selbst durch eine Maske oder ein auf einen Karton gezeichnetes Smily-Gesicht hervorgerufen werden. Ausgelöst wird es anfänglich allein durch die Umrisse des menschlichen Kopfes. Selbst ein Luftballon kann daher ein Lächeln auslösen.

In den folgenden Wochen richtet das Kind seine Aufmerksamkeit zunehmend auf die Augenpartie. Augen und Augenbrauen werden als Auslöser des Lächelns bedeutsam. Mit etwa 20 Wochen beginnt auch der Mund eine Rolle zu spielen.
In den folgenden Wochen lächelt der Säugling fremde Personen zunehmend weniger und schließlich überhaupt nicht mehr an. Spätestens mit einem halben Jahr beginnt das Kind auch auf den mimischen Ausdruck eines Gesichtes zu reagieren. Der Säugling lächelt nur noch ein freundliches Gesicht an. Einem neutralen oder gar abweisenden Gesicht verweigert er sein Lächeln.

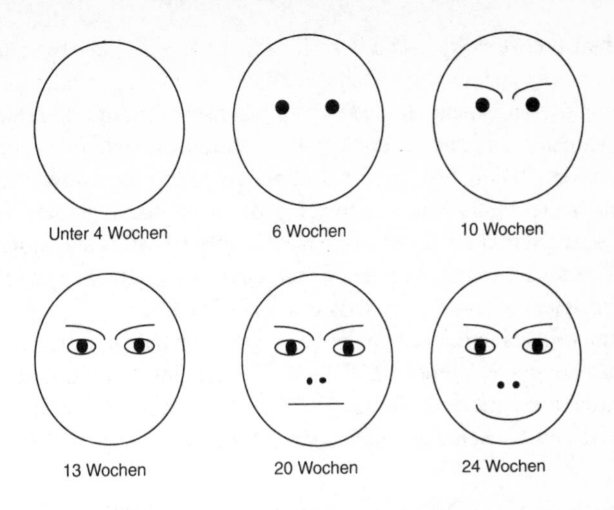


*Elemente des menschlichen Gesichtes und der Mimik, die während des ersten halben Jahres beim Säugling ein Lächeln auslösen (modifiziert nach Ahrens)*

## Die ersten drei Monate: sich einrichten

In den ersten zwei Lebensmonaten geschieht entwicklungsmäßig wenig. Nach einigen Wochen blickt der Säugling wohl etwas aufmerksamer umher und vermag den Kopf besser zu halten. Neue Fähigkeiten werden aber nicht beobachtet. Verschiedene Forscher haben die Meinung vertreten, das Menschenkind sei eine physiologische Frühgeburt (Prechtl): Die ersten zwei bis drei Lebensmonate müßte das Kind eigentlich noch im Mutterleib verbringen, was aber aus Ernährungs- und Platzgründen nicht möglich sei. Die ersten drei Lebensmonate führe das Kind daher ein Leben wie vor der Geburt weiter.

Diese Vorstellung wird dem Säugling wohl nicht ganz gerecht. Nach der Geburt hat er große Aufgaben zu bewältigen: Er muß seine Körperfunktionen umstellen und sich an die neue Umgebung gewöhnen (vgl. »Trinken und Essen 0 bis 3 Monate«). Der Säugling atmet nun selbst, muß sich ernähren und selbst verdauen. Die Schwerkraft macht ihm zu schaffen. Er paßt seinen

Schlaf und sein Wachsein dem Tag-Nacht-Wechsel an. Bis zum dritten Lebensmonat hat sich das Kind so weit eingerichtet, daß es nun bereit ist, sich in dieser Welt umzuschauen, mit den Händen zuzupacken und sich gelegentlich fortzubewegen.

In den Wochen nach der Entbindung lernt die Mutter die Eigenheiten ihres Kindes kennen. Jedes Kind hat seine Art, wie es gehalten und ernährt oder gewickelt werden will. Viele Mütter haben ihr eigenes Leben den neuen Gegebenheiten anzupassen. Kein leichtes Unterfangen! War sie zuvor berufstätig, wird die Mutter vieles in ihrem Leben neu zu gestalten haben. Kaum eine Beziehung, die durch die Ankunft des Kindes nicht verändert würde. Dies gilt auch für den Vater. Damit sich Kind und Mutter einrichten können, muß auch der Vater sich ein- und umstellen!

## Das Wichtigste in Kürze

1. In den ersten Stunden nach der Geburt haben Kind und Eltern ein intensives Bedürfnis, sich gegenseitig kennenzulernen. Das Neugeborene ist ungewöhnlich wach und aufmerksam.

2. Seine vitalen Bedürfnisse wie Schutz gegen Kälte, Nahrungszufuhr, Körperpflege und körperliche Nähe gibt der Säugling durch Schreien kund.

3. Der Säugling hat ein angeborenes Interesse am menschlichen Gesicht und an der menschlichen Stimme. Er erkennt die Mutter an ihrem Geruch. Er will gehalten und gestreichelt werden.

4. Der Säugling kann sich mit Mimik, Blickverhalten, Lauten, Körperhaltung und Bewegungen ausdrücken. Er vermag gewisse Mundstellungen nachzuahmen.

5. Im Umgang mit dem Säugling passen sich die Eltern den beschränkten Aufnahme- und Ausdrucksmöglichkeiten

des Kindes intuitiv an. Ihr Verhalten wirkt dadurch übertrieben, vereinfacht und repetitiv im Ausdruck.

6. Indem die Eltern das Kind nachahmen, dienen sie dem Kind als Spiegel seiner Aktivitäten und Emotionen.

7. Ein Vorläufer des Lächelns erscheint im Schlaf: das Engelslächeln. Das soziale Lächeln tritt mit sechs bis acht Wochen auf. Anfänglich lächelt der Säugling jedes Gesicht an, dann nur noch vertraute und schließlich nur noch freundliche vertraute Gesichter.

8. Die ersten drei Lebensmonate sind eine Zeit des Sicheinrichtens für Eltern und Kind. Dafür brauchen sie Zeit und Ruhe.

## 4 bis 9 Monate

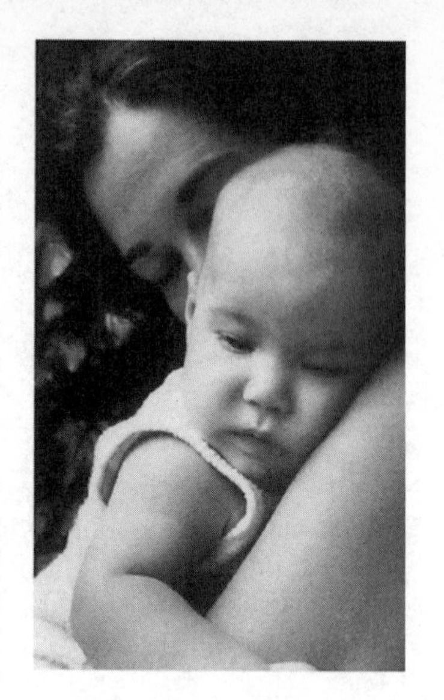

*Onkel Hans und Tante Lotti kommen zu Besuch. Bei der Begrüßung strahlt die sieben Monate alte Eva die Tante an. Als die Tante das Kind auf den Arm nimmt, greift Eva ihr ins Gesicht und nach der Brille. Die Tante ist erfreut und stolz, daß ihr die Nichte so zugetan ist. Dann ist der Onkel an der Reihe: Kaum hält er das Kind auf dem Arm, beginnt Eva wie am Spieß zu schreien. Dabei hat Eva den Onkel noch gar nicht angeguckt!*

Der arme Onkel Hans! Er sollte Evas Ablehnung nicht persönlich nehmen. Nach dem sechsten Lebensmonat fangen die Kinder an zu fremdeln: Sie lehnen nichtvertraute Personen ab. Wie Evas Verhalten zeigt, kann die Ablehnung je nach Person unterschiedlich stark ausfallen. Warum die Kinder verschieden reagieren, werden wir in diesem Kapital erfahren.

In der zweiten Hälfte des ersten Lebensjahres beginnen die Kinder sich fortzubewegen. Sie haben einen unwiderstehlichen Drang, alles, was sie erreichen können, zu betasten, in den Mund zu nehmen und zu betrachten. Damit setzen sich die Kinder Gefahren aus, und dies nicht erst, seit wir elektrische Steckdosen und giftige Reinigungsmittel erfunden haben. Bereits in frühester Zeit, als die Menschen noch ganz in der Natur lebten, war die Umwelt voller Gefahren für Kinder. Damit sich das Kind nicht ständig von der Mutter entfernt und Gefahren aussetzt, vor denen die Mutter das Kind nicht jederzeit beschützen kann, hat die Natur bei allen höheren Säugetieren und so auch beim Menschen ein Verhalten zum Schutz des Kindes entwickelt: die Trennungsangst. Sie setzt seinem Erkundungstrieb Grenzen, bindet das Kind gewissermaßen an die Bezugsperson.

In diesem Kapitel wollen wir uns zuerst mit den Veränderungen beschäftigen, die im Beziehungsverhalten zwischen Kind und Eltern in der zweiten Hälfte des ersten Lebensjahres auftreten. Anschließend werden wir uns mit der Trennungsangst und dem Fremdeln befassen.

## Hinwendung zur Welt

In den ersten drei Monaten ist das Kind in einem hohen Maße auf die Mutter und andere Bezugspersonen ausgerichtet. Sein Sehvermögen ist noch deutlich eingeschränkt (vgl. »Spielverhalten 0 bis 3 Monate«). Gegenstände, die sich außer Reichweite befinden, nimmt es kaum wahr. Die Hinwendung des Kindes zur Mutter spiegelt sich in ihrer körperlichen Beziehung wider: Das Kind schmiegt sich an die Mutter. Sein Blick sucht immer wieder das Gesicht der Mutter. Die Welt des Säuglings ist die Bezugsperson.

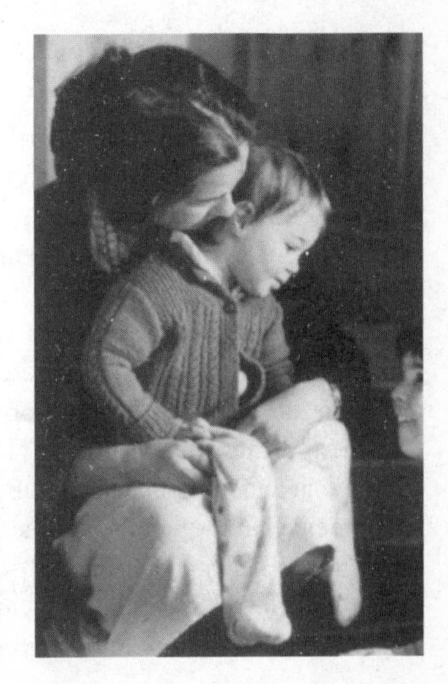

*Überwiegende Körperbeziehung zwischen Kind und Mutter nach dem sechsten Lebensmonat. Das Kind orientiert sich zur Umwelt hin.*

Nach dem dritten Monat weitet sich das Sehvermögen. Das Kind beginnt sich dafür zu interessieren, was in seiner Umgebung geschieht. Es blickt der Mutter nach, wenn sie durch das Zimmer geht. Einige Zeit später beginnt es mit seinen Händen gezielt zu greifen. Gegenstände werden für das Kind attraktiv. Es kann sich für eine immer längere Zeit selbst beschäftigen. Es ist nicht mehr ausschließlich auf die Mutter als Spielpartnerin angewiesen. Mit den ersten Kriechversuchen eröffnet sich dem Kind auch die Möglichkeit, ohne fremde Hilfe zu all den faszinierenden Gegenständen in seiner Umgebung zu gelangen.

Diese Hinwendung des Kindes zur Welt erleben Eltern gelegentlich als Ablehnung: Das Kind blickt sie weit weniger oft und weniger lang an als in den ersten Lebensmonaten. Es ist zunehmend weniger an ihnen, dafür um so mehr an der Umgebung interessiert. Die meisten Eltern freuen sich an seinem wachsenden Interesse an der Umwelt. Die Art und Weise, wie sie das Kind nach dem sechsten Lebensmonat herumtragen und auf dem Schoß halten, zeigt, daß sie sich seiner Neuorientierung angepaßt haben: Das Kind kann sich der Umwelt zuwenden, die Bezugsperson bleibt der sichere Hort.

## Eltern als sicherer Hort

Die Trennungsangst ist die unsichtbare Leine, die das Kind an vertraute Personen bindet. Diese Leine ist von Kind zu Kind ganz unterschiedlich lang. Auf einem Kinderspielplatz können wir erleben, welche Faktoren die Trennungsangst eines Kindes mitbestimmen:

**Alter.** Ältere Kinder lösen sich rascher von ihrer Mutter und wagen sich weiter vor als jüngere. Die Trennungsangst ist bei zwei- bis dreijährigen Kindern am ausgeprägtesten. Sie nimmt nach dem dritten Lebensjahr ab. Dem Kind fällt es zunehmend leichter, zu anderen Kindern und Erwachsenen Beziehungen aufzunehmen. Ganz verschwindet die Trennungsangst nie. Auch wir Erwachsene haben noch unsere Ängste. In den vertrauten heimatlichen Gefilden verhalten wir uns ungezwungener als im Ausland. Allein durch die Gassen einer fremden Stadt zu gehen hat für die meisten Menschen etwas Beängstigendes. So suchen denn auch die meisten Touristen fremdländische Städte in Rudeln heim.

**Persönlichkeit.** Neben dem Alter spielt die Persönlichkeit des Kindes für das Ausmaß der Trennungsangst eine große Rolle. Die vorsichtigen und ängstlichen Kinder bleiben die meiste Zeit in nächster Nähe der Mutter. Andere sind neugierig und beherzt. Ihr Aktionsradius ist um ein Vielfaches größer. Ihre Mütter wünschen sich gelegentlich, die unsichtbare Leine wäre etwas kürzer.

**Vertrautheit mit Umgebung und Personen.** Die Umgebung bestimmt wesentlich mit, wie weit sich ein Kind von der Mutter wegwagt. Kennt das Kind den Spielplatz wie auch die anderen Kinder und deren Mütter, entfernt es sich rascher und weiter von seiner Mutter, als wenn es zum erstenmal auf dem Spielplatz ist. Die Anwesenheit eines älteren Geschwisters weitet seinen Aktionsradius aus. Eine fremde Person, die in der Nähe sitzt, engt ihn ein.

**Verhalten der Mutter.** Wenn sich die Mutter auf dem Spielplatz unwohl fühlt und dauernd um das Kind besorgt ist, wird es sich nur mit Mühe von ihr lösen können. Findet die Mutter leichten Kontakt mit anderen Müttern und ermuntert sie ihr Kind, den Spielplatz zu erkunden und zu anderen Kindern hinzugehen, wird es sich rascher und weiter vorwagen.

## Fremdeln

Das Fremdeln wird auch als Achtmonateangst bezeichnet, weil es bei den meisten Kindern in diesem Alter offensichtlich wird. Typischerweise schreit das Kind, wenn es ein fremdes Gesicht erblickt.

Das Fremdeln wird am häufigsten damit erklärt, daß die Kinder in diesem Alter beginnen, vertraute von unvertrauten Personen zu unterscheiden. Kinder sind aber bereits in den ersten Lebensmonaten fähig, fremde und vertraute Personen auseinanderzuhalten. Dabei ist die visuelle Wahrnehmung weit weniger wichtig als andere Sinnesempfindungen. Der empfindlichste und am weitesten entwickelte Sinnesbereich beim jungen Säugling ist der körperliche (taktil-kinästhetische). Wenn ein zweimonatiger Säugling von einer fremden Person auf den Arm genommen wird, kann es geschehen, daß er zu weinen beginnt. Er spürt, daß ihn der Fremde auf eine andere Weise aufnimmt und auf dem Arm hält als seine Mutter. Junge Säuglinge können sich auch abweisend verhalten, wenn ihnen ein Geruch oder eine Stimme nicht vertraut ist.

Das Unterscheiden von fremden und vertrauten Personen ist eine Voraussetzung für das Fremdeln, erklärt aber die ablehnende Haltung des Kindes nicht. Das Fremdeln scheint eine ähnliche Funktion wie die Trennungsangst zu haben. Mit der Angst vor fremden Leuten sorgt die Natur dafür, daß sich das Kind in den ersten Lebensjahren an diejenigen Personen hält, die zuverlässig für sein körperliches und psychisches Wohl sorgen.

Das Fremdeln ist wie die Trennungsangst unter gleichaltrigen Kindern unterschiedlich ausgeprägt. Die Faktoren, die das Fremdeln beeinflussen, sind im wesentlichen die gleichen wie bei der Trennungsangst.

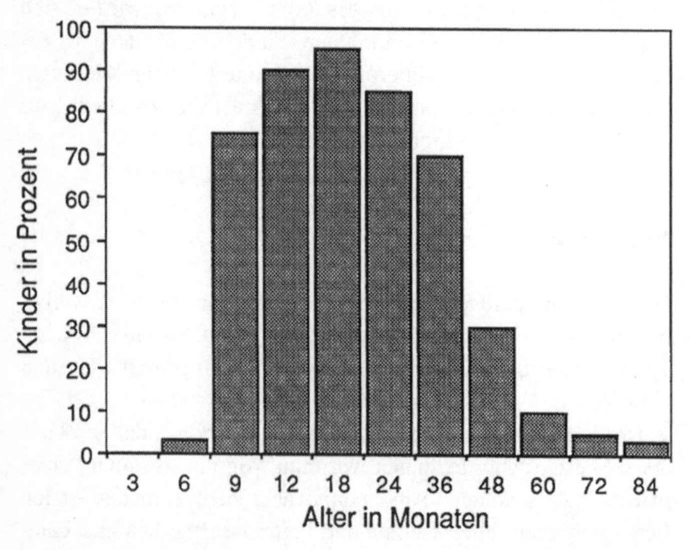


*Anteil der Kinder in Prozent, die nur im Beisein der Mutter mit einer fremden Person spielen*

**Alter.** Das Alter, in dem die Kinder beginnen, offensichtlich fremde Personen abzulehnen, ist von Kind zu Kind verschieden. Frühestens fremdeln Kinder mit fünf Monaten, die meisten mit sechs bis neun Monaten, einige erst Anfang des zweiten Lebensjahres.

Das Fremdeln ist zwischen acht und 30 Monaten am ausgeprägtesten. Nach dem dritten Lebensjahr nehmen das Fremdeln und die Trennungsangst immer mehr ab. Den Kindern fällt es zunehmend leichter, Beziehungen zu fremden Personen aufzunehmen und einige Stunden ohne die Mutter auszukommen. Sie sind nun so weit unabhängig, daß sie in eine Spielgruppe oder einen Kindergarten eintreten können.

**Persönlichkeit.** Neben dem Alter spielt wie bei der Trennungsangst die Persönlichkeit des Kindes eine große Rolle. Es gibt Kinder, die kaum fremdeln, andere reagieren ganz ausgeprägt und während mehrerer Jahre auf fremde Personen. Wie sehr das Fremdeln ein Teil der Persönlichkeit ist und bleibt, können wir bei Erwachsenen noch erkennen: Auch sie sind Fremden gegenüber ganz unterschiedlich offen.

**Erfahrungen mit anderen Menschen.** Die Erfahrungen, die Kinder im ersten Lebensjahr mit Menschen machen, beeinflussen das Ausmaß des Fremdelns (Konner). Kinder, die bereits im frühesten Alter häufig mit verschiedenen Leuten ausgedehnten Kontakt haben, fremdeln weniger, als wenn sich ihre Erfahrungen mit fremden Menschen auf sporadische und flüchtige Kontakte beschränken. Kinder, die in einer Großfamilie leben, neigen dazu, weniger zu fremdeln als Kinder, die in einer Kleinfamilie aufwachsen.

**Vertrautheit der Person.** Ob und wie sehr ein Kind eine fremde Person ablehnt, hängt von ihrem Vertrautheitsgrad ab. Aus der Sicht des Kindes unterscheiden sich fremde Personen verschieden stark von vertrauten. Eva hat freundlich auf die Annäherung von Tante Lotti reagiert. Die Tante war offenbar in ihrer Erscheinung, in der Art und Weise, wie sie zu Eva sprach und sie auf den Arm nahm, nicht allzusehr verschieden von der Mutter und anderen weiblichen Bezugspersonen. Bei Onkel Hans fing Eva an zu schreien, weil er ihr weit fremder war als die Tante: Sein Baß tönte für Eva viel weniger vertraut als die ihr bekannten Stimmen. Als der Onkel sie zu sich nahm, hat er kräftiger zugepackt, als sie dies gewohnt war. Schließlich hat Eva des Onkels Ausdünstung in die Nase gestochen: Der Tabakgeruch war ihr völlig fremd, denn ihre Eltern rauchen nicht.

**Distanzverhalten.** Das Ausmaß der kindlichen Ablehnung wird schließlich wesentlich durch das Distanzverhalten der fremden Person bestimmt (vgl. »Beziehungsverhalten Einleitung«). Wenn sich die fremde Person dem Kind vorsichtig nähert und einen kritischen Abstand zu ihm einhält, gibt sich das Kind freundlich oder zumindest neutral. Unterschreitet der Fremde die kritische Distanz, beginnt es ihm seine Ablehnung zu zeigen. Geduld ist überaus wichtig im Umgang mit Säuglingen und Kleinkindern: Je länger der Fremde mit der Annäherung wartet und dem Kind Zeit gibt, ihn kennenzulernen, um so näher wird es ihn heranlassen.

## Babysitting

Eltern möchten gelegentlich abends ausgehen oder einen Ausflug unternehmen. Vielleicht wollen sie auch einmal alleine Ferien machen. Ob dies möglich ist, bestimmen nicht unwesentlich die äußeren Umstände. Wenn die Großeltern noch rüstig sind, die Kinder gerne um sich haben und in der Nähe wohnen, sind die Eltern zu beglückwünschen. Leider leben heutzutage viele Familien isoliert von der Verwandtschaft. Sie haben keine Großeltern, Tanten oder Geschwister, denen sie die Kinder anvertrauen können. Sie müssen sich verläßliche und dauerhafte Beziehungen im Bekanntenkreis oft mühsam und über Jahre aufbauen.

Neben den äußeren Umständen gibt es einige Beziehungsfaktoren, die es den Eltern leichter oder schwerer machen können, das Kind an eine andere Person abzugeben. Wenn das Kinderhüten für Kind und Eltern befriedigend verlaufen soll, ist folgendes zu beachten:

- Die Bezugsperson sollte dem Kind gut bekannt sein. Das Kind darf sie nicht erst beim Babysitting kennenlernen. Das Kind sollte ausreichend Gelegenheit haben, mit ihr im Beisein der Eltern vertraut zu werden. Ist dies nicht der Fall, erlebt das Kind die Situation folgendermaßen: Wenn diese fremde Person kommt, verlassen mich die Eltern. Unbegreiflich für das Kind, schwierig für den Babysitter. Daß das Kind am Babysitter keine Freude haben kann und mit Ablehnung reagiert, überrascht nicht.

- Die Eltern sollten sich für die Übergabe ausreichend Zeit nehmen. Wenn sie – kaum ist der Babysitter da – sich flüchtig vom Kind verabschieden und das Haus überstürzt verlassen, fühlt sich das Kind im Stich gelassen.
- Wenn die Eltern das Kind an einen anderen Ort bringen, sollten sie möglichst viel Vertrautes mitnehmen. Nicht nur den Schlafanzug, sondern auch die Lieblingsspielsachen, das Leintuch, den Schlafsack und das Kissen. Wunderbar ist es für das Kind, wenn es in einem Bettchen schlafen kann, das es kennt.

In jeder Familie kann es vorkommen, daß ein Kind ohne jede Vorbereitung von den Eltern getrennt werden muß. Sei es, daß das Kind plötzlich ins Krankenhaus eingeliefert werden muß, die Mutter erkrankt oder die Eltern aus familiären Gründen unerwartet verreisen müssen. Solche Situationen sind für das Kind einschneidende Erlebnisse, vor allem im zweiten bis fünften Lebensjahr. Eine plötzliche Trennung beunruhigt ein Kleinkind zutiefst (Quinton).

In den ersten drei Lebensjahren können die Eltern ihrem Kind die Gründe, die zur Trennung führten, nicht eigentlich erklären. Tante Frieda ist gestorben? Dem Kind fehlt jede Vorstellung vom Tod. Ist die Mutter verreist, hilft es ihm nichts, wenn man ihm sagt, daß die Mutter in drei Tagen zurück sein werde. Das Kind hat noch keine Vorstellung der Zeit. Das Kind kann in diesem Alter noch nicht warten. Es kann seine Gefühle nicht auf die Wartebank schieben. Für das Kind gilt: Die Mutter ist fort, und darüber ist es untröstlich.

In den Kinderkrankenhäusern hat man sich in den letzten 30 Jahren sehr bemüht, den Aufenthalt für die Kinder so erträglich wie möglich zu gestalten. In vielen Krankenhäusern können die Eltern ihre Kinder zu jeder Tag- und Nachtzeit besuchen. Geschwister erhalten eine beschränkte Besuchserlaubnis. Die Eltern haben die Möglichkeit, bei ihren Kindern zu übernachten.

Trotz dieser Verbesserungen ist ein Krankenhausaufenthalt immer noch ein einschneidendes Erlebnis für ein Kleinkind und oftmals auch eine schmerzhafte Erfahrung für die Eltern. So kann es vorkommen, daß das Kind über den Besuch der Eltern nicht erfreut ist. Es blickt die Eltern erzürnt an, schlägt oder ignoriert sie und gibt ihnen damit zu verstehen, daß es alleine und sehr unglücklich war. Es begreift nicht, warum die Eltern weggegangen sind. Das Kind fühlt sich im Stich gelassen. Es kann einige Zeit dauern, bis es sich beruhigt hat und seine Freude über den elterlichen Besuch zeigen kann.

Wieder zu Hause, können Nachwehen auftreten: Das Kind hat Schlaf- und Eßstörungen. Es ist je nach Alter und Temperament während einiger Tage, Wochen und vielleicht sogar Monate überängstlich. Die Eltern dürfen es keine Minute alleine lassen. Mit Geduld können solche Verunsicherungen behoben werden: Wenn das Kind erlebt, daß die Eltern wieder zuverlässig für es da sind, wird es sich langsam beruhigen. Die Verhaltensauffälligkeiten werden verschwinden.

## Licht und Schatten

Der dritte bis sechste Lebensmonat sind das Wonnealter der Kindheit: Das Kind ist zumeist von Grund auf zufrieden. Wenn es sich körperlich wohl fühlt, geht es ihm grundsätzlich gut. Es lächelt, lacht, gluckst und plaudert. Es freut sich an allem und jedem in dieser Welt. Von der Umwelt erwartet es nur Gutes. Angstmachendes Fremdes gibt es noch nicht.

Irgendwann nach dem sechsten Lebensmonat geht diese wonnige Zeit zu Ende. Das Kind beginnt zu fremdeln, Angst und Furcht zu zeigen (Izard). Auf seinem Gesicht erscheinen nun Licht und Schatten. Etwa im gleichen Alter läßt sich das Kind auch von den Gefühlen anderer Menschen anstecken. Es beginnt den mimischen Ausdruck der Eltern und Geschwister zu übernehmen. Lacht der Vater, lacht das Kind mit. Weint das ältere Geschwister, bricht auch der Säugling in Weinen aus. Das Kind fängt an, die Aufmerksamkeit der Mutter und anderer vertrauter Personen zu teilen. Wenn die Mutter interessiert zum Fenster hinausschaut, schaut das Kind ebenfalls hinaus. Wendet sich die Mutter einer anderen Person zu, tut es das gleiche. Wenn die Mutter mit dem Zeigefinger auf einen Gegenstand weist, blickt es in die entsprechende Richtung. Umgekehrt erwartet das Kind aber auch, daß die Familie auf seine Gefühle und Bedürfnisse eingeht. Ist ein Spielzeug unerreichbar, gibt es mit Lauten, mimischem Ausdruck sowie Arm- und Handbewegungen zu verstehen, daß ihm jemand das Spielzeug reichen soll.

Zwischen vier und neun Monaten entdeckt das Kind seine Umwelt: Es will nach Gegenständen greifen und sie untersuchen, es will sich fortbewegen. Neugierverhalten und Trennungsangst bestimmen fortan sein Verhalten. Die Eltern werden für das Kind zum sicheren Hort, von dem aus es die fremde, aber auch faszinierende Welt erkunden kann.

## Das Wichtigste in Kürze

1. Nach dem dritten Monat orientiert sich das Kind immer mehr von den Eltern weg zur Umgebung hin.

2. Bereits in den ersten Lebensmonaten vermag das Kind zwischen vertrauten und fremden Personen mittels Körperempfindung, Geruchssinn, Gehör und Augen zu unterscheiden.

3. Trennungsangst und Fremdeln setzen mit etwa sechs bis neun Monaten ein. Sie binden das Kind an die Eltern und andere Bezugspersonen.

4. Trennungsangst und Fremdeln sind von Kind zu Kind unterschiedlich stark ausgeprägt. Sie sind abhängig von Alter und Persönlichkeit des Kindes sowie von seinen Lebensumständen.

5. Personen, die das Kind hüten, sollten dem Kind gut bekannt sein. Je vertrauter dem Kind die Person und die Umgebung ist, desto wohler wird es sich fühlen.

6. Jede Trennung von den Eltern und anderen Bezugspersonen ist für ein Kind belastend. Nachwirkungen sind nach der Beendigung der Trennung häufig (z. B. Schlafstörungen).

7. Nach dem sechsten Lebensmonat beginnt das Kind, zunehmend Gefühle und Verhalten anderer Menschen zu übernehmen. Erste Ansätze, einen eigenen Willen zu bekunden, lassen sich erkennen.

# 10 bis 24 Monate

*Die Mutter ist mit ihrem zweijährigen Sohn beim Einkaufen. Als sie sich an der Kasse anstellt, will Robert aus dem Sitzchen des Einkaufswagens steigen. Die Mutter hebt ihn aus dem Wagen. Kaum auf dem Boden, greift Robert ins Regal und packt einen Sack Süßigkeiten. Die Mutter nimmt ihm die Schleckerei aus den Händen, legt sie ins Regal zurück, und dann passiert es: Robert wirft sich auf den Boden und schreit wie am Spieß. Er läuft rot an, strampelt mit den Beinchen und schlägt mit dem Kopf auf den Boden. Die Mutter ist völlig überrascht und wie erstarrt. So was hat Robert noch nie gemacht! Eine Frau in der Reihe schaut die Mutter mißbilligend an, als ob sie sagen wollte: »Warum gönnen Sie ihm die Süßigkeiten nicht?« Eine andere Frau murmelt etwas von fehlender Erziehung, und eine dritte meint schließlich: »Das hat meine Rosa auch gemacht. Warten Sie einfach ab. Er beruhigt sich schon wieder!«*

Im zweiten Lebensjahr beginnt das Kind, sich als eine eigenständige Person zu begreifen. Es tritt damit in die vielleicht wichtigste Periode seiner Ich-Entwicklung ein. Dieser Lebensabschnitt ist für das Kind oftmals schwierig zu meistern und kann die Eltern in unangenehme Situationen bringen. Das Kind spürt seinen Willen, möchte ihn durchsetzen und muß erleben, daß ihm dies nicht immer gelingen will. Die Folgen können, wenn es schlimm kommt, ein Weinkrampf oder ein Tobsuchtsanfall wie bei Robert sein.

In diesem Kapitel werden wir uns zuerst mit der Ich-Entwicklung beschäftigen. Anschließend wollen wir uns das Beziehungsverhalten im zweiten und dritten Lebensjahr näher betrachten. Es geht dabei um das sogenannte Übergangsobjekt, den Umgang mit anderen Kindern und die Geschwistereifersucht. Die Entwicklung zur Selbständigkeit beschließt dieses Kapitel.

## Ich bin ich

Kinder zeigen bereits im ersten Lebensjahr großes Interesse an ihrem Spiegelbild. Es ist für sie ein Spielpartner. Sie betrachten es aufmerksam, lächeln es an und plaudern mit ihm. Sie beklopfen den Spiegel.

Gegen Ende des ersten Lebensjahres verändert sich ihr Verhalten. Die Kinder bieten ihrem Spiegelbild Spielsachen an. Sie versuchen nach dem Spiegelbild zu greifen und es hinter dem Spiegel hervorzuziehen. Sie drehen den Spiegel um, fahnden nach dem vermeintlichen Spielpartner und sind erstaunt, wenn sie nichts vorfinden. Sie untersuchen den Spiegel.

Im zweiten Lebensjahr bekommt der Spiegel für viele Kinder etwas Unheimliches. Sie betrachten sich und ihre Bewegungen im Spiegel aufmerksam. Sie drehen ihren Kopf einmal langsam, dann ganz schnell hin und her. Die Kinder wirken befangen. Sie schauen verstohlen oder scheu in den Spiegel. Gelegentlich beginnen sie plötzlich zu weinen, schieben den Spiegel von sich weg und verstecken ihr Gesicht. Ein Teil der Kinder zeigt offene Selbstbewunderung: Sie schauen sich von oben bis

*18 Monate altes Kind betrachtet sein Spiegelbild und erkennt sich nicht.*

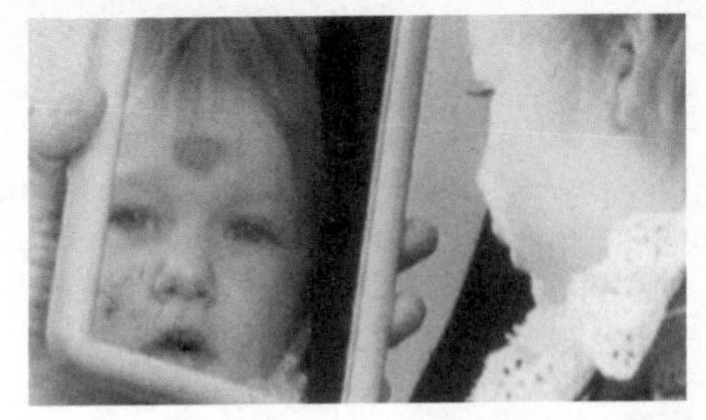

unten an, schneiden Grimassen und spielen den Clown. Was die Kinder in den ersten anderthalb Jahren nicht schaffen, auch wenn sie noch so lange in den Spiegel schauen: Sie erkennen sich nicht!

Zwischen 18 und 24 Monaten setzt die Selbstwahrnehmung ein. Verschiedene Forscher haben diesen Vorgang auf eine elegante Weise untersucht (Lewis u. a., Bischof-Köhler).

Im sogenannten Rouge-Test wird das Kind vor einen Spiegel gesetzt, und seine Reaktionen auf das Spiegelbild werden beobachtet. Anschließend wird mit ihm gespielt und dabei, ohne daß es das Kind bemerkt, ein roter Farbtupfer auf die Wange oder die Stirn gemacht. Dann wird es nochmals vor den Spiegel gesetzt.

Vor dem 18. Lebensmonat zeigt das Kind das gleiche Verhalten, wie zuvor beschrieben. Es wird auf den roten Fleck in seinem Gesicht nicht aufmerksam. Nach 18 Monaten guckt das Kind sein Spiegelbild erstaunt an, bemerkt den Farbfleck in seinem

*Rouge-Test: Ein 24 Monate altes Mädchen bemerkt Farbtupfer auf seiner Nase, greift danach und zeigt ihn sichtlich irritiert seiner Mutter.*

Gesicht und greift danach. Es weiß: Das Spiegelbild bin ich. Demzufolge muß der Farbfleck in meinem Gesicht sein!

Der Rouge-Test wurde erstmals nicht bei Kindern, sondern bei Menschenaffen angewendet (Gallup). Schimpansen und Orang-Utans bemerkten den Fleck in ihrem Gesicht, Gorillas und andere Primaten jedoch nicht. Bei Schimpansen wurde zudem festgestellt, daß das Selbstkonzept ausblieb, wenn die Tiere isoliert aufgezogen wurden. Die Entwicklung des Selbstkonzeptes scheint an soziale Erfahrungen gebunden zu sein: Nur in der Gemeinschaft entwickelt sich das Selbst.

Die Eigenwahrnehmung des Spiegelbildes ist nur ein Aspekt der Ich-Entwicklung und keineswegs *der* Sprung ins Ich-Bewußtsein. Das innere Bild der eigenen Person entwickelt sich in vielen kleinen Etappen. Einige dieser Etappen kommen im Verhalten der Kinder zum Ausdruck. Mit etwa sechs Monaten beginnen sie intensiv ihren eigenen Körper kennenzulernen. Sie betasten sich vom Kopf bis zu den Zehenspitzen (vgl. »Motorik 4 bis 9 Monate«). Sie machen die Erfahrung, daß sie mit ihrem Handeln zuverlässig etwas bewirken können. Wenn sie an der Schnur ziehen, beginnt die Musikdose zu spielen (vgl. »Spielverhalten 4 bis 9 Monate«).

Mit der Selbstwahrnehmung beginnt das Kind auch den anderen Menschen als eine eigene Person wahrzunehmen und seine Gefühle nachzuempfinden. Vor dem 15. Lebensmonat reagiert es auf Freude, Trauer oder Schmerz bei einem Familienmitglied, indem es sich von dem geäußerten Gefühl anstecken läßt (Zahn-Waxler). Weint das Geschwister, beginnt es ebenfalls zu weinen. Nach diesem Alter ändert das Kind sein Verhalten, wenn ein ihm vertrauter Mensch traurig ist oder Schmerzen hat. Es leidet nicht mehr nur mit, sondern versucht den Schmerz des anderen zu lindern. Dem weinenden Geschwister hält es ein Spielzeug hin, ein erster Versuch zu trösten. Die Art und Weise, wie die Eltern bei sich und beim Kind mit Schmerz, Angst und Trauer umgehen, bestimmt mit, ob und wie es einem Menschen, der leidet oder traurig ist, zu helfen und ihn zu trösten versucht.

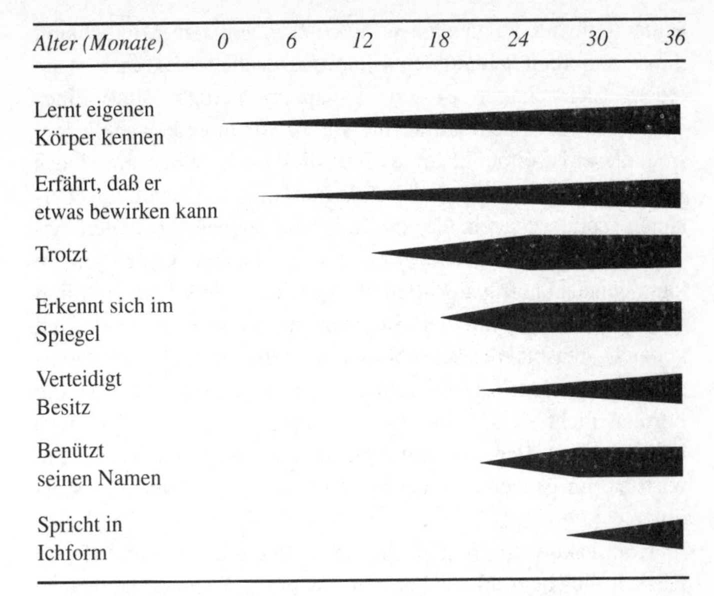


*Stadien der Ich-Entwicklung im zweiten und dritten Lebensjahr*

## Ich will!

Gegen Ende des ersten, zu Beginn des zweiten Lebensjahres fängt das Kind an, einen eigenen Willen zu entwickeln. Es will zunehmend selber bestimmen und handeln. Zumeist vermag es seinen Willen durchzusetzen. Hin und wieder aber stößt sein Handeln auf Grenzen, die das Kind anfänglich nicht akzeptiert. Es macht sich beispielsweise an der Stereoanlage zu schaffen. Der Vater verbietet ihm, die Geräte zu berühren. Das Kind kann der Versuchung nicht widerstehen und versucht, seinen Willen durchzusetzen. Trägt der Vater es schließlich von der Anlage weg, wird das Kind seinem Mißfallen je nach Temperament unterschiedlich stark Ausdruck geben. Es ist verstimmt, schreit, strampelt oder schlägt um sich.

Im zweiten Lebensjahr beginnt das Kind durch konsequentes Handeln und Ausprobieren ursächliche Zusammenhänge in seiner Umwelt zu verstehen. Fasziniert von der Möglichkeit, die Zimmerbeleuchtung ein- und auszuschalten, knipst es an jedem Lichtschalter, dessen es habhaft werden kann. Eines Tages gelingt es dem Kind, eine Tür zu öffnen und zu schließen. Von diesem Zeitpunkt an will es dies auch selber tun. Jedes Kind macht die schmerzliche Erfahrung, daß nicht nur Personen, sondern auch Gegenstände sich seinen Absichten widersetzen können. Seine Reaktion gegenüber Gegenständen kann genauso heftig ausfallen wie gegenüber dem Vater, der ihm nicht erlaubt hat, an der Stereoanlage zu spielen. Das Kind versucht beispielsweise, Formen in entsprechende Vertiefungen einzupassen. Es will ihm aber nicht gelingen, weil es die Formen nicht richtig zuordnet. Es wird zunehmend frustriert. Schließlich schlägt es mit den Formen auf den Tisch ein, wirft sie im ganzen Zimmer herum und schreit Zeter und Mordio.

Trotzreaktionen können Eltern sehr beeindrucken und für sie vermeintlich bedrohliche Formen annehmen. Wenn das Kind sich auf den Boden wirft und mit seinen Fäusten und Füßen den Boden bearbeitet, mag das noch angehen. Wenn es aber wie Robert den Kopf wiederholt auf den harten Fußboden aufschlägt, bekommen es die meisten Eltern begreiflicherweise mit der Angst zu tun. Sie fürchten, das Kind könnte sich ernsthaft verletzen. Glücklicherweise ist dies nie der Fall. Blaue Flecken und blutunterlaufene Schwellungen kann es wohl absetzen, aber keine Verletzungen des Schädels oder gar des Gehirns.

Trotzreaktionen, die sich in der Öffentlichkeit abspielen, können die Eltern in große Verlegenheit bringen. Wie soll sich die Mutter von Robert verhalten? Sie kann ihn aufnehmen und in den Armen halten, ihn streicheln und ihm gut zureden. Ein solcher Versuch, das Kind zu trösten, schlägt häufig fehl. Er verstärkt und verlängert den Trotzanfall. Wenn die Mutter nachgibt und Robert die Süßigkeiten kauft, muß sie damit rechnen, daß er Trotzreaktionen als eine erfolgreiche Strategie ansieht, um seinen Willen bei der Mutter durchzusetzen. Die Trotzreaktionen werden sich häufen. Erfahrungsgemäß ist es am sinnvollsten, wenn die Mutter das Kind in Ruhe läßt und das Ende des Anfalls abwartet. Sie entfernt sich nicht vom Kind, sondern bleibt bei ihm. Sie gibt ihm damit zu verstehen, daß sie es nicht verläßt, ihm aber auch nicht nachgibt. Eine Haltung, die nur schwer durchzustehen ist, wenn die Umgebung mit gutgemeinten Ratschlägen und mit versteckter bis offener Kritik die erzieherischen Fähigkeiten der Mutter in Zweifel zieht!

Die kindliche Frustration äußert sich bei gewissen Kindern in sogenannten Affekt- oder Weinkrämpfen: Die Kinder schreien, laufen blau an, machen merkwürdige Zuckungen mit Armen und Beinen, werden schließlich für einige Minuten schlaff und atmen oberflächlich. Eltern, denen dieses Verhalten nicht bekannt ist, kann ein Affektkrampf einen gehörigen Schreck einjagen. Für sie sieht er wie ein epileptischer Anfall aus. Wenn der herbeigerufene Hausarzt erscheint, wird der Weinkrampf aller Wahrscheinlichkeit nach längst vorbei sein, denn er dauert höchstens einige Minuten. Der Hausarzt wird den Eltern folgendes sagen: Ein Affektkrampf ist kein epileptischer Anfall. Er ist immer harmlos. Die Kinder nehmen nie Schaden, selbst wenn sie blau werden. Am Ende einer Episode atmen sie deshalb kaum mehr, weil sie zu Beginn des Anfalls übermäßig geatmet haben. Einem Affektkrampf geht immer eine Frustration voraus. An eine Epilepsie sollte man nur dann denken, wenn der Anfall ohne jeden äußeren Anlaß auftritt.

Als Eltern verhält man sich am besten so, wie oben bereits für die schweren Trotzreaktionen ausgeführt wurde. Nochmals: Auch wenn das Kind etwas blau anläuft, wird es keinen Schaden erleiden. Es braucht nicht Mund zu Mund beatmet zu werden, was gelegentlich geschieht.

Ein Kind mit ausgeprägten Trotzreaktionen kann den Eltern erhebliche Mühsal bereiten. Weit schlimmer aber ist ein Ausbleiben der Trotzreaktionen, denn: Die Ich-Entwicklung scheint behindert zu sein. Trotzreaktionen gehören zur normalen kindlichen Entwicklung. Sie treten frühestens Ende des ersten Lebensjahres auf und können bis ins Kindergartenalter andauern. Wenn Kleinkinder erleben, daß ihrem Handeln Grenzen gesetzt sind, können sie gar nicht anders, als ihrer Frustration ungehemmt Ausdruck zu geben. Sie brauchen Jahre, bis sie ihre Gefühle einigermaßen unter Kontrolle bekommen haben. Gewissen Menschen gelingt dies während ihres ganzen Lebens

*Mein und dein*

nie vollständig. Ein Überbleibsel der frühkindlichen Trotzreaktionen sind die Jähzornausbrüche älterer Kinder und Erwachsener.

Mit dem Ichgefühl beginnen die Kinder auch eine Vorstellung für das Wörtchen »mein« zu entwickeln. Kleinkinder verteidigen ihren Besitz vehement. Was sie nicht daran hindert, einem anderen Kind das Spielzeug wegzunehmen. Das Verständnis für »dein« läßt noch etwas auf sich warten. Sie reagieren ganz erstaunt, wenn das andere Kind auf den Raub mit Weinen reagiert.

Häufigkeit und Ausmaß der Trotzreaktionen sind von Kind zu Kind sehr unterschiedlich. Sie lassen sich mit den besten Erziehungsmethoden nicht vermeiden. Die Art und Weise, wie die Eltern ihr Kind erziehen, beeinflußt die Häufigkeit der Trotzreaktionen. Alter und Temperament des Kindes bestimmen das Ausmaß der Trotzreaktion.

## Am Rockzipfel

Das zweite und dritte Lebensjahr ist das Alter, in dem das Kind am Rockzipfel der Mutter hängt. Es ist so groß und schwer geworden, daß die Mutter es nicht mehr den ganzen Tag herumtragen kann. Das Kind ist motorisch so weit unabhängig, daß es auch nicht mehr herumgetragen werden will. Aber es braucht die Nähe der Mutter. Dutzende Male pro Tag kommt das Kind zur Mutter oder einer anderen Bezugsperson, um sich zu versichern, daß sie noch da ist.

Im zweiten und dritten Lebensjahr entwickeln viele Kinder eine starke Bindung zu einem bestimmten Gegenstand, einem sogenannten Übergangsobjekt (Winnicott). Typische Übergangsobjekte sind Windeln, Tüchlein und Kissenbezüge. Größere Kinder ziehen Teddybären, Stofftiere oder Puppen vor. Es gibt aber Kindergartenkinder, die immer noch mit einer Windel herumlaufen. Verlieren sie ihr geliebtes Objekt, können sie in regelrechte Angstzustände geraten.

Die Kinder tragen das Übergangsobjekt während ein bis zwei Jahren, nicht wenige bis ins Schulalter mit sich herum. Wenn man sich in der Erwachsenenwelt umsieht, könnte man meinen, daß das Übergangsobjekt gar nicht so vorübergehender Natur ist, wie der Name uns annehmen läßt (im Englischen: *transitional object*). Manche Erwachsene tragen einen schönen Stein, eine Münze oder einen anderen Talisman mit sich herum. Andere ziehen sich Halsketten, Arm- und Fingerringe an, die ihnen ein Gefühl von Sicherheit vermitteln.

Welche Bedeutung hat das Übergangsobjekt für das Kind? Providence und ihre Mitarbeiter haben in Heimen beobachtet, daß Kinder, die emotional vernachlässigt wurden, keine Übergangsobjekte hatten. Eine gewisse Bindungsfähigkeit scheint eine Voraussetzung dafür zu sein, daß ein Bedürfnis nach einem Übergangsobjekt überhaupt entstehen kann.

Studien in unterschiedlichen Kulturen haben eine Beziehung zwischen der Häufigkeit von Übergangsobjekten und dem Ausmaß des Körperkontaktes nachgewiesen (Gaddini, Hong u. a.). In Gesellschaften, in denen zwischen Mutter und Kind ein sehr enger Körperkontakt bestand, wurden kaum Übergangsobjekte beobachtet. Wenig Körperkontakt, wie er in den westlichen Ländern üblich ist, geht mit einem häufigen Vorkommen von Übergangsobjekten einher. Das Übergangsobjekt scheint als Ersatz für die körperliche Nähe der Mutter zu dienen. Es vermittelt anstelle des mütterlichen Körperkontaktes Geborgenheit in der Form von Weichheit, Wärme und vertrautem Geruch.

## Beziehung zu anderen Kindern

Im Verlauf des zweiten und dritten Lebensjahres zeigt das Kind zunehmendes Interesse am Spiel anderer Kinder. Es beobachtet sie auf dem Spielplatz und versucht ihr Spiel nachzuahmen. Die Aktivitäten etwa gleichaltriger Kinder kann es leichter nachvollziehen als diejenigen älterer Kinder oder gar Erwachsener, da gleichaltrige in ihrem Verhalten dem Kind ähnlich sind. Mit Kindern zusammenzusein ist daher für ein Kleinkind wichtig, auch wenn es noch nicht mit ihnen spielen kann.

Gemeinsames Spiel unter Kindern ist vor Ende des dritten Lebensjahres nur ausnahmsweise und für kurze Zeit möglich. Die Kinder sind sozial noch nicht so weit entwickelt, daß ein gegenseitiges Geben und Nehmen, ein Handeln mit einem gemeinsamen Ziel oder einer bestimmten Thematik möglich wäre. So spielen Kinder im Sandkasten nebeneinander: Sie machen die gleichen Sachen, aber jedes für sich.

## Geschwisterrivalität

Viele Eltern sind angenehm überrascht, wenn ihr Kind mit Freude auf die Geburt eines Geschwisters reagiert. Sie haben befürchtet, daß das Kind auf das Baby eifersüchtig sein würde. Nur ausnahmsweise zeigen Kinder bei der Geburt eines Geschwisters offensichtliche Eifersucht. Die meisten Kinder haben aber zwiespältige Gefühle, wenn sie das Baby im Arm der Mutter sehen.

Verlaufen die ersten Wochen ohne Eifersuchtsreaktionen, nehmen die Eltern gerne an, daß das Kind das Geschwister akzeptiert habe. Doch weit gefehlt: Die Geschwistereifersucht wird sich in den folgenden Monaten und Jahren deutlich zeigen. Sie gehört zum normalen kindlichen Verhalten. Auch die »besten« Eltern können sie bei ihren Kindern nicht vermeiden.

Geschwistereifersucht ist unter Kindern sehr unterschiedlich ausgeprägt. Eine Reihe von Faktoren trägt dazu bei, daß sie kleiner oder größer ist:

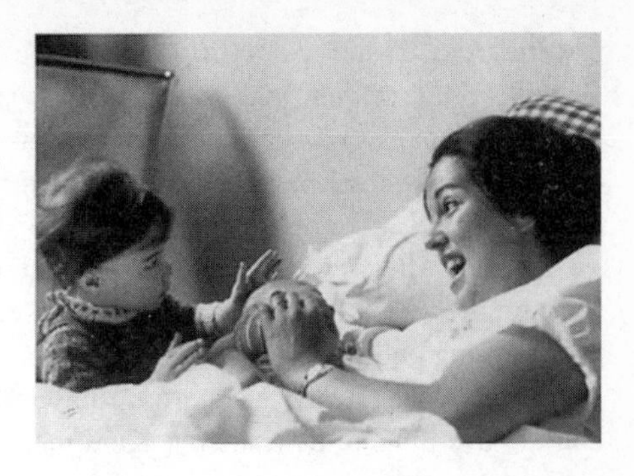

*Zwiespältige Begrüßung des jüngeren Geschwisters*

**Reihenfolge.** Die Eifersucht richtet sich bei der großen Mehrzahl der Kinder auf das nächstjüngere Geschwister. Weit seltener ist sie auf ein älteres oder ein übernächstes jüngeres Geschwister gerichtet.

**Alter.** Am ausgeprägtesten ist die Eifersucht, wenn das Kind bei der Geburt des Geschwisters zweieinhalb bis fünf Jahre alt ist. Ist es jünger als zwei Jahre, ist es kaum eifersüchtig, kann es aber nach ein bis zwei Jahren noch werden. Kinder, die älter als fünf Jahre alt sind, können immer noch eifersüchtig sein. Selbst zehnjährige Kinder können noch eifersüchtig auf ein Baby reagieren. Je intensivere Beziehungen ein Kind zu anderen Kindern hat, desto weniger neigt es zu Eifersucht gegenüber einem jüngeren Geschwister.

**Persönlichkeit des Kindes.** Genauso wie das Bindungsverhalten von Kind zu Kind unterschiedlich ausgeprägt ist (vgl. »Beziehungsverhalten Einleitung«), ist auch die Verunsicherung, die die Ankunft eines Geschwisters auslöst, von Kind zu Kind verschieden groß. Eltern überfordern sich, wenn sie annehmen, ihr Erziehungsstil sei für das Ausmaß der Eifersuchtsreaktionen allein verantwortlich. Jedes Kind besitzt sein eigenes Temperament.

**Attraktivität des Geschwisters.** Ein hübsches, freundlich lächelndes Baby, der Sonnenschein der Familie, kann einem älteren Kind das Leben schwermachen. Innerhalb der Familie wie auch bei den Verwandten und Bekannten ist das Baby während Wochen die Hauptperson. Vom älteren Kind wird erwartet, daß es sich vernünftig verhält: Du bist nun das Große! Es soll Freude zeigen, daß es ein Geschwisterchen bekommen hat! Wie kann es sich aber über diesen Konkurrenten freuen, der – aus der Sicht des Kindes – die Zuwendung aller Leute auf sich zieht?

Mit dem Älterwerden wird das Verhalten unter den Geschwistern immer wichtiger. Ist das ältere beispielsweise motorisch eher unruhig und vorlaut, das jüngere aber angepaßt und »pflegeleicht«, werden sich die Eltern große Mühe geben müssen, daß sie das jüngere dem älteren Kind nicht immer wieder vorziehen.

Die Attraktivität in der Erscheinung und im Verhalten bestimmen auch im Kleinkindes- und Schulalter das Ausmaß der Geschwistereifersucht wesentlich mit.

**Konkurrenz um die Mutter.** Eifersuchtsreaktionen richten sich weit weniger gegen das Baby als vielmehr gegen die Eltern: Das Kind will mehr Zuwendung. Das Baby in seiner Hilflosigkeit stellt für das ältere Kind nur ausnahmsweise eine Bedrohung dar. Was aber das ältere Kind eifersüchtig macht, ist der häufige und ausgedehnte Körperkontakt zwischen der Mutter und dem jüngeren Geschwister. Die Mutter stillt das Baby oder gibt ihm die Flasche und wickelt es mehrmals pro Tag. Sie spricht mit ihm in einer Sprache, die sehr viel Zuwendung ausdrückt. Die Mutter trägt das Baby herum. Es darf bei ihr schlafen. Das ältere Kind bekommt das Gefühl, die Mutter kümmere sich viel mehr um das Baby, was zeitlich auch stimmt, und ziehe das jüngere vor.

Die häufigste und sehr einfühlbare Reaktion des älteren Kindes besteht darin, daß es vermehrt die Zuwendung der Eltern sucht. Das Kind fällt in frühere Verhaltensweisen zurück (es regrediert): Es sucht öfter den Körperkontakt mit der Mutter. Wenn das Baby bei den Eltern schläft, steht das Kind nachts auf und schlüpft ins elterliche Bett. Selbständig essen und trinken will es auch nicht mehr, die Mutter soll es füttern. Die Milchflasche wird wieder hervorgeholt. Es macht in die Hosen, damit ihm die Mutter wieder Windeln anziehen muß wie dem Baby. Beim Einkaufen will es auch nicht mehr laufen. Es möchte – wie das Baby – von der Mutter im Wägelchen geschoben werden.

*Vom Streicheln zum Plagen: Das ältere Kind erschrickt über sein Handeln.*

Eifersucht kann sich gelegentlich in Form von Aggression gegen das jüngere Geschwister äußern, nimmt aber nur ausnahmsweise bedrohliche Ausmaße an. Das Kind wirft beispielsweise Holzspielsachen in den Stubenwagen. Der Mutter, die dazukommt, erklärt es, daß es dem Baby Sachen zum Spielen geben wollte. Wie zwiespältig der Umgang unter Geschwistern oftmals ist, können wir in den Abbildungen oben sehen.

## Umgang mit Geschwistereifersucht

Wie sollen sich die Eltern verhalten, wenn ihr Kind eifersüchtig auf das kleinere Geschwister ist? Es wäre verfehlt, mit Härte auf sein quengeliges und aggressives Verhalten zu reagieren. Sie sollten vielmehr versuchen, die emotionale Verunsicherung des Kindes so gut wie möglich aufzufangen und eine ausgeglichene Beziehung zu beiden Kindern herzustellen. Wohlverstanden: ausgeglichen nicht aus der Sicht der Eltern, sondern des Kindes! Ein schwieriges und aus verschiedensten Gründen oft nur teilweise zu realisierendes Unterfangen.

Konkret: Was können die Eltern unternehmen?

**Baby spielen.** Wenn das Kind regrediert, sollten die Eltern diesem Verhalten mit Verständnis begegnen. Es nützt nichts, wenn sie an Alter und Vernunft appellieren. Verweigern die Eltern die Zuwendung, erlebt es dies als Ablehnung, und die Eifersucht vergrößert sich. Wenn das Kind die Erfahrung machen kann, daß es genauso aus der Flasche trinken darf und gewickelt wird wie das Baby, kann es seine Verunsicherung leichter überwinden und eher zu einem altersentsprechenden Verhalten zurückfinden.

**In die Pflege mit einbeziehen.** Oft ist es hilfreich, wenn das ältere Kind in die Pflege des Babys mit einbezogen wird und die Rolle der Mutter mit einer Puppe mitspielen kann.

Solche frühen Erfahrungen im Umgang mit dem Baby und seiner Pflege können sich nicht nur mindernd auf das Eifersuchtsverhalten, sondern auch positiv bei einer zukünftigen Mutterschaft und vielleicht auch einer Vaterschaft (!) auswirken. Dafür sprechen Beobachtungen in Gesellschaften, in denen die älteren Kinder stärker in die Pflege ihrer jüngeren Geschwister mit einbezogen werden. Bei Menschenaffen ist das Einüben von Pflegeverhalten durch die jungen Weibchen von großer Bedeutung für ihr späteres mütterliches Verhalten.

**Das Kind »ausführen«**. Eine sehr wirksame Art, dem älteren Kind zu zeigen, daß die Eltern es genauso gern haben wie das Baby, besteht darin, allein mit dem älteren Kind etwas zu unternehmen. Eine gute Möglichkeit überdies für den Vater, die Mutter zu entlasten.

**Verhalten der Umgebung.** Ist die Familie auf Besuch, steht

*Mutter spielen*

das Baby im Mittelpunkt des Interesses. Es wird bewundert und ist Gesprächsthema Nummer eins bei Verwandten und Bekannten. Man kann dem älteren Geschwister eine große Freude machen, wenn man es zuerst begrüßt und sich mit ihm abgibt. Das Kind wird es einem mit einer oft bleibenden Anhänglichkeit danken.

**Einbruch ins Territorium.** Beginnt das Baby sich fortzubewegen, erleben die älteren Kinder eine neue Form von Bedrohung: Das jüngere Geschwister beginnt in ihr Territorium einzudringen. Das Baby zeigt keinerlei Verständnis für das Bauwerk des Bruders. Mit Genuß zerzaust es die Puppe der Schwester. Dies wiederum weckt Aggressionen bei den Geschwistern. Sie belehren das Baby, und weil es nichts nützt, brüllen sie es an, und wenn es schlimm kommt, schlagen sie es schließlich. Das Baby aber weiß sich zu wehren: Es schreit aus vollem Halse, was zuverlässig die Mutter herbeiruft. Was soll sie tun? Eine naheliegende Reaktion ist, an die Vernunft der älteren Geschwister zu appellieren: »Das Baby weiß noch nicht, was es tut! Ein Baby schlägt man nicht!« Diese Art von Belehrung kann ausnahmsweise einmal erfolgreich sein. Das Baby ist aus der Sicht der Geschwister ein Störenfried. Das Schimpfen der Mutter erleben die Kinder als Ablehnung und deuten es als Bevorzugung des Babys, was ihnen dieses keineswegs liebenswerter macht. Nimmt die Mutter allzusehr Partei für das Baby, wird es dies weidlich ausnützen. Es wird auch dann schreien, wenn die Geschwister ihm nichts angetan haben. Eine exzellente Taktik, seinen Willen bei der Mutter und gegen die Geschwister durchzusetzen.

Es gibt keine erzieherische Patentlösung für solche Situationen. Erfahrungsgemäß gibt es am wenigsten Reibereien, wenn die Eltern es soweit wie möglich den Kindern überlassen, wie diese sich zusammenraufen wollen. Sie sollten tunlichst vermeiden, Schiedsrichter zu spielen. Wenn die Eltern den älteren Kindern etwas Verantwortung für das jüngere Geschwister geben, werden diese auch eher bereit sein, Mittel und Wege zu finden, mit dem »Baby« auszukommen. Eltern sollten akzeptieren, daß sich das jüngere Geschwister dem »Diktat« der älteren unterzuordnen hat. Kaum je sind Kinder solche Diktatoren, daß das jüngere Geschwister vor ihnen geschützt werden müßte. Als Vorteil springt dabei für das jüngere heraus, daß ihm die älteren Geschwister in vielerlei Hinsicht als Lehrmeister dienen.

## Entwicklung zur Selbständigkeit

Selbständig werden in bezug auf die körperlichen Bedürfnisse ist ein wichtiger Aspekt der Sozialentwicklung im zweiten bis fünften Lebensjahr.

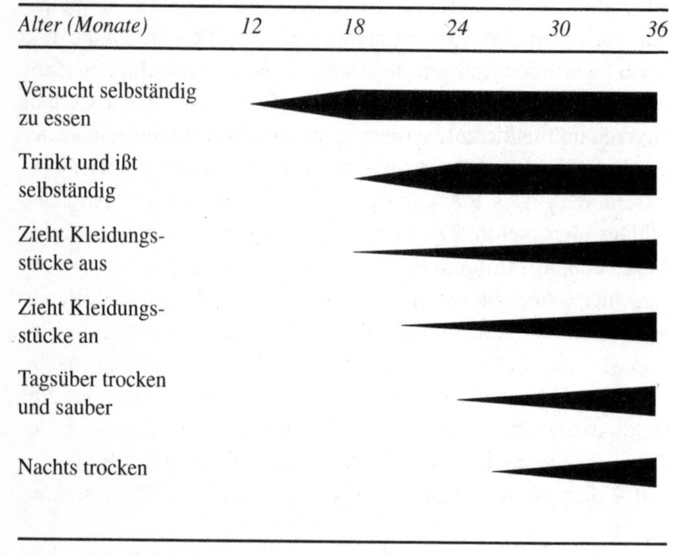


*Autonomie-Entwicklung im zweiten und dritten Lebensjahr*

Im zweiten Lebensjahr beginnen die Kinder, Handlungen nachzuahmen. Dabei lernen sie, mit dem Löffel zu essen und aus einer Tasse zu trinken (vgl. »Trinken und Essen 10 bis 24 Monate«). Gegen Ende des zweiten Lebensjahres kennen sie ihren Körper so weit, daß sie wissen, wo sich der Kopf, der Bauch oder die Füße befinden. Sie beginnen sich für die verschiedenen Kleidungsstücke zu interessieren. Als erstes begin-

*Socken an- und ausziehen*

nen sie Schuhe und Strümpfe auszuziehen. Das Anziehen von Kleidungsstücken läßt, von dem der Schuhe und der Socken abgesehen, bis ins dritte und vierte Lebensjahr auf sich warten. Trocken und sauber zu werden ist ein weiterer Meilenstein in der Entwicklung zur Selbständigkeit (vgl. »Sauber und trocken werden«).

Eine wichtige Aufgabe der Eltern ist es, ihr Kind in seinem Streben nach Selbständigkeit zu unterstützen. Das entwicklungsgerechte Selbständigwerden ist ein wichtiger Baustein für das Selbstvertrauen des Kindes.

## Das Wichtigste in Kürze

1. Die sozioemotionale Entwicklung führt im Verlauf des zweiten Lebensjahres zu tiefgreifenden Verhaltensänderungen.

2. Ich-Entwicklung: Das Kind nimmt sich selbst und andere Menschen als eigenständige Personen wahr.

3. Das Kind beginnt die Gefühle anderer Menschen nachzuempfinden und sich empathisch (einfühlend) zu verhalten.

4. Das Kind beginnt seinen eigenen Willen durchzusetzen. Gelingt ihm dies nicht, äußert es seinen Unwillen je nach Temperament in unterschiedlich starken Trotzreaktionen.

5. Trotzreaktionen gehören zur normalen Entwicklung im zweiten bis fünften Lebensjahr. Tobsuchtsanfälle und Affekt-/Weinkrämpfe sind nie gesundheitsschädigend.

6. Geschwistereifersucht ist ein normales Verhalten. Das Ausmaß der Eifersucht hängt vom Alter und vom Temperament des Kindes, von der Familienkonstellation und dem elterlichen Erziehungsstil ab.

7. Im zweiten Lebensjahr beginnen die Kinder in bezug auf bestimmte Körperfunktionen selbständig zu werden: selber essen und trinken, Kleidungsstücke an- und ausziehen, auf den Topf oder aufs WC gehen.

# Motorik

# Einleitung

*Der stolze Vater führt den Großeltern die ersten Gehversuche seines Sohnes vor. Er stellt den elf Monate alten Pietro auf die Beine, hält ihn an beiden Händen und geht mit ihm langsam vorwärts. Pietro setzt hie und da einen Fuß vor den andern. Er macht dabei kein sonderlich interessiertes Gesicht. Kaum läßt ihn der Vater los, fällt er auf die Knie und kriecht behende davon. Der Vater ist überzeugt, daß sein Sohn unter seiner Anleitung bald die ersten Schritte machen wird.*

Eltern erleben ihr Kind im ersten Lebensjahr am nachhaltigsten durch seine Motorik. Der Augenblick, in dem das Kind erstmals gezielt nach den Spielsachen über dem Bettchen greift, der Abend, an dem es sich, für die Mutter unerwartet, vom Bauch auf den Rücken dreht und dabei fast vom Wickeltisch fällt, und jener Sonntag, an dem es die ersten Schritte macht, bleiben den Eltern als Marksteine der frühen Entwicklung in der Erinnerung haften. Dabei entwickelt sich das Kind im ersten Lebensjahr nicht vornehmlich motorisch. In den anderen Entwicklungsbereichen wie der Sprache oder im Denken sind die Fortschritte genauso groß wie in der Motorik, aber weniger leicht erkennbar.

Im Verlauf von etwa anderthalb Jahren wird aus dem hilflosen, keiner willentlichen Bewegung fähigen Säugling ein aufrechtes Wesen mit einer zielgerichteten motorischen Aktivität. Die Motorik erlaubt dem Kind, sich gegen die Schwerkraft zu behaupten, sich fortzubewegen, nach Gegenständen zu greifen und diese auf unterschiedlichste Weise zu benützen. Sie ermöglicht aber noch weit mehr: Mit ihrer Hilfe vermag sich das Kind auszudrücken. Mimik, Blickverhalten, Gestik, Sprache, aber auch Zeichnen und

Schreiben sind motorische Leistungen. Immer wenn das Kind in irgendeiner Weise auf seine Umwelt einwirken oder sich ausdrücken will, braucht es dazu seine Motorik.

Die Motorik spielt nicht nur in der kindlichen Entwicklung eine zentrale Rolle, sie ist in der Erwachsenenwelt von genauso großer Bedeutung. Unser Alltags- und Berufsleben ist voller motorischer Leistungen, man denke etwa ans Haushalten, Autofahren oder Maschinenschreiben. Der Sport besteht aus einer Vielzahl von Bewegungsaktivitäten. Schließlich sind auch die schönen Künste wie Malerei, Bildhauerei, Tanz und Musik nur dank einer hochdifferenzierten Motorik möglich.

## Der Kampf gegen die Schwerkraft

Das ungeborene Kind beginnt sich in der achten Schwangerschaftswoche zu bewegen, acht bis zwölf Wochen bevor die Mutter die ersten Kindsbewegungen spürt. Das Kind ist nahezu schwerelos im Fruchtwasser aufgehoben. Es kommt daher nicht von ungefähr, daß wir Ähnlichkeiten erkennen zwischen dem Bewegungsverhalten eines ungeborenen Kindes, wie wir es im Ultraschall beobachten können, und demjenigen eines Astronauten, der im Weltall herumspaziert. Als schwereloses Wesen kann sich das ungeborene Kind in allen drei Dimensionen des Raumes bewegen. Nach der Geburt wird dies nie mehr möglich sein, es sei denn eben als Astronaut.

Bei der Geburt wird das Kind durch die Schwerkraft abrupt in einen sehr hilflosen Zustand versetzt. Es kann wohl noch mit seinen Beinen strampeln und mit seinen Armen rudern, vermag aber kaum den Kopf zu heben. Sich aufzurichten oder sich fortzubewegen ist ihm für Monate verwehrt. Wenn es seine Körperlage verändern möchte, ist es auf die Hilfe der Eltern angewiesen.

Während der ersten Lebensmonate entwickelt der Säugling bestimmte motorische Fähigkeiten, mit denen er sich gegen die Schwerkraft behaupten kann. Als erstes gelingt es ihm, den Kopf anzuheben, zuerst im Liegen und dann auch im Sitzen. Im zweiten Lebenshalbjahr dehnt er die Haltungskontrolle auf den ganzen Körper aus. Mit etwa neun Monaten vermag er frei zu sitzen. Einige Wochen später beginnt sich das Kind aufzurichten. Die charakteristische Haltung des Menschen erreicht es im zweiten Lebensjahr: Das Kind steht aufrecht auf seinen beiden Beinen und hat Arme und Hände frei.

## Den Raum erobern

Willentliche Bewegungen kann das Kind zuerst mit seinen Händen ausführen: Mit vier bis fünf Monaten beginnt das Kind gezielt zu greifen (vgl. »Spielverhalten 4 bis 9 Monate«).

Wiederum vier bis fünf Monate später unternimmt es die ersten Versuche, sich fortzubewegen. Die meisten Kinder durchlaufen verschiedene Stadien der Fortbewegung wie Robben und Kriechen, bis sie sich im zweiten Lebensjahr aufrichten und frei gehen. Damit ist die Entwicklung der Motorik aber noch längst nicht abgeschlossen.

Im dritten Lebensjahr besteigen die Kinder das Dreirad und zwei bis drei Jahre später das Zweirad. Seilspringen, Rollbrett-

*Stolze Dreiradfahrerin*

und Skifahren, Schwimmen und eine Vielzahl anderer Aktivitäten sind weitere Etappen der motorischen Entwicklung im Kindergarten- und Schulalter. Die Differenzierung der Motorik ist im Schulalter weniger augenscheinlich, setzt sich aber bis in die Pubertät fort.

## Üben oder reifen lassen?

Wenn ein Kind an seinem ersten Geburtstag die ersten freien Schritte macht, ist dies ein Geschenk für Eltern und Verwandte. Geht ein Kind bereits mit neun Monaten, erfüllt dies die Eltern mit Stolz. Lassen die ersten Schritte aber mit 16 Monaten immer noch auf sich warten, sind die Eltern beunruhigt, insbesondere wenn das gleichaltrige Nachbarskind seit einigen Monaten herumläuft. Woher kommen diese Unterschiede? Sind sie erziehungsbedingt?

Säuglinge drehen sich vom Bauch auf den Rücken und umgekehrt, ohne daß die Eltern sie darin anleiten. Sie robben und kriechen, ohne daß die Eltern ihnen diese Fortbewegungsformen je vorgemacht haben. Es gibt Kinder, die aus medizinischen Gründen die ersten zehn bis 15 Lebensmonate in einem Gipsbett verbringen müssen. Werden sie schließlich aus dieser Zwangslage befreit, können sie innerhalb kurzer Zeit frei gehen, ohne je die Stadien der frühen Bewegungsentwicklung, wie Rollen oder Kriechen, durchlaufen zu haben. Die Beispiele machen es deutlich: Die motorische Entwicklung ist überwiegend ein Reifungsprozeß, der nach inneren Gesetzmäßigkeiten abläuft. Eltern können die Ausreifung motorischer Funktionen bei ihrem Kind nicht beeinflussen. Ob ein Kind bereits mit zehn Monaten oder erst mit 17 Monaten die ersten Schritte macht, hängt im wesentlichen davon ab, wie rasch diese Funktion ausreift. Auch fleißigstes Üben vermag diesen Reifungsprozeß nicht zu beschleunigen.

Eltern müssen ihrem Kind das Kriechen, das Aufsitzen und das Gehen nicht beibringen. Das Kind eignet sich diese motorischen Fähigkeiten selbst an – vorausgesetzt, es kann sich seinem Entwicklungsstand entsprechend motorisch betätigen.

Dies bedeutet aber nicht, daß die elterliche Erziehung und die

Umgebung, in der das Kind aufwächst, für seine motorische Entwicklung bedeutungslos wären. Die Eltern haben zwar keinen Einfluß auf das Alter, in dem ihr Kind die ersten Schritte machen wird; aber kann das Kind frei gehen, hängt es wesentlich von ihnen ab, welche Erfahrungen es mit dieser neugewonnen Fähigkeit machen kann. Die Eltern bestimmen, wo und wie sich ihr Kind motorisch betätigen kann. Der Bewegungsraum wiederum beeinflußt die weitere motorische Entwicklung. Ein Kind, das sich auf Spielplätzen, auf Wiesen und in Wäldern tummeln kann, wird motorisch geschickter werden und eine andere Beziehung zu seinem Körper bekommen, als wenn seine Bewegungsmöglichkeiten auf eine Wohnung beschränkt bleiben.

Die motorische Entwicklung wird aber nicht nur durch die Umgebung beeinflußt, in der sich das Kind bewegen kann, sondern auch durch die Erziehungshaltung, welche die Eltern dem kindlichen Bewegungsdrang gegenüber einnehmen. Kinder, die in einem Haus mit Treppen aufwachsen, werden sich zuerst kriechend, dann aufrecht die Treppe hinauf- und herunterbewegen – sofern es die Eltern zulassen. Haben die Eltern die Treppe zur verbotenen Zone erklärt, kann es geschehen, daß das Kind selbst mit drei Jahren nur mit Mühe eine Treppe bewältigt.

Eltern haben bestimmte Erwartungen in bezug auf das Alter, in welchem ein Kind kriechen, sitzen und frei gehen sollte. Ist ihr Kind langsam in seiner motorischen Entwicklung, sind sie besorgt. Wie wir in den folgenden Kapiteln sehen werden, ist ein Merkmal der frühen motorischen Entwicklung die große zeitliche

*Treppen rauf und runter*

Streubreite. So können die meisten Kinder mit 13 bis 15 Monaten frei gehen. Einige Kinder machen die ersten Schritte bereits mit acht bis zehn Monaten, andere erst mit 18 bis 20 Monaten. Nicht nur das zeitliche Auftreten, auch die Bewegungsmuster sind von Kind zu Kind unterschiedlich ausgeprägt. So kriechen die meisten Kinder auf Händen und Knien. Es gibt aber Kinder, die kriechen nie. Sie stehen auf und gehen oder rutschen auf dem Hosenboden herum, bis sie frei gehen können. Kinder bewegen sich nicht nur unterschiedlich rasch und in unterschiedlicher Weise, sie sind auch sehr unterschiedlich motorisch aktiv. Es gibt Kleinkinder, die sich längere Zeit an einem Ort aufhalten und spielen. Andere sind den ganzen Tag auf den Beinen und halten die Eltern mit ihrer motorischen Betriebsamkeit und Neugierde in ständigem Trab.

Diese Verschiedenheit im motorischen Verhalten ist ein konstitutionelles Merkmal, das sich auch im Erwachsenenalter noch bemerkbar macht. Es gibt Erwachsene, die sind träge, jede körperliche Anstrengung ist ihnen zuwider. Andere haben das Bedürfnis, sich jeden Tag etwas zu bewegen, sei es auf einem Spaziergang, Fitneßparcours oder mit Hometrainer. Schließlich gibt es auch noch jene Menschen, für die ein Marathonlauf oder gar ein Triathlon das Höchste der Gefühle darstellt.

Wenn ein Kind in seiner motorischen Entwicklung langsam ist, befürchten manche Eltern, daß sich seine gesamte Entwicklung verzögere und daß es sich auch in den folgenden Lebensjahren langsam entwickeln werde. Diese Annahme trifft für die große Mehrheit der Kinder, die sich spät fortbewegen, nicht zu. Zwischen der Motorik und den anderen Entwicklungsbereichen wie beispielsweise der Sprache bestehen nur lockere Beziehungen. Ein Kind, das mit 18 Monaten die ersten Schritte macht, kann in seiner Sprache genauso weit entwickelt sein wie ein gleichaltriges Kind, das bereits mit zehn Monaten frei gehen konnte. Kinder, die sich motorisch langsam entwickeln, sind im Schulalter nicht weniger intelligent als jene Kinder, deren Motorik rasch ausreift.

Die Entwicklung der Motorik bestimmt vordergründig das erste Lebensjahr. Die Sprache, das Denken und das Sozialverhalten reifen in aller Stille heran. Als Eltern neigen wir dazu, das

Kind vor allem durch seine Motorik zu erleben. Die Motorik ist aber nicht das ganze Kind. Sie ist nur ein Teilbereich, wenn auch ein wichtiger der frühkindlichen Entwicklung.

## Das Wichtigste in Kürze

1. Die motorische Entwicklung beginnt in der achten Schwangerschaftswoche und dauert bis in die Pubertät fort.
2. In den ersten Lebensmonaten lernt das Kind, seine Körperhaltung gegen die Schwerkraft aufrechtzuerhalten. In der zweiten Hälfte des ersten Lebensjahres beginnt es, sich fortzubewegen.
3. Die motorische Entwicklung ist im wesentlichen ein Reifungsprozeß, der von Kind zu Kind unterschiedlich rasch abläuft und aus unterschiedlichen Fortbewegungsmustern besteht.
4. Das Auftreten einer motorischen Funktion wie beispielsweise des freien Gehens kann durch Üben nicht beschleunigt werden.
5. Ist eine motorische Funktion herangereift, ist ihre weitere Differenzierung abhängig von den Möglichkeiten, die das Kind hat, die Funktion anzuwenden.
6. Es besteht kein Zusammenhang zwischen dem Tempo der motorischen Entwicklung und demjenigen anderer Entwicklungsbereiche. Ein Kind, das sich motorisch langsam entwickelt, kann sprachlich weit fortgeschritten sein und umgekehrt.

## Vor der Geburt

*Maja liegt auf dem Sofa und liest die Zeitung. Unvermittelt hält sie inne – ein Strahlen geht über ihr Gesicht: Ihr Kind hat sich zum erstenmal bemerkbar gemacht! Maja ist mit ihrem dritten Kind im fünften Monat schwanger. Seit zwei Wochen hat sie ungeduldig auf die Kindsbewegungen gewartet. Beim ersten Kind nahm sie die Bewegungen mit 19 und beim zweiten mit 16 Wochen wahr. Immer war es ein wunderbares Gefühl, das kleine Lebewesen zum erstenmal zu spüren.*

Die werdende Mutter erlebt ihr Kind erstmals als ein sich bewegendes Wesen mit 16 bis 20 Schwangerschaftswochen. Die Kindsbewegungen sind für die Mutter anfänglich nur dann spürbar, wenn sie sich ausruht und sich auf ihren eigenen Körper und das Kind besinnt. In den folgenden Wochen und Monaten werden die Kindsbewegungen immer häufiger und mit dem Größerwerden des Kindes auch kräftiger; gelegentlich können sie sogar etwas schmerzhaft sein. Wenn der Vater seine Hände auf den Bauch der Mutter legt, kann auch er die Kindsbewegungen fühlen. Im letzten Schwangerschaftsdrittel werden die Körperteile des ungeborenen Kindes als kleine Erhebungen in der mütterlichen Bauchdecke sichtbar.

Das Kind beginnt nicht erst mit 16 bis 20 Schwangerschaftswochen, sich zu bewegen. Die Anfänge seiner motorischen Aktivität reichen weit in die Schwangerschaft zurück. Frühestens werden im Ultraschall Bewegungen des ungeborenen Kindes in der achten Schwangerschaftswoche beobachtet. Zwischen der achten und zwölften Woche entwickelt sich eine Vielfalt von Bewegungsformen. Die häufigsten Bewegungsmuster sind anhand ihres zeitlichen Auftretens unten dargestellt.

Die ersten Bewegungen bestehen in einem langsamen Beugen und Strecken der Arme, Beine und des Körpers. Selten zieht das Kind ruckartig seine Gliedmaßen und den Körper zusammen (sogenannte Startles).

Gelegentlich hat das Kind Schluckauf, der durch eine rasche Kontraktion des Zwerchfells hervorgerufen wird. Die ruckartigen

| *Schwanger-schaftswochen* | *0* | *1* | *2* | *3* | *4* | *5* | *6* | *7* | *8* | *9* | *10* | *11* | *12* | *13* | *14* | *15* |
|---|---|---|---|---|---|---|---|---|---|---|---|---|---|---|---|---|
| Allgemeine Bewegungen | | | | | | | | | | | | | | | | |
| »Startle« | | | | | | | | | | | | | | | | |
| Schluckauf | | | | | | | | | | | | | | | | |
| Arm bewegen | | | | | | | | | | | | | | | | |
| Bein bewegen | | | | | | | | | | | | | | | | |
| Kopf zurückbeugen | | | | | | | | | | | | | | | | |
| Kopf drehen | | | | | | | | | | | | | | | | |
| Hand zum Gesicht bringen | | | | | | | | | | | | | | | | |
| Atembewegungen | | | | | | | | | | | | | | | | |
| Sich strecken | | | | | | | | | | | | | | | | |
| Mund öffnen | | | | | | | | | | | | | | | | |
| Kopf vorbeugen | | | | | | | | | | | | | | | | |
| Gähnen | | | | | | | | | | | | | | | | |
| Trinken | | | | | | | | | | | | | | | | |

*Die häufigsten Bewegungsmuster während der Schwangerschaft. Die Striche geben an, ab welchem Alter die verschiedenen Bewegungsmuster beobachtet werden (nach Prechtl).*

Bewegungen werden in den letzten Schwangerschaftswochen so kräftig, daß sie für die Mutter spürbar werden. In der zwölften Schwangerschaftswoche beginnt das Kind einzelne Gliedmaßen zu bewegen sowie den Kopf zu drehen und zurückzubeugen. Es macht rhythmische Atembewegungen, öffnet den Mund, gähnt und trinkt Fruchtwasser. Es führt seine Händchen zum Gesicht, gelegentlich zum Mund und saugt an Daumen und Fingerchen. Hie und da streckt und reckt es sich mit dem ganzen Körper und allen Gliedmaßen, genauso wie wir es am Morgen beim Aufstehen tun. Bis zur 14. Schwangerschaftswoche hat das ungeborene Kind alle Bewegungsmuster entwickelt, die es bei der Geburt mit etwa 40 Schwangerschaftswochen aufweisen wird.

Viele Leser werden sich fragen: Warum diese motorische Betriebsamkeit, wo sich das Kind ja noch gar nicht fortbewegen kann? Warum atmet es, wo es noch gar keine Luft zum Atmen gibt? Die Motorik während der Schwangerschaft dient keinem unmittelbaren Zweck. Die verschiedenen Bewegungsmuster werden auch nicht durch äußere Reize ausgelöst, sie sind viel-

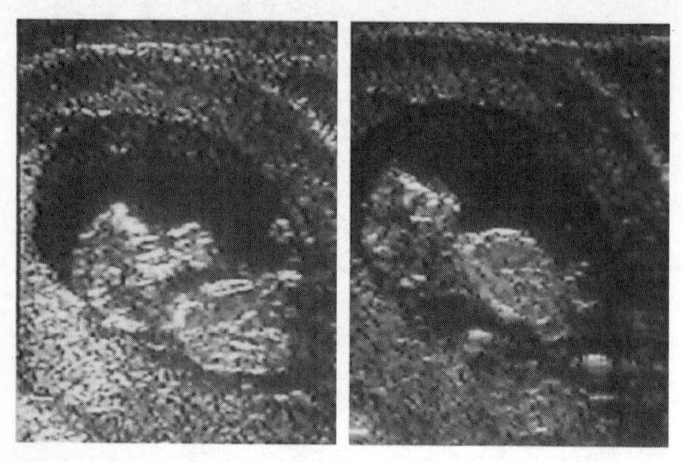

*Ein Kind in der 14. Schwangerschaftswoche dehnt und streckt sich.*

mehr Ausdruck einer eigenständigen motorischen Aktivität. Sie sind eine Vorbereitung auf das Leben nach der Geburt und erfüllen dabei die folgenden Aufgaben:

**Einüben von Bewegungsmustern**. Geradezu lebenswichtig für das Kind ist das Einüben derjenigen motorischen Verhaltensweisen, die bei der Geburt auf Anhieb funktionieren müssen wie Atmen, Saugen und Schlucken. Einmal auf der Welt, muß sich das Kind mit Sauerstoff versorgen und Nahrung aufnehmen können.

**Einüben von Organfunktionen.** Die Atembewegungen fördern das Wachstum der Lungen. Das Trinken von Fruchtwasser regt den Darm zur Resorption und die Nieren zur Ausscheidung an.

**Modellierung der Gliedmaßen.** Muskeln, Knochen und Gelenke können sich nur normal entwickeln, wenn sich das Kind regelmäßig bewegt. Durch die Bewegungen werden die Gliedmaßen gewissermaßen modelliert.

**Einstellung in den Geburtskanal.** In den letzten Tagen vor der Geburt verändert das Kind seine Lage in der Weise, daß es mit dem Kopf voran in den Geburtskanal eintreten kann und so auf die schonendste Weise auf die Welt kommt.

In den ersten Schwangerschaftsmonaten verfügt das Kind über sehr viel Raum. Es kann sich um sich selbst drehen, die Beine strecken, in seiner Fruchtblase herumgehen und selbst Purzelbäume schlagen. Je größer das Kind wird, desto geringer werden seine Bewegungsmöglichkeiten. Obwohl seine motorische Aktivität in den letzten Schwangerschaftswochen zunehmend eingeschränkt wird, ist es dem Kind aber immerhin noch möglich, sich für den Geburtsvorgang in eine günstige Lage zu bringen.

Mit der Geburt werden die engen Raumverhältnisse aufgehoben. Das Neugeborene kann sich aber keineswegs freier bewegen: Was ihm nun zu schaffen macht, ist die Schwerkraft.

## Das Wichtigste in Kürze

1. Während der Schwangerschaft ist das Kind in einem weitgehend schwerelosen Zustand.

2. In der achten Schwangerschaftswoche beginnt das ungeborene Kind, sich zu bewegen.

3. Bis zur 14. Schwangerschaftswoche sind alle Bewegungsmuster ausgebildet, die wir beim Neugeborenen am Geburtstermin beobachten können.

4. Zwischen der 16. und 20. Schwangerschaftswoche werden die Kindsbewegungen für die Mutter spürbar.

## 0 bis 3 Monate

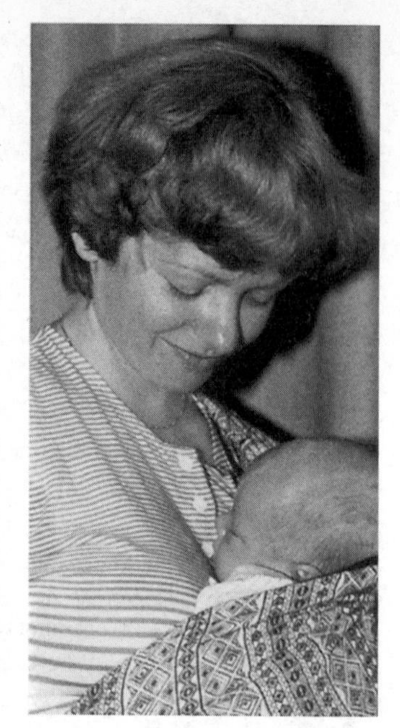

*Sabine schläft im Tragetuch bei der Mutter. Der einen Monat alte Säugling ist ganz zusammengekuschelt. Seine Ärmchen hängen schlaff herunter. Sein Köpfchen ist auf die Seite geneigt. Die Großmutter betrachtet ihr Enkelkind nachdenklich. Die schlafende Sabine macht einen sehr zufriedenen Eindruck. Im Interesse der Enkelin meint sie aber, ihrer Schwiegertochter doch sagen zu müssen: »Diese verdrückte Lage im Tragetuch tut wohl dem noch schwachen Rücken von Sabine nicht gut.«*

Der Umgang mit Säuglingen hat sich in einer Generation gewandelt. Eltern haben heutzutage eine andere körperliche Beziehung zu ihrem Kind als in früheren Jahren. Mütter und zunehmend auch Väter tragen ihre Kinder je nach Alter vorne, auf dem Rücken oder seitlich mit sich herum. »Snuglis«, Känguruhtaschen und Tragetücher lösen den Kinderwagen immer mehr ab. Die Kinder werden häufiger als früher von den Erwachsenen in den Armen und auf dem Schoß gehalten. Auch nachts bestehen weit mehr Körperkontakt und Nähe zwischen Kind und Eltern. Nicht nur Säuglinge, auch Kleinkinder schlafen immer öfter bei ihren Eltern.

Unsere Gesellschaft ist – wahrscheinlich nicht nur im Umgang mit Kindern – körperorientierter geworden. Immer mehr Eltern spüren, daß die körperliche Nähe wesentlich zum Wohlbefinden ihrer Kinder beiträgt. Verändert hat sich damit auch die Beziehung der Eltern zum Kind: Sie ist kindgerechter geworden (vgl. »Beziehungsverhalten 0 bis 3 Monate«).

Während des ersten Lebensjahres löst sich das Kind aus der großen körperlichen Nähe und der motorischen Abhängigkeit langsam von den Eltern ab. Nach der Geburt vermag das Kind seine Körperlage nur unwesentlich zu verändern. Zwölf Monate später kann es sich im Sitzen und Stehen aufrecht halten und sich fortbewegen. Die zunehmende motorische Selbständigkeit geht mit einer entsprechenden Veränderung im Beziehungsverhalten des Kindes einher.

## Kopf hoch!

Als erstes gilt es für den jungen Säugling, sich gegen die Schwerkraft zu behaupten. Die erste motorische Errungenschaft ist die Kontrolle über die Kopfhaltung: Das Kind vermag den Kopf gegen die Schwerkraft anzuheben und ihn aufrecht zu halten. Begleitet wird die Entwicklung der Kopfkontrolle mit entsprechenden Veränderungen in der Körperhaltung. Diese Entwicklung verläuft in Bauch- und Rückenlage, im Sitzen und in der aufrechten Haltung unterschiedlich:

**Bauchlage.** Das neugeborene Kind hält in Bauchlage den Kopf seitlich. Gelegentlich hebt es den Kopf an, aber nur so weit, daß es ihn auf die andere Seite drehen kann. Die Seitenlage des Kopfes gewährleistet eine freie Atmung. Vor einigen Jahren haben Entwicklungsneurologen festgestellt, daß neugeborene Kinder den Kopf häufiger auf die rechte als auf die linke Seite drehen. Diese asymmetrische Kopfhaltung der Neugeborenen scheint ein früher Ausdruck der Dominanz der linken Hirnhälfte zu sein, die sich in den folgenden Jahren als Rechtshändigkeit manifestiert.

Die Gliedmaßen und der Körper sind in den ersten zwei Lebensmonaten überwiegend gebeugt. Die Beine liegen angezogen unter dem Körper, das Gesäß ist oftmals abgehoben.

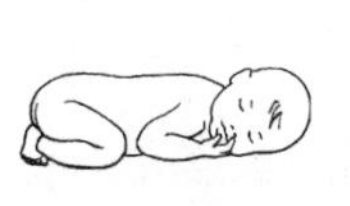
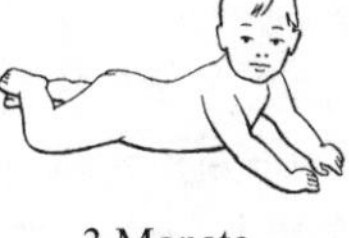
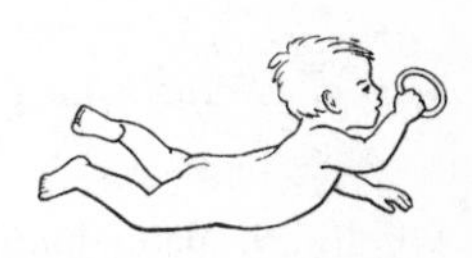

Neugeboren 3 Monate 6 Monate

*Kopf- und Körperhaltung in Bauchlage*

Mit drei Monaten vermag der Säugling den Kopf so weit anzuheben, daß er geradeaus schauen kann. Er beginnt, Eltern und Geschwister mit den Augen zu verfolgen, wenn sie im Zimmer herumgehen. Er stützt sich dabei auf Ellbogen oder Hände ab. Seine Beinchen sind vermehrt gestreckt. Das Gesäß ist nicht mehr abgehoben. Der Säugling liegt mit dem ganzen Körper auf der Unterlage auf.

Im Alter von sechs Monaten ist die Kontrolle des Kopfes so weit entwickelt, daß das Kind den Kopf seitlich drehen sowie nach unten und oben blicken kann. Der Säugling überstreckt seinen Körper gelegentlich so sehr, daß er nur noch mit dem Bauch auf der Unterlage aufliegt und mit seinen Armen und Beinen in der Luft rudert. Bei dieser überstreckten Haltung entsteht der Eindruck, als ob der Säugling »schwimme«.

In den ersten sechs Lebensmonaten geht der Säugling in Bauchlage von einer Beugehaltung in eine Streckhaltung über. In der Rückenlage verläuft die Entwicklung der Körperhaltung genau umgekehrt.

**Rückenlage.** Das Neugeborene hält in der Rückenlage den Kopf ebenfalls seitlich wie in der Bauchlage. Sein Körper ist mehr oder weniger gestreckt. Die Arme und Beine sind halb gebeugt.

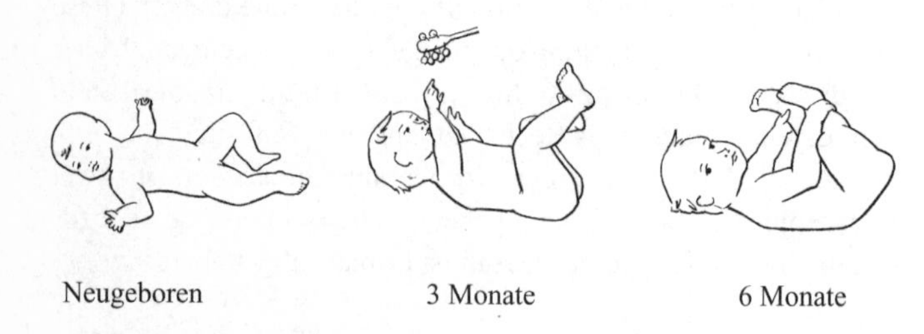


*Kopf- und Körperhaltung in Rückenlage*

Mit drei Monaten hält der Säugling den Kopf weniger seitlich als in der Mitte. Seine Arme hält er vermehrt gebeugt. Die Hände sind häufig vor dem Gesicht, im Mund oder berühren sich gegenseitig. Auf diese Weise lernt der Säugling seine Händchen kennen. Die mittelständige Kopfhaltung und die gebeugten Arme sind für die ersten Greifversuche mit vier bis fünf Monaten wesentlich: Wenn der Säugling zu greifen beginnt, benutzt er gleichzeitig beide Hände. Die Beine werden im Alter von drei Monaten vermehrt gebeugt und angezogen.

Mit sechs Monaten ist die Kopfkontrolle in Rückenlage so weit fortgeschritten, daß das Kind den Kopf spontan anheben kann, etwa beim Aufnehmen. Es beugt seine Beine, damit es Knie und Füße betasten kann. Das Kind zeigt in den folgenden Monaten ein großes Interesse an den unteren Gliedmaßen. Knie, Füße und Zehen sind attraktive und immer vorhandene Erkundungsobjekte. Einige Kinder werden zu eigentlichen Akrobaten: Ihnen gelingt es, die Zehen in den Mund zu stecken.

**Aufziehen zum Sitzen.** Wenn wir ein Neugeborenes oder einen Säugling aufnehmen, stützen wir unwillkürlich seinen Kopf. Täten wir es nicht, würde der Kopf nach hinten fallen. Neugebo-

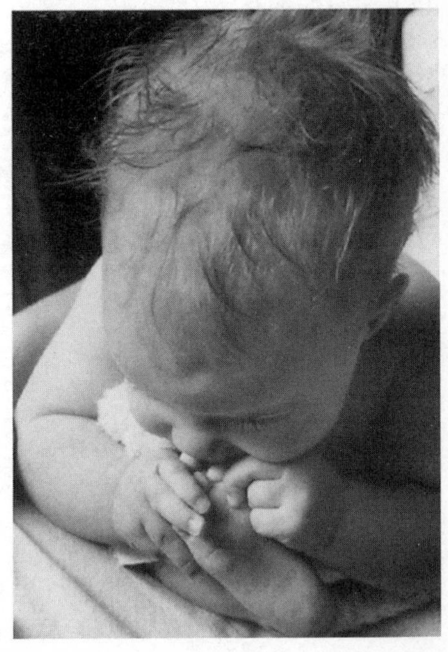

*Die Füße kennenlernen*

renen und Säuglingen fehlt die Kraft, den schweren Kopf gegen die Schwerkraft anzuheben.

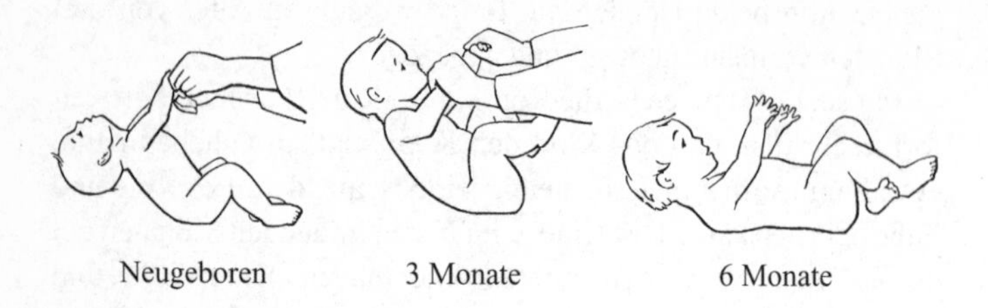


*Kopf- und Körperhaltung beim Aufsitzen*

Mit etwa drei Monaten vermag der Säugling, wenn wir ihn an den Armen zum Sitzen aufziehen, den Kopf mitzunehmen. Mit fünf bis sechs Monaten hebt er den Kopf spontan von der Unterlage ab, wenn er spürt, daß er aufgenommen wird. In diesem Alter hilft er zudem beim Aufziehen mit, indem er die Beine anzieht und den Rücken rund macht.

**Sitzen.** Im Sitzen kann das Neugeborene den Kopf nur für wenige Sekunden aufrecht halten, dann fällt der Kopf nach hinten oder vorne. Sein Körper sackt zusammen. Das Kind fühlt sich unwohl.

Im Alter von drei Monaten hält der Säugling den Kopf im Sitzen und vermag ihn seitwärts zu drehen. Mit sechs Monaten kann er nach oben und unten blicken.

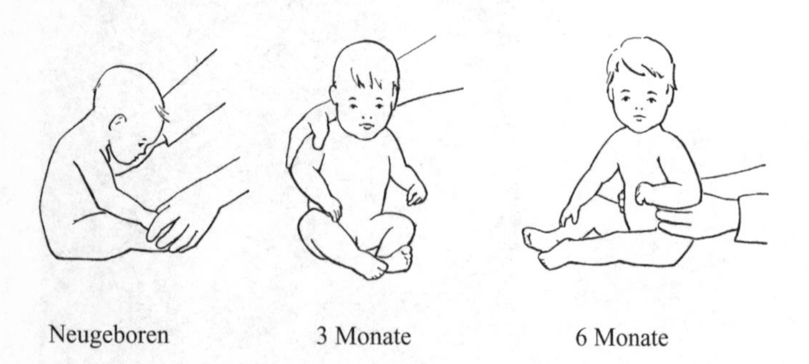


*Kopf- und Körperhaltung im Sitzen*

**Aufrechte Haltung.** Wenn der Säugling gestützt wird, beispielsweise an der Schulter der Mutter, vermag er den Kopf aufrecht zu halten, insbesondere dann, wenn es etwas Interessantes zu sehen gibt.

*Säugling an der Schulter der Mutter*

Wenn wir ein Neugeborenes auf die Füße stellen, macht es seine Beine etwas steif und streckt seinen Körper durch. Gestützt steht es für eine kurze Zeit. Im Alter von drei bis fünf Monaten verschwindet die Bereitschaft zum Stehen (sogenannte Astasie): Die Beine knicken ein, und der Körper reckt sich nicht mehr. Mit etwa sechs Monaten beginnt die Entwicklung der eigentlichen Stehbereitschaft, die zur aufrechten Körperhaltung führt. Die Kinder lieben es, immer wieder in die Knie zu gehen und sich von der Unterlage abzustoßen.

Stellen wir ein Neugeborenes auf seine Füße und neigen wir es leicht nach vorne, setzt es einen Fuß vor den anderen. Es geht!

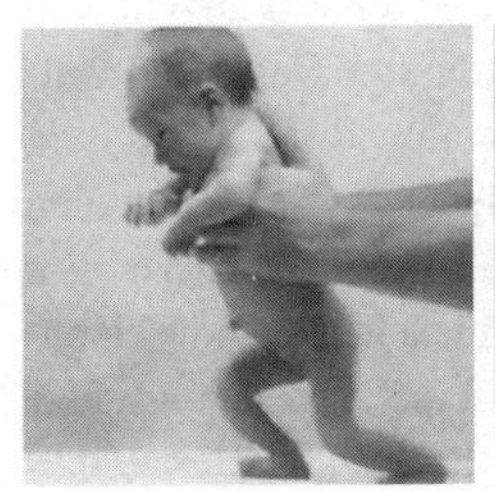

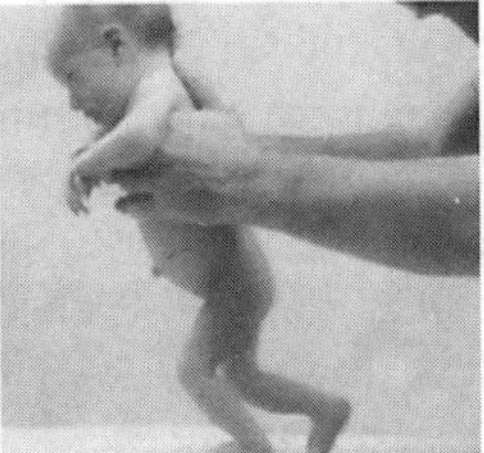

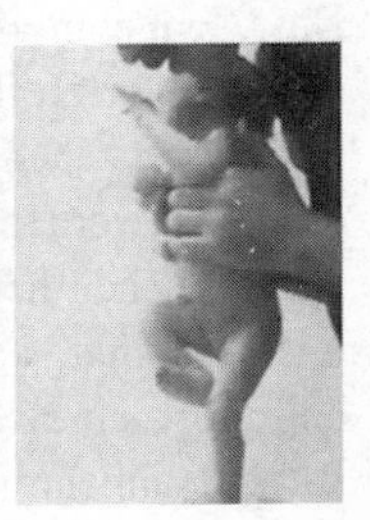

*Automatische Schreitbewegungen*

Lange Zeit waren die Wissenschaftler der Meinung, daß es sich bei diesen Schreitbewegungen um Vorläufer des freien Gehens handelt. Ultraschalluntersuchungen während der Schwangerschaft haben aber gezeigt, daß solche Schreitbewegungen ein vorgeburtliches motorisches Verhalten darstellen, welches einige Zeit über die Geburt hinaus weiterbesteht. Nach dem ersten Lebensmonat werden die Schreitbewegungen immer schwächer und verschwinden zum Zeitpunkt der Astasie vollständig.

## Strampeln

Ab dem dritten Schwangerschaftsmonat bewegt sich das ungeborene Kind auf vielfältigste Weise. Nach der Geburt strampelt das Kind weiter. Es streckt und beugt rhythmisch und alternierend Arme und Beine. Es kommt dabei weit weniger vom Fleck als in den Monaten vor der Geburt! Einige Säuglinge machen in Bauchlage immerhin so kräftige Kriechbewegungen, daß sie sich bis an das obere Bettende hocharbeiten und von den Eltern aus einer oft unbequemen Lage befreit werden müssen.

Wieviel und wann die Kinder strampeln, ist je nach Temperament unterschiedlich. Einige Kinder strampeln, wenn sie nackt sind, andere wenn sie gebadet werden, wieder andere kommen in einen regelrechten Bewegungssturm, wenn sie müde sind, aber den Schlaf nicht finden können.

## Relikte unserer Stammesgeschichte

Das Neugeborene und der Säugling weisen eine Vielzahl von sogenannten Reflexreaktionen auf. Darunter sind Verhaltensweisen zu verstehen, die durch einen bestimmten Reiz zuverlässig ausgelöst werden. Einen Reflex, den wohl jeder Leser von seinen Arztbesuchen her kennt, stellt der Patellarsehnenreflex dar: Ein leichter Schlag auf die Sehne zwischen Kniescheibe und Schienbein löst eine Streckbewegung des Unterschenkels aus. Der Patellarsehnenreflex ist ein einfacher Reflex, das Reflexverhalten des Säuglings ist weit komplexer. Einige Reflexreaktionen sind geradezu lebenswichtig. Wird der Säugling mit dem Gesicht nach unten gelegt, dreht er den Kopf zur Seite. Dieser Reflex stellt sicher, daß die Nasenatmung erhalten bleibt. Such-, Saug- und Schluckreflexe gewährleisten die Nahrungsaufnahme (vgl. »Trinken und Essen«). Der Hustenreflex verhindert, daß die Atemwege durch einen Fremdkörper verstopft werden.

Stammesgeschichtliche Besonderheiten stellen die Moro-Reaktion und die Greifreflexe dar: Wird ein Neugeborenes unsanft abgelegt, macht es eine sogenannte Moro-Reaktion (Moro war ein deutscher Kinderarzt, der dieses Verhalten erstmals beschrieben hat): Das Kind streckt ruckartig seine Arme aus und zieht sie sogleich wieder an. Gelegentlich machen die Beine die Bewegung der Arme mit. Die Moro-Reaktion ist unangenehm für das Neugeborene, häufig schreit es. Sie ist in den ersten Lebenswochen am ausgeprägtesten. Danach schwächt sie sich immer mehr ab. Nach dem sechsten Lebensmonat ist sie nicht mehr nachweisbar.

Die abrupte Bewegung des Säuglings kann die Eltern erschrecken. Sie denken vielleicht, es handle sich um eine Form von Epilepsie. Diese Reflexreaktion gehört aber zum normalen Verhaltensrepertoire des Säuglings. Sie ist ein Relikt unserer Stammesgeschichte. Die ursprüngliche Bedeutung der Moro-Reaktion können wir im Zoo bei jungen Menschenaffenkindern beobachten, die von der Mutter noch herumgetragen werden: Bewegt sich die Affenmutter, fällt der Kopf des Jungen etwas nach hinten und löst dabei die Moro-Reaktion aus: Das Junge verstärkt seine Umklammerung. Dieses Reflexverhalten stellt sicher, daß das Junge nicht von der Mutter fällt. Uns Menschen mahnt der Moro-Reflex, mit dem Säugling, der noch nicht über eine ausreichende Kopfkontrolle verfügt, sorgfältig umzugehen.

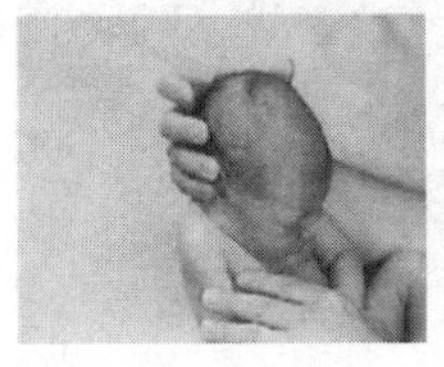
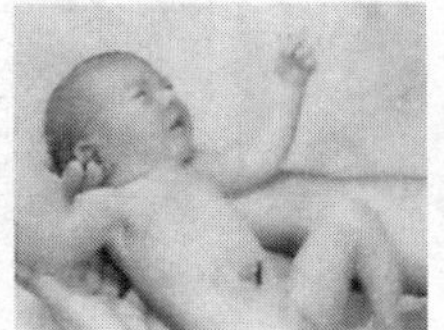
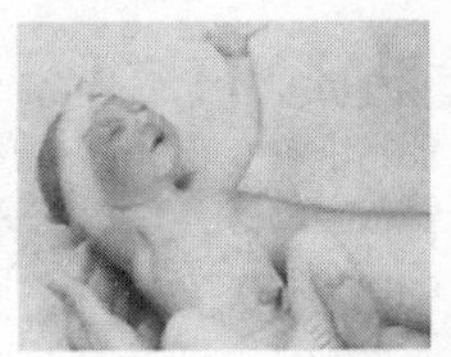

*Moro-Reaktion*

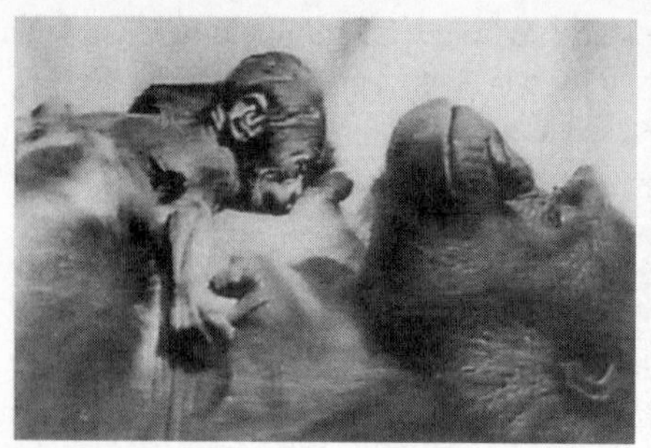
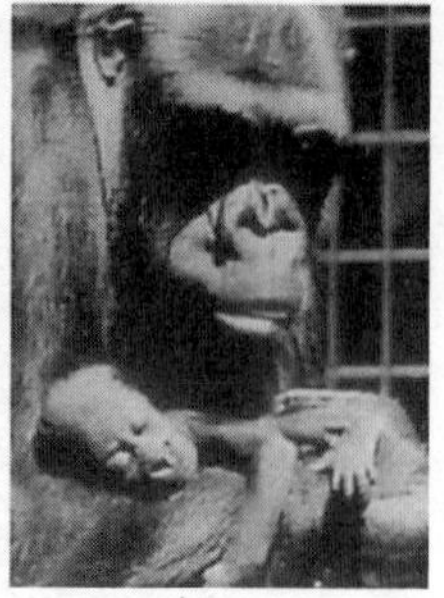

*Moro-Reaktion und Greifreflex bei einem Gorillakind*

Ein weiterer Reflex bewahrt das Affenjunge davor, von der Mutter zu fallen: Der Greifreflex der Hände und Füße. Mit diesem Reflex hält sich das Junge an der Mutter fest.

Auch Menschenkinder weisen in den ersten Lebensmonaten den Greifreflex auf. Drückt man auf die Innenfläche der Hände oder auf den vorderen Anteil der Fußsohle, beugen sich die Finger beziehungsweise die Zehen. Am leichtesten kann der Reflex ausgelöst werden, wenn ein Fell über die Handinnenfläche und Fußsohle gezogen wird. Gelegentlich ist der Greifreflex so kräftig, daß die Knöchel an den Fäustchen weiß hervortreten.

Moro-Reaktion und Greifreflexe haben beim Menschen ihre ursprüngliche Funktion weitgehend verloren. Sie stellen ein stammesgeschichtliches Kuriosum dar. Sie dienen dem Menschenkind in den ersten Lebensmonaten noch in begrenzter Weise dazu, sich an einer Bezugsperson festzuhalten.

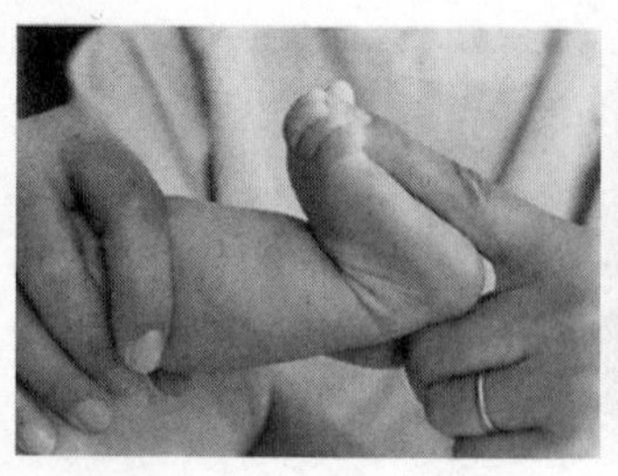
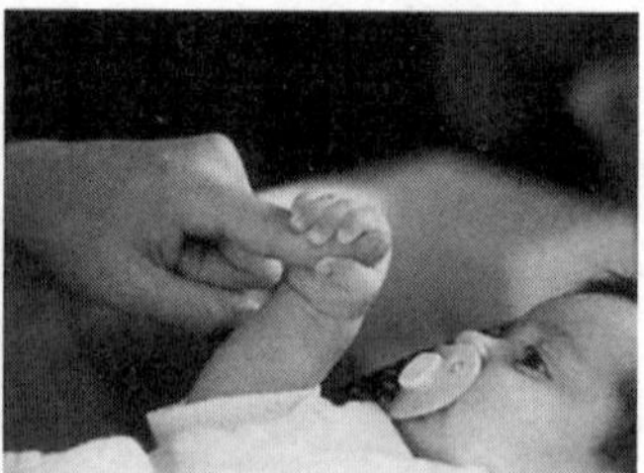

*Greifreflex an Händen und Füßen*

## Herumtragen oder ablegen?

Unter Großeltern ist die Angst noch ziemlich verbreitet, daß ein Säugling durch eine unsachgemäße Lagerung Schaden an seinem Rücken nehmen könnte. Sie sehen es daher ungern, wenn ihre Enkelkinder von den Eltern während Stunden herumgetragen werden. Diese Angst hat ihre Wurzel wohl in den Zeiten, als Kinder noch häufig an Rachitis erkrankten. Diese Krankheit war die Folge eines Vitamin-D-Mangels und führte zu Deformierungen des Körpers und der Extremitäten. In den westlichen Ländern schützt seit vielen Jahren eine Vitamin-D-Prophylaxe die Kinder wirksam vor Rachitis. Die Großmutter von Sabine braucht keine Angst zu haben: Ein gesundes Kind bekommt vom Herumgetragenwerden keinen Rückenschaden.

In unserer Gesellschaft gibt es keine stichhaltigen Gründe gegen das Herumtragen des jungen Kindes in einem Snugli, Känguruhsack oder Tragetuch. Im Gegenteil: Es ist diejenige Form des körperlichen Umgangs mit dem Säugling, die seinem Bedürfnis nach Körperkontakt und Bewegung am besten entspricht (Montagu). In der langen Menschheitsgeschichte wurde der Säugling immer von Erwachsenen und größeren Kindern herumgetragen. Wohnverhältnisse und vielfältige Gefahren erlaubten es nicht, ihn für längere Zeit sich selbst zu überlassen. Den Säugling während Stunden in einem Bettchen abzulegen ist eine Erfindung des Industriezeitalters. Diese Sitte wurde im vorigen Jahrhundert nicht im Interesse des Kindes eingeführt, sondern war eine Folge des veränderten Lebens- und Arbeitsstils der Erwachsenen. Die neuen Wohnverhältnisse ermöglichten und die Arbeitsbedingungen erzwangen eine Distanz zwischen Kind und Eltern. Der Brauch, Säuglinge während Stunden alleine zu lassen, ist nur etwa 150 Jahre alt – ein Nichts im Vergleich mit der stammesgeschichtlichen Entwicklung des Menschen.

Weitere Gründe, die für das Herumtragen sprechen: Das Kind kann wieder vermehrt in den Alltag der Erwachsenen mit einbezogen werden. Die Eltern können es bei zahlreichen Tätigkeiten wieder bei sich haben. Der Vater und andere Personen können das Baby genauso herumtragen wie die Mutter. Vor einigen

Jahren erregte ein Vater mit seinem Kind im Snugli noch Aufsehen in der Öffentlichkeit. Die Leute drehten sich um, schauten dem Paar nach und schüttelten die Köpfe. Heutzutage gehört der Vater mit dem Kind im Tragesack zum alltäglichen Straßenbild. Und schließlich: Kinder, die in den ersten drei Lebensmonaten viel herumgetragen werden, schreien weniger (vgl. »Schreiverhalten«).

Herumgetragenwerden ist wohl die wichtigste, wenn auch bei weitem nicht die einzige Form des Körperkontaktes. Manche Säuglinge sind begeistert, wenn die Eltern mit ihnen turnen. Väter neigen zu einem physischen Umgang mit dem kleinen Kind. Säuglinge genießen es, wenn sie berührt, gestreichelt und bewegt werden. In den letzten Jahren haben Babymassagen, die in fernöstlichen Ländern Tradition haben, Eingang in unsere Kultur gefunden (beispielsweise nach Leboyer). Alle diese Aktivitäten fördern die motorische Entwicklung des Kindes. Sie bereichern zudem die Beziehung zwischen Kind und Eltern. Erfahrungen, die über die Sinne des Körpers gemacht werden, sind die wichtigsten Bausteine der frühen Kind-Eltern-Beziehung.

Der wache Säugling soll abwechslungsweise auf dem Bauch, auf dem Rücken oder in einer halb sitzenden Haltung sein. Jede dieser Stellungen fördert seine Motorik auf ihre Weise. Sehr dienlich sind die Babyschalen, die, je älter der Säugling wird, um so steiler gestellt werden können. In halb aufrechter Haltung kann das Kind gut verfolgen, was in seiner nächsten Umgebung vor sich geht, hat seine Hände frei zum Spielen und kann ungehemmt strampeln.

## Das Wichtigste in Kürze

1. In den ersten Lebensmonaten entwickelt der Säugling die Kopfkontrolle. Mit etwa drei Monaten vermag er den Kopf im Sitzen und in Bauchlage aufrecht zu halten.

2. In Bauchlage geht der Säugling in den ersten sechs Monaten von einer Beuge- in eine Streckhaltung über.

In Rückenlage macht er die umgekehrte Entwicklung durch.

3. Das Bewegungsmuster des Säuglings besteht vorwiegend aus ungerichteten Arm- und Beinbewegungen. Sie sind wie auch die automatischen Schreitbewegungen Ausläufer vorgeburtlicher Bewegungsformen.

4. Komplexe Reflexverhalten wie Saug- und Schluckreflex stellen lebenswichtige Funktionen sicher. Moro-Reaktion und Greifreflexe sind Relikte unserer Stammesgeschichte.

5. In Tragetüchern, Känguruhtaschen und Snuglis herumgetragen zu werden entspricht dem Bedürfnis des Säuglings nach Körperkontakt und Bewegung.

6. Der Säugling will sich frei bewegen und möchte berührt werden. Sinnliche Erfahrungen über den Körper (Baden, Babymassage, spielerisches Turnen) fördern die motorische Entwicklung und festigen die Beziehung zwischen Kind und Eltern.

7. Der wache Säugling soll abwechslungsweise in Bauchlage, Rückenlage und einer halb aufrechten Stellung (Babyschale) sein. Jede dieser Körperhaltungen gibt ihm auf unterschiedliche Weise Gelegenheit, mit den Händen zu spielen, mit den Beinen zu strampeln und zu verfolgen, was in der Familie vor sich geht.

8. Zum Schlafen soll der Säugling auf dem Rücken liegen. Fühlt er sich unbehaglich, wird er in derjenigen Körperstellung abgelegt, in der er sich am wohlsten fühlt.

## 4 bis 9 Monate

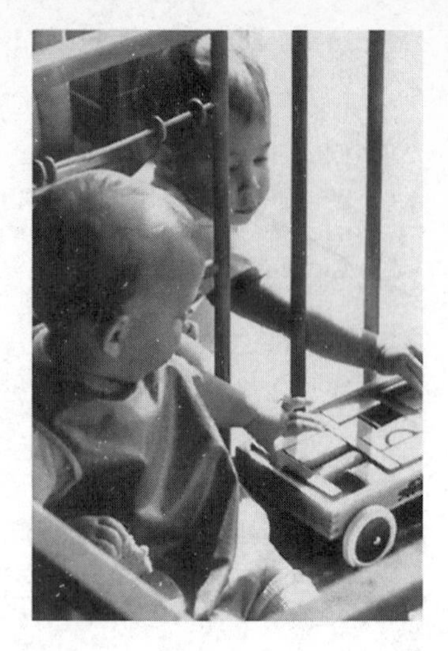

*Die Mutter wechselt ihrer Tochter die Windeln, als das Telefon klingelt. Sie gibt der sechs Monate alten Sabine eine Rassel zum Spielen und geht zum Telefon. Ein Jauchzer von Sabine läßt sie nach wenigen Schritten zurückblicken und – mit einem Sprung ist sie wieder bei ihrem Kind: Sabine wäre mit einer raschen Drehung beinahe vom Wickeltisch gefallen.*

Monatelang kann sich der Säugling nicht vom Fleck rühren. Er ist für jeden Lagewechsel auf die Eltern angewiesen. Zwischen fünf und sieben Monaten aber kommt der Tag, an dem sich das Kind erstmals bewegt: Es dreht sich. Oft geschieht dies – wie bei Sabine – unerwartet für die Eltern. Die Eltern müssen sich neu auf ihr Kind einstellen. Das Kind wird mobil.

Das Kind will sich aber nicht nur fortbewegen, es will seine Umwelt auch erkunden. Von Woche zu Woche gelangt es an immer mehr Orte in der Wohnung. Es möchte alles Erreichbare berühren, in den Mund nehmen, manipulieren und betrachten. Seine zunehmende Mobilität stellt die Eltern vor die Frage: Soll, muß und vor allem kann sich ihr Kind den Gegebenheiten der Wohnung anpassen? Oder muß die Wohnung kindersicher gemacht werden?

Wenn das Kind beginnt sich fortzubewegen, kann es sich erstmals aus eigenem Antrieb von der Mutter und anderen Betreuungspersonen entfernen. Damit das Kind nicht verlorengeht und sich laufend Gefahren aussetzt – der kindliche Erkundungstrieb kann sehr stark sein! –, hat die Natur eine Art Sicherung erfunden: die Trennungsangst (vgl. »Beziehungsverhalten 4 bis 9 Monate«). Die Trennungsangst unterbindet den kindlichen Erkundungsdrang nicht, setzt ihm aber räumliche Grenzen. Die Trennungsangst tritt etwa in dem Alter auf, in dem das Kind anfängt, sich fortzubewegen.

Die Motorik und die anderen Entwicklungsbereiche beeinflussen sich gegenseitig. Je nach Alter, in dem ein Kind beginnt, sich fortzubewegen, erweitern sich seine Möglichkeiten zum Erkunden unterschiedlich rasch. Ein neugieriges Kind wird motorisch aktiver sein als ein an seiner Umwelt weniger interessiertes Kind. Ein Kind, das sich leicht von der Mutter trennt, wird andere und vielfältigere Erfahrungen machen als ein Kind, das ständig die Nähe der Mutter sucht. Ein Kind, das bewegungsfreudig ist, wird sich wiederum eher von der Mutter lösen als ein bedächtiges Kind.

## Drehen

Mit drei bis sieben Monaten beginnt der Säugling sich zu drehen. Als erstes wendet er sich aus der Rücken- oder Bauchlage auf die Seite. Anschließend dreht er sich vom Bauch auf den Rücken und etwas später vom Rücken auf den Bauch. Einigen Kindern gelingt letzteres zuerst.

Die Eltern gewöhnen sich in den ersten Lebensmonaten daran, daß das Kind seine Lage nur mit ihrer Hilfe verändern kann. Dreht es sich, wie Sabine, eines Tages plötzlich um seine eigene Achse und fällt dabei beinahe vom Wickeltisch, kann diese neuerworbene Fähigkeit den Eltern einen nachhaltigen Schrecken einjagen.

Einige Kinder benützen das Drehen nicht nur, um ihre Körperlage zu verändern. Sie entwickeln daraus eine besondere Fortbewegungsart: Sie rollen durch die Wohnung. Sie richten dabei ihren Körper im Raum geschickt so aus, daß wiederholtes Überrollen sie an den gewünschten Ort bringt.

Eine weitere Möglichkeit, an Gegenstände zu gelangen, die in der Nähe liegen, ist das sogenannte Kreisrutschen. Dabei dreht sich der Säugling auf der Stelle. Der Drehpunkt ist der Bauch, mit den Armen und Beinen rudert er im Kreis herum. Das Kreisrutschen wird durch die ausgeprägte Streckhaltung des Körpers

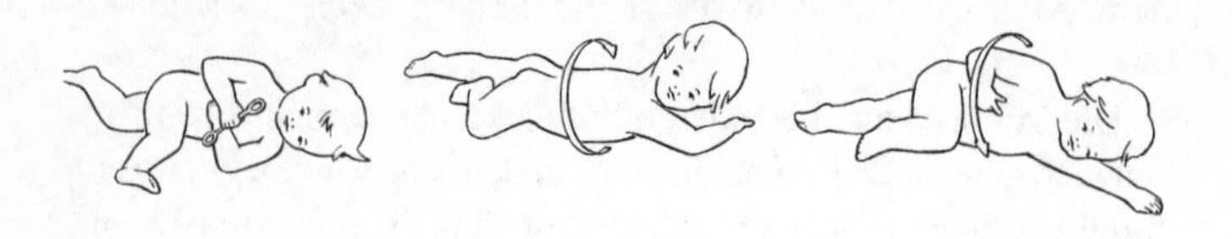

Drehen zur Seite — vom Bauch auf den Rücken — vom Rücken auf den Bauch

*Drehen und rollen*

und der Gliedmaßen erleichtert, die der Säugling mit etwa sechs Monaten einnimmt (vgl. »Motorik 0 bis 3 Monate«).

*Kreisrutschen*

## Robben und kriechen

Mit sieben bis zehn Monaten beginnt das Kind zu robben: Es kriecht auf dem Bauch vorwärts. Anfänglich benützt es nur die Arme. Es stützt sich dabei auf die Hände oder Ellbogen und zieht den Körper vorwärts. Kurze Zeit später benützt es auch die Beine. Die Bewegungen aller Gliedmaßen werden nach und nach aufeinander abgestimmt: Das Kind bewegt Arme und Beine alternierend über Kreuz.

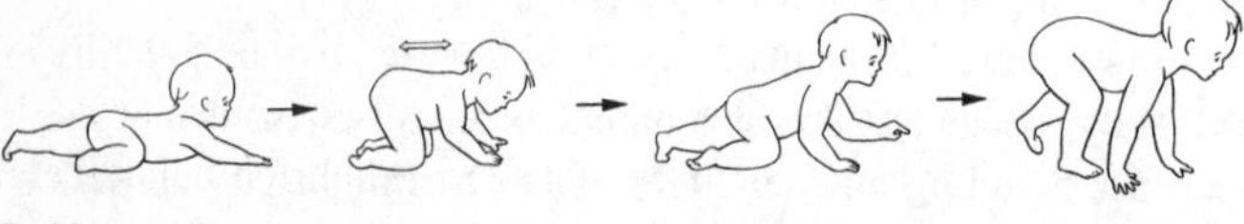

Robben — Wippen — Kriechen — Bärengang

Einen wichtigen Schritt hin zum aufrechten Gang macht das Kind, wenn es sich auf Hände und Knie abstützt. Sein Körper ist das erste Mal von der Unterlage abgehoben. In dieser Stellung wippen die meisten Kinder während einiger Tage hin und her, ohne sich fortzubewegen. Die ersten Kriechversuche erfolgen häufig im »Rückwärtsgang«; dann aber geht es vorwärts. Nach einigen Tagen bereits in einem erstaunlich hohen Tempo.

Manche Kinder bewegen sich, bevor sie aufstehen und frei gehen, im Bärengang fort: Sie gehen auf Händen und Füßen. Der Bärengang ist eine eher mühselige und wenig wirkungsvolle Art der Fortbewegung. Er ist nicht viel mehr als ein Übergangsstadium zum freien Gehen.

## Aufsitzen und sitzen

Wenn die Kinder sich um ihre Körperachse drehen und von der Bauchlage in den Kniestand übergehen können, gelingt es ihnen auch in Kürze, sich aufzusetzen und sich aus dem Sitzen wieder hinzulegen.

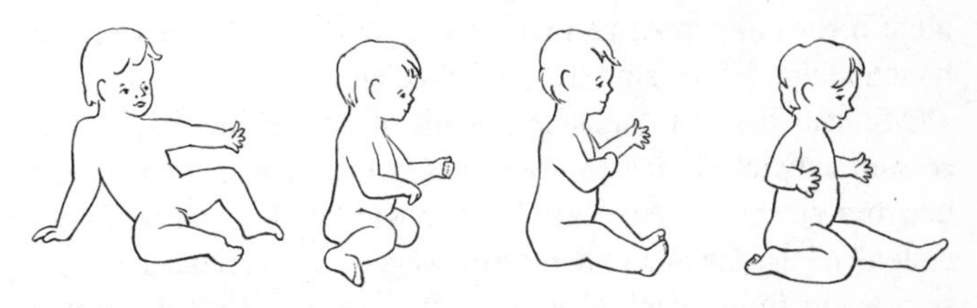

*Aufsitzen und sitzen*

Kinder sitzen mit unterschiedlichen Beinstellungen. Sie haben beide Beine gestreckt oder ein Bein gebeugt und das andere gestreckt. Sie sitzen im Schneidersitz oder im umgekehrten Schneidersitz, indem sie die gebeugten Beine nach außen drehen. Kinderärzte und Orthopäden sehen den umgekehrten Schneidersitz ungern. Sie sind der Meinung, daß diese Art des Sitzens für die Entwicklung der Hüftgelenke unvorteilhaft ist und daher

*Eine von vielen Möglichkeiten zu sitzen*

unterbunden werden sollte. Ein oftmals schwieriges Unterfangen für die Eltern. Gewisse Kinder können wegen ihrer besonderen Hüftgelenkanatomie nicht anders auf dem Boden sitzen als im umgekehrten Schneidersitz.

Das freie Sitzen eröffnet dem Kind in verschiedener Hinsicht neue Erfahrungsmöglichkeiten. Es kann am Geschehen in seiner näheren Umgebung besser teilhaben als im Liegen. Es muß sich nicht mehr mit den Armen abstützen, um das Gleichgewicht zu halten. Seine Hände sind frei zum Spielen.

Mit neun bis zehn Monaten sind die meisten Kinder motorisch so weit entwickelt, daß sie robben oder kriechen, sich aufsetzen und frei sitzen können. Es gibt aber Kinder, die sich an ihrem ersten Geburtstag noch nicht fortbewegen, was durchaus normal sein kann! In der nachfolgenden Altersperiode werden wir uns mit der großen Variabilität in der motorischen Entwicklung eingehender beschäftigen.

## Die Rolle der Eltern

Erziehen ist ein ständiges Abwägen von Gewähren und Grenzensetzen. Eine größere Aufgabe stellt sich den Eltern diesbezüglich, wenn ihr Kind mobil wird. Wenn das Kind zu kriechen beginnt, werden viele Dinge in der Wohnung erreichbar, die nicht in Kinderhände gehören. Stereoanlage, Kunstbücher und kostbare Vasen sind in Gefahr. Aber auch dem Kind drohen Gefahren: Pfannen können, wenn sie heruntergerissen werden, das Kind verbrühen, Blumenerde und Zimmerpflanzen können, wenn sie in den Mund gestopft werden, Vergiftungen herbeiführen, Steckdosen und Haushaltsgeräte können das Kind verletzen.

Einsicht dürfen die Eltern vom Kind nicht erwarten. Was ist zu tun? Wie können die Eltern die Wohnungseinrichtung vor dem Kind und das Kind vor sich selber schützen? Wie sehr dürfen sie den Bewegungs- und damit auch den Erfahrungsraum ihres Kind einengen?

Eine naheliegende Maßnahme besteht darin, alle Gegenstände, die dem Kind gefährlich werden oder die es beschädigen könnte, außer Reichweite zu bringen. Dies bedeutet, daß sie mindestens einen Meter über dem Boden plaziert werden müssen. Der Kochherd läßt sich mit einer Art Zaun so sichern, daß die Pfannen für das Kind unerreichbar werden. Für Steckdosen gibt es kindersichere Einsätze.

Laufgitter oder nicht Laufgitter? Eine pädagogische Streitfrage, die sich weder mit einem eindeutigen Ja noch einem klaren Nein beantworten läßt. Das Laufgitter hat eine lange Tradition in unserer Gesellschaft und ist nach wie vor weit verbreitet. Es wurde erfunden, um den oftmals unbändigen Bewegungsdrang des Kleinkindes zu kontrollieren. Eine andere Möglichkeit, seinen Bewegungsraum zu begrenzen, sind Sperren, die in die Türrahmen eingesetzt werden. Viele Eltern werden durch die Wohnverhältnisse gezwungen, den Aktionsradius ihres Kindes einzuschränken.

Wie oft und wie lange eine Mutter ihr Kind ins Laufgitter setzt oder im abgesperrten Zimmer beläßt, hängt unter anderem von ihren häuslichen und anderen Aktivitäten, von der Gestaltung der Wohnung wie auch vom Bewegungsdrang und vom Neugierverhalten des Kindes ab. Zu bedenken haben die Eltern immer die Trennungsangst des Kindes: Längere Zeit allein zu sein kann ein Kleinkind leicht überfordern. Es ist fähig, allein zu spielen, es braucht aber die Nähe der Mutter. Das zweite und dritte Lebensjahr wird nicht ohne Grund das Alter genannt, in dem das Kind am Rockzipfel der Mutter hängt. Dabei ist das Bedürfnis nach mütterlicher Nähe von Kind zu Kind verschieden groß. Dem einen Kind reicht es, wenn es die Mutter hören kann, ein anderes will sie auch sehen. Ein drittes Kind schließlich braucht die körperliche Nähe der Mutter, damit es zufrieden ist und spielen kann. Wie sehr ein Kind auf die Nähe der Mutter angewiesen ist, hängt von seiner Persönlichkeit ab und der Art und Weise, wie die Eltern im ersten Lebensjahr ihre Beziehung zum Kind gestaltet haben (vgl. »Beziehungsverhalten 4 bis 9 Monate«).

Säuglinge und Kleinkinder wollen und müssen sich bewegen. Sie wollen alle Dinge berühren, in den Mund nehmen und betrachten. Das Erkunden der Umwelt ist ein wichtiger Bestandteil ihrer frühen geistigen Entwicklung. Eltern sollten sich daher nicht nur darauf beschränken, ihr Kind vor Gefahren zu wahren. Sie sollten sich bemühen, seinen Bewegungsraum groß zu halten und ihm möglichst viele Gelegenheiten zum Erkunden zu geben (vgl. »Spielverhalten 4 bis 9 Monate«).

Das freie Sitzen erweitert den Erfahrungsraum des Kindes. So kann es an den Familientisch gesetzt werden. Neben dem altbewährten Hochstuhl werden auf dem Markt eine Reihe anderer Sitzvorrichtungen angeboten wie Lauflerngeräte oder Laufställe mit und ohne Spielzentrum sowie Juppalas. Diese Geräte sind nur in einer begrenzten Weise attraktiv für das Kind, aber angenehm für die Eltern, weil es sich daraus nicht entfernen kann. Diese Geräte vermitteln dem Kind einseitige motorische Erfahrungen. Sie sollten daher nicht als Aufbewahrungsvorrichtungen verwendet werden. Das Kind braucht ausgedehnte Gelegenheiten zum Robben, Kriechen, Gehen und Herumspringen. Wenn es sich nicht ausreichend bewegen kann, wird es schlecht gelaunt und lustlos auch für andere Aktivitäten.

## Das Wichtigste in Kürze

1. Zwischen vier und neun Monaten beginnt sich das Kind fortzubewegen. Zeitpunkt und Fortbewegungsart sind von Kind zu Kind verschieden.

2. Als erstes dreht sich das Kind um die eigene Körperachse und im Kreis herum, dann robbt es, kriecht und sitzt auf.

3. Die Wohnung sollte so eingerichtet sein, daß das Kind
   - sich nicht verlassen fühlt, wenn es spielt;
   - in seinem Bewegungstrieb und Neugierverhalten möglichst wenig eingeschränkt wird;
   - sich nicht gefährden kann (herabstürzende Gegenstände, Steckdosen, giftige Zimmerpflanzen oder Chemikalien).

## 10 bis 24 Monate

*Die Mutter macht sich Sorgen um Alex. Ihr Sohn ist 17 Monate alt und kann noch nicht frei gehen. Seine bisherige motorische Entwicklung verlief langsam: Mit zehn Monaten hat er sich gedreht, mit zwölf Monaten ist er aufgesessen und rutscht seither auf dem Hosenboden herum. Er kann noch nicht kriechen. Wenn die Mutter ihn auf die Beine stellt, will Alex nicht stehen. Sein motorischer Rückstand ist für die Eltern nicht mehr zu übersehen. Das Mädchen der Nachbarsfamilie geht bereits seit vier Monaten, obwohl sie einen Monat jünger ist als Alex.*

*Gestern war die Schwiegermutter zu Besuch. Als sie sah, wie ihr Enkel auf dem Hintern herumrutschte, meinte sie überrascht: »Genau wie sein Vater als Kind.« Sie versuchte die Schwiegertochter zu beruhigen: »Der Vater hat auch erst mit 19 Monaten die ersten Schritte gemacht.«*

Alex ist eines jener Kinder, deren motorische Entwicklung langsam verläuft und ungewöhnliche Wege geht, deshalb aber nicht etwa gestört ist. Viele Eltern erwarten, daß ihr Kind mit sieben bis zehn Monaten kriecht und mit etwa zwölf Monaten die ersten Schritte macht. Solche Erwartungen werden von einem Teil der Kinder erfüllt, aber keineswegs von allen. Es gibt normal entwickelte Kinder wie Alex, die monatelang auf dem Hosenboden herumrutschen, nie kriechen und erst mit 18 bis 20 Monaten frei gehen.

## Viele Wege führen zum freien Gehen

Bis vor einigen Jahren waren nicht nur die Eltern, sondern auch die Fachleute im Glauben, daß die motorische Entwicklung bei allen Kindern gleich verlaufe. Die damalige Vorstellung war die folgende: Mit fünf bis sieben Monaten dreht sich das Kind vom Bauch auf den Rücken und etwas später auch in umgekehrter Richtung. Etwa im gleichen Alter dreht es auf der Stelle (Kreisrutschen). Mit sieben bis zehn Monaten robbt es mit dem Bauch auf der Unterlage und kriecht alsbald auf Händen und Knien. Mit zehn bis 13 Monaten geht es in den Bären- oder Vierfüßlergang über, steht auf und geht. Verlief die motorische Entwicklung bei einem Kind anders, wurde dafür eine neurologische Störung verantwortlich gemacht und das Kind – um nichts zu verpassen – einer physiotherapeutischen Behandlung zugeführt.

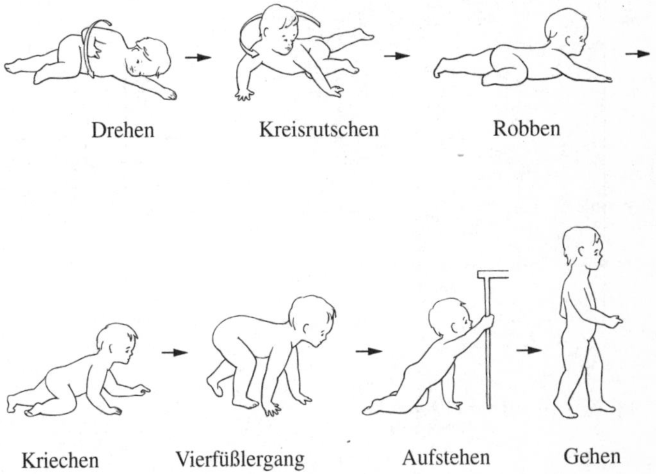

Drehen → Kreisrutschen → Robben →

Kriechen → Vierfüßlergang → Aufstehen → Gehen

*Alte Vorstellung der frühen Fortbewegung (Lokomotion)*

Neuere Studien, in denen die lokomotorische Entwicklung bei gesunden Kindern untersucht worden ist (Largo u. a., Pikler), zeigen, daß die Entwicklung der frühen Fortbewegung weit vielfältiger ist, als bisher angenommen wurde. Bei der Mehrheit der Kinder verläuft die Entwicklung so wie oben beschrieben. 13 Prozent der Kinder verhalten sich aber anders: Einige lassen gewisse Stadien der Lokomotion wie das Robben oder Kriechen aus. Andere bewegen sich überhaupt nie auf allen vieren fort. Sie ziehen sich aus der Bauchlage auf und gehen. Schließlich gibt es auch Kinder, die weder robben noch kriechen, sich dafür aufsetzen und auf dem Hosenboden herumrutschen wie Alex. Diese Kinder neigen dazu, erst mit 18 bis 20 Monaten frei zu gehen. Nachforschungen haben ergeben, daß bei 40 Prozent der Kinder ein Elternteil sich als Kind in der gleichen Weise fortbewegte. Es handelt sich um ein vererbtes Bewegungsmuster.

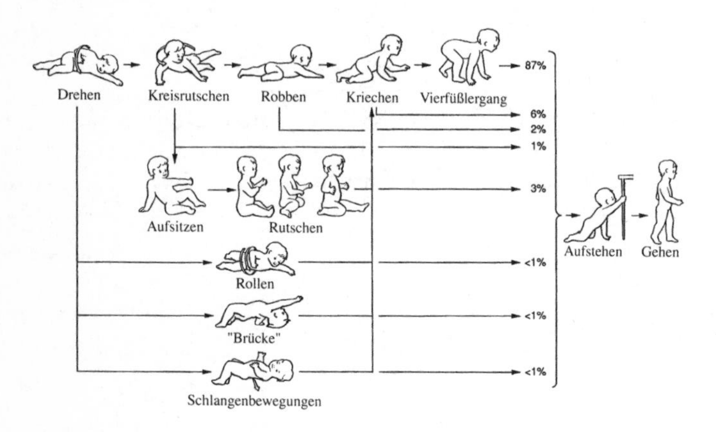


*Neue Vorstellung der Lokomotion*

Weitere, eher ungewöhnliche, aber durchaus normale Fortbewegungsarten sind das Rollen und das Schlängeln. Beim Rollen erreicht das Kind durch wiederholtes Überrollen ein gewünschtes Ziel. Das Schlängeln kann bereits mit vier bis fünf Monaten einsetzen. Das Kind bewegt sich durch abwechselndes seitliches Schieben des Beckens und der Schulter fort. Das Kreisrutschen kann nicht nur in Bauchlage (vgl. »Motorik 4 bis 9 Monate«), sondern auch in Rückenlage erfolgen. Schließlich gibt es noch die »Brücke«: Das Kind streckt in Rückenlage seinen Körper, hebt das Kreuz vom Boden und stößt sich mit den Beinen vorwärts. Eine eher mühselige Form der Fortbewegung, die von den Kindern denn auch nach kurzer Zeit durch ein erfolgreicheres Bewegungsmuster ersetzt wird.

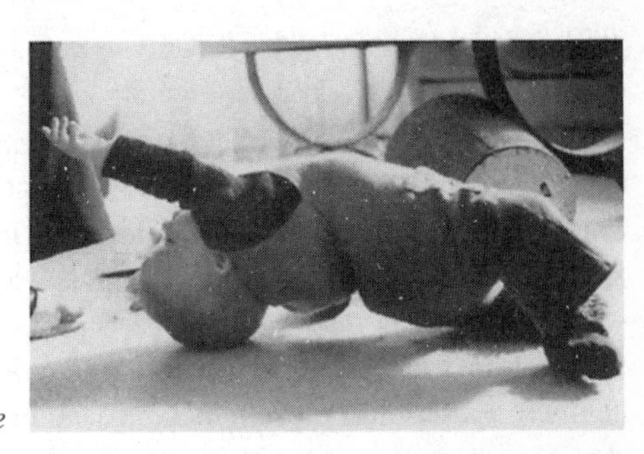

*Brücke*

Die Vielfalt in der lokomotorischen Entwicklung wird dadurch noch vergrößert, daß das einzelne Fortbewegungsmuster unterschiedlich ausgeführt werden kann. So verwenden Kinder, die auf dem Hosenboden herumrutschen, verschiedene Beinstellungen: Einige Kinder haben die Beine gestreckt, andere halten ein Bein gestreckt und das andere gebeugt, wieder andere sitzen im normalen oder im umgekehrten Schneidersitz. Gleichermaßen unterschiedlich bewegen sich die Kinder beim Robben und Kriechen fort.

*Zwischen Kriechen und Bärengang*

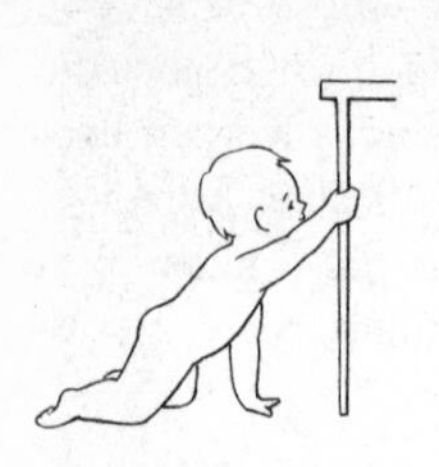

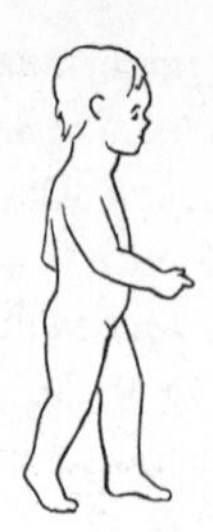

*Aufstehen und an Möbeln entlanggehen*

Mit neun bis 15 Monaten zieht sich das Kind an Stühlen, Tischbeinen und anderen Möbelstücken zum Stand auf. Wenn es sich im Stehen einigermaßen sicher fühlt, beginnt es an den Möbeln entlangzugehen. Verliert es das Gleichgewicht, setzt es sich auf seinen Hintern.

Das freie Gehen kann ein Kind anfänglich ganz in Beschlag nehmen. Es probiert diese neuerworbene Fähigkeit in vielfältigster Weise aus. Wie stolz ist es, wenn es ihm gelingt, ohne umzufallen, auf einem weichen, dicken Teppich zu gehen, über eine Türschwelle zu treten oder um den Tisch herumzukurven! Sein Bewegungsdrang ist zumeist ungerichtet. Das Kind will nicht ein bestimmtes Ziel erreichen. Das Gehen an sich macht Sinn. Es gibt Kinder, die sind mit dem Gehen so beschäftigt, daß sie in anderen Entwicklungsbereichen für einige Zeit nur geringfügige Fortschritte machen. Sie vergrößern kaum ihren Wortschatz, zeigen wenig Interesse an Bilderbüchern oder Spielsachen. Was sie wollen, ist auf den Beinen sein!

Nach einigen Wochen und Monaten geht das Kind ziemlich sicher. Es läuft nicht mehr so breitbeinig wie zu Beginn des freien Gehens. Seine Arme sind nicht mehr in einer Henkelstellung, sonder schwingen mit den Gehbewegungen mit. Das Kind setzt beim Gehen den Fuß mit der Ferse auf und rollt den Fuß ab. Es vermag das Tempo den räumlichen Gegebenheiten zunehmend anzupassen; Richtungsänderungen gelingen immer besser. Das Kind liebt es, Wägelchen herumzustoßen und Spielsachen auf Rädern hinter sich herzuziehen.

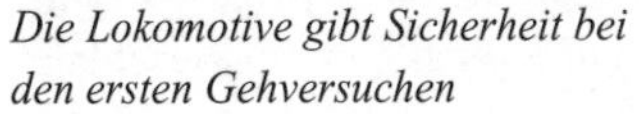

*Die Lokomotive gibt Sicherheit bei den ersten Gehversuchen*

*Mit dem Wägelchen über Stock und Stein*

Frei zu stehen kann für ein Kind schwieriger sein, als zu gehen. Wenn es frei zu stehen vermag, begreift es rasch, wie es sich im freien Raum auch aufrichten kann. Am häufigsten bewerkstelligt es dies über den Vierfüßlerstand. Um das Gleichgewicht zu wahren, streckt das Kind beim Aufrichten das Hinterteil heraus. Schließlich lernt es auch, sich aus dem Stehen niederzukauern und wieder zu erheben.

Die frühe motorische Entwicklung ist nicht nur vielfältig in bezug auf die Art und Weise, wie sich Kinder fortbewegen. Die verschiedenen Entwicklungsstadien treten zudem von Kind zu Kind in verschiedenem Alter auf. So kriechen einige Kinder

*Sich niederkauern und bücken*

bereits mit sechs bis sieben Monaten, andere erst mit zwölf Monaten.

| Alter (Monate) | 0 1 2 3 4 5 6 7 8 9 10 11 12 13 14 15 16 17 18 19 20 |
|---|---|
| Dreht sich zur Seite | |
| Dreht sich auf den Bauch | |
| Dreht sich auf den Rücken | |
| Robbt | |
| Kriecht | |
| Setzt sich auf | |
| Steht auf | |
| Geht an Möbeln entlang | |
| Geht frei | |
| Geht sicher | |
| | 0 1 2 3 4 5 6 7 8 9 10 11 12 13 14 15 16 17 18 19 20 |

*Zeitliches Auftreten der häufigsten Entwicklungsstadien der Lokomotion. Die Striche geben den Altersbereich an, in dem die verschiedenen Entwicklungsstadien bei der Mehrheit der Kinder auftreten.*

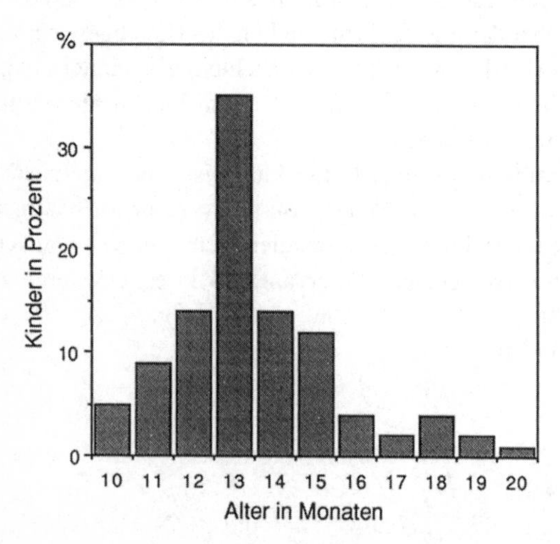


*Zeitliches Auftreten des freien Gehens. Die Säulen geben an, wieviel Prozent der Kinder in einem bestimmten Lebensmonat die ersten Schritte machen.*

Besonders groß ist die zeitliche Streubreite für das freie Gehen. Die ersten Schritte machen die meisten Kinder mit 13 bis 14 Monaten. Einige Kinder gehen bereits mit acht bis zehn Monaten, andere erst mit 18 bis 20 Monaten.

Weil die motorische Entwicklung bezüglich der Art der Fortbewegung und ihres zeitlichen Verlaufs eine große Variabilität aufweist, läßt sich beim einzelnen Kind nie voraussagen, in welchem Alter und auf welche Weise es sich fortbewegen wird.

## Die Rolle der Eltern

Kinder sind in den ersten Lebensjahren sehr bewegungsfreudig. Wenn sie sich motorisch nicht ausreichend betätigen können, werden sie mißmutig und schwierig für die Eltern. Immer häufiger werden Kleinkinder wegen einer Bewegungsunruhe (sogenannter Hyperaktivität) zum Kinderarzt gebracht. Die meisten Kinder sind aber nicht hyperaktiv. Das Problem ist allein, daß sie ihren großen, aber durchaus normalen Bewegungsdrang nicht ausleben können. So versuchen sie, ihre Energien in engen Wohnungen loszuwerden, was die Eltern als ein enervierendes oder gar zerstörerisches Verhalten erleben.

Leider erlauben die heutigen Wohnverhältnisse vielen Eltern nicht mehr, ihren Kindern den notwendigen Bewegungsraum zu geben. Die Wohnungen sind zu klein, und außer Haus besteht auch nicht genügend Auslauf. Die Straßen gehören nicht mehr Fußgängern und schon gar nicht den Kindern, sondern dem Verkehr. Mit den Kindern an die frische Luft zu gehen ist für viele Eltern ein größeres Unterfangen. Sie müssen sich ins Auto setzen, um in eine Gegend zu fahren, wo sich die Kinder gefahrlos austoben können.

Nicht erst in unserer verkehrsreichen Zeit wurde der oftmals unbändige Bewegungsdrang der Kleinkinder für die Eltern zu einem Problem. Um sie in ihren motorischen Aktivitäten etwas zu kontrollieren, wurde schon vor vielen Jahren der Laufgürtel erfunden. Spielerisch benützt, kann dieses Geschirr für Kind und Eltern ein gemeinsamer Spaß werden.

Die Kaufhäuser bieten verschiedene Geräte an, welche die

*Auf dem Spielplatz*

*Auf dem Dreirad Zweirad fahren*

Motorik der Kinder fördern sollen: Babyroller als Auto, Käfer oder Traktor, Schaukelpferd und Schneckenschaukel und natürlich auch das gute alte Dreirad.

Wenn wir Kindern beim Dreiradfahren zuschauen, führen sie uns vor Augen, welchen Differenzierungsgrad ihre Motorik innerhalb von wenigen Jahren erreicht hat: Die Beine liefern den Antrieb zur Fortbewegung, die Arme steuern das Gefährt, und der ganze Körper hält das Gleichgewicht, damit das Kind nicht vom Dreirad fällt. Gegen Ende des dritten Lebensjahres haben die Kinder ihre Motorik so weit unter Kontrolle, daß sie Tempo und Richtungsänderungen den örtlichen Gegebenheiten anpassen können. Zwischen dem vierten und fünften Lebensjahr treiben sie bereits Akrobatik mit dem Dreirad oder fahren bereits Zweirad.

## Das Wichtigste in Kürze

1. Kinder bewegen sich auf ganz unterschiedliche Weise fort. Es gibt keine einheitliche Abfolge der motorischen Entwicklungsstadien, die alle Kinder durchlaufen.

2. Das Alter, in welchem die verschiedenen Entwicklungsstadien auftreten, ist von Kind zu Kind verschieden. So machen die meisten Kinder die ersten Schritte mit zwölf bis 14 Monaten, einige bereits mit acht bis zehn und andere erst mit 18 bis 20 Monaten.

3. Das freie Gehen kann ein Kind während einiger Wochen derart in Beschlag nehmen, daß es in seiner übrigen Entwicklung, insbesondere der Sprachentwicklung, kaum Fortschritte macht.

4. Das Kleinkind möchte seine Motorik auf vielerlei Weise (herumspringen, Dreirad fahren usw.) und in verschiedenen Umgebungen erproben (Spielplätze, Wiesen, Wäldern usw.).

5. Der Bewegungsdrang ist unter den Kindern unterschiedlich ausgeprägt. Es gibt Kinder, die einen großen, und andere, die einen geringen Bewegungsdrang haben.

6. Kinder, die sich motorisch nicht ausreichend betätigen können, werden mißmutig und können erzieherische Schwierigkeiten bereiten. Ihr Bewegungsdrang sollte nicht als eine Verhaltensauffälligkeit im Sinne einer Hyperaktivität fehlgedeutet werden.

# Schlafverhalten

# Einleitung

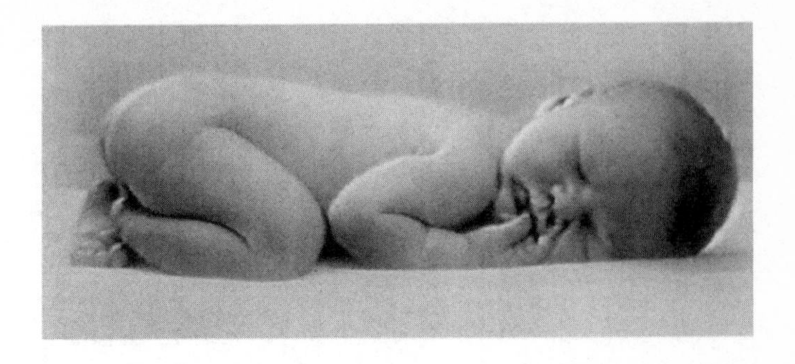

*Die Mutter sieht mit gemischten Gefühlen zu, wie der Vater mit dem zweijährigen Beat herumalbert. Je länger die Balgerei dauert, desto aktiver wird der Junge. Beat ist schließlich so aufgekratzt, daß er überhaupt nicht mehr ins Bett will. Dabei ist die Mutter müde. Sie geht abends gerne zeitig ins Bett und steht dafür in aller Frühe auf. Nicht so Vater und Sohn!*

Der Schlaf ist für Kinder und Erwachsene voller Geheimnisse. Von den frühesten kulturellen Zeugnissen bis in unsere Tage haben die Menschen dem Schlaf eine tiefe, oftmals mystische Bedeutung zugeschrieben. Sigmund Freuds psychologische Deutung der Träume hat daran wenig geändert. Dem Schlaf haftet Leichtigkeit und Schwere gleichermaßen an. In den Schlaf entfliehen wir vor den Mühsalen des Tages, im Traum werden wir von unseren Lebensängsten wieder eingeholt. »Der Schlaf ist das einzige Geschenk, das uns die Götter ohne Arbeit gaben«, schrieb ein Dichter. »Der Schlaf ist der kleine Bruder des Todes«, sagt eine Volksweisheit. Es fällt uns schwer, den Schlaf als ein biologisches Phänomen zu betrachten, den Schlaf mit dem Verstand begreifen zu wollen. Dabei gibt es durchaus verständliche biologische Gründe, warum Beat und der Vater abends noch so frisch sind, während die Mutter todmüde ins Bett sinken möchte. Wenn wir den kindlichen Schlaf besser verstehen wollen, müssen wir uns mit den grundlegenden Eigenschaften des menschlichen Schlafverhaltens vertraut machen. Keine Angst, ein klein wenig biologisches Wissen wird die Träume nicht vertreiben!

## Was ist Schlaf?

Etwa ein Drittel unseres Lebens verschlafen wir, verbringen wir – oberflächlich gesehen – in einer Art Ohnmacht. Der Schlaf ist aber nicht unnütz vertane Zeit, ein Warten darauf, daß das Leben im Wachzustand seine Fortsetzung findet. Der Schlaf ist weit mehr als nur ein Ausschalten des Bewußtseins. Er ist eine Lebensnotwendigkeit: Im Schlaf regenerieren wir unsere geistigen Kräfte für den folgenden Tag. Genauso wie der Wachzustand einen hochorganisierten Bewußtseinszustand darstellt, entspricht auch dem Schlaf ein ganz bestimmter Funktionszustand des Gehirns. Forscher haben in den vergangenen 20 Jahren den Schlaf in allen Lebensaltern untersucht. Sie bedienten sich dabei des Elektroenzephalogramms und der Beobachtung von Körperfunktionen wie der Atmung, der Augenbewegungen und des Spannungszustandes der Muskulatur. Sie konnten im wesentlichen zwei Funktionszustände des Schlafes unterscheiden: einen oberflächlichen und einen tiefen Schlaf. Der oberflächliche oder aktive Schlaf geht mit einem bestimmten Muster des Elektroenzephalogramms, einer unregelmäßigen Atmung, gelegentlicher motorischer Unruhe und schnellen Bewegungen des Augapfels unter den Augenlidern einher. Dieses Schlafstadium wird wegen der charakteristischen schnellen Augenbewegungen auch als REM-Schlaf bezeichnet. (REM steht für die englische Bezeichnung »**R**apid **E**ye **M**ovements«.) Der tiefe Schlaf zeichnet sich durch eine große motorische Ruhe, eine regelmäßige Atmung und das Fehlen von raschen Augenbewegungen aus, deshalb die Bezeichnung Non-REM-Schlaf. Er setzt sich elektroenzephalographisch aus vier Unterstadien zusammen.

Beim Neugeborenen sind der Schlaf und das Wachsein erst teilweise ausgebildet. Einen oberflächlichen und einen tiefen Schlaf können wir aber bereits beim neugeborenen Kind unterscheiden. Im REM-Schlaf bewegt sich das Kind und atmet unregelmäßig.

*Engelslächeln*

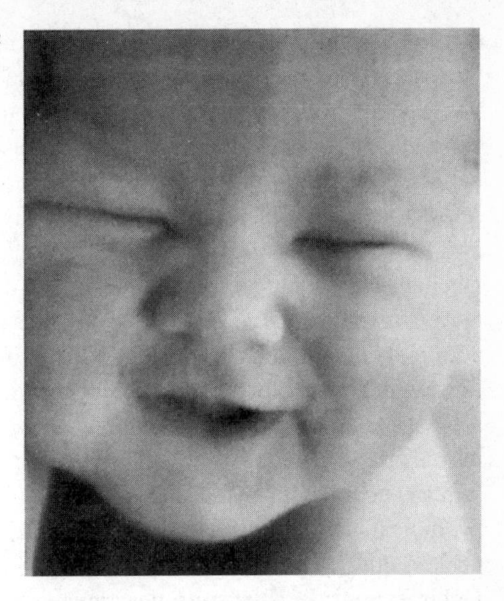

In seinem Gesicht sind häufig Zuckungen zu sehen, gelegentlich scheint es Grimassen zu schneiden. Selten ziehtes gleichzeitig beide Mundwinkel hoch: Das Kind lächelt im Schlafe. Der Volksmund spricht von einem Engelslächeln (vgl. »Beziehungsverhalten 0 bis 3 Monate«). Der oberflächliche REM-Schlaf ist beim Säugling weit ausgedehnter als beim älteren Kind und beim Erwachsenen.

Im tiefen oder Non-REM-Schlaf liegt das Kind ruhig da, bewegt sich nur selten und atmet regelmäßig. Sein Gesicht strahlt Ruhe aus, zeigt keine Zuckungen.

## Zyklen und Rhythmen

Die Organfunktionen des Menschen weisen wie die der Pflanzen und der Tiere biologische Rhythmen auf, die wesentlich durch den Tag-Nacht-Wechsel geprägt werden. So ist der Schlaf des Menschen in sogenannte Schlafzyklen und zirkadiane Rhythmen gegliedert (Winfree).

**Schlafzyklen** entstehen durch regelmäßige Wechsel zwischen dem oberflächlichen und tiefen Schlaf sowie dem Wachzustand. Der Beginn eines Schlafzyklus kündigt sich mit einem Gefühl von Schläfrigkeit, Juckreiz in den Augen und Gähnen an. Das Einschlafen setzt mit einem halbwachen Zustand ein, einer sogenannten Tag-Traum-Phase, in der unsere Wahrnehmungsfähigkeit schwächer wird. Gelegentlich haben wir das Gefühl, in die Tiefe zu stürzen. Arme und Beine können ruckartige Bewegungen machen, die manchmal so heftig ausfallen, daß wir davon wieder geweckt werden. Zumeist wachen wir aber nicht mehr auf, sondern sinken vom oberflächlichen in den tiefen Schlaf ab. In den tiefsten Schlafstadien hören wir nichts mehr, selbst Gewitterdonner vermag uns nicht zu erreichen. In dieser Schlafphase lassen wir uns nur schwerlich und ungern wecken. Werden wir gewaltsam aus dem Schlaf gerissen, haben wir Mühe, uns räumlich und zeitlich zu orientieren. Es dauert längere Zeit, bis wir zuverlässig denken und reagieren können. Wird unser Schlaf nicht gestört, verbleiben wir kurze Zeit in den tiefsten Schlafstadien, um anschließend wieder in oberflächliche Stadien aufzusteigen. Bevor wir aufwachen, verweilen wir für etwa 20 Minuten im REM-

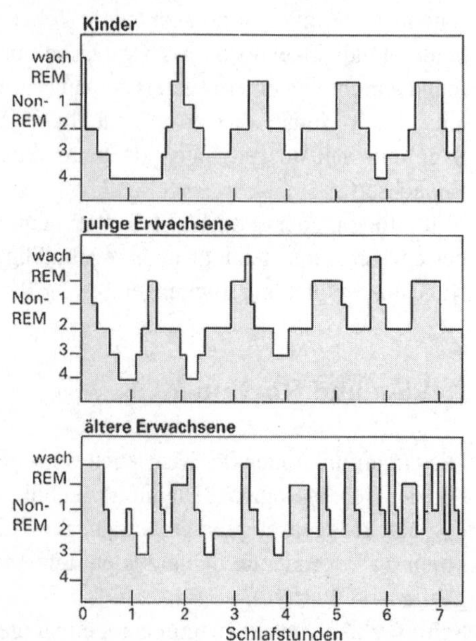


*Das Schlafverhalten während einer Nacht bei Kindern, jungen und älteren Erwachsenen. Waagrecht: Dauer des Nachtschlafes in Stunden. Senkrecht: Schlafstadien REM – aktiver Schlaf mit raschen Augenbewegungen (**R**apid **E**ye **M**ovements); Non-REM – ruhiger Schlaf ohne rasche Augenbewegungen mit vier Unterstadien (nach Linden)*

Schlaf. Dies ist die Schlafphase, in der wir am meisten träumen. Etwa anderthalb bis zwei Stunden nach dem Einschlafen werden wir für einige Minuten wach, um erneut in die Tiefen des Schlafes hinabzusinken.

Im Verlauf einer Nacht wiederholt sich dieser zyklische Wechsel zwischen den verschiedenen Schlafstadien und dem Wachzustand mehrmals.

Wir schlafen also eine Nacht nicht in einem Zuge durch, sondern sind drei- bis sechsmal für einige Minuten wach. Am Morgen können wir uns daran nur ausnahmsweise erinnern. In der zweiten Hälfte des Nachtschlafs herrschen die oberflächlichen Schlafstadien vor. In den frühen Morgenstunden träumen wir am häufigsten und sind auch leichter zu wecken als in den ersten Stunden nach dem Einschlafen. Wenn wir aufwachen, nehmen wir zuerst Geräusche und Gerüche wahr wie das Rauschen einer Wasserleitung oder den Kaffeeduft. Solange wir die Augen nicht öffnen, hat der Schlaf eine Chance, uns nochmals einzufangen.

Genauso wie der Schlaf setzt sich auch das Wachsein aus verschiedenen Funktionszuständen zusammen, die wir während des Tages zyklisch durchlaufen. Deshalb hat unser Wachsein je nach Tageszeit eine unterschiedliche Qualität. So sind wir nicht immer im gleichen Ausmaß aufmerksam. Unsere Merkfähigkeit ist in den Morgenstunden größer als am frühen Nachmittag. In der Schweiz wird die Stunde nach dem Mittagessen wegen der verdauungsseligen Müdigkeit als »helvetisches Koma« bezeichnet.

Wie wir aus der obigen Abbildung ersehen können, gibt es kein Alter, in dem die Schlafzyklen gewissermaßen ausgereift sind. Sie verändern sich ständig während des Lebens. Dies gilt ganz besonders für Kinder. Beim Säugling dauert ein Schlafzyklus etwa 50 Minuten. Er verlängert sich in den ersten Lebensjahren zunehmend und beträgt beim erwachsenen Menschen schließlich 90 bis 120 Minuten. Im höheren Alter geht die zyklische Struktur des Schlafes etwas verloren, die oberflächlichen Schlafstadien überwiegen immer mehr. Ältere Menschen liegen daher nachts häufig und für längere Zeit wach.

Wegen der Kürze ihrer Schlafzyklen wachen Säuglinge in der

ersten Lebenswochen etwa jede Stunde kurz auf. Nach drei bis vier Zyklen bleiben sie für längere Zeit wach. Bis zum dritten Lebensmonat werden die Schlaf- und Wachperioden differenzierter, erstrecken sich über längere Perioden und werden regelmäßiger. Dies sind die physiologischen Voraussetzungen, damit ein Kind nachts durchschlafen kann. Nach dem dritten Lebensmonat gleichen sich die Schlaf-Wach-Zyklen immer mehr denjenigen älterer Kinder und Erwachsener an.

**Zirkadianer Rhythmus.** Die Schlaf-Wach-Zyklen sind einem 24-Stunden-Rhythmus untergeordnet, der im wesentlichen in seiner Länge durch den Tag-Nacht-Wechsel bestimmt wird. Weil dieser Rhythmus bei den meisten Menschen nicht genau 24 Stunden dauert, spricht man von einem zirkadianen Rhythmus (lateinisch: circa = ungefähr; dies = Tag).

Nicht nur der Schlaf, sondern sämtliche Körperfunktionen unterliegen zirkadianen Rhythmen. Das Herz schlägt in der Nacht nicht gleich rasch wie am Tag und morgens nicht gleich wie abends. Die Niere scheidet am Tag mehr Urin aus als nachts. Die äußeren und die inneren Drüsen des Körpers sind je nach Tageszeit ebenfalls unterschiedlich stark aktiv. So sind die Milchdrüsen stillender Mütter nachts produktiver als am Tag. Fingernägel und Haare wachsen nachts schneller. Das Wachstumshormon wird vor allem im Schlaf ausgeschüttet: Die Kinder wachsen im Schlaf.

Wenn die Kinder auf die Welt kommen, haben sie noch keine zirkadianen Rhythmen. Sie bauen sie während der ersten zwei Lebensjahre langsam auf. Auf der gegenüberliegenden Seite ist die Entwicklung der 24-Stunden-Periodik für die Körpertemperatur dargestellt. In den ersten Lebenswochen ist die Körpertemperatur zu jeder Tages- und Nachtzeit etwa gleich. Ab der sechsten Lebenswoche bildet sich zunehmend ein tageszeitabhängiges Muster der Körpertemperatur heraus: Während des Tages steigt die Körpertemperatur leicht an, erreicht abends ein Maximum und fällt bis gegen den frühen Morgen auf ein Minimum ab. Mit etwa zwei Jahren ist der zirkadiane Rhythmus der Körpertemperatur voll ausgebildet. Derartige Rhythmen bilden sich für alle Körperfunktionen in den ersten Lebensmonaten und -jahren aus.

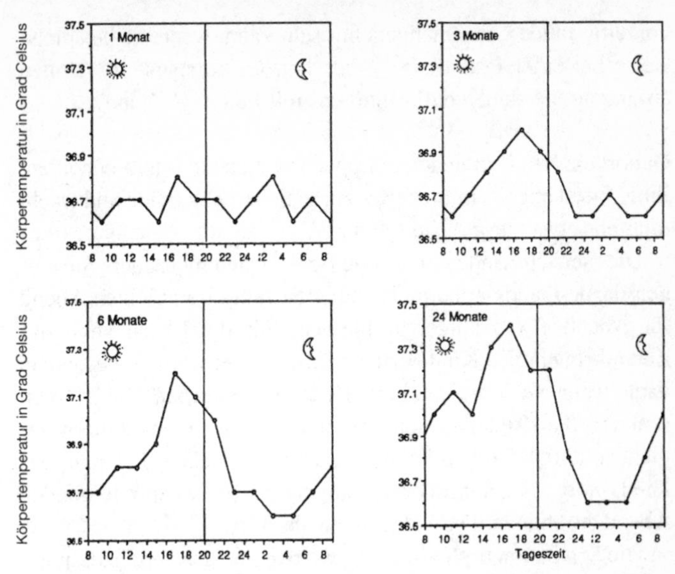


*Entwicklung einer 24-Stunden-Periodik der Körpertemperatur in den ersten zwei Lebensjahren (modifiziert nach Hellbrügge)*

Der zirkadiane Schlaf-Wach-Rhythmus ist selbst unter gleichaltrigen Menschen verschieden lang. Die Dauer des zirkadianen Schlaf-Wach-Rhythmus bestimmt wesentlich mit, wie müde wir uns am Abend und am Morgen fühlen:

- *Ausgeglichene Menschen:* Ihr zirkadianer Rhythmus beträgt genau 24 Stunden. Nur wenige Menschen gehören in diese Gruppe. Sie sind abends immer etwa zur gleichen Zeit müde und stehen morgens etwa zur gleichen Zeit auf.
- *Nachtmenschen, Morgenmuffel:* Ihr zirkadianer Rhythmus ist länger als 24 Stunden. In diese Gruppe gehören die meisten Menschen. Sie neigen dazu, abends länger aufzubleiben, weil sie sich noch nicht müde fühlen. Sie haben dafür am Morgen um so mehr Mühe, aus dem Bett zu steigen. Sie möchten in den Morgen hineinschlafen.
- *Morgenmenschen, Frühaufsteher:* Sie haben einen zirkadianen Rhythmus von weniger als 24 Stunden. In diese Gruppe gehören wiederum nur wenige Menschen. Sie werden abends

vorzeitig müde, was unangenehm sein kann, wenn sie beispielsweise bei einer Einladung bereits bei der Vorspeise zu gähnen anfangen. Sie stehen dafür morgens mit Leichtigkeit auf.

Gehört ein Kind zur ersten Gruppe, darf man die Eltern beneiden: Ihr Kind ist abends immer etwa zur gleichen Zeit müde und wacht morgens etwa zur gleichen Zeit auf.

Die meisten Kinder sind – wie Beat – Nachtmenschen: Sie neigen dazu, abends noch nicht müde zu sein. Sie möchten Abend für Abend etwas länger aufbleiben. Für die Eltern kann das Zubettbringen des Kindes zu einem Problem werden, besonders dann, wenn sie dem Kind immer wieder nachgeben. Am Morgen schlafen die Kinder in den Tag hinein, was vielen Müttern gar nicht so unlieb ist. Nur hat die Sache einen Haken: Je länger das Kind morgens schläft, desto länger möchte es am folgenden Abend aufbleiben. Die Folgen sind absehbar.

Die Morgenmenschen-Kinder werden von den Eltern als angenehm erlebt: Die Kinder wollen abends freiwillig ins Bett! Sie schlafen beim Spielen ein oder suchen selbst das Bett auf. Probleme kann es für die Eltern am Morgen geben: Die Kinder neigen dazu, immer etwas früher aufzuwachen. Sie sind oft ausgeschlafen und vergnügt zu einer Zeit, zu der die Eltern noch liebend gerne schlafen würden.

## Schlafdauer

Genauso wie die zirkadianen Rhythmen ist auch die Schlafdauer von Mensch zu Mensch unterschiedlich lang. Bereits im Neugeborenalter gibt es Kinder, die lediglich 14, und andere, die 20 Stunden pro Tag schlafen. Die Unterschiede werden im Verlaufe des Lebens nicht geringer. Die meisten Erwachsenen benötigen sieben bis acht Stunden Schlaf, um am nächsten Tag ausgeruht zu sein. Es gibt aber Erwachsene, die kommen mit drei bis vier Stunden Schlaf pro Nacht aus, andere dagegen schlafen neun bis zehn Stunden. Napoleon wird nachgesagt, daß er lediglich vier Stunden Schlaf pro Nacht benötigte. Albert Einstein dagegen schlief angeblich satte zehn Stunden!

Genauso, wie sich die Wach-Schlaf-Zyklen während des Lebens ständig ändern, sind die Gesamtschlafdauer und die Anteile von oberflächlichem und tiefem Schlaf altersabhängig. Die Schlafdauer nimmt mit zunehmendem Alter immer mehr ab, und das Verhältnis von oberflächlichem (REM-) und tiefem (Non-REM-) Schlaf verändert sich ständig. Neugeborene Kinder schlafen im Durchschnitt 16 Stunden, 90jährige Menschen lediglich noch knapp sechs Stunden pro Tag. Ältere Menschen leiden gelegentlich darunter, daß sie nur noch wenige Stunden pro Nacht schlafen können.

Besteht ein Zusammenhang zwischen der Länge der zirkadianen Rhythmen und der Schlafdauer? Nein! Der Morgenmuffel ist nicht zwangsläufig einer, der viel Schlaf braucht. Es gibt unter den Nachtmenschen solche, die lange, und andere, die wenig schlafen. Genauso gibt es unter den Frühaufstehern solche, die mit wenig Schlaf auskommen, und andere, die viel Schlaf brauchen.

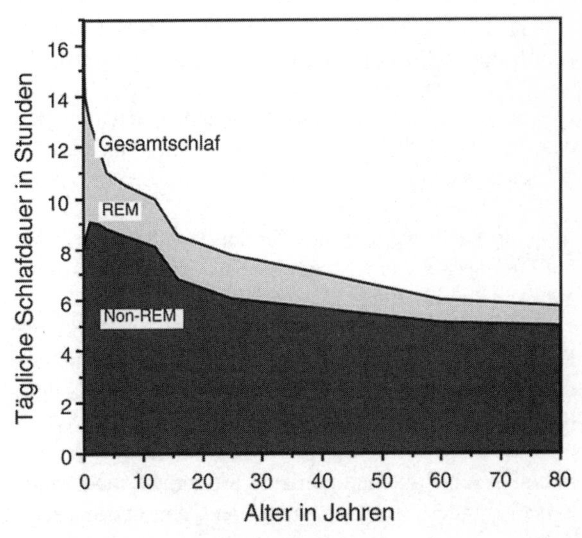


*Die Dauer des Gesamtschlafes sowie des REM- und des Non-REM-Schlafes von der Geburt bis ins hohe Alter. Waagrecht: Lebensalter. Senkrecht: Dauer des Gesamtschlafes sowie der Anteile des REM- und des Non-REM-Schlafes (modifiziert nach Roffwarg u. a.)*

## »Guter Schlaf«

Der zirkadiane Schlaf-Wach-Rhythmus und die Schlafdauer gehören zu einem Menschen wie seine Körpergröße, seine Augenfarbe oder der Tonfall seiner Stimme. Nehmen wir die Eigenheiten unseres Schlafes nicht ernst, sind wir in unserem körperlichen und psychischen Wohlbefinden beeinträchtigt.

Wir fühlen uns am wohlsten und sind am leistungsfähigsten,

- *wenn unser Schlaf-Wach-Rhythmus regelmäßig ist.* Unregelmäßige Schichtarbeit oder längere Flugreisen über mehrere Zeitzonen empfinden wir als eine Belastung. Bleiben wir abends länger als üblich auf und schlafen dafür am Morgen aus, fühlen wir uns oftmals müde und verstimmt;
- *wenn wir unserem Schlafbedarf entsprechend schlafen.* Zuwenig, aber auch zuviel Schlaf beeinträchtigt unser Wohlbefinden. Lange schlafen ist nicht gesünder!

**Dies gilt im besonderen Maße auch für Kinder!**

### Das Wichtigste in Kürze

1. Der Schlaf setzt sich aus verschiedenen Schlafstadien des oberflächlichen (REM-) und tiefen (Non-REM-) Schlafes zusammen.

2. In einer Nacht werden die Stadien des oberflächlichen und tiefen Schlafes sowie des Wachseins mehrmals zyklisch durchlaufen.

3. Die Schlaf-Wach-Zyklen sind wie alle Körperfunktionen einem zirkadianen, einem ungefähren 24-Stunden-Rhythmus untergeordnet.

4. Schlaf-Wach-Zyklen, zirkadiane Rhythmen und Schlafdauer verändern sich ständig von der Geburt bis ins hohe Alter.

5. Schlaf-Wach-Zyklen, zirkadiane Rhythmen und Schlafdauer sind vererbte Eigenschaften wie die Körpergröße

oder die Augenfarbe. Sie sind von Mensch zu Mensch unterschiedlich ausgeprägt.

6. Wohlbefinden und Leistungsfähigkeit sind am größten, wenn ein Mensch regelmäßig und seinem Schlafbedarf entsprechend schläft. Dies gilt für Erwachsene genauso wie für Kinder!

# Vor der Geburt

In den ersten Schwangerschaftsmonaten ist das ungeborene Kind in einem Bewußtseinzustand, der weder dem uns vertrauten Wachsein noch dem Schlaf entspricht. Bei frühgeborenen Kindern, darunter versteht man Kinder, die vor der 37. Schwangerschaftswoche geboren werden, können wir diese Art Dämmerzustand beobachten. Die Kinder haben die Augen zumeist geschlossen. Wenn sie die Augenlider öffnen, hat man nur für kurze Zeit den Eindruck, daß sie wach und aufnahmefähig sind. Mit etwa 36 Schwangerschaftswochen entwickeln sich eigentliche Schlaf- und Wachperioden.

Vor der Geburt sind Wachsein und Schlafen noch nicht an den Tag-Nacht-Wechsel gebunden. Das ungeborene Kind schläft während des Tages etwa gleich häufig wie in der Nacht. Die Wach- und Schlafperioden der Mutter übertragen sich, wenn überhaupt, nur wenig auf das Kind.

## Das Wichtigste in Kürze

1. In den ersten Lebensmonaten ist das ungeborene Kind in einer Art Dämmerzustand. Schlaf- und Wachperioden bilden sich mit etwa 36 Schwangerschaftswochen aus.

2. Vor der Geburt sind Wachsein und Schlafen noch nicht an den Tag-Nacht-Wechsel gebunden. Der Schlaf-Wach-Rhythmus der Mutter überträgt sich kaum auf das Kind.

# 0 bis 3 Monate

*Die Mutter von Andreas ist übermüdet. Jede Nacht steht sie ein- bis zweimal auf, um den schreienden Säugling zu beruhigen. Einmal wach, kann sie nur mit Mühe wieder einschlafen. Andreas ist nun drei Monate alt und hat noch keine einzige Nacht durchgeschlafen. Die Mutter ist nicht nur übermüdet, sie ist auch verunsichert. Bei der Geburt hat sie erwartet, daß Andreas ein genauso »pflegeleichtes« Kind sein würde wie ihr erstes Kind. Felix hatte in den ersten vier Lebenswochen einmal pro Nacht die Brust verlangt und war nach dem Stillen ohne viel Aufhebens wieder eingeschlafen. Als er im zweiten Lebensmonat durchschlief, wurde die Mutter von den anderen Müttern beneidet. Um Rat gefragt, konnte sie auch nicht sagen, was sie dazu beigetragen hatte, daß Felix ein so guter Schläfer war. Andreas hatte sie nicht nur genauso behandelt wie seinen Bruder, sie hatte sich bei dem zweiten Kind auch sicherer gefühlt. Warum also schlief Andreas nicht durch? Was hatte sie falsch gemacht?*

Ein großes Thema in den ersten Wochen und Monaten nach der Geburt ist für Eltern das Durchschlafen beziehungsweise das nächtliche Aufwachen ihres Kindes. Warum schlafen einige Säuglinge bereits nach wenigen Wochen durch, während anderen dies auch nach Monaten nicht gelingen will? Soll man die Kinder schreien lassen? Hilft angereicherte Flaschenmilch?

Die ganze Problematik dreht sich um das Kind, betroffen sind aber vor allem die Eltern. Es ist für eine Mutter sehr erschöpfend, mehrmals pro Nacht geweckt zu werden, und dies oft über Monate hinweg. Erschwerend wirkt sich für viele Mütter aus, daß die Geburt des Kindes mit einer Neuorientierung ihres Lebens verbunden ist: Sie haben ihre Berufstätigkeit aufgegeben und sind nun Mutter und Hausfrau. Manche Mütter sind nach einigen Wochen nicht nur übermüdet, sondern auch verstimmt.

Wie steht es mit den Vätern? Sollen auch sie nachts aufstehen, wenn das Baby schreit? Was aber, wenn sie am anderen Morgen unausgeschlafen bei der Arbeit erscheinen?

## Kinder passen sich dem Tag-Nacht-Wechsel an

Nach der Geburt führt der Säugling in den ersten zwei bis vier Lebenswochen seinen vorgeburtlichen Rhythmus von Schlafen und Wachsein weiter (vgl. »Schlafverhalten vor der Geburt«). Wie sich beim einzelnen Kind allmählich ein Schlaf-Wach-Rhythmus ausbildet, ist gegenüber dargestellt.

In den ersten zwei Lebenswochen sind die Schlafperioden von zwei bis vier Stunden und die kurzen Wachperioden gleichmäßig über den Tag und die Nacht verteilt. Die Wachperioden sind noch nicht an den Tag und die Schlafperioden noch nicht an die Nachtzeit gebunden. Sie treten an jedem Tag zu einer etwas anderen Zeit auf. Nach einigen Wochen beginnt der Säugling, sich langsam auf den Tag-Nacht-Wechsel einzustellen. Eine ganze Reihe von Reizen dienen ihm dabei als natürliche Zeitgeber: Tageslicht und Dunkelheit, Alltagsgeräusche und nächtliche Stille, Temperaturwechsel, unterschiedliche Kleidung und Windelwechsel, periodische Kontakte mit den Eltern und Geschwistern. Zwischen zwei und vier Lebenswochen beginnt das Schlafverhalten zunehmend regelmäßiger zu werden. Der Säugling schläft nun abends immer etwa zur gleichen Zeit ein und wacht nachts um die gleiche Zeit auf. Abends stellt sich eine längere Wachphase ein. In der zehnten Lebenswoche schläft er erstmals nachts durch. In

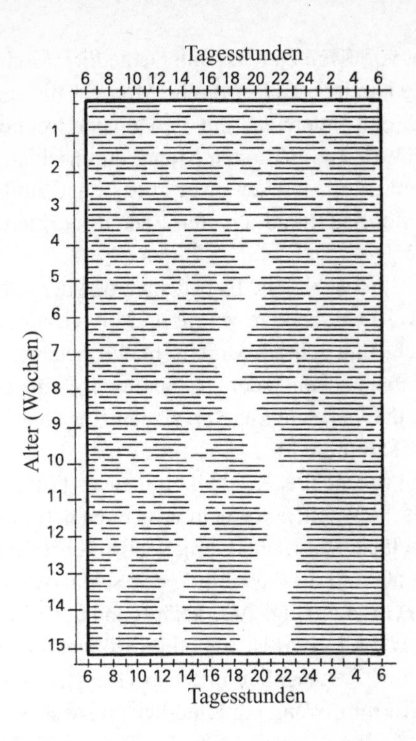


*Entwicklung des Schlaf-Wach-Rhythmus eines Kindes in den ersten 15 Lebenswochen. Jede Linie entspricht einem Tag. Schwarz: Schlafphasen. Weiß: Wachphasen*

den folgenden Lebenswochen werden auch die Wachperioden in der ersten Tageshälfte länger, es bilden sich zwei Schlafperioden heraus. Mit 15 Wochen hat der Säugling einen beständigen Schlaf-Wach-Rhythmus entwickelt.

Die Abbildung oben zeigt die durchschnittliche Entwicklung des Schlafverhaltens bei einem Kind in den ersten drei Lebensmonaten. Einige Kinder schlafen bereits vor dem dritten, andere erst nach dem dritten Monat durch. Die Ausbildung der zirkadianen Rhythmen (vgl. Einleitung) und eines regelmäßigen Schlaf-Wach-Rhythmus mit Durchschlafen hängt von einem Reifungsvorgang ab, der in einem bestimmten Bereich des Gehirns, dem sogenannten Rautenhirn, abläuft. Er geht, wie jeder Entwicklungsprozeß, von Kind zu Kind unterschiedlich rasch vonstatten. So wie einige Kinder bereits mit zehn Monaten die ersten Schritte machen, während andere erst mit 19 Monaten frei gehen, gibt es Säuglinge, die bereits im ersten Monat durchschlafen, während andere erst mit fünf Monaten dazu in der Lage sind. Immerhin: 70 Prozent aller Säuglinge schlafen Ende des dritten Lebensmonats durch.

Was heißt durchschlafen? Es bedeutet, daß der junge Säugling zwischen zwei Schlafzyklen von je drei bis vier Stunden Dauer nicht aufwacht und schreit. Durchschlafen bedeutet also, sechs bis acht Stunden nacheinander zu schlafen. Es wäre unrealistisch zu erwarten, daß ein Säugling von sieben Uhr abends bis sieben Uhr morgens selig schläft.

Etwa fünf Prozent aller Kinder kommen als Frühgeborene, das heißt drei bis 14 Wochen vor dem errechneten Termin zur Welt. Wie entwickelt sich das Schlafverhalten bei diesen zu früh geborenen Kindern? Weil die Ausreifung des Schlaf-Wach-Rhythmus nach inneren Gesetzmäßigkeiten abläuft und deshalb unabhängig vom Zeitpunkt der Geburt ist, gelten für frühgeborene Kinder die oben gemachten Zeitangaben nicht ab Geburt, sondern ab dem errechneten Termin. Wenn ein Kind beispielsweise acht Wochen zu früh auf die Welt kommt, läßt das Durchschlafen etwa acht Wochen länger als bei einem termingeborenen Kind auf sich warten. Eltern frühgeborener Kinder haben deshalb häufig eine zusätzliche Bürde an unterbrochenen Nächten zu tragen.

## Was können die Eltern zum Durchschlafen ihres Kindes beitragen?

Was können die Eltern tun, damit ihr Kind so bald wie möglich nach der Geburt durchschläft und sie selbst zu ihrem wohlverdienten Schlaf kommen? Auf welche Weise können sie auf das Schlafverhalten ihres Kindes einwirken?

Die Eltern können das Kind in seiner Entwicklung zu einem regelmäßigen Schlaf-Wach-Rhythmus wohl unterstützen, bestimmend aber bleibt das Kind. In den ersten drei Lebensmonaten bemüht sich der kindliche Organismus, sich einerseits an den Tag-Nacht-Wechsel anzupassen und andererseits einen Rhythmus in seine körperlichen und psychischen Aktivitäten zu bringen. Diese Aufgaben löst jeder Säugling unterschiedlich rasch. Gewisse Säuglinge haben einen starken inneren Drang zur Regelmäßigkeit. Sie entwickeln die zirkadianen Rhythmen gewissermaßen von alleine. Der Ablauf ihres Trinkverhaltens, Einschlafens und Aufwachens gleicht nach einigen Lebenswochen einem Uhrwerk. Diese Kinder schlafen früh durch. Andere Kinder melden ihre Hunger- und Schlafbedürfnisse über Monate zu immer anderen Tages- und Nachtzeiten an. Weil ein regelmäßiger Tagesablauf eine wichtige Voraussetzung für das Durchschlafen ist, wachen diese Kinder nachts auf. Sie brauchen die Unterstützung der Eltern, um zu Konstanz und Regelmäßigkeit in ihrem Wach- und Schlafverhalten zu kommen. Sie sind auf ihre Eltern als *Zeitgeber* angewiesen. Die Eltern können ihrem Kind helfen, seinen Rhythmus zu finden, indem sie sein Leben bezüglich Mahlzeiten, Einschlafzeiten und anderer Tätigkeiten wie zum Beispiel Spazierengehen regelmäßig gestalten.

Gelegentlich wird den Eltern empfohlen, sie sollten es ganz ihrem Kind überlassen, seinen eigenen Rhythmus von Mahlzeiten und Schlafperioden zu finden. Die Erfahrung zeigt, daß die Mehrheit der Kinder, aber nicht alle dazu imstande sind. Es gibt Kinder, die selbst am Ende des ersten Lebensjahres noch keinen geordneten Schlaf-Wach-Rhythmus haben. Konstanz und Regelmäßigkeit sind jedoch für den menschlichen Organismus von Bedeutung. Die meisten Erwachsenen fühlen sich am wohlsten und sind am leistungsfähigsten, wenn ihr Tagesablauf regelmäßig ist. Wenn die Schlaf-, Essens- und Arbeitszeiten sich ständig ändern, sind sie weniger aufmerksam, machen mehr Fehler und ermüden rascher, als wenn der Tag regelmäßig abläuft. Unregelmäßigkeiten im Tagesverlauf, wie spätes Zubettgehen am Samstagabend und langes Ausschlafen am Sonntag, können sich negativ auf die Stimmung, das Denkvermögen und die körperliche Leistungsfähigkeit auswirken. Dies gilt genauso für Kinder und im besonderen Maße für junge Säuglinge. Kinder mit einem geordneten, steten Schlaf-Wach-Rhythmus sind aufmerksamer, interessieren sich mehr für ihre Umwelt, schreien weniger und sind zufriedener als Kinder, die einen unregelmäßigen Rhythmus haben. Ein regelmäßiger Alltag vermittelt dem Kind auch Geborgenheit. Die Regelmäßigkeit hilft dem Kind, mit dem Tagesablauf rascher vertraut zu werden, was sich wiederum positiv auf sein Wohlbefinden und sein Selbstwertgefühl auswirkt (vgl. »Beziehungsverhalten 0 bis 3 Monate«).

## Wie das allnächtliche Gewecktwerden überstehen?

Nächtliches Aufwachen kann, auch wenn es lediglich einige Wochen andauert, für Eltern zu einer großen Belastung werden.

Aus dem Schlaf gerissen zu werden weckt Aggressionen. Wenn ein Kind nachts ein- bis mehrmals über Wochen und Monate hinweg schreit, können die Nerven der Eltern arg strapaziert werden. »Wenn das Kind doch nur endlich ruhig wäre!« Und schließlich: »Wenn es mich jetzt nicht schlafen läßt, bringe ich es um!« Nicht wenige übermüdete Eltern werden in der Nacht von Haßgefühlen überfallen, die sie selber erstaunen und zutiefst erschrecken, die sie kaum je äußern und – Gott sei Dank – auch nicht in die Tat umsetzen. Gelegentlich belasten die »Nachtdienste« die Eltern dermaßen, daß es für sie undenkbar wird, weitere Kinder zu haben.

Schlimmer als das Aufwachen ist für manche Eltern, daß sie – einmal wach – nicht mehr einschlafen können. Ihr Kind schläft wieder selig, aber sie liegen hellwach im Bett und versuchen krampfhaft, den Schlaf wiederzufinden. Sie denken an den morgigen Tag, wie sie sich müde durch den Tag kämpfen werden, und sind zunehmend verstimmt. Sie versuchen »Schäfchen zu zählen«, an nichts zu denken – der Schlaf aber läßt auf sich warten. Den Schlaf eher zurückbringen können Entspannungsübungen, eine Tasse Tee trinken, lesen, bis die Augen zufallen, Musik hören oder einige Minuten spazierengehen. Gelegentlich ist guter Rat teuer, so teuer wie der Schlaf, der ausbleibt.

Es lohnt also, sich Gedanken zu machen, wie man als Eltern diesen Härtetest am besten überstehen kann. Vorab das Wichtigste: Die Eltern sollten sich gegenseitig absprechen. Tun sie es nicht, kann es leicht geschehen, daß jede Nacht beide vom Geschrei des Kindes geweckt werden. Daraus entwickelt sich häufig ein sogenanntes edelmütiges Verhalten (Haslam): Wenn die Eltern vom Geschrei geweckt werden, tut jeder Teil so, als ob er noch schlafen würde, und hofft darauf, daß der andere aufstehen werde. Gibt schließlich der eine nach und steht auf, tut der andere so, als ob er gerade erwacht wäre, und bietet dem Partner an, aufzustehen. Dies wiederum in der Hoffnung, daß der Partner sein Angebot ausschlagen und ihn weiterschlafen lassen würde. Auf die Dauer ist solch »aufopferndes« Verhalten nicht durchzuhalten und vor allem: Es ist überaus ermüdend und führt zu unguten Gefühlen.

Die Eltern sollten sich überlegen, wie sie den »Nachtdienst« so einrichten können, daß beide zu möglichst viel Schlaf kommen. Manche Eltern teilen sich die Nächte auf, damit einer von beiden jede zweite Nacht ungestört schlafen kann. In gewissen Familien übernimmt der Vater jede dritte Nacht oder die Nächte am Wochenende, um nicht allzu übermüdet zur Arbeit zu gehen. Auch wenn der Vater nachts aufsteht, lastet die Hauptbürde zumeist auf der Mutter. Ein Teil der Mütter holt die versäumte Nachtruhe tagsüber nach, was allerdings nur beim ersten Kind zu bewerkstelligen ist.

Wird das Kind gestillt, kann die Mutter den Säugling in Reichweite zum Schlafen legen. Meldet er sich, nimmt ihn die Mutter, ohne aufzustehen, an die Brust, stillt ihn und legt ihn zurück in sein Bettchen. Auf diese Weise findet die Mutter den Schlaf rasch wieder, und der Vater nimmt häufig das nächtliche Stillen gar nicht wahr.

Für viele Eltern, deren Kinder nachts aufwachen, ist die – oft nur vermutete – Ruhestörung der Nachbarn eine zusätzliche Belastung. Die Nachbarn werden zudem in der Vorstellung der Eltern Zeugen ihres vermeintlichen Versagens: Denn nur die Kinder unfähiger Eltern – denken sie – wachen nachts auf und stören die Nachtruhe anderer Leute. Schuld- und Versagensgefühle können dazu führen, daß die Eltern Begegnungen mit den Nachbarn im Treppenhaus tunlichst vermeiden. Nun, gar so schlimm ist es meist nicht. Viele Nachbarn haben aus eigener Erfahrung Verständnis für die Nöte von Eltern, deren Kinder nachts aufwachen. Sie sehen das Problem weniger bei den Eltern als bei den ungenügenden Schallisolierungen im modernen Wohnungsbau. Einige Tips, wie man mit dem Problem »schlafgestörte Nachbarn« umgehen kann, finden sich im Kapitel »Schreiverhalten«.

Abschließend einige Anmerkungen zu Ratschlägen, die häufig gemacht werden, deren Befolgen aber nicht zu empfehlen ist:

- *Die Kinder schreien lassen.* Säuglinge wachen in den ersten Lebensmonaten nachts auf, weil ihr Schlaf-Wach-Rhythmus noch nicht ausreichend entwickelt ist und sie auf die Nahrungszufuhr angewiesen sind: Sie können noch nicht durchschlafen. Es ist daher quälend und sinnlos, Säuglinge schreien zu lassen. Es gibt keinerlei Hinweise, daß Kinder eher durchschlafen, wenn die Eltern sie schreien lassen.
- *Den Kindern Medikamente geben.* Schlaf- und Beruhigungsmittel fördern in keiner Weise die Entwicklung des Schlafverhaltens. Im Gegenteil: Sie hemmen die zyklische Aktivität des Schlafes und beeinträchtigen die Aufmerksamkeit des Kindes, wenn es wach ist. Sie dämpfen seine Gehirnaktivität. Medikamente können gelegentlich für die Eltern dienlich sein, für ihre Kinder sind sie es mit Bestimmtheit nicht.
- *Den Kindern abends vor dem Einschlafen angereicherte Flaschenmilch oder Brei geben.* Verschiedene Studien haben gezeigt, daß angereicherte Flaschennahrung nicht zu einem früheren Durchschlafen führt (Grunwaldt u. a.). Es trifft zu, daß gestillte Kinder nachts häufiger aufwachen und in einem späteren Alter durchschlafen als Kinder, die mit der Flasche ernährt werden (vgl. »Schlafverhalten 4 bis 9 Monate«).

## Schlafen trotz Lärm

Bereits Neugeborene und Säuglinge können sich im Schlaf vor unangenehmen akustischen Reizen schützen. Diese Fähigkeit bewahrt sie davor, daß sie durch Geräusche in ihrer Umgebung aus dem Schlaf gerissen werden.

Der Säugling kann sich nicht nur einer Stimme oder einem Geräusch zuwenden (vgl. »Sprachentwicklung 0 bis 3 Monate«).

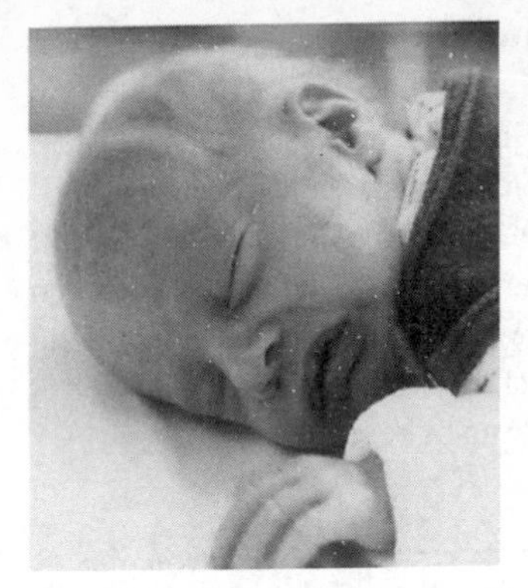
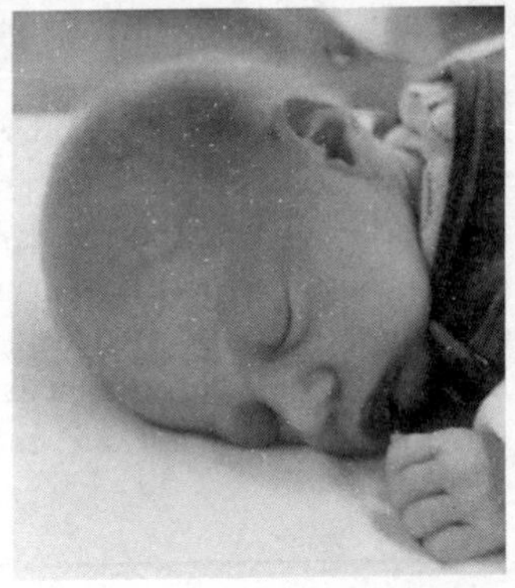

*Auf das erstmalige Erklingen der Glocke verzieht der schlafende Säugling sein Gesicht (links). Auf wiederholtes Klingeln reagiert er nicht mehr; er schläft weiter (rechts).*

Er kann auch gezielt auf akustische Reize nicht reagieren, was eine ebenso erstaunliche Leistung wie das Zuhören ist. Und dies nicht nur, wenn er wach ist, sondern auch im Schlaf wie der Säugling in obiger Abbildung. Beim erstmaligen Erklingen der Glocke verzieht der schlafende Säugling das Gesicht und zuckt kurz zusammen. Auf das wiederholte Klingeln reagiert er nicht mehr. Er läßt sich in seinem Schlaf nicht stören. Erstaunlich ist diese Leistung deshalb, weil das Kind den lästigen Reiz wohl wahrnimmt, aber darauf nicht reagiert.

Wenn der Säugling tief schläft, stört ihn weder die Telefonklingel noch der Lärm eines vorüberfahrenden Autos. Ist er in einem oberflächlichen Schlafzustand, zuckt er kurz zusammen, schläft aber weiter. Er wacht nicht auf, auch wenn die Störung anhalten sollte. Hätte das Kind nicht die Fähigkeit, unsinnige akustische Reize zu ignorieren, würde es bei jedem Geräusch aufwachen. Eine schreckliche Vorstellung für Kind und Eltern.

## Wieviel Schlaf braucht ein Säugling?

Viele Eltern meinen, daß Kinder in den ersten Lebenswochen ausschließlich schlafen. Daß dem nicht so ist, zeigt folgende Abbildung. Bereits neugeborene Kinder sind durchschnittlich acht Stunden pro Tag wach. Manche Säuglinge liegen mit offenen Augen ruhig in ihren Bettchen. Wenn die Eltern nach dem Kind schauen, stellen sie erstaunt fest, daß der Säugling nicht etwa schläft, sondern sie mit wachen Augen begrüßt.

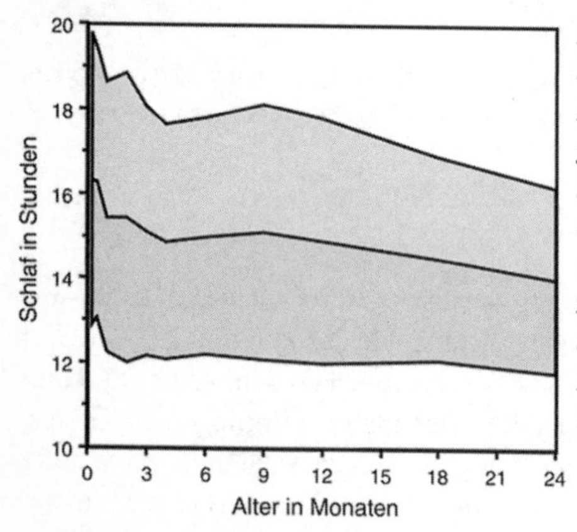


*Der Schlafbedarf in den ersten zwei Lebensjahren. Die graue Fläche gibt die Streubreite der Gesamtschlafdauer (Tag- und Nachtschlaf zusammengerechnet) an, die Linie in der Mitte die durchschnittliche Schlafdauer.*

In jeder Alterstufe ist der Schlafbedarf von Mensch zu Mensch sehr verschieden. Dies trifft auch auf Säuglinge und Kleinkinder zu. Die meisten Säuglinge schlafen 14 bis 18 Stunden pro Tag. Einige kommen mit zwölf bis 14 Stunden aus, andere schlafen bis zu 20 Stunden pro Tag. Wieviel Schlaf ein Kind braucht, ist in einem hohem Maße biologisch vorgegeben. Um Schlafstörungen zu vermeiden, sollten die Eltern immer bedenken: *Ein Kind kann nur so viel schlafen, wie es seinem Schlafbedarf entspricht.*

Wieviel Schlaf braucht unser Kind? Diese Frage stellen viele Eltern, und keine Fachperson kann ihnen darauf eine Antwort geben. Weil der Schlafbedarf unter gleichaltrigen Kindern so verschieden ist, gibt es keine Regel, die angeben könnte, wieviel Schlaf ein Kind in einem bestimmten Alter benötigt. Niemand kann den Schlafbedarf besser feststellen als die Eltern selbst. Sie kennen es am besten. Ein Hilfsmittel zum Ermitteln des kindlichen Schlafbedarfes ist das Schlafprotokoll, welches im Anhang enthalten ist.

Mit der Anpassung an den Tag-Nacht-Wechsel kommt es zu einer Umverteilung der Schlafperioden. In den ersten Lebenswochen sind die Dauer des Tagschlafs und diejenige des Nachtschlafs etwa gleich groß. In den folgenden Monaten nimmt die Dauer des Nachtschlafs immer mehr zu, während der Tagschlaf immer kürzer ausfällt. Mit etwa sechs Monaten ist die Umverteilung des Schlafs im wesentlichen abgeschlossen. Was für den Gesamtschlaf zutrifft, gilt auch für den Tag- und Nachtschlaf: Die Kinder schlafen ganz unterschiedlich lang bei Tag und bei Nacht.

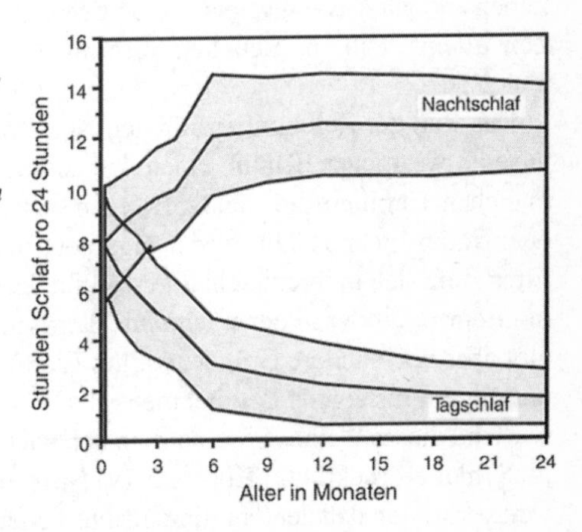


*Entwicklung des Nacht- und Tagschlafs in den ersten zwei Lebensjahren. Die grauen Flächen geben den Streubereich, die Linie in der Mitte die durchschnittliche Dauer des Tag- und Nachtschlafs an.*

## Dürfen, sollen oder müssen wir das Kind in unser Bett nehmen?

Über Jahrhunderttausende lebte der Säugling in der Nähe der Mutter, die meiste Zeit sogar in engem Körperkontakt mit Mutter und Vater. Mit Beginn des Industriezeitalters setzte eine tiefgreifende Veränderung in Lebensrhythmus und Arbeitsstil der Menschen ein, eine neue Wohnkultur entstand. Die Eltern begannen, den Säugling während des Tages über Stunden abzulegen und nachts in einem separaten Zimmer schlafen zu lassen. Diese Sitte ist etwa 150 Jahre alt, eine minimale Zeitspanne gemessen an der Länge der Menschheitsgeschichte. Sie hat auch längst noch nicht in allen Kulturen Einzug gehalten. Nach wie vor wachsen Millionen von Säuglingen und Kleinkindern in engem Kontakt mit den Eltern, Familienangehörigen und Sippenmitgliedern auf.

In der westlichen Welt müssen wir uns ernsthaft fragen, ob unser Umgang mit dem Säugling seinem Bedürfnis nach Sicherheit und Geborgenheit gerecht wird. Mindestens ein Teil der Kinder scheint für ihr körperliches und psychisches Wohlbefinden auf einen ausgedehnten Körperkontakt angewiesen zu sein während des Tages, aber auch in der Nacht. Säuglinge, die vermehrt herumgetragen werden, schreien in den ersten drei Lebensmonaten weniger als diejenigen, die einen Großteil der Zeit allein in ihrem Bettchen verbringen (vgl. »Schreiverhalten«).

Das Rad der Zeit zurückzudrehen ist schwierig. Wir haben in unserer westlichen Kultur einen Lebensstil entwickelt, der in manchen Familien die ständige Gegenwart des Säuglings nicht oder kaum mehr zuläßt, weder tags noch nachts. Es gibt viele Eltern, die sich in ihrem Schlaf gestört fühlen, wenn der Säugling in ihrem Bett oder in der Wiege im Elternschlafzimmer liegt. Es gibt aber noch andere Gründe, warum Eltern ihr Kind nicht oder nur ungern ins eigene Bett nehmen.

»Und dieses Weibes Sohn starb in der Nacht; denn sie hatte ihn im Schlaf erdrückt.« (1. Könige 3,19) Nach wie vor ist die Angst weit verbreitet, daß der Säugling im elterlichen Bett erdrückt werden oder ersticken könnte. Diese Befürchtungen lassen sich entkräften: Filmaufnahmen zeigen, daß Kind und Eltern sich im Schlaf so bewegen, daß es nie zu einer bedrohlichen Situation für das Kind kommt. Gefährlich kann es für einen Säugling dann werden, wenn das Reaktionsvermögen der Eltern beeinträchtigt ist, beispielsweise wegen Alkoholgenusses oder der Einnahme von Schlaftabletten. In zahlreichen Ländern der Welt schlafen Millionen von Kindern mit ihren Eltern, nicht nur in Afrika und im Fernen Osten. In Skandinavien schläft etwa ein Drittel der Kinder während des ganzen Vorschulalters bei den Eltern. Über-

*Vater und Tochter*

all dort kommt der frühe Kindstod nicht häufiger vor als in Ländern mit getrennten Betten.

Psychoanalytiker und gewisse gesellschaftliche Kreise warnen davor, Kinder mit ins elterliche Bett zu nehmen. Ihre Hauptsorge gilt der Sexualität. Negative Auswirkungen auf die psychische Entwicklung der Kinder sind aber nie überzeugend nachgewiesen worden. Nachteilige Folgen können für das Intimleben der Eltern auftreten. Manche Eltern fühlen sich in ihrem Sexualleben gehemmt durch die Anwesenheit eines Kleinkindes. Vielleicht ein Anreiz für sie, zeitlich und örtlich etwas Neues auszuprobieren.

Wie sollen Eltern ihr Kind und sich selber betten? Ich meine, es liegt an den Eltern, herauszufinden, welche Schlafsituation ihrem Kind und ihnen selbst am besten entspricht. Es gibt Eltern, die fühlen sich wohl mit ihren Kindern in einem großen Familienbett. Andere wollen alleine schlafen. Es gibt eine große Spannbreite für die Eltern, Nähe und Distanz zu ihrem Kind zu gestalten: Vom separaten Zimmer für das Kind über die Wiege im elterlichen Schlafzimmer bis zum Kind im Elternbett. Die Schlafsituation ist dann richtig, wenn Kind und Eltern entspannt schlafen können.

## Kinderbetten

Falls das Kind in einem eigenen Bettchen schläft, wie sollen es die Eltern betten? Es soll sicher aufgehoben sein und es warm haben. Wenn es in einem Gitterbettchen schläft, ist darauf zu achten, daß die Gitterstäbe nicht mehr als sieben Zentimeter auseinanderliegen. Ist der Abstand zwischen den Gitterstäben größer, besteht die Gefahr, daß es den Kopf zwischen den Stäben durchzwängen und sich verletzen kann. In einem einteiligen Anzug kühlt das Kind weniger aus als in einer mehrteiligen Schlafbekleidung. Schlafsäcke und Decken, die seitlich – oder noch besser am Fußende – befestigt werden, haben, wenn sie ihm genügend Bewegungsfreiheit lassen, eine Reihe von Vorteilen gegenüber Daunen- oder Wolldecken. Die Kinder können sich nicht freistrampeln und sind nie aufgedeckt. Unruhige Kinder, die dazu neigen, im Bettchen hochzukrabbeln, bis sie mit dem Kopf am oberen Bettende anstoßen, bleiben unter der Decke. Manche Eltern schätzen es, daß das Kind das Bett nicht verlassen kann. Weitere Vorteile des Schlafsacks: Wenn es hineingelegt wird, ist das für das Kind ein Signal, daß nun Schlafenszeit ist. Auswärts schläft es schließlich viel leichter ein, wenn es mit seinem Schlafanzug in seinem Schlafsack gebettet wird.

Sollen die Kinder zum Schlafen auf den Bauch oder auf den Rücken gelegt werden? Bis Anfang der 1960er Jahre schliefen die Kinder in Europa auf dem Rücken. Dies gilt immer noch für viele Länder Ost- und Südeuropas. In Amerika und Mitteleuropa haben die Ärzte vor 30 Jahren die Bauchlage aus zwei Gründen propagiert: Die Erstickungsgefahr sei geringer, und dem Ausrenken der Hüftgelenke (sogenannte Hüftgelenkluxation) werde vorgebeugt. Das Argument der erhöhten Erstickungsgefahr in Rückenlage hat sich als nicht stichhaltig herausgestellt. Im Gegenteil, es gibt neuere Berichte, nach denen der plötzliche Tod bei Kindern, die in Bauchlage schlafen, häufiger sei.

Die derzeitige kinderärztliche Empfehlung lautet: Den Säugling zum Schlafen auf den Rücken legen. Kinder, die sich in

Rückenlage unwohl fühlen – und die gibt es! –, in die Lage bringen, in der sie sich am wohlsten fühlen und am besten einschlafen können!

Kein Wort wurde bisher über das so wichtige Einschlafzeremoniell gesagt. Es wird uns im Kapitel »Schlafverhalten 4 bis 9 Monate« ausführlich beschäftigen.

## Das Wichtigste in Kürze

1. In den ersten Lebensmonaten entwickeln die Kinder ihre zirkadianen Rhythmen und passen ihren Schlaf-Wach-Zyklus dem Tag-Nacht-Wechsel an.

2. Die Anpassung des Schlaf-Wach-Zyklus an den Tag-Nacht-Wechsel hängt von einem Reifungsprozeß ab, der von Kind zu Kind unterschiedlich rasch abläuft. Kinder schlafen deshalb verschieden rasch nachts durch: einige Kinder bereits im ersten, 70 Prozent bis zum dritten und 90 Prozent bis zum fünften Lebensmonat.

3. Durchschlafen bedeutet sechs bis acht Stunden hintereinander schlafen. Längere Schlafdauer kommt in den ersten drei Lebensmonaten nur ausnahmsweise vor.

4. Die Eltern können ihr Kind bei der Entwicklung eines beständigen Schlaf-Wach-Rhythmus unterstützen, wenn sie seinen Tagesablauf mit Mahlzeiten, Einschlafzeiten und anderen Aktivitäten wie Spazierengehen regelmäßig gestalten.

5. Der Säugling ist für sein körperliches und psychisches Wohlbefinden auf körperliche Nähe angewiesen. Dieses Bedürfnis ist je nach Kind unterschiedlich groß. Die Eltern sollten die Schlafsituation so gestalten, daß diese das Bedürfnis des Kindes nach Nähe soweit wie möglich befriedigt.

# 4 bis 9 Monate

*Urs schlief nach wenigen Wochen durch. Mit acht Monaten fängt er zum Schrecken seiner Eltern erneut an, nachts aufzuwachen. Zusätzlich zeigt er eine Verhaltenseigenheit, welche die Eltern beunruhigt: Abends liegt er längere Zeit wach und bewegt den Kopf rhythmisch hin und her. Gelegentlich werden die Kopfbewegungen so kräftig, daß das Bettchen knarrt. Die Eltern haben die Gitterstäbe mit Kissen abgepolstert aus Angst, Urs könnte mit dem Kopf dagegen schlagen und sich verletzen. Das Kopfwackeln hat vor einem Monat angefangen und ist seither immer ausgeprägter geworden. Es erinnert die Mutter an die stereotypen Bewegungen geistig behinderter Menschen. Urs hatte sich bisher normal entwickelt.*

In den ersten drei Lebensmonaten gilt eine Hauptsorge der Eltern dem Durchschlafen. Das Durchschlafen wird uns in diesem Kapitel nochmals beschäftigen, denn nach dem dritten Lebensmonat wacht noch etwa ein Viertel aller Säuglinge nachts regelmäßig auf. Ein weiteres Viertel der Kinder schläft – wie Urs – wochen- und monatelang durch und beginnt zwischen sechs und zwölf Monaten zum Mißfallen der Eltern nachts wieder aufzuwachen.

Nächtliches Aufwachen im ersten Lebensjahr ist häufig. Wenn ein Kind noch nicht oder nicht mehr durchschläft, sollten sich die Eltern durch die lieben Verwandten und Bekannten, deren Kinder angeblich »problemlose Schläfer« sind, nicht verunsichern lassen. Sie brauchen sich weder als Versager noch einsam zu fühlen. Sie sind in guter Gesellschaft mit vielen anderen Eltern, deren Säuglinge auch nicht durchschlafen. Übrigens: Großeltern und Schwiegereltern haben es mit ihren Kindern auch nicht besser gemacht. Entwicklungsstudien belegen, daß vor 30 Jahren genauso viele Kinder nachts aufwachten wie heutzutage.

Im Zentrum dieses Kapitels steht das sogenannte Einschlafzeremoniell. Dieses Zeremoniell ist deshalb so wichtig, weil es für Kind und Eltern nicht nur den Verlauf des Abends, sondern auch den Fortgang der Nacht wesentlich mitbestimmt. Am Schluß werden wir uns mit dem Kopfwackeln von Urs und anderen rhythmischen Körperbewegungen befassen, die typischerweise zwischen sechs und zwölf Monaten auftreten.

## Tag- und Nachtschlaf

Wie oft und wie lange soll ein Kind tagsüber schlafen? Die meisten Kinder schlafen im Alter von drei bis neun Monaten jeweils zwei- bis dreimal eine halbe bis zwei Stunden pro Tag. Während manche Kinder tagsüber mehrere Stunden schlafen, machen andere lediglich ein Nickerchen von einer Stunde. Weil der Schlafbedarf von Kind zu Kind sehr unterschiedlich ist, gibt es keine Regel, die angeben könnte, wie oft und wie lange ein Kind in einem bestimmten Alter tagsüber schlafen soll.

Wieviel Schlaf ein Kind tagsüber braucht, kann den Eltern kein Fachmann und keine Fachfrau sagen. Sie allein können es herausfinden. Ausschlaggebend für die Einschätzung des Schlafbedarfs ist das wache Kind: Es soll tagsüber so viel schlafen, daß es im Wachzustand zufrieden und interessiert an seiner Umgebung ist.

Es kann für eine Mutter angenehm sein, wenn ihr Kind tagsüber viel und lange schläft. Während es sein Nickerchen macht, kann sie ungestört ihren eigenen Neigungen nachgehen und den Haushalt machen. Die Sache hat aber einen Haken: Ein Kind, das tagsüber viel schläft, kann die Eltern nachts wach halten. Denn: *Der Schlafbedarf ist eine feste Größe. Das heißt, wenn ein Kind tagsüber viel schläft, schläft es nachts um so weniger und umgekehrt.*

Viele Eltern, die diese Regel zum erstenmal hören, sind mit ihr nicht einverstanden. Aufgrund eigener Erfahrung machen sie beispielsweise folgenden Einwand geltend: Anna schläft am Morgen und am Nachmittag je anderthalb Stunden, insgesamt also drei Stunden tagsüber. Am vergangenen Sonntag war die Familie auf Besuch, Anna hat den ganzen Tag lediglich eine knappe Stunde geschlafen. In der darauffolgenden Nacht schlief sie aber nicht zwei Stunden länger, sondern ebenso lang wie in den vorangehenden Nächten. Der Einwand ist berechtigt: Die Regel gilt nicht für ein einmaliges Ereignis, sondern nur für eine Periode von mindestens sieben bis 14 Tagen. Warum ist das so? Der Schlaf-Wach-Rhythmus ist Teil einer biologischen Uhr, der sogenannten zirkadianen Rhythmen (Erläuterung vgl. »Einleitung«). Wie bei jeder Uhr läßt sich der Schlaf-Wach-Rhythmus nicht so ohne weiteres verändern; er hat ein gewisses Beharrungsvermögen. Alle Leser, die eine größere Flugreise über einige Zeitzonen hinweg gemacht haben, kennen das Beharrungsvermögen ihrer zirkadianen Rhythmen als sogenannten Jetlag aus eigener Erfahrung: Während einiger Tage, wenn es schlimm kommt, bis zu einer Woche, leidet man darunter, daß man zu unzeitgemäßen Stunden müde beziehungsweise hellwach ist, weil die innere Uhr immer noch auf die Zeit am Herkunftsort eingestellt ist. Am Bestimmungsort angekommen, passen sich die zirkadianen Rhythmen nicht sogleich der Zeitverschiebung an. Sie brauchen Tage, gewisse Körperfunktionen benötigen sogar Wochen, bis sie die Anpassung an den neuen Tag-Nacht-Wechsel vollzogen haben. Dies gilt genauso für eine Anpassung an veränderte Einschlaf- und Aufwachzeiten im Säuglings- und Kleinkindalter!

Daraus ergibt sich eine weitere wichtige Regel: *Wenn wir etwas am Schlafverhalten eines Kindes ändern wollen, dann müssen wir Geduld haben und während sieben bis 14 Tagen mit unseren Maßnahmen konsequent sein.*

Nur so läßt sich die biologische Uhr anders einstellen! Um noch einmal auf Anna zurückzukommen: Wenn Annas Eltern der Meinung sind, daß ihr Kind eigentlich nur eine und nicht drei Stunden Tagschlaf braucht, dann läßt sich dies nicht von einem Tag auf den anderen ändern. Wenn die Eltern Anna aber während zwei Wochen dazu anhalten, nur noch eine Stunde tagsüber zu schlafen, wird sich ihr Schlaf umverteilen. Anna wird tagsüber eine Stunde, dafür nachts zwei Stunden länger schlafen.

Wenn wir davon ausgehen, daß der Schlafbedarf beim einzelnen Kind eine feste Größe ist, ergibt sich daraus eine weitere wichtige Beziehung: *Einschlafzeit und Aufwachzeit stehen in einem positiven Verhältnis zueinander, das heißt, je früher ein Kind abends einschläft, desto früher ist es am Morgen wach und umgekehrt.*

Die meisten Eltern haben mit ihren Kindern wiederum Erfahrungen gemacht, die dieser Regel nicht entsprechen, wie beispielsweise die folgende: Kathrin geht üblicherweise um acht Uhr abends ins Bett und schläft bis sieben Uhr morgens. Gestern abend kam der Pate auf Besuch, Kathrin durfte bis zehn Uhr aufbleiben. Heute morgen schlief sie nicht zwei Stunden länger, sondern ist wie üblich um sieben Uhr aufgewacht. Der geneigte Leser ahnt es: Auch diese Regel gilt wegen des Beharrungsvermögens der biologischen Uhr nicht für ein einmaliges Ereignis. Die Eltern können Kathrins Schlafenszeit auf zehn Uhr abends verschieben, wenn sie während 14 Tagen diese Zeit konsequent anstreben. Damit die Umstellung nicht abrupt geschieht, sollten sie Kathrin jeden Abend um eine viertel bis eine halbe Stunde später zu Bett bringen, bis die gewünschte Zeit erreicht ist. Selbstverständlich kann die Einschlafzeit nicht nur hinausgeschoben, sondern auch vorverschoben werden. Dazu ein Beispiel: Lea schläft um elf Uhr nachts ein und wacht um neun Uhr morgens auf. Die Eltern möchten, daß Lea bereits um neun Uhr einschläft. Sie setzen die Einschlafzeit jeden Abend um eine viertel bis halbe Stunde früher an, bis sie die gewünschte Zeit erreicht haben. Ganz wichtig: Sie müssen natürlich auch dafür sorgen, daß Lea am Morgen immer früher aufwacht! Sie dürfen sie nicht in den Morgen hineinschlafen lassen. Was die Eltern vielleicht wünschen, aber nicht erwarten dürfen, ist, daß Lea von neun Uhr abends bis neun Uhr morgens schläft! Wenn Lea um neun Uhr abends einschläft, wird sie um sieben Uhr morgens ausgeschlafen sein, weil sie aus biologischen Gründen nicht länger als zehn Stunden schlafen kann.

## Ernährung und Durchschlafen

Gestillte Kinder neigen häufiger als flaschenernährte Kinder dazu, nachts aufzuwachen. Dafür gibt es eine Reihe von Gründen. Mütter, die stillen, sind eher bereit, ihre Kinder auf Verlangen zu ernähren, als Mütter, die ihren Kindern die Flasche geben. Auf Verlangen stillen heißt: Das Kind bekommt die Brust, wann immer es danach verlangt. Verständlicherweise erwartet der Säugling, der auf Verlangen gestillt wird, daß die Brust nachts genauso verfügbar ist wie tagsüber. Kinder, die gestillt werden, nehmen häufig während des Tages weniger Nahrung zu sich als Flaschenkinder. Sie müssen dafür auch nachts trinken, damit sie ihren Kalorienbedarf decken können. Sie melden sich nachts, weil sie Hunger haben. Gestillte Kinder schlafen schließlich häufig im Bett der Mutter oder sind in einem Bettchen neben der Mutter untergebracht. Die Mutter nimmt jede Regung des Kindes wahr und ist auch bereit, darauf zu reagieren.

Stillen auf Verlangen ist wahrscheinlich diejenige Ernährungsform, die dem kindlichen Bedürfnis am besten entspricht. Viele stillende Mütter fühlen sich auch nicht gestört, wenn ihr Kind ein bis mehrere Male in einer Nacht die Brust verlangt. Das Kind und die Mutter fühlen sich wohl.

Andere Mütter wollen nach einigen Monaten ungestört schlafen. Einige fühlen sich richtig erschöpft. Wie läßt sich das Trinkverhalten eines Kindes verändern? Wenn das Kind nachts die Brust verlangt, ist es der Mutter nicht möglich, sich ihm zu verweigern. Wenn sie das Kind umgewöhnen will, sollte sie eine Änderung seines Trinkverhaltens nicht nachts, sondern während des Tages anstreben. Folgendes Vorgehen hat sich bewährt: Tagsüber dehnt die Mutter die Zeitabstände zwischen dem Stillen auf drei bis vier Stunden aus und achtet darauf, daß ihr Kind seinen Nahrungsbedarf während des Tages deckt (vgl. »Trinken und Essen 4 bis 9 Monate«). Ist die Ernährung ganz auf den Tag umgestellt, gilt es noch folgendes Problem zu lösen: Viele gestillte Kinder schlafen an der Brust der Mutter ein. Sie sind gar nicht in der Lage, selbständig einzuschlafen, weder abends noch nachts, wenn sie aufwachen. Die Mutter muß also auch das Einschlafritual verändern. Wie dies geschehen kann, wird weiter unten erläutert.

Es gibt natürlich auch Flaschenkinder, die nachts zu trinken verlangen. Wenn sie während der Nacht größere Nahrungsmengen zu sich nehmen, wachen sie wie die gestillten Kinder auf, weil sich ihr Körper an die nächtliche Kalorien- und Flüssigkeitszufuhr gewöhnt hat. Nach dem dritten Lebensmonat ist der Säugling nicht mehr auf eine nächtliche Nahrungszufuhr angewiesen. Wie nächtliches Trinkverhalten umgestellt werden kann, wird im Kapitel »Trinken und Essen 4 bis 9 Monate« geschildert.

## Einschlafzeremoniell

Fachleute mögen unterschiedliche Vorstellungen über das kindliche Schlafverhalten haben. Einmütigkeit herrscht unter ihnen bei der Bedeutung, die sie dem sogenannten Einschlafzeremoniell zumessen. Mit dem Einschlafzeremoniell sind die abendlichen Aktivitäten gemeint, die sich vor dem (erhofften) Einschlafen des Kindes abspielen.

Warum ist die Art und Weise, wie die Eltern das Kind zu Bett bringen, so wichtig?

**Erwartungshaltung.** Während des ersten Lebensjahres bildet sich ein Erinnerungsvermögen aus. Das Kind entwickelt frühzeitig eine Erwartungshaltung zu bestimmten Tagesvorkommnissen. Hört es das Geklapper des Geschirrs, wird es in sein Stühlchen gesetzt und der Latz umgebunden, dann weiß es: Jetzt gibt es zu essen. Damit das Kind solche Erwartungen entwickeln kann, ist eine Konstanz in den täglichen Aktivitäten und damit auch beim Zubettbringen notwendig. Spielen sich die abendlichen Aktivi-

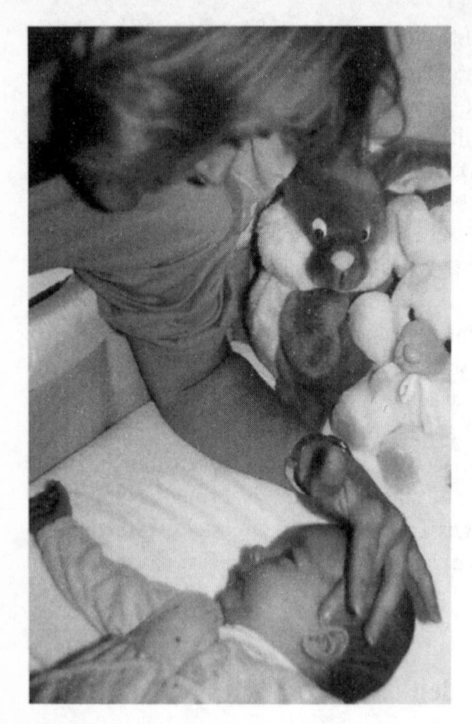



täten immer in der gleichen Reihenfolge ab, dann führen sie ab einem bestimmten Alter das Kind zum Schlafen hin. Wird es jeden Abend etwa zur gleichen Zeit gefüttert und gebadet, darf es anschließend mit dem Vater oder der Mutter noch etwas spielen, wird es ins Bettchen gelegt und nach einem Schlafliedchen mit einem Kuß verabschiedet, dann wird sich das Kind während des Abends auf das Schlafen einstellen. Wenn die Eltern schließlich das Licht ausmachen, weiß es, daß jetzt der Schlaf kommt. Läuft aber jeder Abend für das Kind anders ab, kann es keine Erwartungen entwickeln. Es weiß nie, wann Schlafenszeit ist. Jeden Abend wird es – für sein Empfinden nicht voraussehbar und überraschend – ins Bettchen gelegt und soll auf Kommando einschlafen.

Müssen Vater und Mutter das Einschlafzeremoniell genau gleich abhalten? Ein Kind kann sich sehr wohl auf das unterschiedliche Verhalten von Vater und Mutter oder von anderen vertrauten Personen einstellen. Alle Personen sollten aber für sich gleichermaßen konsequent sein. Wenn der Vater dem Kind mehr Freiheiten läßt als die Mutter, wird selbst ein Säugling die Eltern bald gegeneinander ausspielen.

Aufregung ist Gift für das Einschlafen. Wenn Eltern sich hektisch für den Theaterabend bereit machen, sich überstürzt vom Kind verabschieden und das Einschlafritual ausfallen lassen, dann macht dem Kind nicht nur ihre Abwesenheit zu schaffen, sondern auch das fehlende Einschlafritual. Übernimmt aber die Großmutter frühzeitig das Zepter und gibt mit ihrem Einschlafzeremoniell dem Kind die nötige Geborgenheit, wird es problemlos einschlafen können. Mit den Kindern herumzubalgen ist eine Spezialität der Väter, und die meisten Kinder genießen es. Die Mütter haben oft weniger Freude daran, weil die Kinder danach häufig aufgedreht sind und Mühe haben einzuschlafen. Rat an die Väter: Das Herumtollen so früh ansetzen, daß das Kind ausreichend Zeit hat, sich zu beruhigen. Auf diese Weise fördern das Herumbalgen und die darauf folgende Müdigkeit sogar die Schlafbereitschaft.

**Geborgenheit.** Wir alle brauchen Geborgenheit, müssen uns sicher fühlen, damit wir uns entspannen und einschlafen können. Genauso ergeht es den Kindern. Zum Einschlafritual gehören Zuwendung, Zärtlichkeit und das Vermitteln des Gefühls, daß sich das Kind vertrauensvoll dem Schlaf hingeben kann. Das abendliche Bad ist diesbezüglich hilfreich. Das Kind entspannt sich körperlich und bekommt zudem Zuwendung und Zärtlichkeit.

Geborgenheit ist nicht erst am Abend und in der Nacht für das Kind wichtig. Es will sich auch tagsüber geborgen fühlen. Je wohler und geborgener das Kind am Tag, desto sicherer wird es sich nachts fühlen. Auf welche Weise die Eltern dem Kind Geborgenheit vermitteln können, ist in den Kapiteln über das »Beziehungsverhalten« näher ausgeführt.

**Abhängigkeit oder Selbständigkeit**. Bereits das neugeborene Kind verfügt über gewisse, wenn auch beschränkte Fähigkeiten, sich selbst zu beruhigen und selbständig einzuschlafen. So saugt es an seinen Händchen und räkelt sich, bis es den Schlaf findet.

Diese Fähigkeiten entwickeln sich in den ersten Lebensmonaten rasch weiter, sind aber unter den Kindern verschieden ausgeprägt. Manche Kinder finden bereits nach wenigen Wochen den Schlaf problemlos selber, andere sind während längerer Zeit mindestens zeitweise auf die Hilfe der Eltern angewiesen. Ob das Kind die Fähigkeiten, sich selbst zu beruhigen, entwickeln kann, hängt nicht nur von seinem Entwicklungsstand und von seiner Persönlichkeit, sondern ganz wesentlich auch vom Verhalten der Eltern ab.

Stellen wir uns zwei unterschiedliche mütterliche Verhaltensweisen vor: Ein Kind schläft jeden Abend an der Brust der Mutter ein. Es nuckelt an der Brust, wird gehalten und gewiegt, bis es den Schlaf findet. Ein anderes Kind wird wach zu Bett gelegt. Die Mutter sitzt am Bettchen. Wenn das Kind zu schreien anfängt, unruhig ist und nicht einschlafen kann, spricht sie leise zu ihm, streichelt ihm über sein Köpfchen und hält seine Händchen. Die Mutter bestärkt ihr Kind in seinem Bemühen, den Schlaf selber zu finden. Das erste Kind verbindet nach einer gewissen Zeit Einschlafen mit der mütterlichen Brust, mit Gehaltensein und Gewiegtwerden. Die Nähe der Mutter ist ein fester Bestandteil des Einschlafrituals geworden. Das Kind kann nur im engen körperlichen Kontakt mit der Mutter einschlafen. Das zweite Kind wird von Woche zu Woche selbständiger, bis es schließlich so weit ist, daß es ohne die mütterliche Hilfe einschlafen kann. Wir sollten uns hüten, das eine oder das andere mütterliche Verhalten als besser oder schlechter einzuschätzen. Es sind verschiedene Erziehungsstile, die sich unterschiedlich auf das Bindungsverhalten des Kindes und seine Entwicklung zur Selbständigkeit auswirken. Es gibt Eltern, die fühlen sich wohl, wenn ihr Kind auch im zweiten Lebensjahr nur in ihren Armen einschlafen kann. Andere aber leiden darunter, daß ihr Kind nur auf diese Weise einschläft. Sie fühlen sich körperlich zunehmend unwohl und angebunden. Die Unselbständigkeit des Kindes hindert sie daran, eigene Bedürfnisse wahrzunehmen. Es ist ihnen unter anderem nicht möglich, abends auszugehen.

Zwischen diesen beiden Verhaltensweisen gibt es einen großen Spielraum, den die Eltern entsprechend den Eigenheiten des

Kindes und ihren eigenen Bedürfnissen gestalten können. Dabei sollten Eltern folgendes bedenken: Sie gestalten die körperliche Verbindung zu ihrem Kind in den ersten Monaten für die kommenden Jahre. Eine möglichst große Nähe und Enge der körperlichen Beziehung wird häufig mit psychischem Wohlbefinden und Stärke des sogenannten Urvertrauens gleichgesetzt. Dies scheint mir eine zu einseitige Vorstellung von der Entwicklung des kindlichen Selbstvertrauens zu sein, denn nicht nur Geborgenheit, auch Selbständigkeit ist ein wesentlicher Bestandteil des Selbstvertrauens. Das Kind in dem Maße zur Selbständigkeit hinzuführen, wie das Kind selbständig sein kann, ohne es zu unter- oder überfordern, ist eine der wichtigsten Aufgaben der Eltern. Wenn das Kind selbständig einschlafen kann, ist es weniger abhängig von seiner Umgebung und leidet weniger unter Verlassenheitsängsten, wenn es nachts im dunklen Zimmer aufwacht.

**»Abendkinder«.** Die meisten Menschen neigen dazu, abends länger aufzubleiben, und haben morgens Mühe, aus dem Bett zu steigen. Sie haben einen zirkadianen Schlaf-Wach-Rhythmus, der mehr als 24 Stunden beträgt (vgl. »Schlafverhalten Einleitung«). Solche »Abendkinder« sind, wenn die Eltern sie ins Bett legen möchten, quicklebendig. Das Sandmännchen läßt auf sich warten! Das Problem läßt sich weniger am Abend als vielmehr am Morgen lösen. Bringen die Eltern das Kind hellwach zu Bett, kann es nicht einschlafen und zermürbt die Eltern mit seinem Gequengel. Wenn sie es aber nicht in den Morgen hineinschlafen lassen, sondern sanft wecken, wird es am Abend eher bereit sein, ins Bett zu gehen.

**Durchschlafen.** Wie wir im ersten Kapitel besprochen haben, wachen Säuglinge und Kleinkinder mehrmals pro Nacht auf. Dies gehört zum normalen Schlafverhalten. Eltern werden nicht in ihrer Nachtruhe gestört, weil ihr Kind aufwacht, sondern weil es nicht selbständig wieder einschlafen kann. Kindern, die abends nicht alleine einschlafen können, gelingt dies verständlicherweise auch nachts weit weniger als Kindern, die abends dazu in der Lage sind. Das Kind, das abends an der mütterlichen Brust einschläft, wird, wenn es nachts aufwacht, nach der Mutter rufen, weil es ihre Brust, das Gehalten- und Gewiegtwerden braucht, um wieder einzuschlafen. Das Kind, das abends alleine einschläft, findet auch nachts den Schlaf selbständig wieder. *Das Einschlafritual bestimmt also nicht nur das Einschlafen, sondern auch das Durchschlafen des Kindes mit.*

## Plötzliches nächtliches Aufwachen

Mindestens ein Viertel der Kinder, die über Wochen und Monate durchschliefen, wachen zwischen sechs und zwölf Monaten zum Schrecken der Eltern erneut nachts auf. Was ist passiert? Was haben die Eltern »falsch« gemacht?

**Veränderung des Schlafverhaltens.** Nach den ersten Lebensmonaten entwickelt sich der kindliche Schlaf weiter, oft unmerklich für die Eltern. Klaffen die Bedürfnisse des Kindes und das elterliche Verhalten zu weit auseinander, können Durchschlafstörungen auftreten. Was ist zu tun? Die Eltern müssen sich neu auf die Bedürfnisse ihres Kindes einstellen, indem sie herausfinden, wieviel Schlaf ihr Kind tagsüber und nachts braucht (zum Beispiel mit Hilfe des Schlafprotokolls im Anhang).

Die weitaus häufigste Ursache für das nächtliche Aufwachen ist, daß das Kind nicht mehr so lange schlafen kann, wie es die Eltern erwarten. Wenn der acht Monate alte Stefan einen Schlafbedarf von zehn Stunden pro Nacht hat und die Eltern das Kind um sieben Uhr zu Bett bringen in der Erwartung, daß er bis sieben Uhr morgens schläft, können sich folgende Schwierigkeiten ergeben: Stefan kann abends nicht einschlafen, weil er noch nicht müde ist. Er wacht nachts mehrere Male auf, oder er ist frühmorgens wach, weil er ausgeschlafen ist. Im ungünstigsten Fall haben die Eltern unter allen drei Störungen zu leiden. Schlafstörungen dieser Art können immer behoben werden, wenn folgende Regel beachtet wird: *Das Kind soll nur so lange im Bett sein, wie es auch schlafen kann.*

Diese Regel wird von den Eltern oft nicht ohne weiteres akzeptiert. Wenn Stefan bis sieben Uhr morgens schlafen soll, dann können die Eltern ihn nicht vor neun Uhr abends zu Bett bringen. Dies wiederum wollen die Eltern nicht. Sie möchten abends etwas Zeit für sich und füreinander haben. Andererseits wollen die Eltern auch nicht um fünf Uhr morgens aufstehen. Was ist zu tun? Der Fachmann kann hier nicht mehr weiterhelfen. Es liegt an den Eltern zu entscheiden, wie sie ihr Kind und sich selber »betten« wollen. Viele Eltern, die ihr Kind abends länger aufbehalten, machen eine sehr befriedigende Erfahrung mit den gemeinsamen Abenden. Insbesondere die Väter sind davon angetan, weil ihnen das längere abendliche Zusammensein mit dem Kind Gelegenheit gibt, eine intensivere Beziehung zum Kind aufzubauen, als dies sonst der Fall gewesen wäre. Manche Kinder verlangen, wenn sie am Morgen aufwachen, nicht sofort nach den Eltern. Sie spielen vergnügt alleine, wenn Spielsachen in Reichweite sind, und lassen die Eltern noch etwas schlafen.

**Zahnschmerzen, Ohrenweh und anderes Kranksein.** Zahnschmerzen können ein Kind so plagen, daß es nachts schreiend aufwacht. Das schmerzhafte Durchstoßen der Zähne beschränkt sich in der Regel auf einen bis wenige Tage. Wochenlanges nächtliches Aufwachen sollte nicht auf Zahnschmerzen zurückgeführt werden. Wenn Kinder erkältet sind, eine Ohrentzündung oder eine Bauchgrippe haben, können die Schmerzen sie in ihrem Schlaf beeinträchtigen. Eltern fällt es nicht schwer, nachts aufzustehen, wenn ihr Kind leidet. Manche nehmen das kranke Kind zu sich ins Bett.

Probleme entstehen für die Eltern gelegentlich, wenn das Kind wieder gesund ist. Das Kind verzichtet oftmals ungern auf die vermehrte Zuwendung, die zusammen mit einem süßen Zahngelee, Milch mit Honig und/oder dem warmen Elternbett die Nächte verschönert hat. Reagieren die Eltern nicht mehr auf sein Schreien – ein häufiger Ratschlag –, kann sich daraus eine längere Protestaktion während mehrerer Nächte ergeben. Eine humanere Art, mit dem Problem umzugehen, ist die folgende: Die Eltern entziehen dem Kind über einige Nächte allmählich die zusätzliche Zuwendung. Sie gewöhnen ihm gewissermaßen seine neu geweckte Erwartung und damit auch sein während der Krankheit zugelegtes Verhalten ab. Ein Beispiel: Der neun Monate alte Florian hatte fünf Tage lang hohes Fieber und Durchfall. Er benötigte vermehrt Flüssigkeit, auch während der Nacht. Wieder

gesund, schreit er nachts, weil er sich an die Flasche mit gesüßtem Tee gewöhnt hat. In einem ersten Schritt verdünnt die Mutter während einiger Nächte den Tee, bis die Flasche schließlich nur mehr Wasser enthält. Dann schränkt die Mutter auch die Flüssigkeitsmenge jeden Tag etwas mehr ein. Nach einer Woche schläft Florian wieder durch.
Bei **Vollmond** scheinen einige Kinder weniger zu schlafen, andere wachen wiederholt auf. Der Vollmond muß dabei nicht ins Kinderzimmer scheinen. Den Eltern zum Trost: Der Vollmond hält nicht lange an, und das Kind beruhigt sich nach ein bis drei Nächten auch von allein wieder.

## Kopfwackeln, Schaukeln und andere rhythmische Bewegungen

Zwischen sechs und zwölf Monaten treten bei mehr als der Hälfte aller Kinder rhythmische Bewegungen auf. Vorzugsweise vor dem Einschlafen und nachts, aber auch tagsüber, wenn die Kinder sich langweilen oder müde sind.

Am häufigsten schaukeln die Kinder mit dem ganzen Körper. Einige bewegen den Kopf rhythmisch hin und her, vor allem vor dem Einschlafen. Ein normal entwickeltes Kind, das aus Müdigkeit oder Langweile schaukelt, »verliert sich« nicht darin. Sobald es einschläft oder sein Interesse durch etwas Aufregendes in der Umgebung geweckt wird, hört es mit den gleichförmigen Bewegungen auf. Bedrohlich kann es auf die Eltern wirken, wenn das Kind den Kopf auf eine harte Unterlage oder gegen die Bettumrandung schlägt. Selten sind die Bewegungen so heftig, daß das Bettchen mitbewegt wird und dabei ein erheblicher Lärm entsteht. Im zweiten Lebensjahr nimmt die Häufigkeit dieser rhythmischen Bewegungen bereits wieder ab; nach dem fünften Lebensjahr weisen nur noch wenige Kinder diese Eigenheit auf.

Gelegentlich kann es notwendig sein, daß die Eltern das Bett auspolstern, damit sich das Kind nicht verletzt. Sie brauchen es aber nicht von den rhythmischen Bewegungen abzuhalten. Es wäre auch ein schwieriges Unterfangen! Die rhythmischen

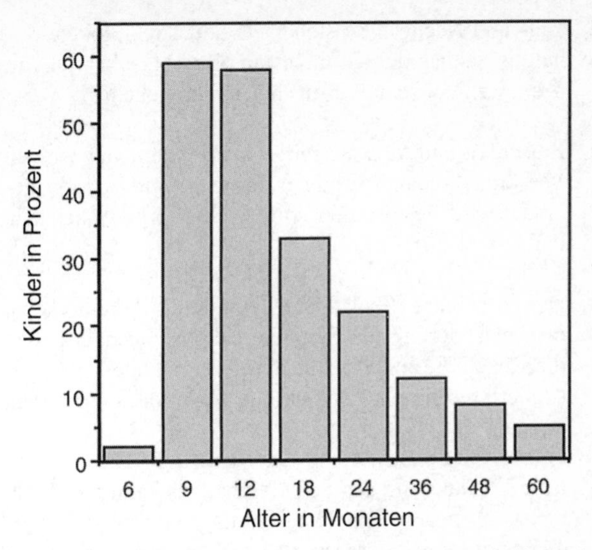


*Rhythmische Bewegungen in den ersten Lebensjahren (nach Klackenberg)*

Bewegungen werden nur ausnahmsweise zu einer bleibenden Gewohnheit.

Rhythmische Bewegungen sind im Kleinkindalter so häufig, daß man annehmen darf, daß sie zur normalen kindlichen Entwicklung gehören. Die Mutter von Urs kann also beruhigt sein: Sein Kopfwackeln bedeutet nicht, daß eine geistige Behinderung vorliegt.

## Das Wichtigste in Kürze

1. Der Schlafbedarf ist für jedes Kind gegeben. Ein Kind kann nur so lange schlafen, wie es seinem Schlafbedarf entspricht.

2. Der Schlafbedarf ist unter gleichaltrigen Kindern sehr unterschiedlich. Es gibt keine Regel, die angeben könnte, wieviel Schlaf ein Kind in einem bestimmten Alter braucht. Den Schlafbedarf eines Kindes können nur die Eltern ermitteln (Schlafprotokoll im Anhang).

3. Tag- und Nachtschlaf stehen in einem reziproken Verhältnis zueinander: Je mehr ein Kind tagsüber schläft, desto weniger schläft es nachts und umgekehrt.

4. Einschlaf- und Aufwachzeiten stehen in einem positiven Verhältnis zueinander: Je früher ein Kind zu Bett gebracht wird, desto früher wird es am Morgen wach sein und umgekehrt.

5. Der zirkadiane Schlaf-Wach-Rhythmus erlaubt keine rasche Änderung des Schlafverhaltens. Deshalb gelten die Regeln 3. und 4. nicht für ein einmaliges Ereignis, sondern nur für eine Zeitperiode von mindestens sieben Tagen.

6. Eine Veränderung des Schlafverhaltens kann nur durch eine konsequente Erziehungshaltung während sieben bis 14 Tagen erreicht werden. Es ist anstrengend, aber lohnt sich!

7. Abendliches Einschlafen gelingt am besten, wenn das Einschlafritual bezüglich Tageszeit und Aktivitäten konstant ist.

8. Nächtliches Durchschlafen ist am ehesten gewährleistet, wenn das Kind:
   - tagsüber sich geborgen fühlt und in seiner Selbständigkeit gefördert wird;
   - am Abend ohne elterliche Hilfe einschlafen kann;
   - nur so lange im Bett ist, wie es auch schlafen kann.

9. Rhythmische Bewegungen wie Kopfwackeln gehören zur normalen Entwicklung im Säuglings- und Kleinkindalter.

# 10 bis 24 Monate

*Es ist zwei Uhr morgens. Die ganze Familie schläft tief, nur die 19 Monate alte Anna sitzt seit einer Stunde vergnügt in ihrem Bettchen. Sie spielt mit ihren Püppchen, plaudert und jauchzt. Schließlich hat Anna das Alleinespielen satt, etwas mehr Unterhaltung wäre ihr lieb. Sie möchte ein Büchlein anschauen, eine Geschichte hören. Sie ruft nach den Eltern. Da die Eltern nicht erscheinen, steigt sie aus ihrem Bett und stapft ins elterliche Schlafzimmer.*

Die Franzosen sprechen von einer »insomnie joyeuse« (fröhliche Schlaflosigkeit), wenn Kinder wie Anna mitten in der Nacht bei bester Laune spielen. Anna ist wach und vergnügt sich, weil sie nicht mehr schlafen kann. Wie kommt es, daß sie um zwei Uhr morgens ausgeschlafen ist? Müssen solche nächtliche Eskapaden sein? In diesem Kapitel wollen wir uns überlegen, wie die Eltern Anna zum Durchschlafen zurückführen können.

Neben den nächtlichen Spielhappenings gibt es eine weitere Eigenart des kindlichen Schlafverhaltens, die im zweiten Lebensjahr die Eltern nachhaltig verunsichern kann: das nächtliche Angsterschrecken oder der sogenannte Pavor nocturnus. Während das nächtliche Spiel für das Kind mit Lust und für die Eltern mit einer lästigen Ruhestörung verbunden ist, versetzt der Pavor nocturnus das Kind und die Eltern in Angst und Schrecken.

Ein weiteres Thema, das Eltern über Monate und gelegentlich über Jahre hinweg beschäftigt, ist der Umstand, daß ihr Kind nicht alleine schlafen will und nachts im Elternbett Unterschlupf sucht. Im zweiten Lebensjahr beginnt sich das Kind von den Eltern zu lösen. Dieser Aufbruch zur inneren Selbständigkeit geht mit unterschiedlich großen Trennungs- und Verlassenheitsängsten einher. Nachts können diese Ängste so übermächtig werden, daß das Kind die körperliche Nähe der Eltern sucht.

Wenden wir uns zuerst dem Tagschlaf zu, der im zweiten Lebensjahr zu erzieherischen Unsicherheiten führen kann.

## Wieviel Tagschlaf braucht ein Kind?

Im zweiten Lebensjahr beginnt der Schlafbedarf deutlich abzunehmen. Die Kinder schlafen vor allem tagsüber weniger. Praktisch alle Kinder schlafen im zweiten Lebensjahr nur noch einmal, in der Regel am Nachmittag. Für gewisse Eltern stellt sich bereits gegen Ende des zweiten Lebensjahres die Frage, ob ihr Kind tagsüber noch schlafen soll.

Wie wir aus der Abbildung unten ersehen können, schlafen einige Kinder mit 18 Monaten nicht mehr jeden Nachmittag. Mit 24 Monaten schlafen vereinzelte Kinder tagsüber überhaupt nicht mehr. Eine wesentliche Reduktion des Tagschlafs stellt sich bei den meisten Kindern im dritten und vierten Lebensjahr ein. In der Schweiz schlafen mit drei Jahren noch 60 Prozent der Kinder regelmäßig tagsüber. Mit vier Jahren sind es nur noch zehn Prozent. 70 Prozent der Kinder schlafen in diesem Alter tagsüber überhaupt nicht mehr, und 20 Prozent schlafen noch unregelmäßig am Nachmittag.

Diese Zahlen haben keine allgemeine Gültigkeit! So machen in den skandinavischen Ländern deutlich weniger Kinder mit drei und vier Jahren ein Nickerchen als in der Schweiz, während in gewissen Regionen Frankreichs noch Kindergartenkinder einen Mittagsschlaf halten (Klackenberg). In den Mittelmeerländern schließlich schlafen nicht nur die Kinder tagsüber, auch ein Großteil der Erwachsenen hält Siesta. Ob und wieviel ein Kind tagsüber schläft, hängt anfänglich von seinem Entwicklungsalter und seinem individuellen Schlafbedürfnis ab, wird aber mit dem Älterwerden immer mehr von erzieherischen Gepflogenheiten und kulturellen Faktoren mitbestimmt. Schlafphysiologische Untersuchungen weisen darauf hin, daß eine kurze Schlafphase in der Mitte des Tages für Menschen jeden Alters sinnvoll wäre.

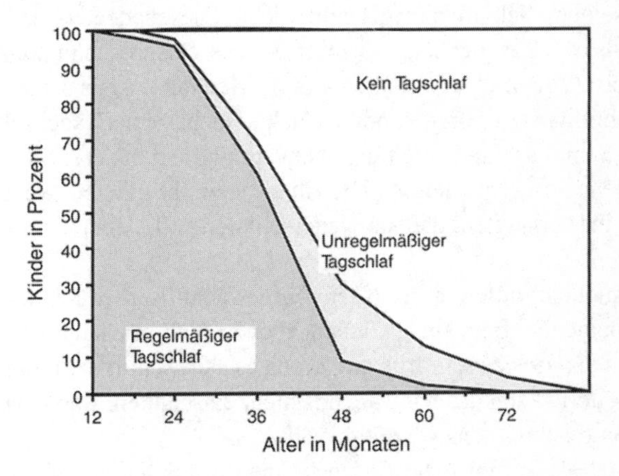


*Tagschlaf. Die Flächen geben an, wie viele Kinder tagsüber regelmäßig, unregelmäßig oder nicht mehr schlafen.*

Wie können die Eltern entscheiden, ob und wieviel ihr Kind während des Tages schlafen soll? Sie sollten sich nach seinem Verhalten richten: Das wache Kind sollte zufrieden und aktiv sein. Kinder, die tagsüber zuwenig schlafen, werden quengelig und sind lustlos in ihrem Spiel. Gelegentlich schlafen sie beim Spielen unversehens ein.

Die meisten Kinder schlafen im zweiten Lebensjahr eine halbe bis anderthalb Stunden am Nachmittag. Einige schlafen nur noch unregelmäßig oder überhaupt nicht mehr. Ihre Mütter setzen sie oft gleichwohl in ihr Bett, wo sie spielen und sich allein vergnügen. So kommen die Mütter zu einer wohlverdienten Ruhestunde.

Kann ein Kind tagsüber auch zuviel schlafen? Unter Umständen ja. Eine unangenehme Folge kann sein, daß es nachts nicht durchschläft. Damit wären wir bei Anna und ihrem nächtlichen Spiel.

## Jedes Kind hat sein eigenes Schlafmaß

Im zweiten Schlafkapitel haben wir gehört, daß jedes Kind sein eigenes Schlafmaß hat. Ein Kind kann nur so viel schlafen, wie es seinem Schlafbedürfnis entspricht. Dies bedeutet, daß ein Kind, das tagsüber lange schläft, nachts entsprechend weniger schläft (vgl. »Schlafverhalten 4 bis 9 Monate«). Anna schläft am Nachmittag etwa drei Stunden. Nachts wacht sie nach sechs Stunden Schlaf auf und spielt quietschvergnügt ein bis drei Stunden, weil sie ausgeschlafen ist. Die Eltern täten ihr unrecht, wenn sie von ihr verlangten, daß sie weiterschlafen soll. Anna kann nicht einschlafen.

Anna ist mitten in der Nacht aufgewacht. Andere Kinder, die zu lange im Bett sind, können abends nicht einschlafen oder wachen morgens sehr früh auf. Wenn es ganz schlimm kommt für die Eltern, kann das Kind abends nicht einschlafen, wacht nachts auf und ist morgens vorzeitig wach.

Was ist zu tun? Die Eltern können die Schlafenszeiten von Anna überdenken und sich folgendes überlegen:

- Wieviel Schlaf braucht Anna in 24 Stunden?
- Wieviel Schlaf braucht Anna tagsüber, damit sie zufrieden und aufmerksam ist?
- Welches ist die beste Schlafenszeit tagsüber?
- Von wann bis wann soll Anna nachts schlafen?

Die Eltern kommen mit Hilfe des Schlafprotokolls zu folgender Einschätzung:

- Insgesamt schläft Anna zwölf Stunden.
- Sie braucht den Tagschlaf. Ein Nickerchen von einer Stunde zwischen ein und zwei Uhr nachmittags ist ausreichend.
- Es bleiben elf Stunden für den Nachtschlaf.

**24-Stunden-Protokoll**

Name Anna Geburtsdatum Alter 2 Jahre

Uhrzeit ▸ 6⁰⁰ 7⁰⁰ 8⁰⁰ 9⁰⁰ 10⁰⁰ 11⁰⁰ 12⁰⁰ 13⁰⁰ 14⁰⁰ 15⁰⁰ 16⁰⁰ 17⁰⁰ 18⁰⁰ 19⁰⁰ 20⁰⁰ 21⁰⁰ 22⁰⁰ 23⁰⁰ 24⁰⁰ 1⁰⁰ 2⁰⁰ 3⁰⁰ 4⁰⁰ 5⁰⁰

Datum ▾

13. 4.
14. 4.
15. 4.
16. 4.

18. 4.
19. 4.
20. 4.
21. 4.
22. 4.
23. 4.
24. 4.
25. 4.
26. 4.

Schlafphasen ( —— ) Wachphasen (Freilassen) Schreien ( ∿∿ ) Mahlzeiten ( ▽ )

*Schlafprotokoll von Anna. Striche: Schlafperioden. Leerstellen: Wachsein. Wellenlinien: Schreien*

Bisher haben die Eltern Anna um sieben Uhr abends zu Bett gebracht und zwischen acht und neun Uhr morgens aufgenommen. Beim Führen des Schlafprotokolls wurde den Eltern bewußt, daß Anna tagsüber zu lange schlief und nachts zwei bis drei Stunden zu lange im Bett war. Diese zwei bis drei Stunden »zuviel im Bett« hat Anna »spielend« verbracht. Die Eltern beschließen, Anna um acht Uhr abends zu Bett zu bringen und um sieben Uhr morgens aufzunehmen, *damit sie nicht länger im Bett ist, als sie auch schlafen kann.* Die Eltern haben dieses Vorgehen während zwei Wochen konsequent durchgeführt. Das Schlafprotokoll zeigt, daß die nächtlichen Spieleskapaden von Anna verschwunden sind.

Zusatzfrage: Was tun, wenn Anna um sieben Uhr nicht aufwacht und in den Morgen hineinschläft? Antwort: Sanft um sieben Uhr wecken, indem die Eltern beispielsweise die Schlafzimmertür etwas aufmachen und ein wenig Licht und Geräusche ins Zimmer lassen.

Allen Eltern, deren Kinder nachts aufwachen, möchte ich zum nochmaligen Durchlesen die Regeln empfehlen, die am Schluß des vorhergehenden Schlafkapitels aufgeführt sind.

## Nächtliche Angstgespenster

*Die Eltern begeben sich gerade zu Bett, als ihr zweijähriger Sohn aus Leibeskräften zu schreien anfängt. Sie stürzen ins Kinderzimmer und finden Peter mit einem äußerst angstvollen Gesichtsausdruck im Bett stehend. Seine Augen sind weit aufgerissen. Er schreit wie am Spieß und starrt gebannt auf ein imaginäres Ungeheuer. Er atmet und schwitzt, als ob er Schwerarbeit leisten würde. Als die Mutter sich ihm nähert, weicht er zurück. Die Mutter redet besänftigend auf Peter ein, was sein Geschrei aber nur verstärkt. Sie versucht ihn in die Arme zu nehmen und zu streicheln. Peter schlägt wild um sich. Schließlich schüttelt der Vater den Knaben heftig, aber Peter läßt sich nicht wecken. Nach etwa zehn Minuten ist der ganze Spuk vorbei: Peter blickt umher, ist nicht mehr verstört. Er wirkt müde und schläft nach kurzer Zeit zufrieden ein.*

Peter hat ein sogenanntes Angsterschrecken oder Pavor nocturnus gehabt. Ein solches Ereignis kann Eltern, die dieses Verhalten nicht kennen, einen gehörigen Schrecken einjagen. Die meisten Eltern rufen beim erstmaligen Ereignis nach ihrem Hausarzt. Wenn der Arzt eintrifft, ist das ganze Geschehen bereits vorüber. Die Eltern möchten von ihm wissen: Warum war Peter so verstört? Was hat er erlebt, daß sein Gesicht so angsterfüllt war? Was hat er gesehen, daß seine Augen so aufgerissen waren? Warum ließ er sich nicht wecken? Könnte sich ein solcher Vorfall wiederholen? Haben sie etwas falsch gemacht in der Erziehung?

Der Pavor nocturnus ist in den vergangenen 20 Jahren wissenschaftlich gut untersucht worden. Ein Steckbrief des Angsterschreckens ist auf den folgenden Seiten zusammengestellt.

Aufgrund seiner elektrophysiologischen Merkmale betrachten Schlafforscher den Pavor nocturnus als ein normales Schlafphänomen, das in einer bestimmten Altersperiode auftritt. Dem Angsterschrecken liegt ein sogenanntes partielles Aufwachen aus dem tiefsten Non-REM-Schlafstadium zugrunde; das heißt, das Kind wacht aus dem Tiefschlaf unvollständig auf, was sich in einer Art Verwirrtheitszustand äußert.

Der Pavor nocturnus tritt typischerweise ein bis drei Stunden nach dem Einschlafen auf. (Ein Angstzustand in den frühen Morgenstunden ist kein Pavor!) Das Kind hat die Augen weit offen, reagiert aber nicht oder inadäquat auf das Erscheinen der Eltern. Sein Gesicht und seine Haltung drücken Angst, Wut oder Verwirrung aus. Das Kind schwitzt ausgeprägt, atmet verstärkt und hat einen jagenden Puls. Es nimmt die Eltern nur begrenzt wahr. Wenn es angesprochen wird, gibt es keine oder wirre Antworten. Es gelingt den Eltern nicht, das Kind zu wecken. Wenn die Eltern versuchen, es zu beruhigen, indem sie es streicheln und in den Arm nehmen, regt es sich zusätzlich auf. Es stößt die Eltern weg und schlägt um sich. Das Aufwachen geschieht abrupt. Atmung und Puls normalisieren sich schlagartig. Wie ein Spuk verschwindet der Schreck aus dem Gesicht und der Haltung. Das Kind ist zufrieden, müde und schläft rasch ein. Wenn die Eltern es fragen, was es erlebt hat, kann es keine Auskunft geben. Es hat auch in den folgenden Tagen keine Erinnerung. Die meisten

Episoden dauern fünf bis 15 Minuten. Selten dauert eine Episode mehr als eine Viertelstunde – eine sehr, sehr lange Zeit für die Eltern.

Der Pavor nocturnus tritt zwischen dem zweiten und fünften Lebensjahr, selten bereits Ende des ersten Lebensjahres auf. Am häufigsten wird er im vierten und fünften Lebensjahr beobachtet. Genaue Angaben über die Häufigkeit des Pavor nocturnus fehlen. Man darf aber annehmen, daß zwischen dem zweiten und siebten Lebensjahr ein Drittel bis die Hälfte aller Kinder solche Episoden haben. Bei den meisten Kindern tritt der Pavor nur sporadisch auf, ingesamt ein bis mehrere Male. Manche Kinder erleben während ein bis zwei Jahren alle ein bis zwei Monate ein solches Ereignis. Selten tritt der Pavor bei einem Kind jede Nacht auf.

Nach einem ereignisvollen Tag, zum Beispiel nach einem Familientreffen oder dem Besuch eines Rummelplatzes, neigen manche Kinder in der darauffolgenden Nacht zu einem Pavor nocturnus. Im Schlaf verarbeiten die Kinder, was sie am Vortag erlebt haben. Waren sie ungewöhnlich vielen Reizen ausgesetzt, kann ihnen deren Verarbeitung Mühe bereiten, was sich als Pavor nocturnus äußern kann.

| | Pavor nocturnus | Angstträume |
|---|---|---|
| Schlafphase | Partielles Aufwachen aus tiefem Schlaf (Non-REM-Stadium IV) | Angstmachender Traum im REM-Schlaf, gefolgt von Aufwachen |
| Zeitliches Auftreten | 1 bis 3 Stunden nach dem Einschlafen | In der zweiten Hälfte der Nacht |
| Erster Eindruck vom Kind | Kind mit aufgerissenen Augen, außer sich. Kann nicht geweckt werden! | Waches Kind weint oder ruft nach Eltern |
| Verhalten des Kindes | Sitzt im Bett, schlägt um sich. Rennt umher in | Weint und ist verängstigt: Angst dauert an nach Aufwachen. |

| | Pavor nocturnus | Angstträume |
|---|---|---|
| | bizarrer Manier. Gesichtsausdruck zeigt offensichtliche Angst, Zorn oder Verwirrung. Ausgeprägtes Schwitzen, jagender Puls, starkes Atmen. Verhalten normalisiert sich rasch nach Aufwachen. | |
| Verhalten des Kindes gegenüber den Eltern | Nimmt Eltern nicht wahr. Läßt sich nicht beruhigen. Stößt Eltern weg, schreit und schlägt um sich, wenn gehalten. | Nimmt Eltern sofort wahr. Will getröstet werden. |
| Wiedereinschlafen | Rasch | Oft verzögert |
| Erinnerung | Keine | Auch am folgenden Tag |
| Was tun als Eltern? | Abwarten, nicht versuchen zu wecken. Vor Verletzung schützen | Zuwendung. Falls Bedürfnis, mit Kind über Traum reden |
| Alter | 2. bis 5. Lebensjahr | 3. bis 10. Lebensjahr |
| Psychische Störungen | Keine | Gelegentlich |

*Schlechte Träume*

Der Pavor nocturnus gehört zum normalen Schlafverhalten, er ist keine Verhaltensauffälligkeit! Beim Pavor nocturnus liegt keine psychische Störung vor. Er ist nicht die Folge schwerwiegender psychischer Erlebnisse. Betroffene Kinder leben nicht häufiger in schwierigen familiären Verhältnissen als Kinder ohne Pavor nocturnus. Der Pavor ist auch nicht mit einem bestimmten elterlichen Erziehungsstil verbunden. Er ist *nicht* die Folge einer Fehlerziehung.

Es gibt andere Verhaltensweisen, welche die gleiche elektrophysiologische Grundlage haben wie der Pavor nocturnus. So gibt es Kinder, die mit den Zähnen knirschen oder im Schlaf reden – wie übrigens auch Erwachsene. Ein Teil der Kinder mit Pavor nocturnus neigt im Schulalter zum Schlafwandeln. Wenn die Eltern bei Großeltern, Onkeln und Tanten nachfragen, stellen sie häufig fest, daß Pavor nocturnus und Schlafwandeln in der Familie Tradition haben.

Wie sollen sich die Eltern verhalten? Es ist verständlich, daß Eltern alle ihnen verfügbaren Mittel einsetzen, um ihr Kind von diesem psychischen Terror zu befreien. Sie versuchen, es durch Zureden, Streicheln und Halten zu beruhigen. Sie möchten es wecken: Sie schütteln es, waschen ihm das Gesicht mit einem kalten Waschlappen ab oder halten es unter die Dusche. Alle diese Maßnahmen sind vergeblich. In ihrem Kind läuft ein Prozeß ab, zu dem die Eltern keinen Zugang haben. Wenn sich das Kind nicht wecken läßt, was können die Eltern tun? Sie können es vor Verletzungen schützen, indem sie es zum Beispiel davor bewahren, daß es eine Treppe hinunterstürzt. Es fällt den meisten Eltern schwer, tatenlos das Ende des Anfalls abzuwarten. Beruhigend ist: Der Pavor ist nichts Gesundheitsschädigendes, insbesondere keine Epilepsie, und wird nicht durch den elterlichen Erziehungsstil ausgelöst.

Vom Angsterschrecken zu unterscheiden sind die sogenannten Angstträume. Sie können auch bereits in den ersten Lebensjahren auftreten, sind aber seltener als der Pavor nocturnus. Während der Pavor immer spätabends auftritt, kommen die Angstträume vorwiegend in der zweiten Hälfte der Nacht vor. Die Eltern erleben einen Angsttraum bei ihrem Kind anders als einen Pavor nocturnus. Wenn die Eltern auf das Kind aufmerksam werden, ist es bereits wach. Es ist verängstigt, aber nicht orientierungslos. Es möchte getröstet werden und braucht die Zuwendung der Eltern. Die Eltern können – im Gegensatz zum Pavor nocturnus – sich mit ihm verständigen, es in den Arm nehmen. Je nach Alter des Kindes können sie mit ihm über den Trauminhalt sprechen. Es erinnert sich an das Geträumte, oft auch noch in den folgenden Tagen. Inhalt der Angstträume sind häufig für das Kind belastende Ereignisse. Es braucht die Zuwendung und das Verständnis seiner Eltern, damit es seine Traumerlebnisse verarbeiten kann. Die Eltern sollten nicht versuchen, ihm die Träume auszureden. Träume haben für die Kinder eine ganz andere Qualität als für uns Erwachsene. Träume sind für die Kinder so real wie ihre Wahrnehmung im Wachzustand: Träume sind Wirklichkeit. So kann es geschehen, daß ein Kind die Eltern beharrlich nach dem großen schwarzen Hund fragt, der ihm im Traum so große Angst eingejagt hat.

Die Angstträume sind wie der Pavor nocturnus – wenn sie sporadisch auftreten – Teil des normalen Schlafverhaltens. Sie weisen nicht zwangsläufig auf das Vorliegen einer psychischen Störung hin. Kommen Angstträume ein oder mehrmals pro Woche vor und ist das Kind auch tagsüber verängstigt und bedrückt, sollten die Eltern fachliche Hilfe in Anspruch nehmen.

Wir haben uns nun ausführlich mit den schlechten Träumen beschäftigt. Selbstverständlich haben Kinder in den ersten Lebensjahren auch gute Träume. Weil für sie die Traumwelt genauso real ist wie die Welt im Wachzustand, nehmen sie wahrscheinlich an, ihre Träume seien uns bekannt. So reden die Kinder selten darüber, was sie Schönes im Traum erlebt haben; aber ihre glücklichen Gesichter im Schlaf zeugen davon.

## Nächtlicher Besuch im Elternbett

Im zweiten Lebensjahr schlüpft ein Teil der Kinder nachts ins Elternbett. Manche tun es so diskret, daß die Eltern erst einige Stunden später, oft erst am Morgen, den Gast in ihrem Bett entdecken. Solche Besuche werden dann möglich, wenn das Kind sein Bett verlassen und das elterliche Schlafzimmer aufsuchen kann. Mobilität ist aber nur eine Voraussetzung und nicht der eigentliche Grund für die nächtlichen Ausflüge. Das Kind sucht aktiv die Nähe der Eltern.

Es gibt eine Reihe von Gründen, weshalb sich ein Kind nachts in seinem Bett verlassen fühlt und nicht mehr alleine schlafen will.

**Entwicklung zur Selbständigkeit.** Im zweiten Lebensjahr macht das Kind einen ersten großen Schritt hin zu einer eigenständigen Persönlichkeit. Die beginnende Selbständigkeit äußert sich darin, daß das Kind seine Bedürfnisse selber durchsetzen und nicht mehr auf deren Erfüllung durch die Eltern warten will. Wenn ihm ein Vorhaben mißlingt, äußert es seine Frustration in Trotzreaktionen und Wutanfällen. Die Kehrseite des Drangs zum Selbständigwerden ist das Gefühl des Alleinseins. Mitten im Spiel kann ein Kind zu schreien anfangen und verzweifelt nach der Mutter rufen. Es hat plötzlich realisiert, daß es alleine im Zimmer ist: Es wird von einem übermächtigen Gefühl des Verlassenseins überwältigt. Das Wechselspiel zwischen »Sich-von-den-Eltern-Ablösen« und »Geborgenheit-bei-den-Eltern-Suchen« beginnt im zweiten Lebensjahr. Es wird Kind und Eltern von nun an begleiten.

Das Gefühl des Alleinseins äußert sich besonders stark beim Zubettgehen und beim nächtlichen Aufwachen. Das Kind läßt die Eltern nach dem Gutenachtkuß nicht gehen. Es fängt zu weinen an, sobald die Eltern das Kinderzimmer verlassen wollen. Nachts wacht es auf, fühlt sich alleine und sucht Nähe und Wärme im Elternbett.

Kinder gleichen Alters schreiten in ihrer Autonomie-Entwicklung wie in jedem anderen Entwicklungsbereich unterschiedlich rasch voran. Die Selbständigkeit und emotionale Unabhängigkeit eines Kindes ist daher je nach seiner Persönlichkeit verschieden stark ausgeprägt, und seine Trennungs- und Verlassenheitsängste sind unterschiedlich groß. In einer Familie kann es vorkommen, daß ein Kind während längerer Zeit die Eltern nachts »heimsucht«, während seine Geschwister die Eltern nie »belästigen«. Trennungs- und Verlassenheitsängste sind selbst unter Geschwistern verschieden stark ausgeprägt.

**Die emotionale Selbständigkeit** hängt unter anderem von der Fähigkeit der Kinder ab, sich selber zu beruhigen und sich selber ein Gefühl von Sicherheit zu geben. Manche Kinder plaudern vor sich hin oder singen, wenn sie nachts aufwachen. Andere drehen an ihren Haarlocken, schaukeln mit Kopf und Körper oder saugen am Schnuller. Die Nächte können für die Familie ungestörter verlaufen, wenn die Eltern dem Kind mehrere Schnuller ins Bett geben, so daß mit wenig Aufwand immer ein Exemplar greifbar ist.

Für viele Kinder wird im zweiten und dritten Lebensjahr ein Übergangsobjekt, etwa eine Windel, eine Puppe oder ein Teddybär, zum ständigen Begleiter. Die Kinder tragen den Gegenstand den ganzen Tag mit sich herum. Sie wollen und können nicht einschlafen ohne ihren Teddybären oder ihre Windel. Sie schreien nachts Zeter und Mordio, wenn sie ihr Tüchlein nicht mehr finden. Übergangsobjekte dienen den Kindern als »Mutterersatz auf Zeit« auf ihrem Weg zur inneren Selbständigkeit (vgl. »Beziehungsverhalten 10 bis 24 Monate«). Sie helfen mit, Zeiten, die mit einem Gefühl des Alleinseins und Verlassenseins verbunden sind, zu überbrücken. Die Qualitäten, die ein Übergangsobjekt für das Kind so einmalig machen, sind für die Eltern oft kaum erkennbar. So ist es schwer verständlich, warum gerade diese zerzauste Windel vom Kind so heiß geliebt wird. Daß dem Teddybären ein Auge fehlt und seine Arme kurz vor dem Abfallen sind, kümmert das Kind nicht. Das Aussehen des Übergangsobjektes ist unwichtig für das Kind. Sein Geruch spielt dafür eine um so bedeutsamere Rolle. Wird das stinkende Tüchlein von der Mutter in bester hygienischer Absicht ge-

*Mit Tüchlein und Schnuller läßt sich gut schlafen.*

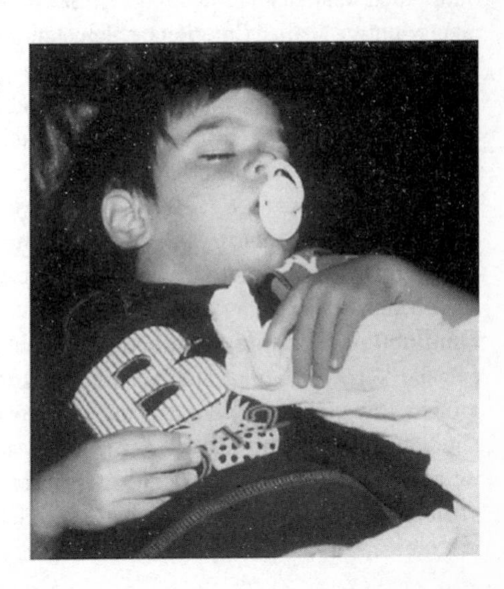

waschen, kann dies ein größeres Geschrei absetzen, und das Kind setzt alles daran, dem Tüchlein so rasch als möglich seinen alten Geruch zurückzugeben.

**Geborgenheit während des Tages.** Das nächtliche Auftreten von Trennungs- und Verlassenheitsängsten ist wesentlich davon abhängig, inwieweit sich das Kind tagsüber geborgen und sicher fühlt. Je mehr es sich am Tag aufgehoben fühlt und je weniger es verunsichert wird, desto weniger kommt in ihm nachts ein Gefühl des Alleinseins auf. Wenn es tagsüber immer wieder in seinem Gefühl bestätigt wird, daß die Mutter oder eine andere Bezugsperson da ist, wenn es sie braucht, wird das Kind diese Sicherheit in den Schlaf mitnehmen. Macht es aber tagsüber wiederholt die Erfahrung, daß die Mutter unvorhergesehen nicht da ist, wird es nachts aufwachen und nach der Mutter rufen, um sich ihrer Anwesenheit zu versichern. »Nicht-Dasein« während des Tages kann auch bedeuten, daß die Mutter wohl körperlich anwesend, aber gefühlsmäßig für das Kind nicht erreichbar ist. Erhält ein Kind tagsüber zuwenig Zuwendung, versucht es sich die nötige Nähe und Wärme in der Nacht zu holen.

Wie bereits ausgeführt, spielt neben der elterlichen Zuwendung auch das Ausmaß der inneren Selbständigkeit des Kindes eine wichtige Rolle. Emotionale Selbständigkeit beginnt damit, daß ein Kind während einer begrenzten Zeit für sich allein spielen kann und dabei zufrieden ist. Ein Kind, das tagsüber allein spielen kann, wird sich nachts weniger rasch verlassen fühlen. Mit anderen Worten: *Die hohe Kunst für die Eltern besteht darin, einerseits dem Kind ein Gefühl von Geborgenheit zu geben und es andererseits zur Selbständigkeit hinzuführen*. Eine nicht einfache Aufgabe, die in den Kapiteln über das Beziehungsverhalten ausführlich behandelt wird.

**Familienkonstellation.** Verschiedene familiäre Umstände können die Verlassenheits- und Trennungsängste eines Kindes vergrößern. Wenn die Eltern Schichtarbeit verrichten, kann ein Kind ängstlicher werden, weil es nie mit Bestimmtheit weiß, von wem es umsorgt wird. War die Mutter für einige Tage abwesend, kann es mitten in der Nacht im elterlichen Schlafzimmer erscheinen, um sich zu vergewissern, ob die Mutter noch da ist. Darf ein

Kind in der Zeit, wo der Vater auf Geschäftsreisen ist, bei der Mutter schlafen, verzichtet es nach der Rückkehr des Vaters nur ungern auf die Nähe der Mutter. Es kann schwerlich verstehen, warum es wieder in seinem Zimmer schlafen soll, und fühlt sich schlimmstenfalls von den Eltern ausgeschlossen. Kommt ein Geschwister zur Welt und schläft das Baby im Elternzimmer, kann dies für ein Kleinkind ein sehr guter Grund sein, das Elternbett aufzusuchen. Wenn die Eltern auch noch so überzeugend argumentieren, es vermag nicht einzusehen, warum nur das Geschwister bei den Eltern schlafen darf. Haben die Eltern das Baby etwa lieber? Die Eifersucht treibt das Kind ins elterliche Schlafzimmer.

**Angstmachende Faktoren.** Kleinkinder haben eine große innere Vorstellungskraft, und die damit verbundenen Gefühle sind ausgeprägt. So kann ein Vorhang im Halbdunkel die Gestalt eines riesigen Hundes annehmen. Ein Knacken in den Möbeln kann ein Kind in Angst versetzen. Ein Nachtlicht, das dem Kind eine gewisse Sicht erlaubt, kann diese Schrecken der Nacht vermindern.

Wie sehr ein Kind durch solche Wahrnehmungen verängstigt wird, hängt von seiner Persönlichkeit und von den Erfahrungen ab, die es während des Vortages gemacht hat. Eine gruselige Geschichte von einer Tonbandkassette oder unverständliche Bilder am Fernseher können sich in der Nacht zu Ungeheuerlichkeiten auswachsen, insbesondere dann, wenn das Kind sich mit den Eltern über das Gehörte und Gesehene vor dem Einschlafen nicht aussprechen konnte. Eltern, die solche Gespräche versäumen, müssen allenfalls nachts mit ihrem Kind darüber reden.

Wie sollen sich die Eltern verhalten, wenn das Kind bei ihnen schlafen will?

**Akzeptieren.** Es gibt Eltern, die es nicht stört oder die es sogar gerne haben, wenn die Kinder bei ihnen schlafen. Sie fühlen sich auch in ihrem Liebesleben nicht behindert. Wenn sich alle wohl fühlen, ist dagegen nichts einzuwenden. Wie bereits im Kapitel »Schlafverhalten 0 bis 3 Monate« ausgeführt wurde, ist gemeinsames Schlafen von Eltern und Kindern in zahlreichen Gesellschaften, unter anderem auch in europäischen, weit verbreitet. Voraussetzung: ein großes Bett!

Nicht wenige Eltern sind durch die Gegenwart des Kindes physisch und psychisch in ihrem Schlaf gestört. Das Kind liegt quer im Bett, strampelt, stößt die Eltern oder schnarcht. Die Eltern fühlen sich in ihrem Sexualleben eingeengt oder gar völlig gehemmt. Wie können sie dem Kind und sich selbst zu einer ungestörten Nachtruhe verhelfen?

**Matratze neben dem Elternbett.** Manche Eltern wollen lediglich das Kind nicht im eigenen Bett. Sie haben aber nichts dagegen, wenn es im selben Zimmer schläft. Ein bewährtes Mittel, um Abhilfe zu schaffen, ist eine Matratze neben dem Elternbett. Die meisten Kinder geben sich damit zufrieden.

**Kind selbständig machen.** Ein Kind, das tagsüber nicht allein sein kann, wird nachts nur ungern alleine schlafen. Wenn die Eltern wollen, daß ihr Kind alleine schläft, müssen sie das Kind zur Selbständigkeit erziehen, das heißt, das Kind zu eigenständigen Tätigkeiten ermuntern. Zur Selbständigkeit gehört auch, daß das Kind allein einschlafen (vgl. »Schlafverhalten 4 bis 9 Monate«) und sich mit seinem Tüchlein oder seinem Schnuller selbst ein Gefühl von Geborgenheit geben kann.

Selbständige Kinder schlafen auch problemloser an einem fremden Ort. Wenn sie mit ihrem Schlafsack und Kopfkissen zum Schlafen gelegt werden, den vertrauten Teddybären und den Schnuller bei sich haben, fühlen sie sich so weit geborgen, daß sie einschlafen können.

## Mit den Geschwistern schlafen

Aus unerfindlichen Gründen sind viele Eltern der Ansicht, daß Kinder alleine besser schlafen. Das Gegenteil trifft zu: Im Vorschulalter gibt es meines Erachtens keinen guten Grund, warum Kinder alleine schlafen sollten. Gemeinsames Schlafen hat für die Kinder und die Eltern einen immensen Vorteil: Die Kinder fühlen sich nachts nicht verlassen! Kinder, die mit ihren Geschwistern schlafen, suchen nur ausnahmsweise und dann zumeist aus einem triftigen Grund, weil sie beispielsweise krank sind, das elterliche Schlafzimmer auf.

Viele Eltern, deren Kinder getrennt schlafen, befürchten die Unruhe, wenn sie sie in einem Zimmer schlafen lassen. Es ist richtig: Es gibt vorübergehend einige lebhafte Abende, wenn Kinder zum Schlafen zusammengebracht werden. Sie finden aber nach übermütigem Austoben immer Mittel und Wege, miteinander auszukommen, vorausgesetzt: Die Eltern schauen mit *Zurückhaltung* nach Ruhe und Ordnung! Häufig machen die Eltern den Fehler, daß sie die Polizisten spielen: Die beste Voraussetzung, daß die Kinder keine Ruhe geben!

Ein anderer häufig gemachter Einwand ist, daß die Schlafbedürfnisse der Kinder so unterschiedlich seien, daß sie sich gegenseitig stören würden. Dies mag eine Schwierigkeit sein, wenn eines der Kinder noch sehr klein ist. Ab dem zweiten Lebensjahr können Kinder aber gemeinsam schlafen, auch wenn sie einen unterschiedlichen Schlafbedarf haben.

Kinder, die nicht gemeinsam in einem Zimmer schlafen können, vertragen sich häufig auch tagsüber nicht. Dies sollte die Eltern nachdenklich stimmen.

## Das Wichtigste in Kürze

1. Der Schlafbedarf nimmt im zweiten Lebensjahr ab. Rückläufig ist insbesondere der Tagschlaf. Mit 24 Monaten schlafen einige Kinder tagsüber bereits nicht mehr.

2. Wenn ein Kind im zweiten Lebensjahr nachts aufwacht, ist die häufigste Ursache die, daß sich sein Schlafbedarf verkleinert hat. Die Eltern können Abhilfe schaffen, wenn sie die Einschlaf- und Aufwachzeiten dem Schlafbedürfnis des Kindes anpassen (Schlafprotokoll führen).

3. Nächtliche Trennungs- und Verlassenheitsängste treten im Rahmen der Autonomie-Entwicklung im zweiten Lebensjahr auf. Sie können durch eine Reihe von Faktoren wie etwa die Geburt eines Geschwisters verstärkt werden. Die Eltern vermindern diese Ängste, wenn sie dem Kind tagsüber ein Gefühl von Geborgenheit geben und seine Selbständigkeit fördern.

4. Trennungs- und Verlassenheitsängste führen häufig dazu, daß ein Kind im Verlaufe der Nacht das Elternbett aufsucht. Wenn sich die Eltern durch das Kind in ihrem Schlaf gestört fühlen, gibt es eine Reihe von Maßnahmen, z. B. eine Matratze neben dem Elternbett, um Abhilfe zu schaffen.

5. Geschwister sollten nach Möglichkeit gemeinsam schlafen. Kinder, die gemeinsam schlafen, suchen nur selten das elterliche Schlafzimmer auf.

6. Schlechte Träume äußern sich als
   - Pavor nocturnus,
   - Angsttraum.

   Diese beiden Traumformen sind in Erscheinungsbild und Ursache verschieden und verlangen ein unterschiedliches elterliches Verhalten.

# Schreiverhalten

# Einleitung

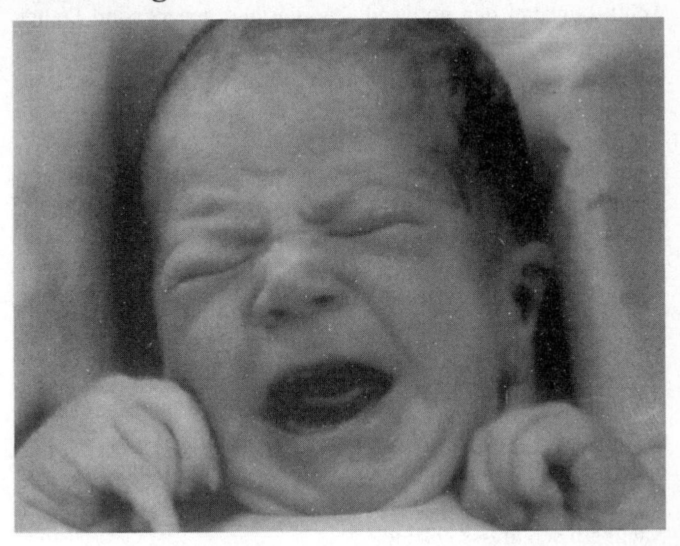

*Mittagszeit in einem Restaurant. Stimmengemurmel und Besteckgeklapper werden durch das Schreien eines Säuglings abrupt unterbrochen. Die Gäste halten einen Moment inne und essen zögernd weiter. Das Schreien hält an. Die Frauen machen ein besorgtes, einige ein vorwurfsvolles Gesicht. Die Männer sind irritiert. Das Schreien hört schließlich auf, um nach kurzer Zeit erneut anzufangen, diesmal noch kräftiger. Die Menschen im Lokal sehen sich um. Ein Mann schaut seine Frau mit einem Gesichtsausdruck an, als ob er sie auffordern wollte, sich um das Kind zu kümmern. Eine andere Frau steht auf, geht auf Umwegen zur Toilette, ihre Blicke suchen unentwegt das weinende Kind. Schließlich hört das Schreien abrupt auf, ein schmatzendes Geräusch ertönt. Das Publikum atmet hörbar auf und ißt weiter.*

Das Schreien eines Säuglings läßt keinen Erwachsenen unberührt. Kindliches Schreien zu ignorieren ist anstrengend und wird, je länger es andauert, um so unerträglicher; den meisten Erwachsenen, und nicht nur Eltern, gelingt es nur kurze Zeit. Ob

Frau oder Mann, wir wollen nachschauen, warum ein Kind weint, und ihm den notwendigen Beistand geben. Sind Frauen anwesend, erwarten Männer, daß diese sich um das Kind kümmern. Sind die Männer allein, fühlen sie sich selbst zum Handeln gedrängt. Die Natur hat nicht nur sichergestellt, daß der hilflose Säugling seine Grundbedürfnisse mit großer Vehemenz der Umgebung kundtun kann; sie hat uns Erwachsene auch mit dem Drang ausgestattet, alles zu unternehmen, damit seine Bedürfnisse befriedigt werden und der Säugling aufhört zu schreien.

Das kindliche Schreien ist für die Eltern, insbesondere wenn sie noch unerfahren sind, eine große Pflegehilfe: Das Kind macht sich unüberhörbar bemerkbar, wenn es etwas braucht. Das Schreien in den ersten Lebensmonaten kann aber für die Eltern auch zu einer großen Belastung werden: Die Kinder schreien oft ohne ersichtlichen Grund und dies – je nach Kind – überaus ausdauernd und laut. Sie tun es mit Vorliebe abends und nachts und bereiten damit den Eltern und – je nach Wohnsituation – auch den Nachbarn schlaflose Nächte.

Wir wollen uns in diesem Kapitel zuerst mit den verschiedenen Ursachen des Schreiens befassen und uns dann überlegen, wie wir mit diesem imperativen Verhalten unserer Kinder umgehen können.

## Warum schreien Kinder?

Kann uns die Art und Weise, wie ein Kind schreit, einen Hinweis geben, warum es schreit? Drei Schreiformen konnten von erfahrenen Erwachsenen, wie Müttern, Hebammen und Kinderkrankenschwestern, anhand von Tonbandaufnahmen mit großer Zuverlässigkeit voneinander unterschieden und richtig zugeordnet werden (Wasz-Höckert u. a.): der Geburtsschrei, der Hungerschrei und der Schmerzschrei. Die Art, wie ein Kind schreit, kann den Eltern einen Hinweis geben, welches die Ursache des Schreiens sein könnte. Ausschlaggebend für ihr Handeln ist die Art des Schreiens aber nicht. Eltern deuten das Schreien ihres Kindes vielmehr, indem sie es in den aktuellen Zusammenhang stellen. Sind seit der letzten Nahrungsaufnahme vier Stunden vergangen, ist es wahrscheinlich, daß der Säugling hungrig ist. Wurde er vor einer halben Stunde gefüttert, ist das Schreien kaum durch Hunger bedingt. Das Kind kann weinen, weil es die verschluckte Luft unvollständig aufgestoßen, volle Windeln oder Mühe mit dem Einschlafen hat. Der Zeitpunkt und die Situation, in der das Schreien auftritt, sowie die genauen Kenntnisse der Eigenheiten ihres Kindes helfen den Eltern, das Schreien richtig zu interpretieren. Daß dies nicht immer gelingt, ist eine der Schwierigkeiten, die Eltern mit ihrem schreienden Kind haben.

Welches sind häufige und für die Eltern bedeutungsvolle Ursachen für das Schreien eines Säuglings?

| *Körperliche Bedürfnisse* | *Soziale Bedürfnisse* | *Unspezifisches Schreien* |
|---|---|---|
| Geburt | Nicht allein sein | |
| Hunger | Körperkontakt | |
| Müdigkeit | Soziales Spiel | |
| Überreizung | Unvertraute Person | |
| Nasse Windeln | Unvertraute Umgebung | |
| Schmerzen | | |
| Wetter-/Mondphasen-fühligkeit | | |
| Krankheit | | |

*Warum schreien Kinder?*

Eine Reihe von Gründen kann zum Schreien führen:

**Geburt**. Der Geburtsschrei hilft dem neugeborenen Kind, seine Lungen mit Luft zu füllen und seinen Kreislauf von vorgeburtlichen auf nachgeburtliche Verhältnisse umzustellen. Der erste Schrei ist für die Eltern und für alle, die bei der Geburt anwesend sind, ein Willkommensgruß und Ausdruck der Vitalität des Kindes. Wenn ein Kind nach der Geburt nicht sofort oder nur schwach schreit, sind Eltern und Geburtshelfer gleichermaßen besorgt.

**Hunger.** Jeder gesunde Säugling schreit, wenn er Hunger hat. Dies ist in den ersten Lebenswochen mindestens alle zwei bis vier Stunden nach einer Mahlzeit der Fall, in den folgenden Monaten in zunehmend größeren Zeitabständen. Art, Stärke und Dauer des Schreiens sind dabei von Kind zu Kind unterschiedlich (vgl. »Trinken und Essen«).

**Schmerz.** Wird der Säugling beim Kinderarzt geimpft, läßt seine Reaktion auf den Nadelstich zwar etwas auf sich warten, fällt dann aber um so kräftiger aus. Bereits sehr früh geborene Kinder reagieren auf schmerzhafte Reize mit Weinen und ungezielten Abwehrbewegungen. Neugeborene und Säuglinge empfinden alle Formen von Schmerz. Sie weisen lediglich eine etwas höhere Reizschwelle und eine längere Reaktionszeit der Schmerzempfindung auf als ältere Kinder (Peiper).

**Langeweile.** Ein Säugling schreit, wenn er nicht mehr allein sein will, zum Beispiel am Morgen nach dem Aufwachen. Säuglinge haben ein großes Bedürfnis, mit vertrauten Menschen in Kontakt zu sein: herumgetragen zu werden, deren Körper hautnah zu spüren, Gesichter zu sehen und Stimmen zu hören.

**Übermüdung.** Wenn ein Säugling tagsüber viel erlebt hat, kann es geschehen, daß er, obwohl erschöpft, nicht einschlafen kann, sich unwohl fühlt und schreit.

**Überreizung.** In einer reizintensiven Umgebung, zum Beispiel in einem lärmigen Warenhaus, kann ein Säugling zu schreien anfangen, weil er von den vielen visuellen und akustischen Reizen überflutet wird. Gelegentlich kann es auch geschehen, daß sich Eltern mit ihrem Kind so intensiv beschäftigen, daß sie ihm keine Zeit lassen, sich zu erholen. Eine mögliche Reaktion des Säuglings ist zu schreien; eine andere wäre, in Schlaf zu fallen.

**Unvertraute Person oder fremde Umgebung**. Ein Säugling kann zu weinen anfangen, wenn er von einer ihm unvertrauten Person aufgenommen und gehalten wird. Ein unangenehmer Geruch oder eine fremde Umgebung mit ungewohnten Farben oder viel Licht kann ihn zum Weinen bringen.

**Entleeren von Darm und Blase.** Kurz bevor ein Säugling den

Darm oder die Blase entleert, bewegt er sich etwas mit Körper und Beinen und stößt gleichzeitig einen kurzen Schrei aus (vgl. »Trocken und sauber werden«).

**Wetterfühligkeit, Mondphasen.** So wie es Erwachsene gibt, deren Schlafverhalten durch bestimmte Wetterlagen und Mondphasen beeinträchtigt wird, sind auch Kinder mond- und wetterfühlig. So kann ein Kind auf eine Föhnlage mit Einschlafschwierigkeiten, motorischer Unruhe und vermehrtem Schreien reagieren. Nach dem Wetterumschlag schläft es mühelos ein und schläft die Nacht durch, ohne aufzuwachen oder zu schreien. Vollmond scheint bei einigen Kindern zu Einschlafschwierigkeiten und nächtlichem Erwachen mit vermehrtem Schreien zu führen (vgl. »Trocken und sauber werden«).

## Schreien ohne ersichtlichen Grund

In den ersten Lebensmonaten schreien die Kinder häufig, ohne daß es den Eltern gelingt, eine Ursache für das Schreien auszumachen. Die Kinder schreien gewissermaßen ohne ersichtlichen Grund. In unserer westlichen Gesellschaft weist dieses unspezifische Schreien einen charakteristischen Verlauf auf (siehe Abbildung auf der nächsten Seite).

Alle Kinder schreien nach der Geburt von Woche zu Woche mehr. Mit etwa sechs Wochen weinen sie am meisten. In den folgenden Wochen werden die Schreiperioden wieder kürzer. Nach drei Monaten schreien die meisten Kinder nicht mehr oder nur noch wenig. Wie die Abbildung zeigt, weinen sie ganz unterschiedlich viel. Bei einigen Kindern ist die tägliche Schreidauer bis zu dreimal länger als bei anderen. Unterschiedlich ist auch das Alter, in dem die maximale Schreidauer erreicht wird. Bei manchen Kindern ist dies bereits mit vier bis fünf Wochen, bei anderen erst mit sieben bis acht Wochen der Fall.

Etwa fünf Prozent aller Kinder sind frühgeboren, das heißt, sie kommen drei bis 14 Wochen vor dem errechneten Termin zur Welt. Bei ihnen hält sich der oben beschriebene Verlauf des

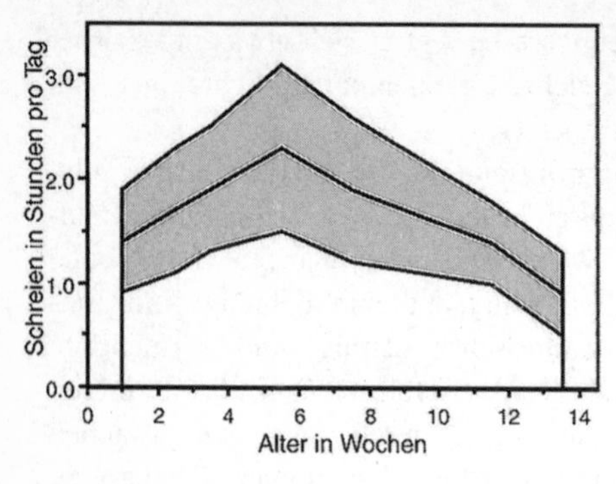


*Dauer der täglichen Schreistunden in den ersten drei Lebensmonaten. Waagrecht: Alter in Wochen. Senkrecht: tägliches Schreien in Stunden. Die graue Fläche stellt den Streubereich dar, die schwarze Linie in der Mitte die durchschnittliche Schreidauer (modifiziert nach Brazelton).*

Schreiverhaltens nicht an das Geburtsdatum, sondern an den erwarteten Termin. Das heißt, wenn ein Kind sechs Wochen zu früh auf die Welt kommt, wird sich die maximale Schreidauer nicht mit sechs, sondern erst mit zwölf Wochen nach der Geburt einstellen. Und was für die Eltern noch wichtiger ist: Die Schreiperiode wird nicht nach drei, sondern erst nach viereinhalb Monaten zu Ende gehen. Die Eltern, deren Kind vorzeitig auf die Welt kommt, müssen sich also noch mehr gedulden als die Eltern termingeborener Kinder. Sie sollten sich aber nicht verunsichern lassen: Auch für sie wird das Schreialter einmal vorüber sein.

Charakteristisch für das unspezifische Schreien ist, daß es überwiegend am späteren Nachmittag und in den Abendstunden auftritt.

Das unspezifische Schreien in den ersten Lebenswochen kann die Eltern nachhaltig verunsichern. Weil sie sich das Schreien nicht erklären können und weil es von Woche zu Woche schlimmer wird, nehmen sie begreiflicherweise an, daß sie irgend etwas in der Pflege oder im Umgang mit dem Kind falsch machen. Die Mütter können so verunsichert werden, daß sie mit dem Stillen aufhören, ständig die Ernährung umstellen und schließlich Hilfe bei Bekannten, Verwandten und Fachleuten suchen.

Welche Erklärungen gibt es für dieses unspezifische Schreien? **Bauchkoliken.** Bis zu einem Fünftel aller Kinder werden als

*Verteilung der Schreiperioden während 24 Stunden bei einem sechs Wochen alten Kind*

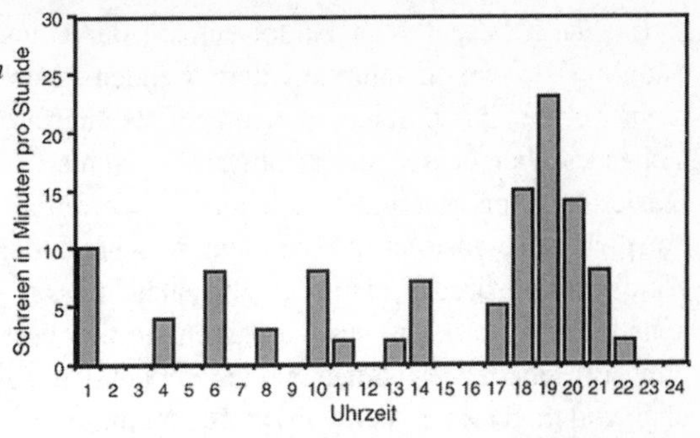


ausgesprochene Schreikinder oder Bauchkolikkinder bezeichnet. Viele Eltern, Erzieher und Ärzte führen ausgeprägtes Schreien auf Bauchkoliken zurück. Diese Ansicht ist verständlich, wenn man sieht, wie sich der Säugling beim Schreien zusammenkrümmt und wie sein Bauch gebläht ist. Der aufgetriebene Bauch scheint aber eher die Folge als die Ursache des Schreiens zu sein: Der Säugling schluckt beim Schreien viel Luft. Eine organische Ursache im Bereiche des Darms, zum Beispiel ein Verdauungsenzym, das noch nicht ausgereift ist, konnte trotz intensivster Suche nicht gefunden werden. Auch diätetisch ist bisher kein Durchbruch gelungen. Sowohl bei ausschließlichem Stillen als auch bei Ernährung mit Flaschenmilchen auf Kuhmilch-, Sojabohnen- oder anderer Basis treten Bauchkoliken auf.

**Milieufaktoren.** Daß Babys vorwiegend abends schreien, wurde von einigen Autoren damit erklärt, daß dann nicht nur der Säugling, sondern die ganze Familie müde ist und sich eine gereizte Stimmung auf ihn übertragen kann. Unverständlich bleibt, warum das Schreien in den ersten Lebenswochen zu- und danach abnimmt. Daß die Umwelt das Schreiverhalten mit beeinflußt, zeigt sich unter anderem darin, daß ausgeprägtes Schreien bei erstgeborenen Kindern – mit noch unerfahrenen Müttern – häufiger vorkommt als bei später geborenen und daß ein Milieuwechsel – das Kind verbringt einige Tage bei den Großeltern – zu einer Reduktion der Schreiperioden führen kann.

Ein ganz wesentlicher Faktor scheint der Umgang mit dem Säugling zu sein: Erfahrene Eltern wenden in der Regel nicht mehr Zeit für ihr schreiendes Kind auf als unerfahrene. Sie verstehen es aber besser, die richtige Maßnahme in der richtigen Dosierung zum richtigen Zeitpunkt zu ergreifen. So kann es beispielsweise ausreichend sein, einem schreienden und müden Kind leise zuzureden, damit es einschläft. Lassen die Eltern es aber längere Zeit schreien, verpassen sie den besten Zeitpunkt zum Einschlafen. Nehmen sie es schließlich aus dem Bettchen und tragen es umher, wird es überstimuliert und schreit weiter.

**Kulturelle Faktoren.** In Gesellschaften, in denen Säuglinge einen engen Körperkontakt mit der Mutter und anderen vertrauten Personen haben, scheint das unspezifische Schreien weniger ausgeprägt zu sein. Wenn wir bedenken, daß der menschliche Säugling beinahe während der ganzen Menschheitsgeschichte von der Mutter herumgetragen wurde, müssen wir uns ernsthaft fragen, ob nicht viele Kinder gar nicht in der Lage sind, in den ersten Lebensmonaten ohne ständigen Körperkontakt mit der Mutter und anderen vertrauten Personen auszukommen.

*Mutter mit Kind in Zimbabwe (links), Indianerkinder in Mexiko (rechts)*

Möglicherweise wird der Säugling durch das stundenlange Liegenlassen, wie es in unserer Kultur seit Beginn der Industrialisierung, das heißt seit rund 150 Jahren, der Brauch ist, in einen unphysiologischen Zustand versetzt, der sich unter anderem in unspezifischem Schreien äußert.

In einer neueren Studie konnte gezeigt werden, daß vermehrtes Herumtragen während dreier Stunden pro Tag zu einer erheblichen Verminderung des täglichen Schreiens führt (Hunziker u. a.). Entscheidend dabei ist, daß der Säugling nicht erst herumgetragen wird, wenn er weint, sondern daß das Herumtragen über den Tag verteilt erfolgt. Wiederholter Körperkontakt und häufige Stimulierung des Gleichgewichts- und Bewegungsorganes scheinen eine rhythmisierende Wirkung auf verschiedenste Körperfunktionen zu haben, die zu einer Reduzierung der Schreiperioden führt. Kinder, die vermehrt herumgetragen werden, schlafen nicht mehr oder weniger als andere Kinder, sie schlafen aber leichter ein. Zudem sind sie aufmerksamer und interessierter an der Umwelt.

In Gesellschaften, in denen die Kinder weniger schreien, werden sie nicht nur mehr herumgetragen als bei uns, sie werden auch weit häufiger gestillt. Beim Volk der !Kung beispielsweise, Nomaden in der Kalahari-Wüste, werden die Säuglinge tagsüber alle 20 Minuten an die Brust gelegt (Barr u. a.). Inwieweit sich die häufige orale Befriedigung und die mehr oder weniger kontinuierliche Ernährungsweise auf das Schreiverhalten auswirken, soll in den nächsten Jahren untersucht werden.

**Zirkadiane Rhythmisierung.** Wie die Abbildung auf Seite 208 zeigt, ist das unspezifische Schreien vor allem auf die ersten drei Lebensmonate beschränkt. In dieser Altersperiode macht das Gehirn eine ausgesprochen rasche Entwicklung durch, die sich auch im Verhalten der Kinder widerspiegelt: Sie blicken zusehends mehr umher, zeigen ein steigendes visuelles Interesse an der Umwelt. Sie werden für akustische Reize empfänglicher, machen die ersten Greifversuche und beginnen Personen anzulächeln. Für den Rückgang des Schreiens ist die Entwicklung der sogenannten zirkadianen Rhythmen wesentlich. Die Rhythmisierung des kindlichen Organismus über 24 Stunden ist eine wichtige Voraussetzung für eine regelmäßige Wach-Schlaf-Periodik (vgl. »Schlafverhalten

Einleitung«). Kinder, die früh eine Hand-Mund-Aktivität, ein waches Blickverhalten, Plaudern und einen Wach-Schlaf-Rhythmus entwickeln, schreien weniger und hören früher damit auf. Andererseits schreien Kinder vermehrt und länger, die nach dem dritten Lebensmonat noch keinen stabilen Wach-Schlaf-Rhythmus aufweisen.

## Umgang mit dem Schreien

Die Natur hat die Eltern nicht nur mit einer besonderen Sensibilität für das kindliche Schreien ausgestattet. Erwachsene, Männer eingeschlossen, haben auch die Fähigkeit, intuitiv richtig auf die körperlichen und die psychischen Bedürfnisse eines Säuglings zu reagieren. Einfühlungsgabe allein genügt aber nicht, wir sind als Eltern auch auf Erfahrung und Wissen angewiesen.

Dazu nachfolgend einige Anmerkungen:

• Schreien bedeutet längst nicht immer Hunger. Vor allem unerfahrene Eltern neigen dazu, auf das Schreien ihres Kindes mit Stillen oder mit der Milchflasche zu reagieren. Sie haben die durchaus verständliche Angst, es könnte nicht genügend Nahrung bekommen. (Vgl. »Trinken und Essen«).

• Wie unterschiedlich die Bedürfnisse und Eigenheiten der Kinder bereits in den ersten Lebenswochen sind, können wir daraus ersehen, daß gewisse Kinder schreien, weil sie übermüdet sind und nicht einschlafen können, während andere schreien, weil ihnen die Umgebung zu laut ist oder weil sie sich in ihren nassen Windeln unwohl fühlen. Nicht nur das Kind, auch die Eltern machen in den ersten Wochen nach der Geburt eine Anpassungs- und Lernphase durch, in der sie die individuellen Bedürfnisse und Eigenheiten ihres Kindes kennenlernen. Kein Ratschlag kann so gut sein wie die konkreten Erfahrungen, die Eltern mit ihrem Kind machen. Nur über die Erfahrung können sie seine Individualität erfassen und darauf eingehen.

• Junge Säuglinge sind selten ernsthaft krank. Sie haben von der Mutter Abwehrstoffe erhalten, die sie in den ersten Lebensmonaten wirksam gegen Infektionen schützen. Es kann aber doch einmal geschehen, daß ein Säugling schreit, weil er krank ist, beispielsweise wegen eines eingeklemmten Leistenbruchs, der ihm Schmerzen macht. Wenn ein Säugling schreit, ohne daß die Eltern eine Ursache finden, und wenn er nicht mehr trinken will, Fieber hat, apathisch und lustlos wirkt, sollten sie einen Arzt aufsuchen.

- Bereits neugeborene Kinder sind sozial interessierte und neugierige Wesen, wenn auch in begrenztem und unterschiedlichem Ausmaß. So ist das Bedürfnis nach Körperkontakt von Säugling zu Säugling verschieden ausgeprägt. Einige Säuglinge wollen immer wieder das Gesicht ihrer Mutter betrachten, andere sind besonders interessiert an ihrer Stimme. Eltern wiederum haben nicht gleich viel Zeit, sich mit dem Kind abzugeben. Während die eine Mutter zu Hause ist und ihr Kind den ganzen Tag im Tragetuch mit sich herumträgt, kann eine andere Mutter weit weniger Zeit für ihr Kind aufbringen, weil sie Geld verdienen oder sich um die Geschwister kümmern muß (vgl. auch »Beziehungsverhalten«). Die Natur hat damit gerechnet, daß Eltern unterschiedlich viel Zeit mit ihren Kindern verbringen: Kinder können ihre Bedürfnisse in einem begrenzten Ausmaß an die Gegebenheiten anpassen, ohne daß ihre Entwicklung darunter leiden müßte.

Zu einem großen Problem kann für die Eltern das abendliche Schreien werden. Wenn der Säugling um zwölf Uhr nachts immer noch keine Ruhe gibt, der Vater schon lange schlafen möchte, weil er am nächsten Morgen pünktlich zur Arbeit muß und die Mutter völlig übermüdet mit dem schreienden Kind in der Wohnung herumwandert, sind negative Gefühle unvermeidlich. Viele Eltern glauben, bei der Pflege ihres Kindes versagt zu haben, und entwickeln Aggressionen: Sie möchten das Kind am liebsten durchschütteln, was sie wegen möglichen Kopfverletzungen keinesfalls tun sollten. Sie fühlen sich ihrem Kind ausgeliefert, was wiederum zu Schuldgefühlen führen kann.

Für manche Eltern ist es tröstlich zu hören, daß

- das Schreien in den ersten Lebenswochen bei jedem Kind zunimmt, wie auch immer sich die Eltern verhalten;
- die Eigenheiten des Kindes und nicht so sehr die Erziehungshaltung der Eltern das Ausmaß des Schreiens bestimmen. Ob ein

Kind an Bauchkoliken leidet oder nicht, hängt weit weniger vom elterlichen Verhalten als von der kindlichen Disposition ab;
- dieses Schreien im wesentlichen auf die ersten drei Lebensmonate beschränkt ist.

Am wirksamsten können Eltern das Ausmaß des unspezifischen Schreiens reduzieren, niemals aber völlig verhindern, wenn sie sich an den folgenden Beobachtungen im täglichen Umgang mit dem Kind orientieren:
- Kinder, die regelmäßig und über den Tag verteilt herumgetragen werden, schreien weniger (zu erwarten, daß sie überhaupt nicht mehr schreien, wäre unrealistisch). Die Kinder sollten also nicht erst herumgetragen werden, wenn sie schreien, sondern wiederholt und regelmäßig im Verlauf des Tages.
- Kinder, mit denen sich die Eltern während der Wachperioden aktiv beschäftigen, schlafen leichter ein und schreien weniger.
- Die Eltern, die es ihrem Kind erleichtern, einen regelmäßigen Rhythmus von Wachsein und Schlafen sowie der Mahlzeiten zu entwickeln, vermindern damit auch die Schreiperioden.

## Wie das schreiende Kind beruhigen?

Bereits Neugeborene und Säuglinge haben eine begrenzte Fähigkeit, sich selber zu beruhigen: Sie verändern ihre Körperlage, saugen an ihren Fingerchen oder an einem Schnuller. Dieses Saugen ist nicht etwa Ausdruck eines Hungergefühls. Es handelt sich um ein nahrungsunabhängiges Saugverhalten, das der eigenen Beruhigung dient. Der Säugling verfügt damit über eine, wenn auch bescheidene Kontrolle über sich selbst. Er ist in seinem Wohlbefinden nicht ausschließlich auf die Umgebung angewiesen.

Für die Eltern gibt es vielerlei Möglichkeiten, wie sie ihr Kind beruhigen können.

Kind anblicken
Leise mit ihm sprechen/vorsingen
Hand auf den Bauch des Kindes legen
Ärmchen und Beinchen halten
Schnuller oder Fingerchen zum Saugen geben
Kind aufnehmen und im Arm halten
Im Arm halten und wiegen
Im Arm halten, wiegen und herumgehen

*Maßnahmen zum Beruhigen eines schreienden Säuglings*

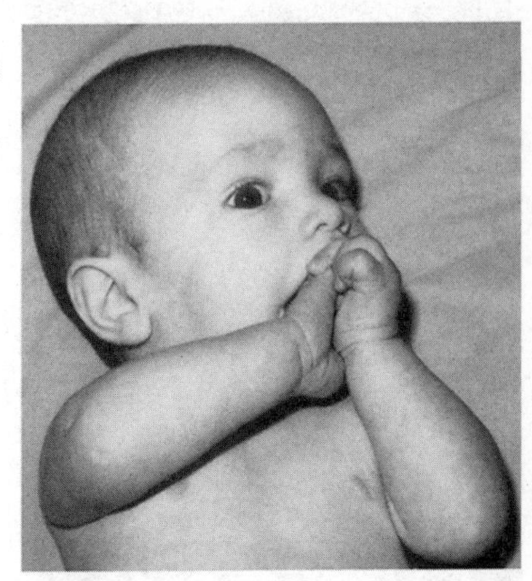

*Der Säugling beruhigt sich selbst, indem er an seinen Fingerchen lutscht (nichtnahrungsabhängiges Saugen).*

Die Liste beginnt mit Maßnahmen, die wenig eingreifend sind: das Kind anblicken und ihm leise zureden. Wird dem Kind die Hand aufs Körperchen gelegt, werden Arme und Beine festgehalten, hat dies eine stärker beruhigende Wirkung. Noch wirksamer ist es, dem Kind die Fingerchen an den Mund zu halten oder einen Schnuller zu geben, damit es daran saugen kann. Bei weitem die wirksamsten Maßnahmen sind, das Kind aufzunehmen, im Arm zu halten, es zu wiegen oder mit ihm herumzugehen. Wird es bewegt, kommt es zu einer Stimulierung des Gleichgewichts- und Bewegungsorgans (sogenannte vestibuläre Stimulierung), die sich in einem hohen Maße beruhigend auf das Kind auswirkt.

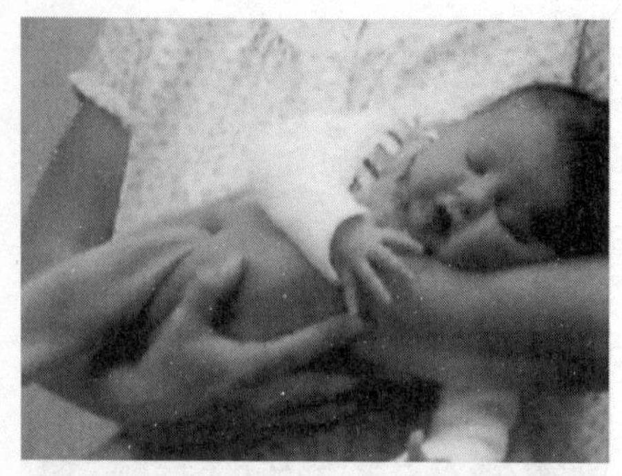

*Mutter beruhigt ihr Kind, indem sie es in Bauchlage hin- und herwiegt. Eine im Mittelmeerraum weitverbreitete Art, ein Kind zu beruhigen*

*Bettchen, frei schwebend an der Decke aufgehängt*

*Hängematte*

Eltern, deren Kind abends stundenlang schreit, wissen sich gelegentlich nicht mehr anders zu helfen, als das Kind ins Auto zu packen und mit ihm zwei bis drei Stunden ziellos in der Gegend herumzufahren. Erfinderische Eltern helfen sich auf eine weniger kostspielige und auf eine umweltfreundlichere Art: Sie legen das Kind in eine Hängematte. Sie befestigen eine Schnur an der Hängematte und können so durch gelegentliches Ziehen an der Schnur die Hängematte in Bewegung und das Kind zufrieden halten. Eine Methode übrigens, die in Indien weit verbreitet ist. Kurdische Eltern haben – wie in ihrem Heimatland – das Kinderbett an vier starken Schnüren an der Decke aufgehängt.

*Die Maßnahme* zur Beruhigung eines Kindes gibt es nicht, und die eingreifendste ist nicht unbedingt die wirksamste. Wenn ein Kind Mühe hat, den Schlaf zu finden, und schreit, kann es genügen, ihm leise zuzusprechen, damit es einschlafen kann. Wird es aber aus dem Bett genommen und herumgetragen, kann sich das Schreien unter Umständen viel länger hinziehen. Die wirksamste Beruhigung besteht darin, auf das Kind und die momentane Situation angemessen zu reagieren. Genauso wie die Kinder aus verschiedenen Gründen schreien, reagieren sie auch unterschiedlich auf das elterliche Verhalten. Während das eine Kind gewiegt werden will, beruhigt sich ein anderes, wenn seine Händchen von der Mutter sanft gestreichelt werden.

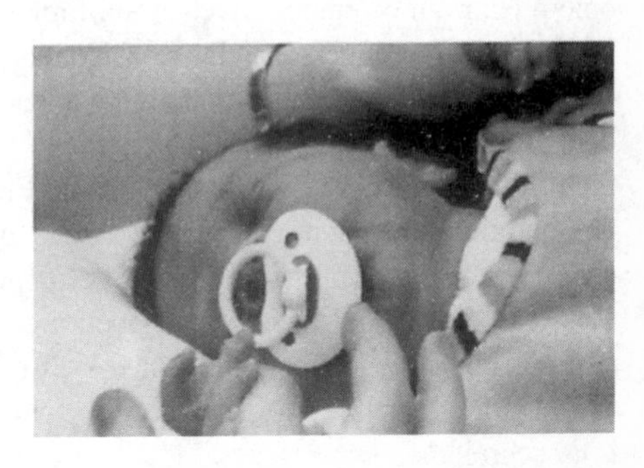

*Die Mutter beruhigt ihr Kind durch Halten und sanftes Streicheln seiner Händchen.*

Abschließend möchte ich von zwei Maßnahmen abraten, die sich nicht bewährt haben:

• *Kinder schreien lassen.* Die meisten Säuglinge vermögen viel länger zu schreien, als es ihre Eltern aushalten können. Es ist eine oft geäußerte Befürchtung der Eltern, daß durch häufiges und rasches Reagieren auf das kindliche Schreien der Säugling verwöhnt werde. Dies trifft für die ersten Lebensmonate nicht zu. Im Gegenteil, Säuglinge, die rasch besänftigt werden, schreien in den kommenden Monaten weniger. Erst ab dem sechsten Lebensmonat kommt es zu einem Gewöhnungseffekt, indem rasches und häufiges Reagieren der Eltern auf das kindliche Schreien nicht zu einer Abnahme, sondern zu einer Zunahme des Schreiens führen kann.

• *Kindern Medikamente geben.* Beruhigungs- und Schlafmittel in üblicher Dosierung vermindern das Schreien nicht. Sie beeinträchtigen aber das kindliche Verhalten: Die Kinder sind weniger aufmerksam und motorisch weniger aktiv. Bei hohen Dosierungen, die zu einer starken Beruhigung der Kinder führen, ist eine Beeinträchtigung der Hirnentwicklung nicht auszuschließen.

## Die Nachbarn hören mit

Die meisten jungen Familien haben nicht das Privileg, alleine in einem Haus zu wohnen. Sie leben in oftmals ungenügend schallisolierten Wohnungen, in engstem Kontakt mit den Nachbarn zur Rechten und zur Linken, oben und unten. Die Nachbarn werden durch das abendliche und nächtliche Schreien des Kindes nicht nur aufgeweckt, sie nehmen für die Eltern recht eigentlich am Familienleben teil: Wie lange lassen die Eltern das Kind schreien? Wie rasch können sie es beruhigen? Wie lange wird die Ruhe andauern? Die Eltern haben nicht nur Schuldgefühle den Nachbarn gegenüber, sie fühlen sich oft auch als Versager. Sie glauben, nur ihre Kinder würden nachts so oft und ausdauernd schreien.

Was tun? Viele Nachbarn sind sehr verständnisvoll. Wenn

Eltern das Gespräch mit den Nachbarn suchen, machen sie häufig die Erfahrung, daß die Nachbarn aufgrund eigener Erlebnisse Verständnis für Kind und übernächtigte Eltern haben. Eltern sollten frühzeitig den Kontakt mit den Nachbarn aufnehmen, ihnen ihr Kind zeigen und ihre Situation erklären. Nachbarn zeigen sehr viel mehr Verständnis für die nächtliche Ruhestörung, wenn sie Kind und Eltern kennengelernt haben und spüren, daß die Eltern ihr Bestes tun. Nicht wenige sind dann auch bereit, der Familie mit Rat und Tat beizustehen.

## Das Wichtigste in Kürze

1. Das Schreiverhalten zeigt in den ersten drei Lebensmonaten einen charakteristischen Verlauf: Es nimmt von der Geburt bis zur sechsten Lebenswoche zu, um danach bis zum dritten Lebensmonat ständig abzunehmen. Bei frühgeborenen Kindern bezieht sich dieser Verlauf nicht auf das Geburtsdatum, sondern auf den errechneten Geburtstermin.

2. Ausmaß und Dauer des Schreiens sind von Kind zu Kind sehr unterschiedlich. Sie sind weniger vom elterlichen Verhalten als von der kindlichen Disposition abhängig.

3. Manches Schreien wird durch bestimmte Ursachen wie Hunger oder Müdigkeit ausgelöst. Oft gibt es aber keine bestimmte Ursache. Dieses unspezifische Schreien tritt charakteristischerweise in den Abendstunden auf.

4. Eltern können die Schreiperioden verkürzen, wenn auch nicht eliminieren, wenn sie
   - die Kinder regelmäßig über den Tag verteilt herumtragen;
   - sich spielerisch mit dem wachen Kind beschäftigen;
   - einen regelmäßigen Tagesablauf einhalten bei Mahlzeiten, Schlafenszeiten und anderen Aktivitäten wie Spazierengehen.

5. Mit Nachbarn, die durch das nächtliche Schreien gestört werden können, sollten die Eltern frühzeitig reden.

   Das Allerwichtigste: Nicht verzagen! Die Schreiphase geht bei jedem Kind vorüber.

# Spielverhalten

# Einleitung

*Nach der Breimahlzeit sitzt der neun Monate alte Alex in seinem Hochstuhl. Die Mutter hat ihm einige Küchengerätschaften zum Spielen hingelegt. Während die Mutter die Küche aufräumt, trommelt Alex mit der Kelle auf dem Pfannendeckel, fährt mit dem Schneebesen über das Tischchen und schlägt Kochlöffel und Kelle gegeneinander. Nach einigen Minuten beginnt er, die Gegenstände auf den Boden zu werfen. Er schaut ihnen interessiert nach, wie sie zu Boden fallen. Sie machen ganz unterschiedliche Geräusche, wenn sie auf dem Boden aufschlagen. Einige verschwinden unter dem Tisch. Nach kurzer Zeit ist das Tischchen leer. Alex schreit nach der Mutter und macht ihr mit aufforderndem Blick und ausgestreckten Armen deutlich, daß er die Küchenutensilien wiederhaben möchte. Die Mutter liest die Gegenstände auf und legt sie Alex auf sein Tischchen zurück. Alex beginnt von neuem, Kelle, Schneebesen und Pfannendeckel mit viel Interesse auf den Boden zu werfen.*

In diesem Kapitel wollen wir uns mit dem kindlichen Spielverhalten befassen. Sie fragen sich vielleicht, ob man sich über so etwas Spontanes wie das kindliche Spiel überhaupt Gedanken machen sollte. Verstellen wir uns nicht den natürlichen Zugang zum kindlichen Spiel, wenn wir das Spiel mit dem Verstand zu ergründen versuchen? Sollten wir die Kinder nicht einfach spielen lassen?

In der westlichen Gesellschaft gehen wir schon seit langem nicht mehr unbefangen mit dem Spiel unserer Kinder um. Eltern machen sich Gedanken, wenn sie vor Weihnachten Spielwarenkataloge studieren und für ihre Kinder Geschenke einkaufen. Pädagogen, Psychologen und Kinderärzte haben ihre eigenen Vorstellungen über das kindliche Spiel. Diese Vorstellungen betreffen unter anderem die Art und Weise, wie Kinder allein oder in Gruppen miteinander spielen sollten und mit welchen Spielsachen die geistige, soziale und sprachliche Entwicklung der Kinder am besten gefördert werden kann. Entsprechen diese Vorstellungen aber auch wirklich den Bedürfnissen unserer Kinder?

## Verständnis für das kindliche Spiel

Wenden wir uns nochmals der eingangs beschriebenen Spielszene zu: Die Mutter gibt ihrem Kind Küchengerätschaften zum Spielen, weil sie bemerkt hat, daß es daran sehr interessiert ist. Alex hat die Mutter jeden Tag damit hantieren sehen, was die Geräte für ihn attraktiver macht als seine eigenen Spielsachen.

Alex schlägt die Küchengeräte auf den Tisch und gegeneinander, schließlich wirft er sie zu Boden. Sein Umgang mit den Utensilien macht Lärm. Sein Spiel wirkt auf Erwachsene aggressiv, ja destruktiv. Man ist versucht, seine Aktivitäten zu unterbinden. Für Alex jedoch – und das ist wichtig – macht sein Treiben Sinn. Er macht nicht Lärm aus Langeweile. Er wirft die Dinge nicht aus Zeitvertreib zu Boden. Für ihn ist sein Spiel eine ernste Angelegenheit. Durch sein Spiel macht Alex Erfahrungen, die für ihn sinnvoll sind:

- Indem er die Gegenstände auf den Tisch und gegeneinander

schlägt, lernt er deren physikalische Eigenschaften kennen. Er spürt, wie schwer ein Gegenstand ist, was für eine Größe, Form und Härte er hat. Er erfährt, daß Holzlöffel, Schneebesen und Pfannendeckel unterschiedliche Geräusche machen, wenn er sie gegeneinanderschlägt und zu Boden wirft. Eine einmalige Erfahrung genügt dabei nicht. Alex muß die Gegenstände viele Male auf den Tisch schlagen und zu Boden werfen, bis er erfaßt hat, welche Materialien welche Eigenschaften haben und wie sie sich voneinander unterscheiden.

- Einige Spielsachen verschwinden unter dem Tisch. Im Alter von etwa neun Monaten entwickelt sich die Merkfähigkeit. Alex weiß seit kurzem: Wenn ein Gegenstand aus seinem Blickfeld verschwindet, gibt es ihn immer noch. Um die Richtigkeit seiner Erinnerung zu überprüfen, muß ihm die Mutter die Spielsachen unter dem Tisch hervorholen. Und dies nicht nur einmal!
- Schließlich hat das Spiel für Alex auch einen sozialen Aspekt. Er möchte die Mutter in seine Aktivitäten mit einbeziehen. Sie soll mitspielen. Daß die Mutter die Küche aufräumen möchte, kümmert ihn nicht.

Natürlich gibt es noch andere, weniger »sinnvolle« Gründe, warum Alex die Gegenstände zu Boden werfen könnte. Er versucht beispielsweise, mit seinem Verhalten die Mutter dazu zu bringen, ihn aus dem Hochsitz zu befreien. Solche für die Eltern negativen Aspekte gibt es im kindlichen Spiel. Sie sind aber nicht die Regel, sondern die Ausnahme. Wovon uns Alex mit seinem Spiel überzeugen möchte: Das Spiel ist für ein Kind sinnvoll, auch wenn es auf uns Erwachsene oftmals einen aggressiven, quenglerischen oder sonst irgendwie negativen Eindruck macht.

Wir verstehen nun besser, was Alex mit seinem Spiel will. Das Verstehen hilft uns, unsere negativen Gefühle zu überwinden und das Spiel von Alex nicht mehr als aggressiv und destruktiv anzusehen. Wir können uns Gedanken machen, welche anderen Gegenstände in unserem Alltag neben den Küchengeräten als Spielsachen geeignet wären, und stellen überrascht fest, daß wir den Begriff »Spielsachen« stark erweitert haben. Spielsachen sind nicht nur Artikel, die wir im Spielwarenladen einkaufen, sondern – aus der Sicht des Kindes – alle Gegenstände, die sich zum Spielen eignen. Ein besseres Verständnis für das kindliche

Spiel hilft uns, unsere Rolle als Spielpartner besser zu verstehen. Eine vermehrte Wertschätzung des kindlichen Spielverhaltens kann schließlich auch dazu beitragen, daß wir unsere Kinder in ihrem Spiel weniger behindern oder es gar unterbinden, weil wir den Sinn ihres Spieles nicht zu erkennen vermögen.

## Was ist Spiel?

Der Erwachsene arbeitet, das Kind spielt. Worin unterscheidet sich das Spiel von der Arbeit? Ein wesentlicher Unterschied besteht darin, daß das kindliche Spiel kein Endprodukt vorweisen muß. *Der Sinn des kindlichen Spiels liegt in der Handlung selbst.* Alex geht auf unterschiedliche Weise mit den Küchengeräten um. Die Erfahrungen, die er dabei sammelt, machen den Sinn seines Spiels aus.

Dies bedeutet nicht, daß das kindliche Spiel zweckfrei ist. Es dient sehr wohl einem Zweck, nicht unmittelbar, aber langfristig. Verhaltensweisen, die sich das Kind spielerisch aneignet, werden in der Entwicklung zu zielgerichteten Funktionen. Kriechen und Gehen, neu erworben, werden spielerisch eingeübt. Einmal beherrscht, werden sie zweckgerichtet eingesetzt, um an einen bestimmten Ort zu gelangen. In einem gewissen Alter entleert das Kind Behälter spielerisch immer wieder aufs neue. Es hat gerade entdeckt, daß es den Inhalt eines Behälters ausgießen kann, wenn es den Behälter kippt. Einige Zeit später kippt das Kind Behälter nur noch, wenn es den Inhalt entleeren will. Der Vorgang des Kippens an sich interessiert das Kind nicht mehr.

Folgende weitere Merkmale zeichnen das kindliche Spiel aus: **Nur ein Kind, das sich wohl und geborgen fühlt, spielt.** Während einer Krankheit spielt es weniger als in gesunden Tagen oder gar nicht mehr. Ist es müde, traurig oder fühlt sich allein gelassen, wirkt sich sein Befinden auf sein Spiel aus. Das physische und psychische Wohlbefinden ist eine notwendige Voraussetzung, damit ein Kind spielen kann. Für aufmerksame Eltern ist Unlust aufs Spielen eines der ersten Anzeichen dafür, daß sich ihr Kind nicht gut fühlt oder krank ist.

**Das Spiel drückt den Entwicklungsstand des Kindes aus.** Das Kind setzt sich seinem Entwicklungsalter entsprechend mit seiner Umgebung spielerisch auseinander. Sein Spiel spiegelt seinen Entwicklungsstand wider. Behälter füllen und entleeren ist ein charakteristisches Spielverhalten des zweiten, nicht aber des ersten oder dritten Lebensjahres. Altersspezifisches Verhalten mit Spielcharakter können wir in allen Entwicklungsbereichen beobachten: in der Motorik, wenn ein Dreijähriger unermüdlich vom ersten Treppenabsatz herunterspringt, in der Sprache, wenn ein zwei Jahre altes Mädchen am Spieltelefon mit seinem Geplauder die Mutter nachahmt, oder im Sozialverhalten, wenn ein 15 Monate altes Kind versucht, mit dem Löffel zu essen.
**Die Abfolge des Spielverhaltens ist bei allen Kindern gleich.** Die verschiedenen Verhaltensweisen beim Spielen treten von Kind zu Kind in unterschiedlichem Alter auf. Was aber ausnahmslos bei allen Kindern gleich ist, ist die Abfolge. Jedes Kind räumt Anfang des zweiten Lebensjahres Behälter ein und aus, baut mit etwa anderthalb Jahren Türme und gegen Ende des zweiten Lebensjahres einen Zug. Wir haben bei mehreren hundert Kindern immer die gleichen Abfolgen des Spielverhaltens beobachtet (Largo und Horward). Daß ein Kind beispielsweise einen Turm baut, bevor es mit Behälter und Inhalt umgehen kann, oder daß es die Würfel zu einem Zug zusammenfügt, ohne fähig zu sein, einen Turm zu bauen, haben wir nie festgestellt.
**Die Spielverhalten ist universal.** Die in diesem Buch erwähnten Verhaltensweisen beim Spielen finden sich bei allen Kindern in unterschiedlichsten Kulturen. Die Art und Weise, wie diese zur Darstellung gebracht werden, ist aber so vielfältig wie die Umwelt, in der die Kinder leben. Während ein Kind in Europa für sein Inhalt-Behälter-Spiel Plastikbecher und Sand benützt, gebraucht eines in Afrika Tongefäße und Erde oder auf Bali ausgehöhlte Kürbisse und Kerne. Der Inhalt des Spiels wird durch den gesetzmäßigen Ablauf der geistigen Entwicklung bestimmt. Der Ausdruck des Spiels aber ist zeit- und kulturgebunden und damit verschieden von Generation zu Generation und von Gesellschaft zu Gesellschaft.
**Kontrolle über das Spiel.** Das Kind will und muß in seinem Spiel bestimmend sein. Es braucht die Kontrolle über seine

Aktivität, damit es daran interessiert bleibt und das Spiel zu einer sinnvollen Erfahrung wird.

Dies gilt bereits für die ersten Lebensmonate, wie Watson und seine Mitarbeiter in einer Studie nachgewiesen haben. Sie hängten acht Wochen alten Säuglingen jeden Tag für zehn Minuten ein Mobile über ihre Bettchen. Die Gruppe A erhielt ein normales Mobile. Die Gruppe B bekam ein Mobile, das jede Minute während fünf Sekunden eine Drehbewegung ausführte. Der Gruppe C wurde ein Mobile über das Bettchen gehängt, das mit Drucksensoren in Verbindung stand, die in die Kopfkissen eingenäht waren. Kopfbewegungen des Säuglings führten über die Drucksensoren zu einer Drehbewegung des Mobiles.

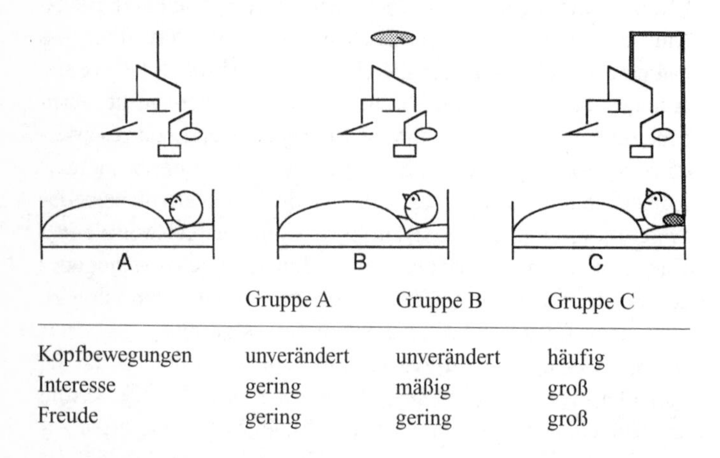


| | Gruppe A | Gruppe B | Gruppe C |
|---|---|---|---|
| Kopfbewegungen | unverändert | unverändert | häufig |
| Interesse | gering | mäßig | groß |
| Freude | gering | gering | groß |

*Bedeutung der Selbstbestimmung im Spiel bei acht Wochen alten Säuglingen (nach Watson u. a.). A: normales Mobile; B: Mobile bewegt sich in regelmäßigen Zeitabständen; C: Mobile wird durch Kopfbewegungen des Kindes in Bewegung versetzt. Das Verhalten der Kinder wurde nach drei Wochen Mobileerfahrung festgehalten.*

Wie wir aus der Abbildung ersehen können, war das Verhalten der Säuglinge nach drei Wochen in verschiedener Hinsicht sehr unterschiedlich. Während in den Gruppen A und B die Häufigkeit der Kopfbewegungen sich nicht veränderte, nahmen sie in der Gruppe C deutlich zu. Die Säuglinge der Gruppe C lernten innerhalb weniger Tage, daß sie mit Kopfbewegungen Einfluß auf das Mobile nehmen konnten. Ihr Interesse am Mobile wurde dadurch von Tag zu Tag größer, während die Kinder der Gruppen A und B nach einigen Tagen ihr Mobile nicht mehr beachteten. Die dritte, wesentliche Beobachtung war schließlich, daß die Kinder der Gruppe C mehr plauderten, lächelten und einen lebhafteren Gesichtsausdruck zeigten als die Kinder der anderen beiden Gruppen.

Die Studie von Watson zeigt überzeugend: Bereits junge Säuglinge sind fähig, im Spiel zu lernen. Sie nehmen die Auswirkungen ihrer motorischen Aktivitäten wahr, passen ihr Verhalten den Umständen an und wirken gezielt auf die Umwelt ein. Diese Erfahrungen konnten die Säuglinge dank der genialen Versuchsanordnung von Watson machen. Wie aber steht es im Alltag, wo es keine Drucksensoren gibt? Haben die Kinder in den ersten Lebensmonaten, wo sie ihre Bewegungen noch kaum unter Kontrolle haben, die Möglichkeit, auf ihre Umgebung einzuwirken und durch Erfahrungen zu lernen?

Weil Säuglinge ihre Motorik nur sehr beschränkt willentlich einsetzen können, sind sie auf andere Menschen als Spielpartner angewiesen. Eltern, Geschwister und andere Bezugspersonen geben – wie die Drucksensoren – dem Säugling Rückmeldungen auf seine Aktivitäten. Wenn der Säugling mit seinen Beinchen strampelt und weint, weil er sich unwohl fühlt, nimmt ihn die Mutter auf. Wenn er in den Armen des Vaters Töne macht,

*Soziales Spiel unter Geschwistern*

ahmt der Vater die Laute nach. Lächelt er ein Geschwister an, lächelt das Geschwister zurück und plaudert mit ihm. In den ersten Lebenswochen macht das Kind über das soziale Spiel (vgl. »Spielverhalten 0 bis 3 Monate«) eine Vielzahl von Erfahrungen, die es darin bestätigen, daß seine Verhaltensweisen bestimmte, zuverlässig eintreffende Reaktionen bei vertrauten Personen auslösen.

**Genuines Interesse, Freude am Spiel.** Die Studie von Watson weist auf ein weiteres wichtiges Merkmal des kindlichen Spiels hin: Das Kind hat ein genuines, das heißt angeborenes Interesse am Spiel. Auch wenn das Kind mit großem Ernst dabei ist, als Beobachter spüren wir: Das Kind spielt gerne und ist interessiert an dem, was es tut. Das Kind ist immer gefühlsmäßig an seinem Spiel beteiligt.

Die Eigenkontrolle sowie die interessierte und lustbetonte Ausführung unterscheiden das kindliche Spiel grundsätzlich von jenem Lernprozeß, dem wir Erwachsene unberechtigterweise so große Bedeutung beimessen: dem Einüben oder Trainieren von Fertigkeiten. Im Gegensatz zum Spiel kann das Üben einer bestimmten Tätigkeit dem Kind aufgezwungen werden und geht oft ohne seine innere Beteiligung einher. Wenn das Kind spielerisch lernt, mit dem Löffel zu essen, wird es diese Fertigkeit als eine eigene Willensäußerung verinnerlichen. Wenn die Eltern dem Kind »beibringen«, wie es mit dem Löffel zu essen hat, wird das Essen zu einer Handlung, die es nicht als etwas Eigenes empfindet. Antrainiert, kann das Essen selbst nach Jahren für das Kind immer noch ein Vorgang sein, der nicht seinem eigenen Bedürfnis entspringt, sondern von den Eltern gewollt und durch sie kontrolliert wird. Daß ein solch anerzogenes Eßverhalten zu Eßstörungen führen kann, erstaunt nicht.

Ist jede Aktivität eines Kindes gleichbedeutend mit Spiel? Wir sollten nicht so weit gehen, daß wir jede Tätigkeit des Kindes zum Spiel erklären. Die meisten Verhaltensweisen haben, wenn sie auftreten, spielerische Qualitäten, verlieren sie aber im Verlauf der Entwicklung. Bereits das neugeborene Kind zeigt Verhaltensweisen wie das Saugen an der mütterlichen Brust, die unmittelbar zweckgerichtet und daher kein Spiel sind. Vor der Geburt saugt das Kind monatelang spielerisch an seinen Fingerchen. Nach der Geburt wird es ernst: Es muß sich ernähren.

## Warum spielen Kinder?

Nicht nur Menschenkinder, auch Jungtiere vieler, insbesondere höher entwickelter Tierarten spielen. Einige Spielformen haben die Kinder mit Jungtieren gemein, andere sind nur dem Menschen eigen.

**Einüben von angeborenen Verhaltensweisen.** Diese Form des Spiels ist unter Tieren weit verbreitet. Das Spiel der Jungtiere hat große Ähnlichkeit mit dem Verhalten ausgewachsener Tiere. Die Jungen proben gewissermaßen den Ernstfall. Junge Kätzchen jagen hinter einem Wollknäuel her, schubsen ihn zwischen ihren Vorderpfötchen hin und her und beißen plötzlich heftig zu. Sie eignen sich spielerisch die Fertigkeit an, Mäuse mit so viel Zuverlässigkeit zu fangen und zu töten, daß sie, einmal erwachsen, sich davon ernähren können.

Dieses Spielverhalten ist angeboren. Die Kätzchen brauchen ihre Eltern nicht als Vorbilder. Gegenstände, die bestimmte Attribute von Mäusen haben wie deren Größe, fellartige Oberfläche, schwanzartige Verlängerung oder die Fortbewegungsart, lösen bei ihnen das Verhaltensrepertoire des Mäusefangs aus.

*Spielerische Vorbereitung auf den Mäusefang*

Verhaltensweisen, die angeboren sind und spielerisch eingeübt werden, können wir auch bei unseren Kindern beobachten. Die frühe Motorik besteht überwiegend aus angeborenen Verhaltensmustern. Das Kind kriecht, ohne daß die Eltern ihm diese Art der Fortbewegung je vorgemacht hätten. Es übt diese Art der Fortbewegung spielerisch ein. Wenn es die ersten Schritte macht, erprobt es diese neue Möglichkeit, sich fortzubewegen. Es läuft herum, ohne ein bestimmtes Ziel zu haben. Das Greifen zwischen den Fingerkuppen von Zeigefinger und Daumen, den sogenannten Pinzettengriff, übt das Kind ebenfalls spielerisch ein, indem es einige Zeit mit großem Eifer kleine und kleinste Gegenstände wie Brotkrümel und Fäden vom Boden aufklaubt.

**Sammeln von Erfahrungen über die physikalischen Eigenschaften der gegenständlichen Umwelt.** Im ersten Lebensjahr lernen die Kinder die Gegenstände kennen, mit denen sie im Alltag in Berührung kommen. Die Kinder machen ihre Erfahrungen anfänglich weit weniger über die Augen als vielmehr über den Mund und die Hände.

Sie nehmen die Gegenstände in den Mund, betasten sie mit Lippen und Zunge, drehen und wenden sie in den Händen und

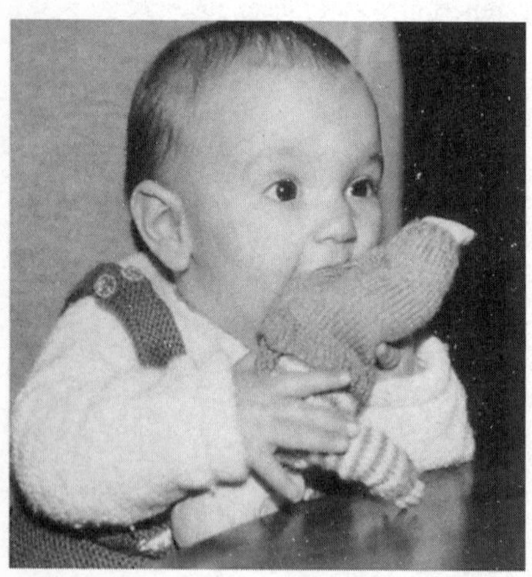

*Orales Erkunden*

schlagen sie auf die Unterlage. Auch dies sind Verhaltensweisen, die die Kinder selbst hervorbringen und nicht durch Nachahmung erwerben. Das orale und manuelle Erkunden wird von den Kindern über Monate spielerisch auf alle Gegenstände angewendet, deren sie habhaft werden können. Gegen Ende des ersten Lebensjahres wird das Betrachten der Gegenstände die hauptsächliche Form des Erkundens.

Über den Mund, die Hände und die Augen lernen die Kinder die Gegenstände aufgrund ihrer physikalischen Eigenschaften wie Größe, Form und Gewicht kennen und voneinander zu unterscheiden.

**Erwerben von Fähigkeiten durch Nachahmung.** In der menschlichen Gesellschaft sind die Beziehungsstrukturen, Kommunikationsformen und Kulturtechniken so komplex geworden, daß das Menschenkind zehn bis 20 Jahre braucht, um die wesentlichen Verhaltensweisen durch Nachahmung zu erwerben. Ein ausgeprägtes Bedürfnis, nachzuahmen, spielt dabei eine entscheidende Rolle, und das Vorhandensein von Vorbildern ist eine Notwendigkeit.

Die Nachahmung prägt das Spielverhalten in verschiedenen Bereichen der Entwicklung:

- Das soziale Spiel ist das vorrangige Spielverhalten der ersten Lebensmonate. Bereits das Neugeborene vermag einfache mimische Ausdrucksformen nachzuahmen. Das Kind eignet sich inden ersten zwei Lebensjahren spielerisch Haltungen, Bewegungen und mimische Ausdrucksweisen an, die den zwischenmenschlichen Umgang innerhalb der Familie und der Gesellschaft bestimmen. Dabei finden sich große kulturelle Unterschiede im Sozialverhalten. So gibt es Kulturen, in denen die Menschen sich bei der Begrüßung in die Augen schauen, während in anderen der Blickkontakt durch eine Neigung des Kopfes und gesenktenBlick tunlichst vermieden wird. Solche Verhaltenskonventionen übernehmen die Kinder durch Nachahmung.
- In der frühen Sprachentwicklung spielt die Nachahmung eine vielfältige Rolle. Im ersten Lebensjahr beginnt das Kind Laute nachzuahmen, die es in der Familie hört. Seine lautlichen Äußerungen passen sich im ersten Lebensjahr immer

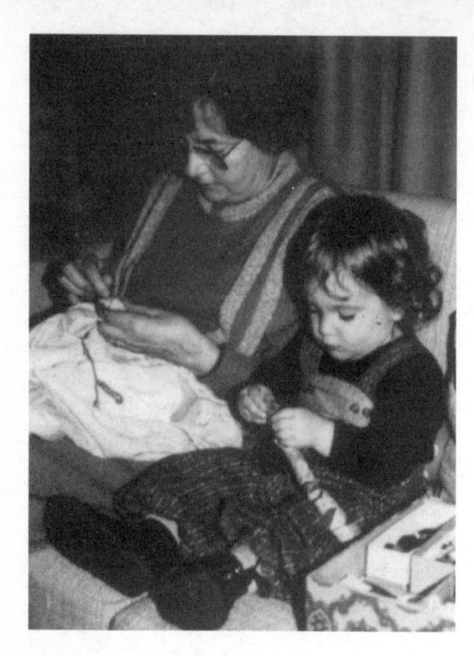

*Früh übt sich …*

mehr seiner sprachlichen Umwelt an. Im zweiten Lebensjahr ahmt es in seinem Spiel die Sprechweise der Eltern, Geschwister und anderer vertrauter Personen nach. Es spricht ins Spieltelefon wie die Mutter oder belehrt den Teddybären wie der Bruder.

- Gegen Ende des ersten Lebensjahres fängt das Kind an, einfache Handlungen wie Ade-Winken oder In-die-Hände-Klatschen zu imitieren. In den folgenden Monaten lernt das Kind über die Nachahmung Gegenstände ihrer Funktion entsprechend zu gebrauchen. Es versucht, mit einem Löffel zu essen, oder fährt sich mit der Haarbürste über den Kopf. Im zweiten Lebensjahr spielt das Kind mit Puppen und Teddybären einfache Handlungsabläufe nach. In den folgenden Jahren werden Alltagserfahrungen und bedeutsame Ereignisse in der Familie und der Gesellschaft im Rollenspiel thematisch dargestellt, wie etwa Einkaufen, Besuch beim Doktor oder Hochzeiten.

Im Gegensatz zu den angeborenen Verhaltensmustern besitzen die Spielweisen, die aus der Nachahmung hervorgehen, ver-

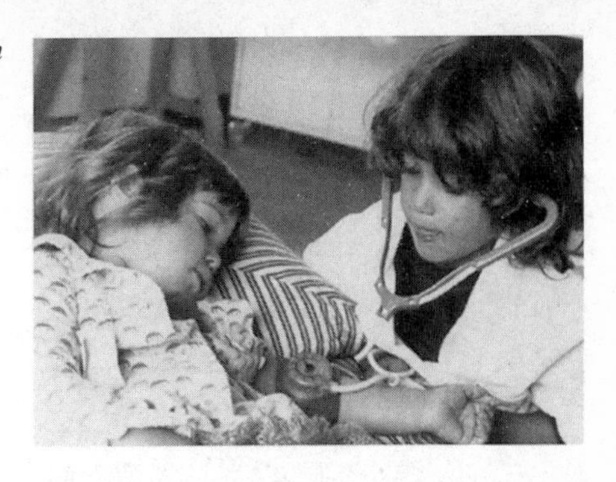
*Doktor spielen*

schiedene Erscheinungsformen. Mimischer Ausdruck und Gestik der Kleinkinder sind in Schweden, Deutschland und Italien verschieden. Auch das Plaudern der Säuglinge ist charakteristisch für ihre Sprachregion. In Europa essen die Kinder mit dem Löffel, in Indien mit der Hand und in China mit Stäbchen. Verhaltensweisen, die sich die Kinder durch Nachahmen erwerben, sind geprägt durch die Kultur, in der sie aufwachsen.

Spielformen, die aus der Nachahmung hervorgehen, kommen beschränkt auch bei höher entwickelten Säugetieren, insbesondere den Menschenaffen, vor. Schimpansen angeln sich Termiten, indem sie einen Zweig in ein Loch eines Termitenhügels stecken, warten, bis sich die Insekten daran festgebissen haben, und dann den Zweig sorgfältig herausziehen. Die Jungtiere beginnen Ende des zweiten Lebensjahres diese Tätigkeit nachzuahmen. Sie lernen über spielerisches Ausprobieren, wie dick und lang ein Zweig sein darf, damit er in die Öffnung eines Termitenhügels paßt, wie lange sie warten müssen, bis sich die Termiten daran festgebissen haben, und wie der Zweig herauszuziehen ist, ohne daß die Termiten dabei abgestreift werden. Sie brauchen etwa drei Jahre, bis sie durch Nachahmung und eigene Erfahrungen ihre Geschicklichkeit so entwickelt haben, daß sie die heißbegehrte Delikatesse angeln können.

Junge Schimpansen lernen auch durch Nachahmen der Alttiere, wie man Nüsse knacken kann: Die Nuß wird auf eine harte Unterlage gelegt und mit einem Ast oder einem Stein aufgeschlagen. Die Jungtiere beobachten sehr aufmerksam den Vorgang

*Ein Schimpanse versucht mit einem Grashalm Termiten zu angeln (oben) und eine Pandanuß mit einem Stein zu zerschlagen (unten).*

und versuchen ihn nachzuahmen. Anfänglich bleibt der Erfolg zumeist aus, da sie beispielsweise nicht auf eine harte Unterlage achten. Die Erfahrung lehrt sie, die Nüsse auf einen Stein, eine Wurzel oder einen Termitenhügel zu legen.

**Sammeln von räumlichen Erfahrungen.** Im zweiten Lebensjahr setzt sich das Kind spielerisch mit den räumlichen Beziehungen zwischen Gegenständen auseinander. Es füllt und entleert Behälter und baut Türme mit Würfeln.

**Erkunden von kausalen und kategorischen Gesetzmäßigkei-**

**ten.** Ursächliche Beziehungen zwischen Gegenständen erfaßt das Kind im Spiel. Der acht Monate alte Säugling begreift, daß ein Ziehen an der Schnur der Musikdose Klänge hervorruft. Spielerisch hat er herausgefunden, daß weder die Berührung noch das Wegwerfen oder In-den-Mund-Nehmen der Musikdose die Musik ertönen läßt. Allein das Ziehen an der Schnur führt zuverlässig zum Erfolg.

Am Ende des zweiten Lebensjahres beginnt das Kind Gegenstände nach bestimmten Eigenschaften wie Form oder Farbe zu unterscheiden. Es hat erkannt, daß Gegenstände gleich oder verschieden sein können. Die Fähigkeit, Dinge nach bestimmten Eigenschaften zu kategorisieren, ist eine Grundfunktion des logischen Denkens. Auch diese abstrakte Funktion übt das Kind anfänglich spielerisch ein: Es sortiert beispielsweise ein Besteck, indem es die Löffel und die Messer an verschiedenen Orten ablegt.

Diese Spielformen sind auch unter den höchst entwickelten Tieren kaum verbreitet. Menschenaffen können einen Gegenstand als Mittel zum Zweck verwenden: In freier Natur angeln sie sich, wie oben beschrieben, Termiten mit einem Zweig oder im Zoo eine Banane, die außerhalb des Käfigs liegt, mit einem Stock. Ihr Verständnis für kausale und kategorische Gesetzmäßigkeiten bleibt im Vergleich mit demjenigen der Menschen aber beschränkt. Das Menschenkind versteht spätestens im dritten Lebensjahr seine gegenständliche Umwelt und deren Zusammenhänge besser als ein ausgewachsener Menschenaffe.

## Spielen alle Kinder gleich?

Es gibt kaum wissenschaftliche Daten, die belegen würden, daß Kinder im ersten Lebensjahr verschieden spielen. Für Eltern, die mehrere Kinder haben, ist es aber offensichtlich, daß sich Kinder in ihrem Spielverhalten unterscheiden.

Unterschiede ergeben sich in zweierlei H
tes Spielverhalten tritt bei gleichaltrigen Ki
nen Zeitpunkten auf. So beginnt ein Ki
Monaten Gegenstände aufmerksam zu betra
anderes dies erst mit zehn Monaten tut.

Ein bestimmtes Spielverhalten tritt nicht nur in unterschiedlichem Alter auf, es ist auch von Kind zu Kind verschieden stark ausgeprägt. So nehmen alle Kinder Gegenstände in den Mund, aber die einen mehr, die anderen weniger. Das eine Kind räumt während Wochen Schubladen ein und aus, während ein anderes diese Aktivität – zur Freude der Mutter – bereits nach wenigen Tagen satt hat.

Keine Unterschiede gibt es – wie bereits erwähnt – in den ersten zwei Lebensjahren bei der Abfolge der verschiedenen Spielverhalten.

## Spielen Mädchen anders als Jungen?

Jungen und Mädchen unterscheiden sich im Spielverhalten der ersten zwei Lebensjahre nur geringfügig. In unseren Spielstudien beobachteten wir in den ersten 18 Monaten keine Geschlechtsunterschiede (Largo und Howard a). Wir ließen die Jungen mit Puppen, Milchflasche und Haarbürste spielen. Sie haben genauso wie die Mädchen die Puppen gefüttert und ihnen die Haare gebürstet. Dabei hatte die Mehrzahl der Jungen zuvor nie mit einer Puppe gespielt!

Jungen spielen mit einer Puppenstube ebenso differenziert wie Mädchen, sofern sie die Gelegenheit dafür haben. Mädchen nehmen Gegenstände genauso oft und ausgiebig in den Mund wie Jungen. Diese sind genauso interessiert, Behälter zu füllen und zu entleeren und die Mutter bei Haushaltstätigkeiten nachzuahmen wie Mädchen.

Am Ende des zweiten Lebensjahres treten geringfügige Unterschiede im Spielverhalten zwischen den beiden Geschlechtern auf: Jungen neigen mehr zum Auskundschaften, Mädchen mehr zum symbolischen und sozialen Spiel. Wir machten beispielsweise die folgende Beobachtung: Unter den Miniaturmöbelchen, die wir den Kindern zum Spielen gaben, befand sich ein kleiner Kochherd. Die Mädchen kochten auf dem Herd für ihre Püppchen Mahlzeiten, die Jungen versuchten den Herd auseinandernehmen. Die Mädchen spielten nach, was sie erlebt hatten, die n wollten wissen, wie der Kochherd gebaut ist und wie er

*Uli beim Bügeln*

funktioniert. Studien, die sich mit dem Spielverhalten von drei- bis sechsjährigen Kindern befassen, weisen darauf hin, daß sich diese Geschlechtsunterschiede nach dem zweiten Lebensjahr verstärken.

Unterschiede, die wir im Spiel zwischen Jungen und Mädchen sehen, sind weit weniger durch das Geschlecht bedingt als vielmehr durch die Eltern gemacht: Die Eltern kaufen den Jungen Autos, Eisenbahnen und Flugzeuge, den Mädchen Miniaturhaushaltsgeräte, Toilettenartikel und Kinderwägelchen.

## Spielsachen

Kinder haben wohl seit Urzeiten mit Gegenständen gespielt, derer sie in ihrer Umwelt habhaft werden konnten. Von besonderem Interesse waren dabei Dinge, mit denen die Erwachsenen hantierten und denen sie eine wichtige Bedeutung zumaßen. Etwa Tonschüsseln, die in Kinderhänden leicht zerbrechen konnten, oder Waffen, die für Kinder gefährlich waren. Die ersten Spielsachen, von denen man weiß, wurden wahrscheinlich von Erwachsenen entwickelt, weil sie vermeiden wollten, daß die Kinder die Sachen der Eltern beschädigten oder sich verletzten. Die Eltern haben bereits in prähistorischen Zeiten kindgerechte Ausgaben von Geschirr und Geräten für ihre Kinder hergestellt. So sind bei den Ausgrabungen der Pfahlbausiedlungen am Zürichsee neben viel Geschirr auch Spieltonkochtöpfe gefunden worden. In modernen Haushaltungen gibt es eine Reihe von Geräten wie Kochherd, Staubsauger oder Fernseher, welche die Eltern jeden Tag benützen und die deshalb für die Kinder von großem Interesse sind. Die Eltern möchten ihre Kinder davon fernhalten, und die Spielwarenfabrikanten helfen ihnen dabei. Sie machen es wie die Pfahlbaubewohner: Sie bieten Miniaturausgaben dieser Geräte als Spielwaren an.

Ein weiterer Grund, den Kindern Spielsachen zu geben, war und ist immer mehr, daß die Erwachsenen die Kinder beschäftigen wollen, damit sie um so mehr ihren eigenen Tätigkeiten nachgehen können. Das Kind soll in seinem Zimmer spielen und möglichst wenig stören, während die Eltern beschäftigt sind. Dieser Absicht bringen die Kinder oft nicht das von den Erwachsenen gewünschte Ausmaß an Verständnis entgegen. Sie können und wollen alleine spielen, aber nicht ausschließlich. Sie brauchen Erwachsene, damit sie zum Spiel angeregt werden.

Fachleute und immer mehr auch Eltern möchten das Kind gezielt mit Spielsachen in seiner Entwicklung fördern. So werden »Mobiles« und »Play Activity Centers« erfunden, die der visuellen, motorischen und geistigen Entwicklung besonders förderlich sein sollen. Unausgesprochen ist damit die Erwartung verbunden, daß die gezielte Anregung in den ersten Lebensjahren sich mittelfristig in verbesserten Schulleistungen und langfristig in einer erfolgreichen Berufskarriere niederschlagen werde. Die elterlichen Wunschvorstellungen führen so leicht zu einem Mißbrauch des kindlichen Spieldrangs.

Nicht nur Kinder, auch Eltern werden mit Spielsachen manipuliert. Die Spielwarenfabrikanten haben eine feines Gespür dafür entwickelt, was nicht nur für Kinder, sondern auch für Eltern attraktiv ist. Erwachsene lassen sich häufig beim Kauf von Spielsachen von ästhetischen Gesichtspunkten sowie von bestimmten pädagogischen Vorstellungen – und nicht so selten von Vorurteilen – leiten. So wirken Spielsachen aus Holz, vor allem wenn sie handgefertigt sind, auf Erwachsene anziehender und werden als pädagogisch wertvoller angesehen als solche aus Plastik. Ob sie auch kindgerechter sind? Je nach Anfertigung kann ein Säugling eine Plastikrassel einer hölzernen vorziehen, weil sie ihm mehr Möglichkeiten zum oralen, manuellen und visuellen Erkunden bietet.

Ich möchte die Eltern und alle Erwachsenen, die sich mit Kindern beschäftigen, ermuntern, sich die Wahl von Spielsachen nicht vom Angebot der Spielwarenindustrie oder einer pädagogischen Fachmeinung diktieren zu lassen. *Ob ein Gegenstand ein Spielzeug ist oder nicht, bestimmen nicht die Spielwarenhäuser oder die Fachleute, sondern allein das Kind!* Ein Schlüsselbund ist für einjährige Kinder ein höchst attraktives Spielzeug, was Erwachsene verwundern mag: Die Schlüssel sind von unterschiedlicher Größe und Aussehen. Wird der Schlüsselbund bewegt, arrangieren sich die Schlüssel auf immer neue Weise. Die Schlüssel geben Klänge und Geräusche von sich. Schließlich hat das Kind Mutter und Vater tagtäglich mit dem Schlüsselbund hantieren sehen, was den Gegenstand besonders anziehend macht. Die Spielwarenindustrie hat dies wohl bemerkt und bietet seit einigen Jahren Schlüsselbunde aus Plastik für Säuglinge an. Der Schlüsselbund lehrt uns, daß sich Gegenstände für das kindliche Spiel ausgezeichnet eignen können, auch wenn sie aus der Sicht von Erwachsenen keine Spielsachen sind.

Was können wir tun, wenn wir unschlüssig sind, was wir einem Kind zum Spielen geben sollen? Ausprobieren! Darauf achten, für welche Gegenstände das Kind sich interessiert! Hier breitet sich ein weites Feld für Kind und Eltern zum Auskundschaften aus – nicht in den Spielwarenläden, sondern im eigenen Haus und in der Natur. Es sei an Alex und die Küchengerätschaften erinnert!

## Mitspielen

Kinder jeden Alters wollen und können sich allein beschäftigen. Sie möchten aber auch mit den Eltern und anderen Kindern spielen. Wie soll sich der Erwachsene als Spielpartner verhalten?

Je kleiner ein Kind ist, desto eher stellen wir uns als Eltern intuitiv richtig auf sein Spiel ein. Je älter das Kind wird, desto mehr sind wir versucht, ihm belehrend etwas beizubringen, und verderben damit sein unbefangenes Spiel. Es sei nochmals daran erinnert: Für ein Kind ist die Handlung an sich wichtig und nicht deren Endprodukt. Wenn Eva sich abmüht, ihre Stiefel anzuziehen, geht es ihr weit weniger darum, in den Stiefeln zu stehen. Sie will herausfinden, ob sie die Stiefel allein anziehen kann und wie dies zu bewerkstelligen ist. Wenn wir ihr dabei – in bester Absicht – helfen, werden wir sie entmutigen. Wir haben ihr nichts Gutes getan, wir haben ihr Spiel verdorben.

Wenn wir uns am Spiel eines Kindes beteiligen wollen, können wir sein Interesse und seine Freude am meisten wecken, *wenn wir*

*Eva und die Stiefel*

*das Kind dort abholen, wo es in seiner Entwicklung steht.* Was damit gemeint ist, wird unten dargestellt. Drei Kinder unterschiedlichen Alters werden aufgefordert, mit Würfeln einen Turm zu bauen. Achten wir auf den Gesichtsausdruck der Kinder:

- Ruthli ist zwölf Monate alt. Sie hat mit Begeisterung eine Tasse mit Würfeln gefüllt. Der Erwachsene fordert sie auf, einen Turm zu bauen. Ruthli kann aber noch keinen Turm bauen. Sie ist überfordert, verweigert das Weiterspielen und wird zunehmend lustloser und verstimmt.
- Simone ist 17 Monate alt. Auch sie hat Würfel in die Tasse eingefüllt. Als der Erwachsene die Würfel aufeinanderstellt, versucht sie ebenfalls einen Turm zu bauen. Sie ist überaus stolz, als ihr ein kleiner Turm gelingt.
- Lea ist 24 Monate alt. Als sie aufgefordert wird, einen Turm zu bauen, setzt sie die Würfel zu einem Zug zusammen.

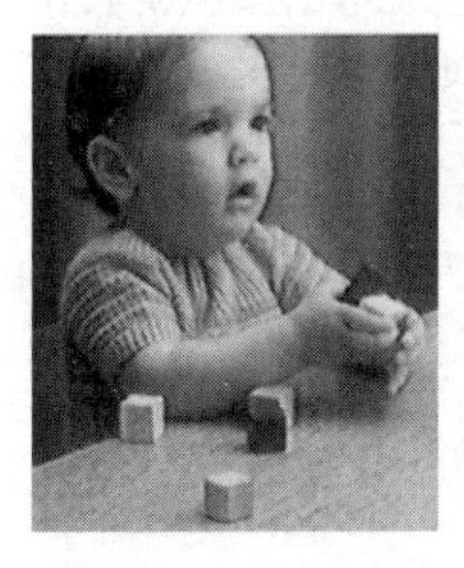

| | Ruthli 12 Monate | Simone 17 Monate | Lea 24 Monate |
|---|---|---|---|
| 1. | +++ | + | – |
| 2. | – | +++ | + |
| 3. | – | – | +++ |

*Interesse und emotionale Beteiligung am Spiel entsprechen dem jeweiligen Entwicklungsstand des Kindes. 1: Behälter/Inhalt, 2: Turm bauen, 3: Zug bauen*

Was können wir von diesen drei Kindern lernen? Wenn wir uns am Spiel eines Kindes beteiligen, kann unser Tun sich folgendermaßen auswirken:

- *Wir überfordern das Kind.* Wir tragen ein Spielverhalten an das Kind heran, das über seinem Entwicklungsstand liegt. Das Kind reagiert je nach Temperament unterschiedlich: Es wirft die Spielsachen von sich, setzt sein eigenes Spiel fort oder verweigert das Spiel wie Ruthli. Das Spiel mit Inhalt und Behälter entspricht ihrem Entwicklungsstand, nicht aber das Turmbauen.
- *Wir holen das Kind dort ab, wo es entwicklungsmäßig steht.* Dies ist bei Simone der Fall: Das Turmbauen entspricht ihrem Entwicklungsalter. Sie macht deshalb mit Begeisterung mit.
- *Wir unterfordern das Kind.* Wir erwarten vom Kind ein Spiel, das nicht mehr interessant ist. Lea ist über das Alter des Turmbauens hinaus. Sie übergeht deshalb die Aufforderung des Erwachsenen und baut das, was sie interessiert: einen Zug.

*Wenn wir uns dem Entwicklungsstand des Kindes anpassen, spielt das Kind mit. Über- und Unterforderung aber führen zur Verweigerung.* Ein untrüglicher Indikator, ob unsere Vorgehensweise dem Kind entspricht oder nicht, ist seine gefühlsmäßige Reaktion: Wenn das Kind interessiert ist und wie Simone einen freudigen Gesichtsausdruck zeigt, ist das vorgeschlagene Spiel sinnvoll. Bleibt das Kind passiv und ist sein Gesichtsausdruck lustlos oder gar abweisend, haben wir es unter- oder überfordert.

Wie sollen wir uns verhalten, wenn wir nicht wissen, wo das Kind in seiner Entwicklung steht? Anstatt irgendeine Aktivität an das Kind heranzutragen und Gefahr zu laufen, »neben seinem Spiel zu liegen«, lassen wir es spontan spielen, beobachten sein Tun und ahmen sein Spiel nach. Nachspielen wird vom Kind als eine Sympathiebekundung empfunden. Will es, daß wir mitspielen, wird es uns dazu einladen.

Auch wenn es uns Erwachsenen schwerfallen mag, dem Kind die Initiative und Kontrolle zu überlassen, es lohnt sich allemal. Wenn wir uns vom Kind im Spiel führen lassen, kann das gemeinsame Tun für uns eine wunderbare Erfahrung voller Überraschungen werden und – das Kind wird es uns danken!

Als Eltern Spielpartner zu sein ist gut, Vorbild zu sein oftmals besser. Im zweiten Lebensjahr ist das Kind daran interessiert, Eltern und Geschwistern, aber auch anderen Erwachsenen und Kindern bei ihren Tätigkeiten zuzusehen. Es hat ein großes

*Kaffeekränzchen*

Bedürfnis, das Gesehene nachzuahmen. Es möchte daher soweit wie möglich in die Tätigkeiten der Erwachsenen mit einbezogen werden und Möglichkeiten zur Nachahmung haben. Mit etwas Geschick und Organisation gibt es immer wieder Gelegenheiten, das Kind im Alltag »mithelfen« zu lassen: beim Decken und Abräumen des Eßtisches oder beim Gießen der Zimmerpflanzen. Wenn sich der Vater am Sonntagmorgen rasiert, kann das Kind mit Rasierschaum mittun. Erledigen die Eltern Schreibarbeiten, kritzelt das Kind mit einem Bleistift auf einem Stück Papier und hantiert mit Klebestreifen oder Locher. In der Werkstatt beim Nachbarn gibt es Schrauben und Nägel zu sortieren, erste Erfahrungen mit einem Hammer und einer Zange zu machen. Wunderbar ist es für ein Kind, wenn die Großmutter mit ihm »Kaffeetrinken« spielt.

Die besten Vorbilder sind gleichaltrige und etwas ältere Kinder. Ihre Verhaltensweisen sind dem Kind vertrauter als diejenigen der Erwachsenen und deshalb leichter nachzuahmen. Auf dem Spielplatz spielt ein Kleinkind zunächst nicht mit anderen Kindern, beobachtet aber aufmerksam deren Spiel und merkt sich ihre Handlungsweisen. Es spielt einige Stunden oder gar Tage später nach, was die anderen ihm vorgespielt haben. Geschwister und andere Kinder sind die idealen Lehrmeister.

Kinder möchten auch mit Geräten wie Bratenmesser oder Gartenschere hantieren – ihre Eltern tun es schließlich auch. Ein berechtigtes Anliegen der Eltern ist es, solch gefährliche

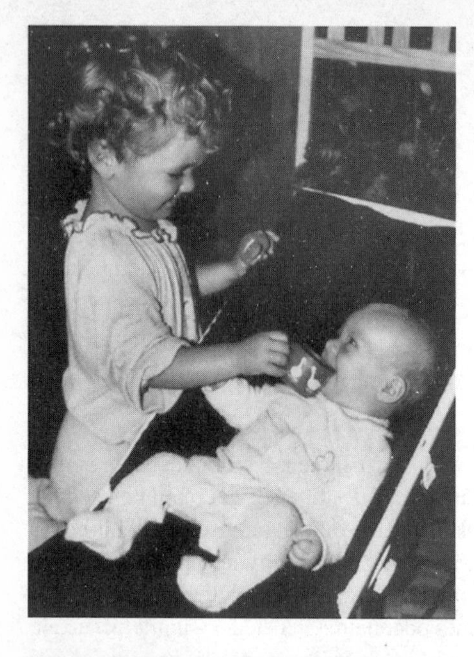

*Spiel unter Geschwistern*

*Johanna schneidet sich die Fingernägel.*

Gegenstände möglichst außer Reichweite der Kinder zu halten.

Wir sollten dem Kind aber auch Gelegenheit geben, neue Erfahrungen mit potentiell gefährlichen Gegenständen unter »diskreter Aufsicht« zu machen. Nur so lernt es, damit umzugehen und Vertrauen in die eigenen Fähigkeiten zu entwickeln. Geräte wie etwa ein Bügeleisen, das auch unter bester Aufsicht kein Spielzeug sein kann, lassen sich durch eine kindgerechte Ausführung ersetzen.

## Vorsicht!

Weder dieses einleitende noch die anderen Kapitel sind umfassende Abhandlungen über das kindliche Spiel der ersten zwei Lebensjahre. Sie beschreiben einige Aspekte des kindlichen Spiels. Es gibt viele Verhaltensweisen, die nicht oder nur am Rande erwähnt werden. So spielen Kinder nicht nur mit Würfeln und Puppen, sondern auch mit Sand, Erde und Wasser. Sie

*Johanna und Büsi*

beschäftigen sich mit Tieren und Pflanzen. Eltern werden daher bei ihren Kindern Verhaltensweisen beobachten, die in diesem Buch nicht aufgeführt sind.

Das Spiel wird von jedem Kind aufs neue geschaffen. *Das Spiel,* welches das Kind in seiner geistigen, sprachlichen und sozialen Entwicklung am besten fördern würde, gibt es nicht. Hindern wir es nicht an der Entfaltung seiner spielerischen Fähigkeiten mit unseren Vorstellungen! Was Spiel ist, bestimmt das Kind und nicht die Erwachsenen.

## Das Wichtigste in Kürze

1. Im Spiel macht das Kind Erfahrungen, die für seine soziale, geistige und sprachliche Entwicklung bedeutungsvoll sind.

2. Der Sinn des kindlichen Spiels liegt nicht in einem Endprodukt, sondern in der Handlung selbst.

3. Das Spiel wird durch das Kind bestimmt und ist lustbetont. Spiel hat nichts mit Einüben oder Antrainieren zu tun.

4. Das Spiel eines Kindes ist altersspezifisch: Es entspricht seinem jeweiligen Entwicklungsstand.

5. Die zeitliche Abfolge der spielerischen Verhaltensweisen ist bei allen Kindern gleich. Die verschiedenen Spielformen treten aber in unterschiedlichem Alter auf und sind verschieden stark ausgeprägt.

6. Mädchen und Jungen unterscheiden sich in ihrem Spiel kaum in den ersten zwei Lebensjahren.

7. Kinder spielen, um:
   - angeborene Verhaltensweisen einzuüben;
   - Erfahrungen über physikalische Eigenschaften der gegenständlichen Umwelt zu sammeln;

- Handlungsabläufe und den funktionellen Gebrauch von Gegenständen sich anzueignen;
- soziale und sprachliche Fähigkeiten durch Nachahmung zu erwerben;
- räumliche, kausale und kategorische Gesetzmäßigkeiten zu entdecken.

8. Die Rolle der Erwachsenen besteht darin:
   - Vorbild zum Nachahmen zu sein;
   - Spielpartner zu sein;
   - Spielsachen anzubieten.

9. Ein Spielzeug ist jeder Gegenstand, der für das Kind interessant und ungefährlich ist.

10. Beteiligen wir uns am kindlichen Spiel, *sollten wir das Kind im Spiel dort abholen, wo es in seiner Entwicklung steht.*

11. Ist unser Spiel dem Entwicklungsstand des Kindes nicht angepaßt, wird das Kind unter- oder überfordert und verweigert demzufolge das Spiel.

## Vor der Geburt

Spielen Kinder vor der Geburt? Das ungeborene Kind zeigt bereits in der Frühschwangerschaft gewisse motorische Aktivitäten, denen man spielerische Qualitäten zuschreiben kann. Das Einüben motorischer Bewegungsmuster kann durchaus als Spiel angesehen werden. Das Kind saugt beispielsweise am Daumen oder strampelt mit seinen Beinchen. Die meisten dieser Verhaltensmuster sind noch beim Neugeborenen zu beobachten.

Eine ausführliche Beschreibung der motorischen Verhaltensmuster, die in der Schwangerschaft auftreten, ist im Kapitel »Motorik vor der Geburt« zu finden.

### Das Wichtigste in Kürze

Eine Reihe von motorischen Aktivitäten, die in der Frühschwangerschaft auftreten, haben eine spielerische Qualität im Sinne des Einübens von Bewegungsmustern.

# 0 bis 3 Monate

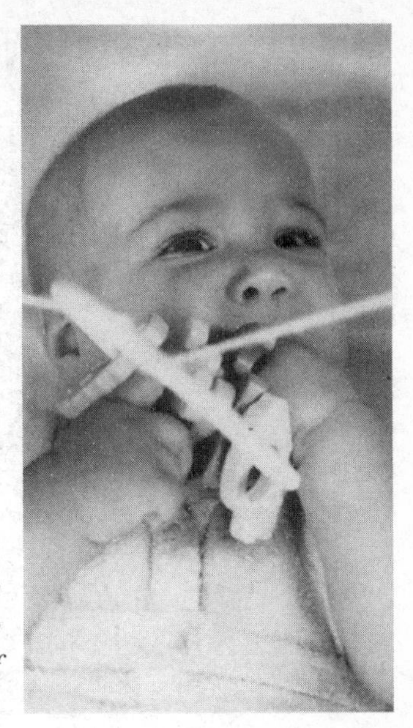

*Die Großmutter strahlt: Alexandra hat die weißen Handschuhe an, die bereits ihre Tochter als Säugling trug. Die Mutter sieht wohl die Freude der Großmutter, kann sich aber für die Handschuhe nicht so recht erwärmen.*

*Alexandra hat sich in ihrem Bemühen, die Händchen in den Mund zu stecken, beide Wangen mit ihren feinen Fingernägeln zerkratzt. Als die Großmutter die Kratzer sah, holte sie eiligst die Handschuhe aus der Truhe auf dem Dachboden hervor.*

Einmal auf der Welt, spielen die Kinder, auch wenn sie in den ersten Lebensmonaten noch keine Gegenstände ergreifen können. Das vorherrschende Spiel des Säuglings ist das soziale Spiel. Er spielt mit dem Ausdruck seiner Augen, der Mimik und den Lauten, die er hervorbringt. Dazu braucht er ein Gegenüber, eine Person, die mit ihm spielt.

Säuglinge können auch alleine spielen, indem sie sich auf verschiedene Weise mit ihren Händchen beschäftigen. Dieses Spiel dient der Vorbereitung zum eigentlichen Greifen, das mit vier bis fünf Monaten einsetzt.

## Soziales Spiel

Der Säugling hat ein ausgesprochenes Interesse an anderen Menschen. Er möchte Mutter, Vater und Geschwister aber nicht nur sehen und hören, er will mit ihnen auch spielen. Er freut sich daran, wenn eine vertraute Person ihr Gesicht immer wieder aufs neue ihm zuwendet, dabei große Augen macht,

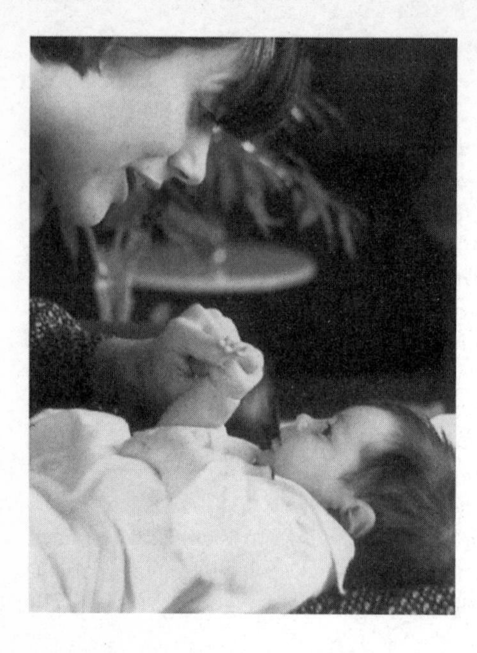

Soziales Spiel

Koseworte wiederholt und ihre Stimme langsam anhebt. Der Säugling ist nicht nur fasziniert von dem Schauspiel, er versucht sich auch mitzuteilen: Er verändert seinen mimischen Ausdruck, bewegt Arme und Beine und gibt Töne von sich, die vom Gegenüber wiederum aufgenommen werden. So entwickelt sich bereits in den ersten Lebenstagen ein Wechselspiel zwischen dem Kind und den Menschen, die sich ihm zuwenden.

Dem sozialen Spiel sind in den ersten Lebenswochen noch enge Grenzen gesetzt. Die Fähigkeit von Neugeborenen und Säuglingen, Sinnesreize zu empfangen und sich auszudrücken, sind noch wenig entwickelt. Die Kinder brauchen viel Zeit, um einen Reiz aufzunehmen und zu verarbeiten. Sie sind darauf angewiesen, daß der Reiz stark ist, lange andauert und wiederholt auftritt. Wenn sie sich mitteilen, müssen sie wiederum viel Zeit aufwenden, um sich mimisch auszudrücken oder Laute von sich zu geben. Säuglinge ermüden rasch in ihrem Bemühen, sich der Umwelt zuzuwenden und sich ihr mitzuteilen.

Die Mutter paßt sich den begrenzten kommunikativen Fähigkeiten ihres Kindes intuitiv an (vgl. »Beziehungsverhalten 0 bis 3 Monate«). Stern hat das mütterliche Verhalten im Umgang mit einem Säugling wie folgt charakterisiert: Die Mutter *übertreibt* in ihrem mimischen, körperlichen und sprachlichen Ausdruck. Ihre Mimik wird überdeutlich, die Mundpartie besonders ausdrucksvoll, und ihre Augen werden ungewöhnlich groß. Sie bewegt ihren Kopf zum Kind und nickt dabei ausgeprägt mit Kopf und Körper. Ihr Gesicht nimmt häufig den Ausdruck eines freudigen Erstauntseins an. Die Mutter *verlangsamt* ihren Ausdruck und *wiederholt sich vielfach.* Ihre Sprechweise *vereinfacht* sich auf einige wenige Laute, die langsam und mehrmals wiederholt in einer erhöhten Stimmlage ausgesprochen werden.

Die Mutter verändert nicht nur ihr Verhalten, sie stellt sich auch auf die beschränkten und langsam sich entwickelnden Äußerungsmöglichkeiten ihres Kindes ein. Sie spürt, daß ihr Kind viel Zeit braucht, um sich mitzuteilen. Die Mutter ist geduldig mit dem Säugling. Sie kann warten, bis seine Augen erstrahlen und sich Töne bilden.

In wissenschaftlichen Studien wurden Mütter gebeten, ihr Verhalten vorsätzlich zu ändern. Sie wurden beispielsweise aufgefordert, mit ihrem Säugling wie mit einem Erwachsenen umzugehen, das heißt, ihren überdeutlichen Ausdruck zurückzunehmen, sich nicht zu wiederholen und ihre Bewegungen nicht zu verlangsamen. Weil damit das mütterliche Verhalten der kindlichen Wahrnehmung nicht mehr angepaßt war, verlor das Kind rasch den Faden des gewohnten Beziehungsspiels oder konnte ihn überhaupt nicht aufnehmen. Es reagierte irritiert und verweigerte schließlich das Spiel. Weil sich die Mutter nicht mehr so wie bis dahin verhielt, wurde das Kind in seinen Erwartungen verletzt, die es sich im Umgang mit der Mutter angeeignet hatte.

Eine Extremsituation stellt diesbezüglich das sogenannte Still-Face-Experiment dar (Dixon u. a.): Die Mutter wird aufgefordert, ohne jede mimische und körperliche Regung oder sprachlichen Ausdruck vor ihrem Kind zu sitzen. Das Kind wird nach kurzer Zeit bekümmert und ist verwirrt. Es versucht mit zunehmend angestrengter Mimik, immer mehr Lauten und immer heftigeren Arm- und Körperbewegungen seine Mutter zu einer Reaktion zu bewegen. Gelingt ihm dies auch unter größten Anstrengungen nicht, fängt es zu weinen an, dreht sich entmutigt weg, schließt die Augen oder fällt in Schlaf. Die heftigen Reaktionen ihrer Kinder zwingen die meisten Mütter, das Experiment vorzeitig abzubrechen.

Wie unverwechselbar und einmalig das Wechselspiel zwischen Mutter und Kind ist, wird dann offensichtlich, wenn nicht die Mutter, sondern eine fremde Person mit ihm spielt. Seine Ausdrucksweisen sind zurückhaltender, sein Verhalten ist weniger gut auf dasjenige der fremden Person abgestimmt. Dadurch wirkt das Spiel weniger harmonisch und ist von kürzerer Dauer als das Spiel mit der Mutter oder einer anderen Bezugsperson.

Warum ist das Wechselspiel zwischen der Mutter und ihrem Kind einmalig? Der wohl wichtigste Grund ist, daß jeder Mensch auf seine Weise einmalig ist. Die eine Mutter hat eine besonders ausdrucksstarke Mimik, eine andere kann sich besser stimmlich mitteilen. Die eine Mutter erlebt das Kind vor allem über den Körperkontakt, eine andere achtet mehr auf sein Blickverhalten. Die sinnliche Wahrnehmung und die Ausdrucksmöglichkeiten sind auch von Kind zu Kind verschieden, und dies bereits im Neugeborenenalter. Es gibt Säuglinge, die am Gesicht der Mutter sehr interessiert sind, andere hören besonders aufmerksam auf ihre Stimme, und wieder andere wollen vor allem gehalten und liebkost werden.

Im sozialen Spiel der ersten Lebenswochen lernen sich Mutter und Kind gegenseitig kennen und stimmen sich in ihren Eigenheiten aufeinander ab.

Die spielerischen Begegnungen zwischen Kind und Mutter sind in den Tagesablauf mit eingewoben. Immer wenn die Mutter den körperlichen Bedürfnissen des Kindes nachkommt, gibt es auch einen spielerischen Umgang mit dem Kind: Sei es beim Stillen oder beim Flaschegeben, beim Windelnwechseln und beim Schlafenlegen. Mutter und Kind entwikkeln nicht nur aufeinander abgestimmte Verhaltensweisen. Durch das innige Kennenlernen entstehen bei Mutter und Kind auch Erwartungen, wie sich der andere in bestimmten Situationen verhalten wird. Diese gegenseitige Abstimmung im Verhalten und in der Erwartung macht die Einmaligkeit der Kind-Mutter-Beziehung aus. Beides, Verhaltensweisen und Erwartungen, können andere Personen nur beschränkt nachvollziehen.

Niemand soll sich aber vom Spiel ausgeschlossen fühlen! Jede Person kann mit einem Säugling spielen. Ein Wechselspiel entsteht dann, wenn das Kind spürt, daß wir an ihm interessiert sind, und wenn wir uns die Zeit nehmen, die das Kind und auch wir brauchen, um uns gegenseitig im Spiel kennenzulernen.

## Das richtige Maß

Zahlreiche Veröffentlichungen befassen sich mit den negativen Auswirkungen, die eine körperliche und seelische Vernachlässigung auf die frühkindliche Entwicklung haben kann (Ernst). Zweifelsohne hat ein Mangel an Zuwendung schwerwiegende Folgen für ein Kind. Wird die Beziehung aber wirklich um so besser, je mehr sich die Mutter mit dem Kind abgibt? Oder kann es auch ein Zuviel an Nähe, ein Zuviel an sozialem Spiel geben? Anders gefragt: Gibt es ein richtiges Maß an Zuwendung? Falls dem so ist, worin besteht dieses richtige Maß?

Die folgende Spielszene zwischen dem zwei Tage alten Alex und seiner Mutter vermag uns einen Fingerzeig zu geben, worin das richtige Maß im sozialen Spiel bestehen könnte.

Alex liegt im Arm seiner Mutter. Er betrachtet aufmerksam das mütterliche Gesicht, horcht auf ihre Stimme, zeigt eine ausdrucksvolle Mimik und gibt Töne von sich (A). Nach etwa zwei Minuten wird Alex zusehends müde. Das Spiel hat ihn erschöpft. Er wendet Kopf und Augen von der Mutter weg, schaut unbestimmt in den Raum, blickt nichts Konkretes mehr an (B). Als die Mutter versucht, wieder Kontakt mit Alex aufzunehmen, gelingt ihr dies nicht. Er drückt in seinem Blickverhalten, seiner Mimik und Körperhaltung aus, daß er dazu noch nicht bereit ist (C).

Schließlich hat sich Alex erholt; er dreht sich der Mutter wieder zu, blickt aufmerksam in ihr Gesicht und erfreut sich an ihrer Zuwendung (D). Bald wendet er sich aber wieder ab (E), bleibt für sich, um sich dann erneut der Mutter zuzuwenden, wenn auch nur für kurze Zeit (F).

Das Spiel zwischen Alex und seiner Mutter ist von kurzer Dauer. Wie wir bereits gehört haben, brauchen Säuglinge im Vergleich mit älteren Kindern oder Erwachsenen mehr Zeit, um Reize aufzunehmen und sich auszudrücken. Sie ermüden auch viel rascher als ältere Kinder. Es bedeutet für Alex eine große

*Wechselspiel zwischen Mutter und Kind*

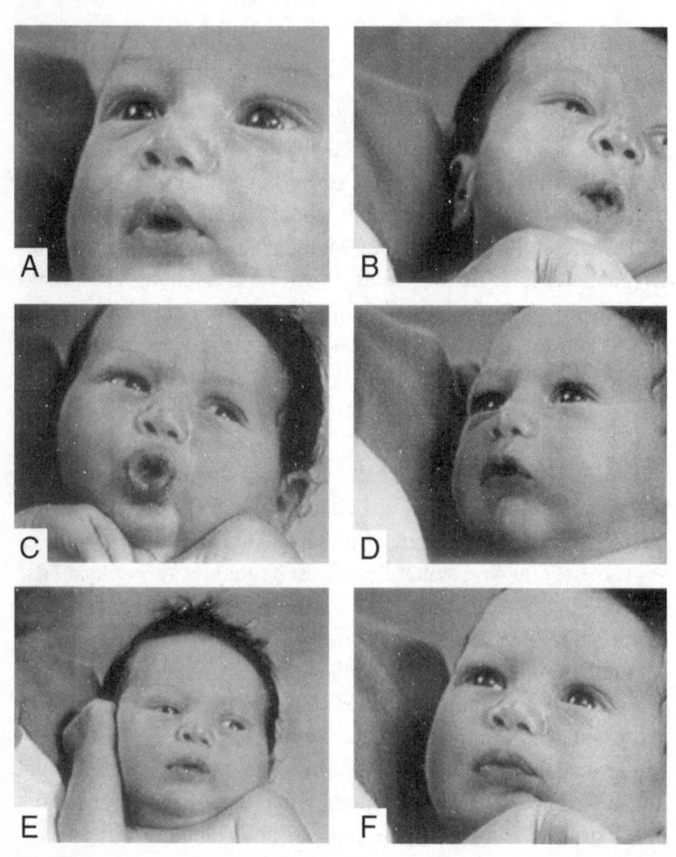

Anstrengung, sich der Mutter aktiv zuzuwenden. Er ist dazu nur während einer kurzen Zeit in der Lage.

Der Mutter gelingt es nicht, Alex vorzeitig ins Spiel zurückzuholen. Das Spiel geht erst dann weiter, wenn Alex sich erholt hat und sich ihr aktiv zuwendet. Wenn eine Mutter ihrem Kind das Spiel gewissermaßen aufzwingen will, ihm keine Zeit gibt, sich zu erholen, reagiert das Kind je nach Temperament unterschiedlich. Alex wendet sich mit Blick und Körper von der Mutter ab. Ein anderes Kind reagiert auf das mütterliche Drängen, indem es unzufrieden wird, wieder ein anderes fängt an zu niesen oder zu gähnen und fällt in Schlaf.

Das soziale Spiel mit einem Kind ist ein Wechselspiel: Phasen von Interesse und Zuwendung wechseln ab mit Phasen der Erholung. Das Interesse am sozialen Spiel und das Bedürfnis nach Erholung sind dabei von Kind zu Kind unterschiedlich ausgeprägt. Diese Eigenheiten des frühen kindlichen Beziehungsverhaltens wollen respektiert sein, damit das Kind weder zuwenig Anregung erhält noch überfordert wird.

Wie können sich Eltern »richtig« verhalten? Verschiedene Untersuchungen, unter anderem diejenigen des Ehepaares Papousek, haben gezeigt, daß Eltern eine angeborene Fähigkeit haben, das Verhalten von Säuglingen richtig zu »lesen«. Die Natur hat sie mit der Gabe ausgestattet, sich den individuellen Aufnahme- und Ausdrucksmöglichkeiten ihrer Kinder anzupassen. Eltern spüren, wann ihr Kind zum Spiel bereit ist und wann es müde wird und wünscht, in Ruhe gelassen zu werden.

Keine Fachfrau und kein Fachmann kann den Eltern sagen, wieviel und welche Art von Zuwendung und Spiel ihr Kind braucht. Nur die Eltern können die Bedürfnisse ihres Kindes erspüren. Die besten Ratgeber für die Eltern sind ihre Einfühlungs- und Beobachtungsgabe. Nachteilig kann es für das Kind werden, wenn die Eltern abstrakte Vorstellungen, die sie gelesen oder gehört haben, bei ihrem Kind umsetzen wollen. Eine solche, leider weitverbreitete Vorstellung ist, daß sich ein Kind um so besser entwickelt – es ist vor allem die geistige Entwicklung gemeint –, je mehr sich die Eltern mit ihm abgeben. Diese Vorstellung ist falsch. Es kommt vor, daß Eltern sich so ausdauernd mit ihrem Säugling abgeben, daß sie ihn überfordern. Je nach Temperament reagiert er mit ausgedehntem Weinen, Aufstoßen oder Schlaflosigkeit auf die wohlgemeinten, aber verfehlten Bemühungen der Eltern.

Jedes Kind hat seine ihm eigenen Bedürfnisse nach Spiel und Erholung. Nach diesen Bedürfnissen sollten die Eltern sich richten. Eine verläßliche Hilfe für die Eltern ist dabei immer die kindliche Bereitschaft: Solange es am sozialen Spiel interessiert ist, zeigt es dies auch. Wenn das Kind lustlos wird, will es in Ruhe gelassen werden. (Vgl. auch »Beziehungsverhalten Einleitung« und »0 bis 3 Monate«.)

## Spiel mit den Händen

Bereits im Neugeborenenalter sind die Kinder in ihrem Spiel nicht ausschließlich auf die Mutter oder eine andere Bezugsperson angewiesen. Säuglinge haben, wenn auch beschränkt, die Möglichkeit, mit sich selber zu spielen. Dazu dienen ihnen vor allem ihre Händchen. Dieses Spiel ist eine Vorbereitung für das Greifen, das mit vier bis fünf Monaten einsetzt.

Die folgenden Spielformen mit den Händen können wir in den ersten drei Lebensmonaten beobachten:

**Hände in den Mund (Hand-Mund-Koordination).** Bereits im vierten Schwangerschaftsmonat nimmt das ungeborene Kind

*Hand-Mund-Koordination. Das Neugeborene nimmt seine Finger in den Mund (links). Entsprechendes Verhalten mit drei Monaten (rechts)*

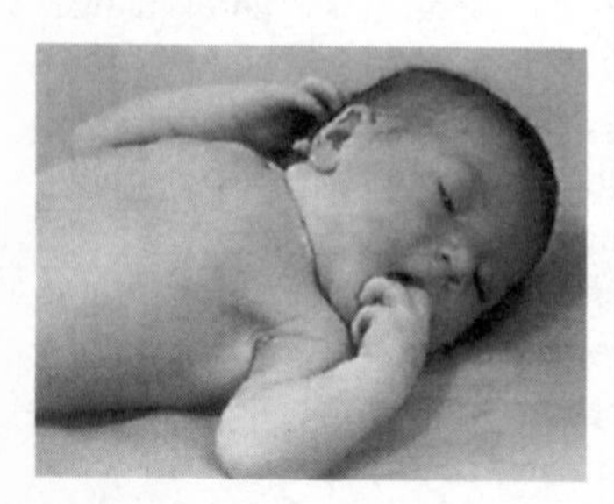

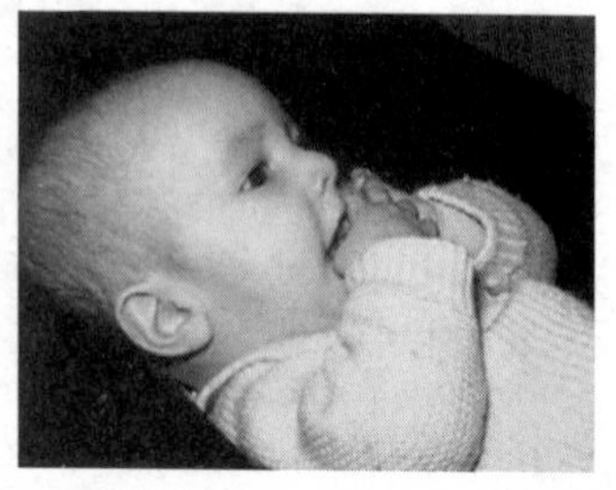

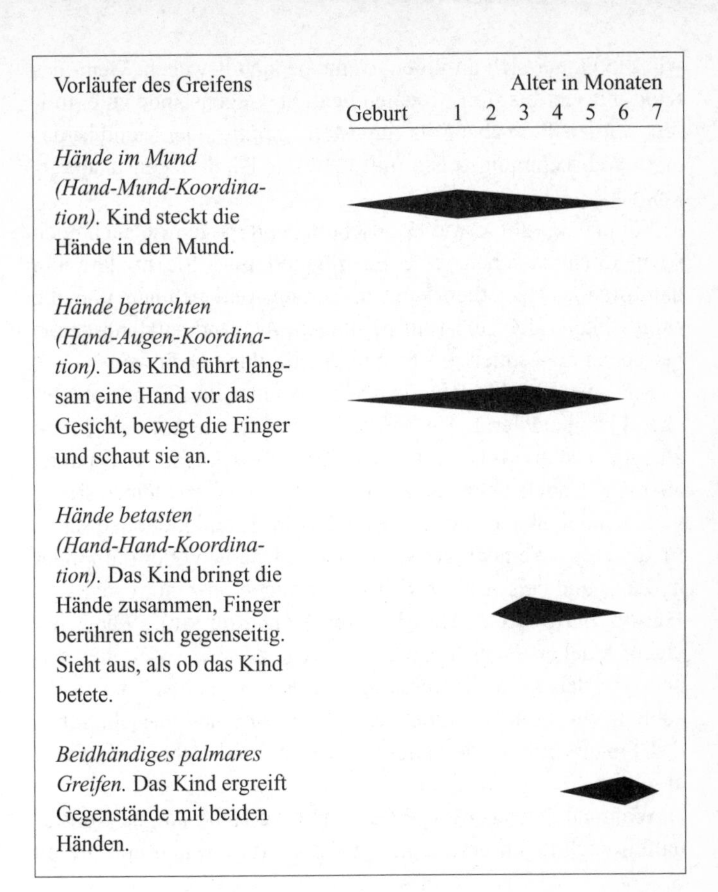


*Spiel mit den Händen: Vorläufer des Greifens*

seine Fingerchen in den Mund und saugt daran (Prechtl, vgl. auch »Trinken und Essen«). Es erstaunt daher nicht, daß das neugeborene Kind dieses Verhalten häufig zeigt und einigermaßen geschickt ausführen kann.

Der Säugling nimmt die Fingerchen nicht nur in den Mund, wenn er Hunger hat. An den Fingern und Händen zu saugen ist ein ausgezeichnetes Mittel, um sich selbst zu beruhigen und sich das Einschlafen zu erleichtern. Der Säugling nimmt die Hände schließlich auch in den Mund, um sie kennenzulernen. Er betastet die Finger mit seinen Lippen und seiner Zunge. Er spürt, wie die Finger sich anfühlen, wenn sie sich bewegen. Wenn das Kind mit vier bis fünf Monaten beginnt, Gegenstände zu ergreifen, werden diese ebenfalls zum Mund geführt. Der Mund ist das erste Wahrnehmungsorgan, mit dem das Kind Gegenstände erkundet.

Für den Säugling sind Handschuhe, und mögen sie auch noch so niedlich aussehen, eine Beeinträchtigung. Sie hindern ihn daran, seine Händchen kennenzulernen, und nehmen ihm die Möglichkeit, sich selbst zu beruhigen. Alexandras Handschuhe betrachtet die Mutter zu Recht mit gemischten Gefühlen.

Mit etwa vier Monaten haben die Kinder ihre Hände ausreichend kennengelernt. Sie hören auf, ihre Hände mit dem Mund zu untersuchen. Als Beruhigungsmittel haben Finger und Daumen aber längst noch nicht ausgedient. Während Jahren bleiben sie für viele Kinder unersetzliche Tröster. Es gibt Schulkinder und selbst Erwachsene, die noch gelegentlich den Daumen oder die Finger in den Mund nehmen, um sich zu beruhigen oder zu trösten.

**Hände betrachten (Hand-Augen-Koordination).** Wenn wir einem wachen Neugeborenen während längerer Zeit bei seinem Händchenspiel aufmerksam zuschauen, können wir beobachten, wie es gelegentlich eine Hand vor das Gesicht führt, die Finger öffnet, sie langsam bewegt und dabei unentwegt anschaut.

Während beim neugeborenen Kind die Hand-Augen-Koordination noch kaum entwickelt ist, ist sie im zweiten und dritten

*Hand-Augen-Koordination. Der Säugling führt eine Hand vor sein Gesicht, bewegt die Finger langsam und betrachtet sie aufmerksam (links). Entsprechendes Verhalten mit drei Monaten (rechts)*

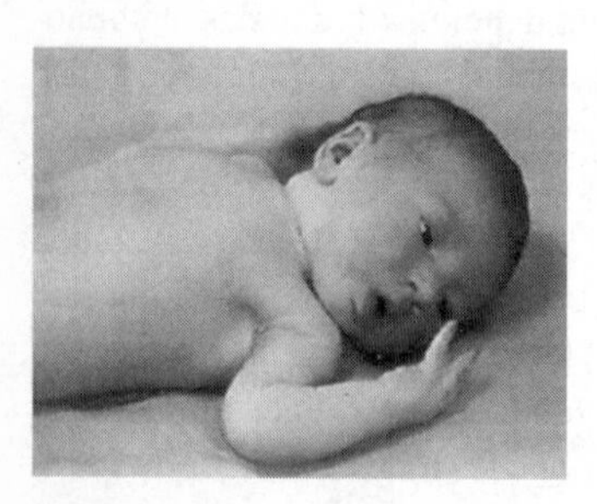

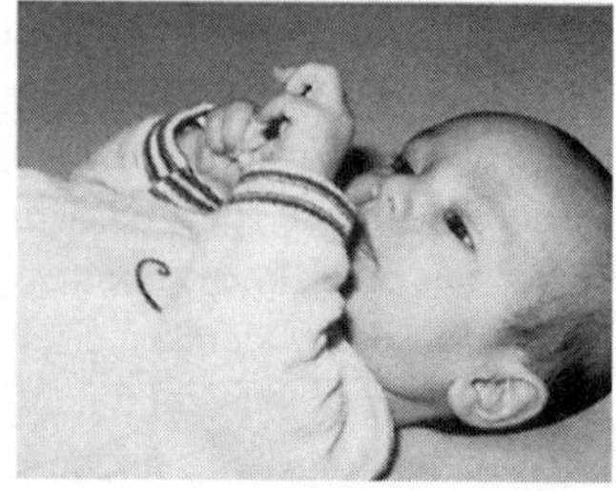

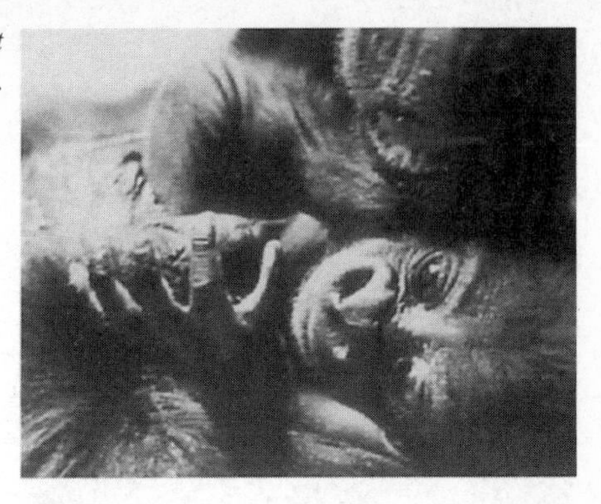

*Gorillajunges betrachtet aufmerksam seine Hand.*

Lebensmonat gut ausgebildet. Wenn das Kind im vierten und fünften Lebensmonat zu greifen beginnt, hat es seine Arm-, Hand- und Fingerbewegungen so weit unter Kontrolle, daß es seine Hände gezielt zu einem Gegenstand führen kann.

Bei höher entwickelten Affen wurde von Held und Bauer gezeigt, daß die Hand-Augen-Koordination für die Entwicklung des Greifens von wesentlicher Bedeutung ist.

Wurden junge Schimpansen am Betrachten ihrer Hände gehindert, entwickelte sich das willkürliche Greifen nur mit großer Verzögerung. Bei blinden Kindern wirkt sich das Ausbleiben der Hand-Augen-Koordination ebenfalls nachteilig auf die Greifentwicklung aus.

**Hände betasten (Hand-Hand-Koordination).** Der Säugling lernt seine Hände nicht nur über den Mund und die Augen kennen. Die Hände lernen sich auch gegenseitig kennen und werden in ihren Bewegungen aufeinander abgestimmt.

Mit drei bis vier Monaten bringen die Kinder ihre Hände häufig vor dem Gesicht zusammen, dabei betasten sich die Hände gegenseitig. Gelegentlich halten die Kinder ihre Hände, als ob sie beteten. Durch das gegenseitige Betasten erfährt jede Hand, was die andere tut.

Zwischen vier und fünf Monaten beginnen die Kinder gezielt zu greifen. Sie nähern sich einem Gegenstand mit beiden Händen und packen zu. Der Daumen und alle Finger machen dabei die Greifbewegung mit. Der Greifreflex, der in den ersten drei Lebensmonaten kräftig ist, schwächt sich mit dem Auftreten des

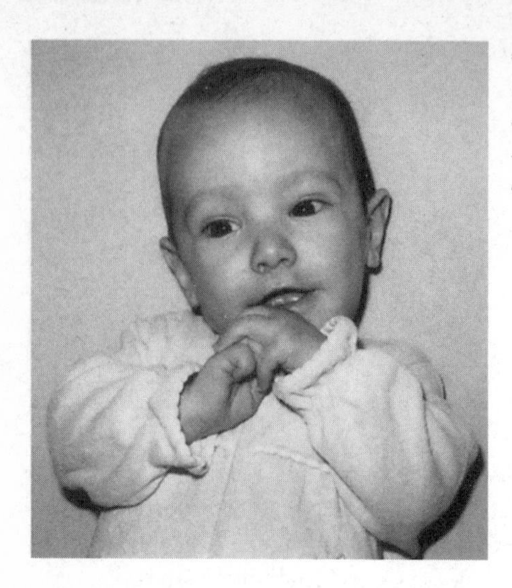

*Hand-Hand-Koordination bei einem drei Monate alten Säugling. Die Hände betasten sich gegenseitig.*

Greifens immer mehr ab (mehr darüber im Kapitel »Motorik 0 bis 3 Monate«). Besonders geeignete Objekte, um das Greifen spielerisch zu üben, sind die Hände von Mutter und Vater.

## Die Eltern als Spielpartner

In den ersten Lebensmonaten ist das Kind in einem hohen Maße auf die Eltern als Spielpartner angewiesen. Was nicht bedeutet, daß die Eltern den ganzen Tag mit ihm spielen müßten. Die Zeit, in der das Kind wach und zum Spielen bereit ist, ist begrenzt. Besonders aufnahmebereit ist es nach den Mahlzeiten und in den Abendstunden. Diese Zeit sollen die Eltern nutzen (vgl. »Beziehungsverhalten 0 bis 3 Monate« und »Schreiverhalten«).

Häufig ist der Säugling wach, hat kein Bedürfnis zum Spielen, möchte aber nicht allein sein. Er hat nicht das Verlangen, daß sich die Eltern mit ihm beschäftigen. Er ist zufrieden, wenn er mit einer vertrauten Person Körperkontakt haben oder in ihrer Nähe sein kann. So genügt es dem Säugling, wenn er auf dem Rücken von Mutter oder Vater an ihren Tätigkeiten

*Erste Greifversuche*

»teilhaben«, auf den Armen der Großmutter liegen oder aus einer Babyliege heraus die Aktivitäten der Familie beobachten kann.

Wenn ein Säugling für sich allein spielt, tut er dies vor allem mit seinen Händen. Seine Spielmöglichkeiten sind sehr begrenzt, wenn er auf dem Bauch liegt. In Rückenlage kann er Arme und Hände freier bewegen, die Finger in den Mund nehmen, sie betrachten und damit spielen.

Wie sollen die Eltern das Bettchen mit Spielsachen ausstatten? Wie wir im einleitenden Kapitel gesehen haben, verlieren die Kinder rasch das Interesse an Gegenständen, auf die sie keinen Einfluß nehmen können. Ein Mobile, das über dem Bettchen hängt, zieht den Säugling anfänglich in seinen Bann. Die Attraktivität des Mobiles nimmt aber nach einigen Tagen immer mehr ab.

Ist das Mobile deshalb nutzlos? Wahrscheinlich nicht, das Mobile wird für das Kind ein Teil der vertrauten Umgebung wie die Vorhänge und die Möbel. Ein Mobile ist für das Kind immer noch attraktiver als die weiße Zimmerdecke. Eine ähnliche Bedeutung für das Kind haben wohl Puppen, Teddybären oder Bilderbücher, die Eltern in sein Bettchen legen. Sie geben ihm ein

*Freude am Mobile*

Gefühl von Vertrautsein, was in den Zeiten, wo das Kind allein ist, beispielsweise vor dem Einschlafen oder nach dem Aufwachen, besonders wichtig ist.

## Das Wichtigste in Kürze

1. Die beiden wichtigsten Spielformen in den ersten drei Lebensmonaten sind das soziale Spiel und das Spiel mit den Händen.

2. Das soziale Spiel ist ein Wechselspiel zwischen dem Kind und einer Bezugsperson: Phasen der Zuwendung und des gegenseitigen Interesses wechseln sich ab mit Phasen der Erholung.

3. Das soziale Spiel entwickelt sich dann am besten, wenn wir auf das Kind eingehen, wenn es sich uns zuwendet, und es in Ruhe lassen, wenn es das Interesse an uns verliert oder sich abwendet.

4. Das Spiel mit den Händen setzt sich zusammen aus:
   - Hände in den Mund nehmen (Hand-Mund-Koordination);
   - Hände betrachten (Hand-Augen-Koordination);
   - Hände betasten (Hand-Hand-Koordination).

5. Über das Spiel mit seinen Händen lernt der Säugling diese kennen. Diese Spielform dient der Vorbereitung auf das Greifen, das mit vier bis fünf Monaten einsetzt.

# 4 bis 9 Monate

*Der sieben Monate alte Peter liegt in seinem Bettchen. Er packt sein Bilderbuch mit beiden Händen und steckt eine Ecke in den Mund. Er dreht und wendet das Buch, betastet die Ränder der Plastikseiten mit den Lippen und der Zunge. Peter schlägt das Buch mehrmals auf die Bettunterlage und wirft es schließlich aus dem Bettchen. Interesse für die Bilder hat er keines gezeigt.*

Was macht ein Säugling mit einem Gegenstand, den er gerade ergriffen hat? Er will ihn kennenlernen. Er tut dies nicht – wie die meisten Eltern wohl erwarten würden – mit den Augen, sondern mit dem Mund und den Händen. Erst gegen Ende des ersten Lebensjahres beginnt er, Gegenstände zu betrachten. Das Erkunden mit Mund, Händen und Augen eröffnet dem Säugling das Verständnis für die gegenständliche Umwelt. Die verschiedenen Erkundungsverhalten stellen die wichtigsten Spielformen im ersten Lebensjahr dar.

Damit ein Säugling mit Gegenständen spielen kann, muß er sie ergreifen können. Kinder beginnen im vierten bis fünften Lebensmonat gezielt zu greifen. Innerhalb weniger Monate entfaltet sich ihre Greiffähigkeit in einem ungeahnten Ausmaß: Aus dem plumpen Zupacken mit beiden Händen entwickelt sich über verschiedene Zwischenstadien das Greifen zwischen den Fingerkuppen des Zeigefingers und des Daumens. Der Pinzettengriff ermöglicht das Aufnehmen kleinster Gegenstände. Er kommt nur beim Menschen und bei Menschenaffen vor. Die hochspezialisierten Greiffunktionen der menschlichen Hand sind eine Grundvoraussetzung für den Umgang mit Werkzeugen und damit indirekt auch für die Entwicklung unserer Kultur.

## Entwicklung des Greifens

Eltern weisen ihr Kind nicht an, wie es einen Gegenstand ergreifen kann. Das Kind eignet sich das Greifen auch nicht durch Nachahmung an. Die Entwicklung des Greifens ist im wesentlichen ein biologischer Reifungsprozeß. Zwischen vier und zwölf Monaten entwickelt sich eine Reihe von Greiffunktionen, deren Abfolge bei allen Kindern gleich ist. Die Kinder rekapitulieren innerhalb weniger Monate einige Etappen der Evolution, die das Greifverhalten während vieler Jahrmillionen durchlaufen hat.

Bevor ein Säugling greifen kann, muß er seine Händchen kennenlernen. Er tut dies, indem er sie zum Mund bringt, betastet und betrachtet. Diese frühen Spielformen dienen als Vorbereitung für das Greifen (vgl. »Spielverhalten 0 bis 3 Monate«). Sieht ein zwei Monate alter Säugling einen Gegenstand, kann bei ihm ein regelrechter Bewegungssturm ausbrechen: Er strampelt heftig mit Armen und Beinen. Weil er noch nicht mit den Händen

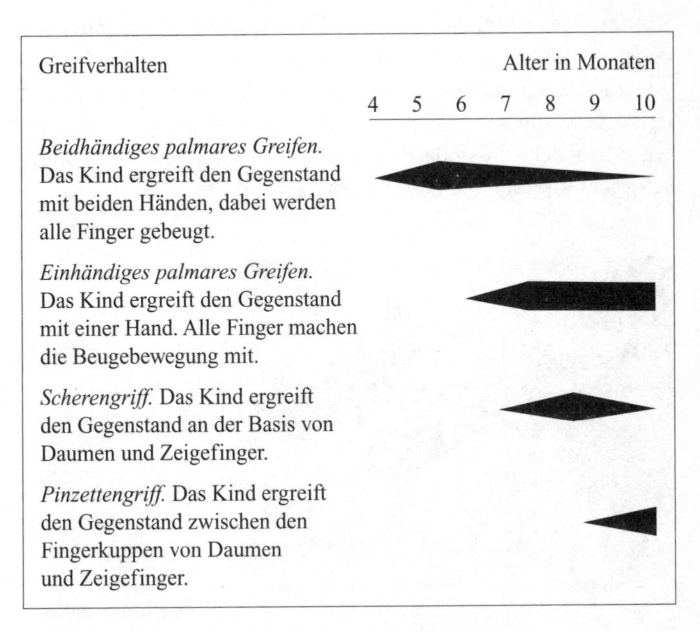


*Entwicklung des Greifverhaltens im ersten Lebensjahr*

zugreifen kann, versucht er mit seinem ganzen Körper den Gegenstand zu packen. In den folgenden zwei Monaten schränken sich die Massenbewegungen immer mehr ein. Der Säugling bleibt nun ruhig liegen und schlägt mit seinen Händen gegen die Spielsachen, die über seinem Bettchen hängen. Mit vier bis fünf Monaten hat er seine Armbewegungen so weit unter Kontrolle, daß er die Hände gezielt zu einem Gegenstand führen kann.

Die wichtigsten Stadien der Greifentwicklung, die wir zwischen dem vierten und zehnten Lebensmonat beobachten, sind in der Abbildung auf der Vorseite aufgeführt und nachfolgend beschrieben.

**Beidhändiges palmares Greifen.** Die ersten Greifversuche macht der junge Säugling, indem er seine Händchen unter Führung der Augen zum Gegenstand bringt. Er ergreift den Gegenstand zumeist mit beiden Händen. Weil die Kinder mit der Handinnenfläche zupacken, spricht man von einem palmaren Greifen (lat. palma manus: Handinnenfläche).

**Einhändiges palmares Greifen.** Mit sechs bis sieben Monaten gehen die Säuglinge bei kleineren Gegenständen vom beidhändigen zum einhändigen Greifen über. Sie können nun gezielt mit einer Hand zupacken. Während die eine Hand einen Gegenstand ergreift, macht die andere anfänglich die Greifbewegung abgeschwächt mit oder dient als Hilfshand.

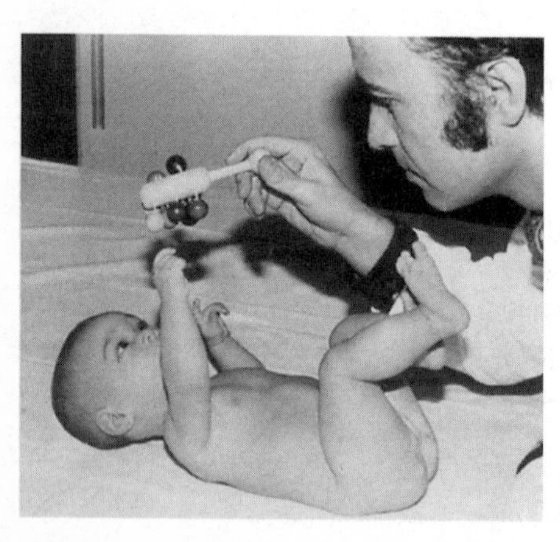

*Beidhändiges palmares Greifen*

*Einhändiges palmares Greifen*

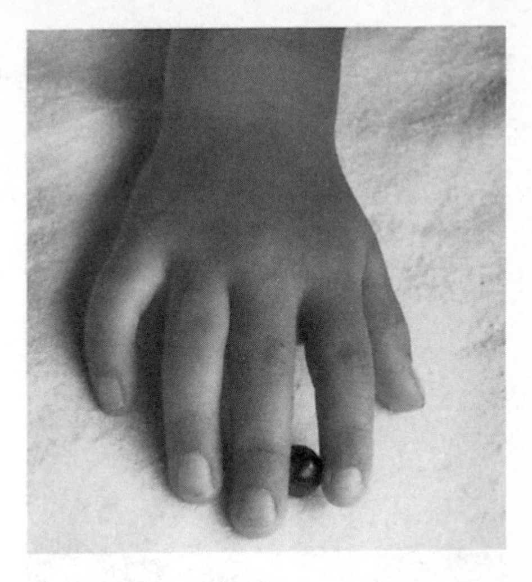

Zwischen dem vierten und siebten Monat ergreift das Kind einen Gegenstand mit der ganzen Hand. Alle Finger machen die Beugebewegung mit. Die einzelnen Finger haben noch keine spezialisierten Aufgaben. Die Art und Weise, wie sich die Hand dem Gegenstand nähert, hat sich in dieser Zeit aber verändert. Während sich mit vier und fünf Monaten die Hand mit der Kleinfingerseite (Ulnarseite) dem Gegenstand nähert, geschieht dies in den folgenden Monaten immer mehr mit der Daumenseite (Radialseite). Das Greifen hat sich auf den Zeigefinger und den Daumen verlagert. Der Anfang zur Spezialisierung der Fingerfunktionen ist gemacht.

Das einhändige Greifen ermöglicht den erweiterten Umgang mit Gegenständen: Das Kind kann mit jeder Hand einen Gegenstand ergreifen sowie einen Gegenstand von einer Hand in die andere geben (transferieren). Damit dies gelingt, muß es die Hände unabhängig voneinander öffnen und schließen können. Wenn es anfängt, einhändig zu greifen, kann ihm die unvollständige Funktionstrennung der Hände einen Streich spielen. Es hält beispielsweise einen Gegenstand in der einen Hand; in dem Augenblick, da es die andere öffnet, um einen weiteren Gegenstand zu ergreifen, öffnet sich auch die erste, und der bereits ergriffene Gegenstand geht verloren.

*Ein Würfel in jeder Hand*

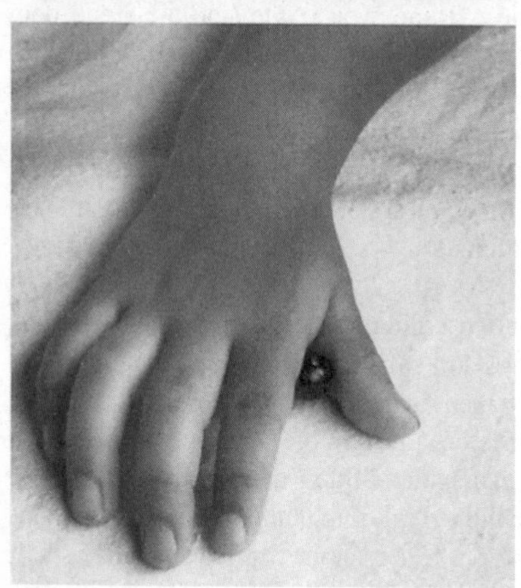

*Scherengriff*

**Scherengriff.** Mit sieben bis acht Monaten ergreift das Kind kleine Gegenstände zwischen der Basis von Daumen und Zeige-

*Pinzettengriff*

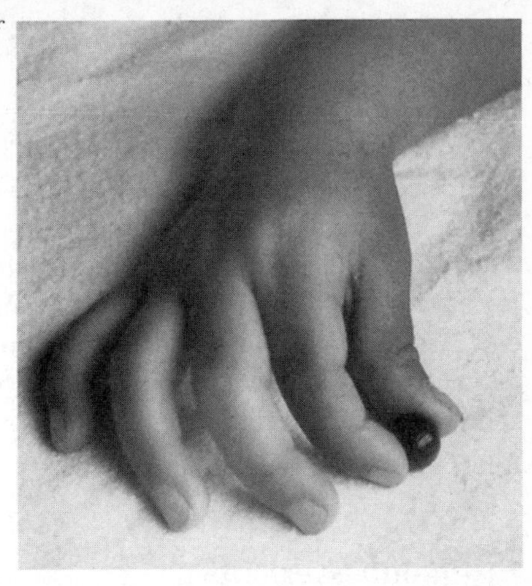

finger. Man spricht von einem Scherengriff, weil die Greifbewegung einem Scherenschluß gleicht. Der Greifvorgang umfaßt nun nicht mehr alle Finger. Er beschränkt sich auf Daumen und Zeigefinger. In den folgenden Wochen verlagert er sich immer weiter gegen die Fingerkuppen hin.

**Pinzettengriff.** Mit neun bis zehn Monaten ergreift der Säugling kleine Gegenstände zwischen den Fingerkuppen von Daumen und Zeigefinger.

Der Pinzettengriff wird von Kindern spielerisch eingeübt. Sie lieben es, auf dem Fußboden kleinste Gegenstände wie Brotkrumen und Fäden aufzuklauben, ohne daß sie sich mit den Gegenständen, einmal ergriffen, weiter beschäftigen. Sie sind am Greifvorgang an sich interessiert.

Während die Kinder Ende des ersten Lebensjahres großes Geschick im Ergreifen von Gegenständen zeigen, bereitet ihnen das Loslassen noch Mühe. Eine häufig angewendete Strategie, um einen Gegenstand loszuwerden, sind heftige Arm- und Handbewegungen. Für uneingeweihte Eltern wirft das Kind den Gegenstand fort, was die Eltern fürchten läßt, es sei zerstörerisch veranlagt. Erst am Anfang des zweiten Lebensjahres ist ein Kind fähig, einen Gegenstand gezielt loszulassen.

## Rechts- oder Linkshänder?

Die Entwicklung der Händigkeit scheint bereits vor der Geburt einzusetzen. Ungeborene Kinder stecken häufiger den rechten als den linken Daumen in den Mund. Nach der Geburt ist eine Seitendominanz nicht sicher nachweisbar. Bis zum achten Lebensmonat benützen die Kinder die rechte und linke Hand beim Greifen etwa gleich häufig. Danach bevorzugen die meisten Kinder eine Hand beim Greifen. Werden ihnen Spielsachen in der Mittellinie angeboten, benützen sie zumeist dieselbe Hand, neun von zehn Kindern die rechte. Die Händigkeit wird in den folgenden Monaten und Jahren immer ausgeprägter.

## Erkundungsverhalten

Am Ende des ersten Lebensjahres kennt das Kind die Gegenstände seines Alltags wie Milchflasche, Bett und Spielsachen. Es gilt eine Vielzahl von physikalischen Eigenschaften wie Größe, Form und Gewicht wahrzunehmen, bis es die Gegenstände zuverlässig voneinander unterscheiden kann. Wenn es erstmals ein Holztier in seinen Händen hält, stellt es fest, daß sich das Spielzeug weniger kalt anfühlt als die Metallglocke, die es vorher erforscht hat. Es bemerkt auch, daß das Holztier eine rauhere Oberfläche aufweist und sich nicht zusammendrücken läßt wie das Gummitierchen und nicht mit Härchen bedeckt ist wie der Teddybär. Oberflächenbeschaffenheit, Größe und Gewicht des Holztieres erinnern das Kind an einen großen Holzwürfel. Das Holztier weist aber weichere Formen auf als der kantige Würfel.

Das Kennenlernen der Gegenstände geschieht im ersten Lebensjahr weit weniger über die Augen als über Mund und Hände. Säuglinge sind im Gegensatz zu älteren Kindern und Erwachsenen nicht Augen-, sondern Mund- und Handwesen. Wir Erwachsenen neigen dazu, die Bedeutung der Augen als Wahrnehmungsorgan zu überschätzen. Wir glauben, mit den Augen alles Wesentliche erfassen zu können, weil wir die meisten Gegenstände in unserer Umwelt bereits kennen. Ist uns ein Material aber fremd, streichen auch wir wie die kleinen Kinder mit den Fingern über seine Oberfläche, versuchen den Gegenstand zusammenzudrücken und anzuheben. Kein Besucher geht im Raumfahrtmuseum in Washington am Mondgestein vorbei, ohne es zu berühren. Jeder will spüren, ob es sich wie Erdgestein anfühlt.

Zwischen dem vierten und zwölften Lebensmonat treten drei Formen des Erkundens auf: zuerst das Mundeln oder orale Erkunden, dann das Hantieren oder manuelle Erkunden und schließlich das Betrachten oder visuelle Erkunden. Die Kinder erwerben sich ihre Kenntnisse der gegenständlichen Umwelt somit in drei unterschiedlichen Sinnesbereichen.

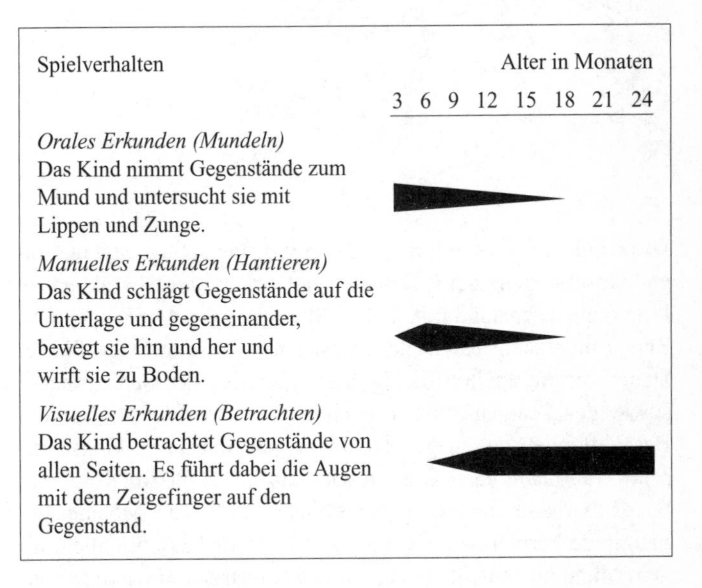


*Spielverhalten mit Erkundungscharakter*

**Orales Erkunden**. Will ein Säugling einen Gegenstand ergreifen, führt er seine Hände mit den Augen zum Gegenstand. Sobald er den Gegenstand ergriffen hat, benützt er nicht etwa seine Augen, sondern seinen Mund, um den Gegenstand zu untersuchen. Er führt den Gegenstand zum Mund, befühlt ihn mit seinen Lippen und tastet ihn mit der Zunge ab.

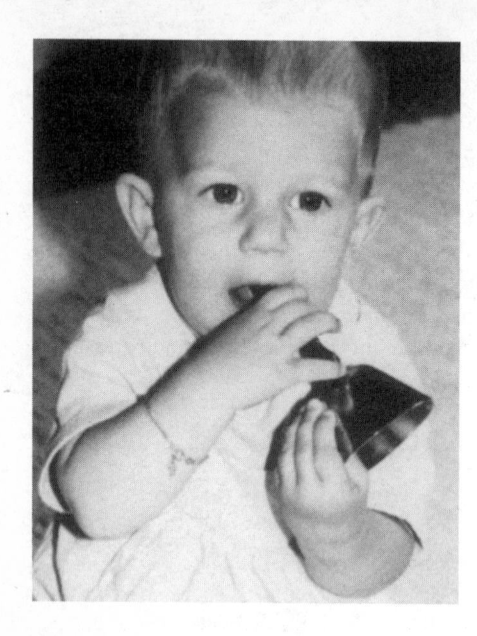

*Mundeln oder orales Erkunden*

Das Kind will nicht prüfen, ob der Gegenstand eßbar ist, oder ihn gar verschlingen. Sein Verhalten hat Erkundungscharakter: Es lernt den Gegenstand mit seinem Mund kennen. Mit Lippen und Zunge untersucht es Größe, Konsistenz, Form und Oberfläche. Dabei vermitteln ihm die Sinneskörperchen der Schleimhäute sowie der Zungen- und Lippenmuskeln Eindrücke über die Beschaffenheit des Gegenstandes (sogenannte taktil-kinästhetische Wahrnehmung). Die Entwicklungspsychologin Rose und ihre Mitarbeiter haben zeigen können, daß neun Monate alte Säuglinge Formen von Gegenständen, die sie ausschließlich mit dem Mund untersucht haben, mit den Augen später wiedererkennen.

Das orale Erkunden ist das dominierende Spielverhalten bis zum achten Monat. Danach nehmen die Kinder Gegenstände immer weniger häufig in den Mund. Nach dem 18. Lebensmonat kommt orales Erkunden kaum mehr vor. Wenn auch wenig benützt nach dem zweiten Lebensjahr, bleibt der Mund ein empfindliches Sinnesorgan. Für blinde Menschen stellt er ein Leben lang ein wichtiges Wahrnehmungsinstrument dar.

*Manuelles Erkunden: Tasse auf dem Tisch reiben und zu Boden werfen*

**Manuelles Erkunden (Hantieren).** Dieses Spielverhalten tritt einige Wochen nach dem oralen Erkunden auf. Beim manuellen Erkunden bewegt das Kind den Gegenstand in der Luft hin und her, schlägt ihn auf die Unterlage oder gegen einen anderen Gegenstand. Häufig reibt es ihn auf der Unterlage oder wirft ihn zu Boden.

Das Kind gewinnt mit diesem Verhalten wiederum – wie beim oralen Erkunden – sogenannte taktil-kinästhetische Informationen über einen Gegenstand. Diesmal sind es nicht die Mundorgane, sondern die Hände und Arme, die diese Information vermitteln. Durch das Hinundherbewegen, Schlagen und Werfen lernt das Kind, daß Gegenstände verschieden schwer sein können, sich unter Krafteinwirkung unterschiedlich stark verändern und verschiedenartige Geräusche hervorrufen.

Manuelles Erkunden ist charakteristisch für die zweite Hälfte des ersten Lebensjahres. Es kann auch nach dem 18. Lebensmonat noch vorkommen, stellt aber nicht mehr ein vorherrschendes Spielverhalten dar. Immerhin können auch ältere Kinder und selbst noch Erwachsene in einen manuellen Umgang mit einem Gegenstand zurückfallen, wenn der sie vor ein unlösbares Problem stellt. Ein kaputtes Spielzeug bringt ein Kind und eine defekte Uhr einen Erwachsenen leicht dazu, sehr handfest mit dem ärgerlichen Gegenstand umzugehen.

**Visuelles Erkunden.** Ein eigentliches Betrachten von Gegenständen können wir regelmäßig erst im Alter von acht bis neun Monaten beobachten. Vor diesem Alter benützen die Kinder die

*Visuelles Erkunden*

Augen lediglich dazu, einen Gegenstand zu lokalisieren und die Hand zum Gegenstand zu führen. Einmal ergriffen, wird der Gegenstand nicht oder nur flüchtig angeschaut. Mit acht bis neun Monaten aber setzt ein intensives visuelles Erkunden ein.

Die Gegenstände werden vom Kind ausdauernd betrachtet, in den Händen nach allen Seiten gewendet und mit dem Zeigefinger sorgfältig betastet, als ob es die Augen mit dem Zeigefinger führen wollte. Das visuelle Erkunden klingt während des zweiten Lebensjahres ab. Die Kinder kennen nun ihre Spielsachen und die alltäglichen Gegenstände wie Puppe, Löffel oder Schuhe. Sie haben keinen Anlaß mehr, sie ausgiebig zu betrachten. Trifft das Kind aber auf einen unbekannten Gegenstand, sieht es ihn ausdauernd an. Ältere Kinder und Erwachsene sind ausgesprochene »Augenmenschen«. Betrachten bleibt für das ganze Leben die vorherrschende Form des Erkundens der dinglichen Welt.

Die Kinder erkunden einen Gegenstand zumeist auf mehrere Weisen. Ein zehn Monate altes Kind beispielsweise nimmt einen Löffel zuerst in den Mund, dann betrachtet es ihn, reibt ihn auf der Unterlage und nimmt ihn wieder in den Mund.

Jedes Erkundungsverhalten ist von Kind zu Kind unterschiedlich ausgeprägt. Gewisse Kinder sind ausgesprochene Augenkinder, sie betrachten die Dinge genau und ausdauernd. Andere Kinder lernen die Gegenstände vor allem über den Mund oder durch Hantieren kennen.

## Spiel mit der Merkfähigkeit

Im Alter von neun Monaten entwickelt sich die Merkfähigkeit, das Kurzzeitgedächtnis oder – wie es Piaget (1975 a, b) genannt hat – die Objektpermanenz. Bis zu diesem Alter ist ein Gegenstand, sobald er aus dem Blickfeld verschwindet, nicht mehr vorhanden. Er existiert für das Kind nicht mehr. In den ersten Lebensmonaten gilt im wahrsten Sinne des Wortes: Aus den Augen, aus dem Sinn. Mit etwa neun Monaten beginnt das Kind sich zu erinnern. Es bewahrt eine Vorstellung von einem Gegenstand, der verschwunden ist. Wenn der Ball unter die Kommode rollt, sucht es danach oder schreit nach der Mutter, damit sie ihm helfe, den Ball wiederzufinden. Es weiß: Der Ball ist wohl nicht mehr zu sehen, aber es gibt ihn immer noch.

Sein neuerworbenes Kurzzeitgedächtnis erprobt das Kind auf vielfältige Art, allein und im sozialen Spiel. Von sei-

*Wohin rollen die Spielsachen?*

nem Hochstuhl wirft es Gegenstände auf den Boden und beobachtet interessiert, wohin die Gegenstände verschwinden, wenn sie wegrollen. Es steckt Spielsachen in eine Schachtel, holt sie wieder hervor und läßt sie aufs neue verschwinden. Es legt ein Kissen auf seinen Teddybären und deckt ihn nach kurzer Zeit wieder ab, um sich zu vergewissern, daß der Teddybär noch da ist.

Der »Renner« unter den sozialen Spielen am Ende des ersten Lebensjahres ist das Gugus-Dada-Spiel. Eine frühe Form dieses Spiels mit dem Kurzzeitgedächtnis gibt folgende Abbildung wieder. Das Kind ist auf dem Arm der Mutter. Vater und Kind spaßen miteinander hinter ihrem Rücken. Wenn der Vater sich auf die andere Seite der Mutter begibt, wird er für das Kind unsichtbar. Das Kind sucht nach dem Vater und dreht sich ebenfalls zur anderen Seite. Es freut sich, wenn sich seine Erwartung erfüllt und es den Vater wiederfindet.

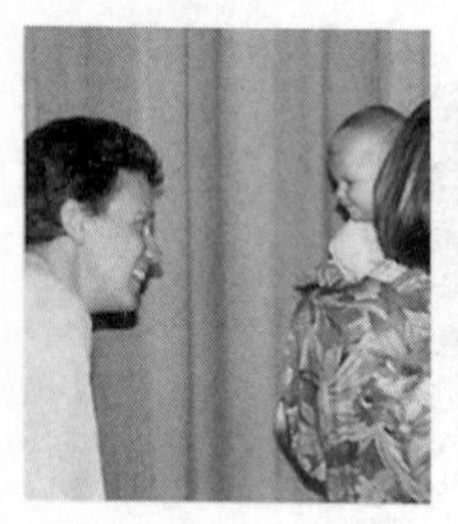 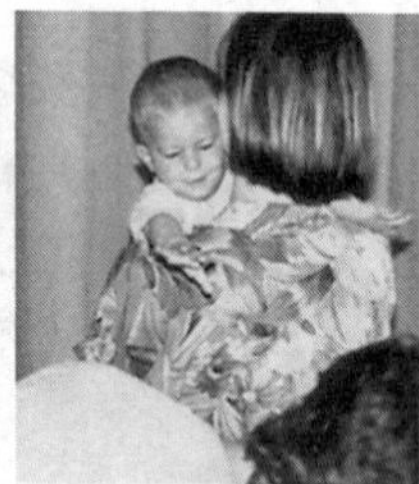 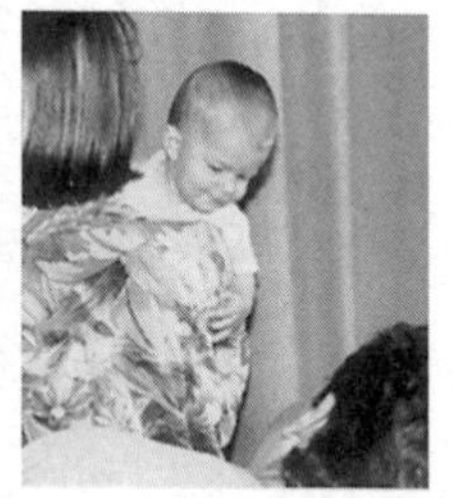

*Gugus-Dada-Spiel hinter dem Rücken der Mutter*

Eine weitere Form dieses Spiels besteht darin, daß der Vater sein Gesicht mit einem Tuch abdeckt, dabei »Gugus« sagt, nach ein bis zwei Sekunden das Tuch wegzieht, ein erstauntes Gesicht macht und »Dada« sagt. Er kann für zusätzliche Überraschung sorgen, indem er sein Gesicht an einem anderen Ort erscheinen läßt. Der Vater kann auch anstatt das eigene Gesicht das des Kindes abdecken. Mütter und Väter entwickeln ein feines Gespür, wie lange das Versteckspiel dauern darf, um beim Kind eine größtmögliche Erwartung auszulösen, ohne Angst oder Langeweile aufkommen zu lassen.

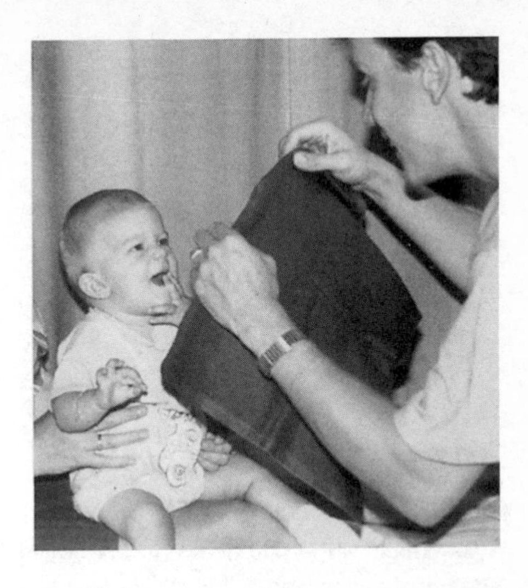

*Gugus-Dada-Spiel mit Tuch*

Bis zum Alter von zwölf Monaten liegt die Initiative beim Gugus-Dada-Spiel vorwiegend bei den Eltern. In den folgenden Lebensmonaten übernimmt das Kind immer mehr die aktive Rolle. Es will bestimmen, wer sich versteckt und wie das Spiel gespielt wird. Zweijährige Kinder lieben es, sich hinter Möbeln zu verkriechen und sich suchen zu lassen.

## Mittel zum Zweck

Gegen Ende des ersten Lebensjahres beginnt das Kind die Auswirkungen einfacher Handlungen zu begreifen. Durch wiederholtes Schütteln der Glocke erfaßt es den Zusammenhang zwischen seiner Handbewegung und dem Glockenton. Wird ein Spielzeug mehrmals an einer Schnur über den Tisch gezogen, versucht das Kind selbst, das Spielzeug durch Ziehen an der Schnur in seine Reichweite zu bekommen.

Das Verständnis für kausale Zusammenhänge erschließt sich den Kindern im Alltag auf vielerlei Weise, besonders aber im Umgang mit Materialien wie Erde oder Wasser und mit den Einrichtungen unserer modernen Zivilisation. Gewisse Kinder sind geradezu süchtig nach Wasserhähnen. Bei jedem erreichbaren

*Mittel zum Zweck*

Wasserhahn wollen sie sich vergewissern, ob ein Drehen das Wasser zum Fließen bringt. Vergleichbares Interesse gilt Lichtschaltern oder Türen: Geht das Licht an oder nicht? Läßt sich die Tür öffnen und wieder schließen? Gefährlich kann es werden, wenn ein Kind beispielsweise von den Schaltern eines Kochherdes magisch angezogen wird.

## Spielsachen

Wenn wir davon ausgehen, daß die Kinder zwischen vier und zehn Monaten in ihrem Spiel vor allem die dingliche Umwelt erkunden, dann ist jeder Gegenstand, der sich dazu eignet, für das Kind ein Spielzeug. So packt der Säugling den Schlüsselbund des Vaters, nimmt ihn in den Mund, schüttelt und betrachtet ihn. Gegenstände aus dem Haushalt, zum Beispiel unbedrucktes Papier, welches er zerfetzen darf, können weitaus attraktiver sein als ein teures Holzspielzeug mit – für Erwachsene – schönem Design.

*Ein gutes Spielzeug ist ein Gegenstand, an dem das Kind Interesse hat – und der ungefährlich ist!*

Ungefährlich ist ein Gegenstand, wenn er

- keine scharfen Kanten und Spitzen hat;
- nicht zerbrechlich ist;

| Spielverhalten | Entwicklungs-psychologische Bedeutung | Spielsachen | |
|---|---|---|---|
| | | Eigenschaften | Materialien |
| **Erkundung** | | | |
| Oral (ab 4 Monaten) Manuell (ab 6 Monaten) Visuell (ab 8 Monaten) | Kennenlernen der physikalischen Eigenschaften von Gegenständen | Gegenstände unterschiedlicher Größe, Form, Konsistenz, Oberflächenbeschaffenheit, Farbe | Holz, Plastik, Papier, Stoff, Schwämme, Wolle, Leder |
| **Merkfähigkeit** | | | |
| (ab 8 Monaten) | Üben und Überprüfen der Merkfähigkeit | Verschwindenlassen von Gegenständen, Personen | Kugelbahn Gugu-Dada-Spiel |
| **Mittel zum Zweck** | | | |
| (ab 8 Monaten) | Einsetzen von Gegenständen für einen bestimmten Zweck | Gegenstände zum Heranziehen, Herumstoßen | Tiere auf Rollen an einer Schnur |
| **Kausalität** | | | |
| (ab 9 Monaten) | Erkennen von Ursache und Wirkung | Gegenstände, die Geräusche, Klänge machen | Rasseln, Glocken |

*Spielsachen für das erste Lebensjahr*

- mit ungiftiger Farbe bemalt ist;
- so groß ist, daß das Kind ihn nicht ganz in den Mund nehmen kann. Nur Gegenstände, die es vollständig in den Mund stecken kann, können in die Luftwege gelangen. Die Hauptsünder sind dabei nicht etwa Spielsachen, sondern Haushaltsgegenstände wie Reißnägel oder Büroklammern und Nahrungsmittel: Weitaus am häufigsten geraten Erdnüsse in die Luftwege!

## Die Rolle der Eltern

In den ersten drei Lebensmonaten ist das Kind in seinem Spiel auf seine Eltern und andere Bezugspersonen ausgerichtet. Nach dem vierten Lebensmonat interessiert es sich immer mehr für seine gegenständliche und soziale Umwelt. Dies spiegelt sich auch in der körperlichen Beziehung zu den Eltern wider. In den ersten Lebensmonaten ist das Kind mit Gesicht und Körper den Eltern zugewandt. Nach dem fünften Lebensmonat will es immer mehr so gesetzt werden, daß es die Umgebung betrachten kann. Das Kind möchte mit anderen Menschen Kontakt aufnehmen und ihnen bei ihren Tätigkeiten zuschauen. Es will nach Gegenständen greifen und mit ihnen spielen. Die Eltern sind wohl noch der häufigste, aber nicht mehr der ausschließliche Spielpartner. So kann das »Gugus-Dada«-Spiel mit Geschwistern genauso großen oder noch größeren Spaß machen. Die Eltern und andere Bezugspersonen bleiben aber für das Kind der sichere Hort, von dem aus es die Welt zu erobern beginnt (vgl. »Beziehungsverhalten 4 bis 9 Monate«).

Eltern brauchen ihr Kind weder im Greifen noch im Erkunden der Gegenstände zu unterweisen. Es würde ihnen wohl nie einfallen, etwas in den Mund zu nehmen, um ihrem Kind das Mundeln vorzumachen. Und doch ist das Kind in einem hohen Maße in seinem Spiel von den Eltern abhängig: Je kleiner es ist, desto mehr bestimmen die Eltern seine Körperlage und damit auch den Gebrauch seiner Hände. In Bauchlage läßt sich nur sehr begrenzt spielen, weit besser geht es in Rückenlage und noch besser in einer Babyliege, etwa 30 Grad aufgestützt. Die Eltern bestimmen auch, ob und welche Spielsachen in Reichweite sind.

Manche Eltern sehen es ungern, wenn ihr Kind Gegenstände in den Mund nimmt. Sie möchten das Mundeln unterbinden, weil sie der Meinung sind, daß es unhygienisch ist und zu vermehrtem Speicheln führt. Am meisten aber fürchten sie, daß ein Gegenstand in die Luftwege des Kindes geraten könnte. Da das Mundeln ein vitales Bedürfnis des Säuglings ist, gelingt es den Eltern kaum, das orale Erkunden zu verhindern. Sie sollten es auch nicht unterbinden, da es ein sinnvolles Verhalten ist.

Was die Eltern tun können, ist, dafür zu sorgen, daß in der Reichweite des Kindes möglichst keine gefährlichen Gegenstände herumliegen. Dabei geht es weit weniger um eigentliche Spielsachen als vielmehr um Reißnägel, kleine Münzen oder Erdnüsse.

Wenn wir bedenken, daß *alle Kinder* über Monate Gegenstände in den Mund nehmen, ist offensichtlich: Das Mundeln führt äußerst selten zum Ersticken oder Verschlucken von Gegenständen. Orales Erkunden allein stellt keine Gefahr dar. Wenn Gegenstände verschluckt werden oder in die Luftwege geraten, liegen immer besondere Umstände vor. Das Kind hat beispielsweise ein Legoteilchen in den Mund gesteckt und wird von einem Geschwister zum Lachen gebracht oder umgestoßen. Das Einziehen von Luft beziehungsweise der Sturz bewirkt, daß das Legoteilchen in die Luftröhre gerät.

Kinder lieben es, mit Sand, Steinen und Erde zu spielen. Alle nehmen sie ihre schmutzigen Finger in den Mund. Da der Kot von

*Spiel mit Sand*

Hunden und Katzen häufig Krankheitserreger enthält, sollten die Kinder nur auf Spielplätzen und in Sandkästen spielen, die vor den Toilettengeschäften dieser Tiere geschützt werden.

Nach dem siebten Lebensmonat beginnen die Kinder sich zunehmend für einfache ursächliche Zusammenhänge zu interessieren. Sie realisieren in einem begrenzten Ausmaß die Auswirkungen ihres Handelns. Wenn sie eine Glocke schütteln, ertönt ein Ton, wenn sie ihre Spielsachen über den Bettrand hinausschieben, verschwinden sie, wenn sie an der Schnur ziehen, kommt die Ente auf Rädern auf sie zu. Während beim spielerischen Erkunden die Kinder weitgehend für sich spielen, sind Spielpartner bei anderen Spielformen sehr erwünscht. Das Kind freut sich, wenn die Eltern mit ihm Gugus-Dada spielen oder ein Geschwister mit ihm gemeinsam die Ente über den Boden zieht.

## Das Wichtigste in Kürze

1. Mit vier bis fünf Monaten beginnen die Kinder zuerst beid-, dann einhändig zu greifen. Aus dem Greifen mit der ganzen Hand entwickelt sich über den Scherengriff der selektive Pinzettengriff.

2. Die wichtigsten spielerischen Verhaltensweisen im ersten Lebensjahr sind
   - das Erkunden von Gegenständen;
   - das Spiel mit der Merkfähigkeit
   - und Mittel-zum-Zweck-Spiele.

3. Das Kind lernt die gegenständliche Umwelt kennen durch
   - Mundeln: orales Erkunden von Gegenständen;
   - Hantieren: manuelles Erkunden von Gegenständen;
   - Betrachten: visuelles Erkunden von Gegenständen.

   Alle drei Erkundungsverhaltensweisen entsprechen einem vitalen Bedürfnis des Säuglings. Sie sollten daher nicht unterbunden werden.

4. Spiele mit der Merkfähigkeit sind
   - das Gugus-Dada-Spiel;
   - Gegenstände verschwinden zu lassen.

5. Mittel-zum-Zweck-Spiele sind beispielsweise
   - Musikdosen;
   - Spielsachen zum Herumziehen.

   Das Spiel mit Erde, Sand und Wasser fördert das Verständnis von Ursache und Wirkung.

6. Ein Spielzeug ist ein Gegenstand, der für den Säugling interessant und ungefährlich ist. Er ist ungefährlich, wenn er
   - so groß ist, daß das Kind ihn nicht vollständig in den Mund nehmen kann;
   - keine scharfen Kanten und Spitzen hat;
   - unzerbrechlich ist;
   - mit ungiftiger Farbe bemalt ist.

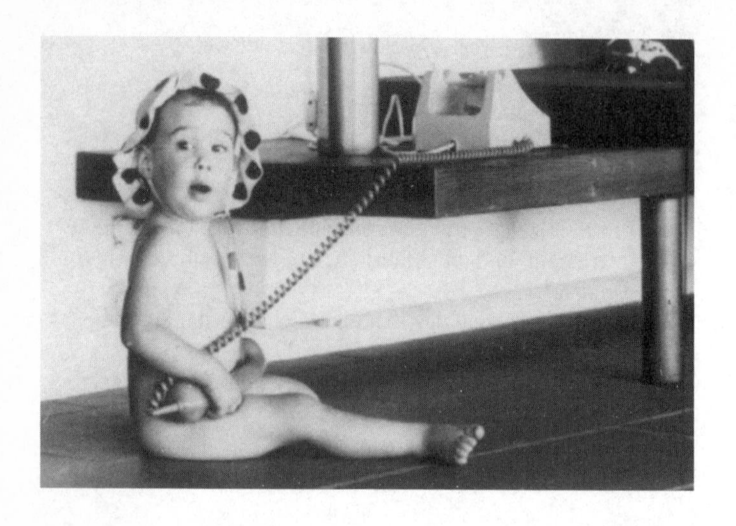

*Eva angelt sich den Telefonhörer, hält ihn ans Ohr und plaudert. Als die Mutter erscheint, streckt Eva ihr den Telefonhörer entgegen. Ihr Gesicht drückt dabei eine Mischung aus Triumph und schlechtem Gewissen aus. Eva hat eine zwiespältige Beziehung zum Telefon: Sie ist einerseits eifersüchtig auf das Telefon und liebt es andererseits über alles. Wenn die Mutter ins Telefon spricht, lacht und ihr Gesicht dabei die unterschiedlichsten Gemütsbewegungen zeigt, reagiert Eva mit Geschrei: Die ganze Zuwendung der Mutter gilt diesem Apparat. Andererseits schlüpft Eva am Telefon gerne in die Rolle der Mutter.*

Im zweiten Lebensjahr entfaltet das Kind in seinem Spiel eine Vielzahl von Verhaltensweisen, die seine rasche geistige, sprachliche und soziale Entwicklung in diesem Altersabschnitt widerspiegeln. Wenn das Kind Gefäße füllt und entleert, Becher stapelt und Bauklötze aneinanderreiht, entwickelt es ein Verständnis für räumliche Zusammenhänge. Über die Nachahmung von alltäglichen Handlungen lernt es, Gegenstände funktionell zu gebrauchen. Es fährt sich mit der Haarbürste über seinen Kopf, kritzelt mit dem Kugelschreiber auf die Zeitung oder angelt sich den Telefonhörer und plaudert wie die Mutter. Das Telefonieren spricht das Kind besonders an, da die Eltern mit dem Telefon umgehen wie mit einem Menschen: Sie reden mit dem Apparat und äußern dabei die unterschiedlichsten Gefühle.

Gegen Ende des zweiten Lebensjahres beginnt das Kind zu begreifen, daß Gegenstände nach bestimmten Eigenschaften gleich oder verschieden sein können. Eine Knabe stellt seine Spielautos in einer Reihe und seine Holztiere in einer anderen auf. Ein Mädchen sortiert sein Puppengeschirr nach Form und Größe. Das Kategorisieren nach bestimmten Merkmalen, eine Grundvoraussetzung für das logische Denken, nimmt in dieser Art Spiel seinen Anfang.

In diesem Kapitel werden einige der häufigsten und uns verständlichen spielerischen Verhaltensweisen beschrieben. Es werden keineswegs alle Spielformen besprochen, die Eltern bei ihren Kindern im zweiten Lebensjahr beobachten können. Es gibt zweifelsohne Verhaltensweisen, deren Bedeutung es immer noch zu entdecken gilt, sei es durch Eltern oder Fachleute!

Die Darstellung des Spielverhaltens ist aus didaktischen Gründen vereinfacht. Sie ist einseitig in dem Sinn, daß die meisten Spielaktivitäten nicht nur ein Merkmal, sondern mehrere Charakteristika enthalten. Wenn ein zweijähriges Kind mit seiner Puppenstube spielt, setzt sich sein Spiel aus räumlichen, funktionellen und kategorischen Elementen zusammen. Eine weitere Vereinfachung besteht darin, daß das jeweilige Spielverhalten anhand seines mittleren Auftretens beschrieben wird. Sämtliche Formen von Spielverhalten treten aber von Kind zu Kind in unterschiedlichem Alter auf. So baut das eine Kind einen Turm bereits mit 14 Monaten, ein anderes mit 16 und ein drittes schließlich mit 18 Monaten. Für das einzelne Kind gelten die Altersangaben über das zeitliche Auftreten der Spielformen deshalb nur annäherungsweise. Diese Vereinfachungen sollten beim Lesen dieses Kapitels bedacht werden.

## Spielverhalten mit räumlichen Charakteristiken

Einige Spielformen des zweiten und dritten Lebensjahres spiegeln das Raumverständnis des Kleinkindes wider. Sie geben uns einen Einblick, wie es sich mit den räumlichen Beziehungen zwischen Gegenständen, den Dimensionen des Raumes und der Schwerkraft auseinandersetzt. Das Spiel ist für das jeweilige Entwicklungsalter charakteristisch. So hat ein Kind im Alter von zwölf bis 16 Monaten ein großes Interesse an Behältern, mit 16 bis 20 Monaten stapelt es mit Vorliebe Gegenstände. Die verschiedenen Spielformen erscheinen bei allen Kindern in der Reihenfolge, wie sie in folgender Abbildung aufgeführt werden. In

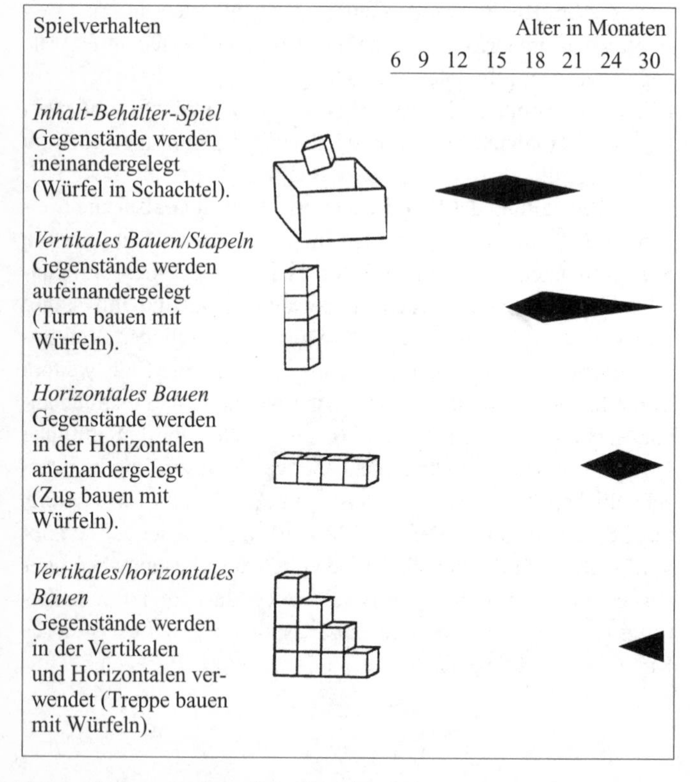


*Spielverhalten mit räumlichen Charakteristiken*

unseren Studien haben wir bei mehreren hundert Kindern nur diese Abfolge des jeweiligen Spielverhaltens beobachtet. Es kam nie vor, daß beispielsweise ein Kind mit zwölf Monaten Türme bauen, aber erst mit 18 Monaten mit Behältern und deren Inhalt umgehen konnte (Largo u. a. 1979 a).

**Inhalt-Behälter-Spiel.** In unseren Studien über das Spielverhalten haben wir ein kleines Glasfläschchen verwendet, das ein kleines Holzkügelchen enthält. Anhand dieses Fläschchens läßt sich die Entwicklung des Inhalt-Behälter-Spiels sehr gut verfolgen. Ein sechs Monate altes Kind nimmt das Fläschchen sogleich in den Mund. Es bemerkt das Kügelchen nicht, auch wenn es durch Schütteln des Fläschchens darauf aufmerksam gemacht wird. Das Kind nimmt das Fläschchen nur als Ganzes wahr. Nach dem siebten Lebensmonat zeigt es ein wachsendes Interesse für das Kügelchen. Es versucht das Kügelchen mit dem Finger durch das Glas hindurch zu erreichen. Mit neun bis zwölf Monaten steckt das Kind einen Zeigefinger in die Öffnung des Fläschchens und müht sich ab, auf diese Weise an das Kügelchen heranzukommen. Sein Verhalten zeigt uns, wie sich eine Vorstellung davon entwickelt, daß ein Gegenstand in einem anderen Gegenstand sein kann.

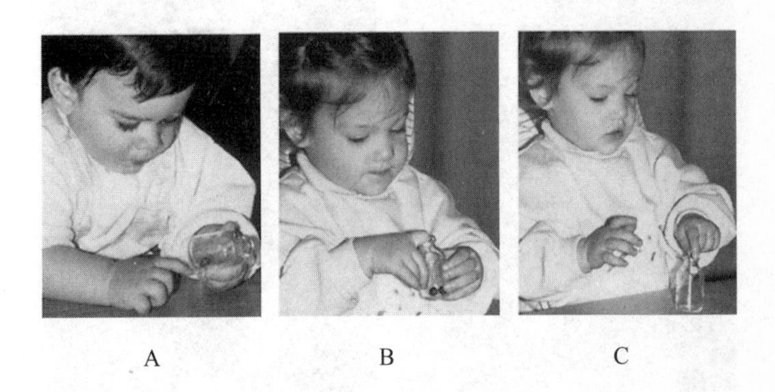

A B C

*Fläschchen mit Kügelchen. A: Ein acht Monate alter Junge bemerkt das Kügelchen im Fläschchen und versucht durch das Glas an das Kügelchen heranzukommen. B: Ein zwölf Monate altes Mädchen weiß, daß ein Behälter eine Öffnung hat. Es versucht mit dem Finger das Kügelchen zu erreichen. C: Das Mädchen füllt das Kügelchen in das Fläschchen ein.*

Mit zwölf Monaten füllt das Kind das Kügelchen in das Fläschchen ein, ohne es aber wieder entnehmen zu können. Wenn wir ihm zeigen, wie das Kügelchen durch Kippen aus dem Fläschchen entfernt werden kann, ist es nicht in der Lage, das Kippen nachzuahmen. Das Kind versucht durch Schütteln, das Kügelchen herauszubekommen. Es kippt das Kügelchen aus dem Fläschchen nach Vorzeigen mit etwa 15 Monaten und kann das Fläschchen spontan mit 18 Monaten entleeren.

Zwischen zehn und 15 Monaten zeigen die Kinder eine große Vorliebe für das Aus- und Einräumen von Behältern jeglicher Art – gelegentlich zum Leidwesen der Eltern. Ihr Interesse gilt nicht nur Spielzeugbechern und -würfeln, sondern auch Kleiderkommoden, Küchenschubladen, Schallplatten- und Videokassettensammlungen sowie Bücherregalen.

**Vertikales Bauen/Stapeln.** Kinder zeigen vor dem 15. Lebensmonat kaum Interesse, aus Würfeln einen Turm zu bauen.

Mit 18 Monaten neigen sie dazu, Gegenstände zu stapeln. Sie bauen nicht nur Türme mit Würfeln und Bauklötzen, sondern stapeln auch Gegenstände wie etwa Puppenhausmöbelchen aufeinander, die sich dafür weniger eignen.

*Turm bauen*

*Horizontales Bauen: Legosteine aneinanderreihen*

**Horizontales Bauen.** Mit 24 Monaten ist das Interesse am einfachen Turmbau am Abklingen. Das Kind reiht nun mit Eifer Klötze in der Horizontalen aneinander.

Der Vorliebe für die Horizontale kommt die Beschäftigung mit Spielzeugeisenbahnen entgegen. Zwei- bis dreijährige Kinder wollen gerne Gleisstücke aneinanderfügen und Eisenbahnwagen aneinanderhängen. Duplo- und Legoelemente oder Bauklötze werden auf die gleiche Weise verwendet.

**Vertikales/horizontales Bauen.** Mit etwa zweieinhalb Jahren beginnt das Kind in seinem Spiel die vertikale und horizontale Raumdimension zusammenzufügen. Es baut beispielsweise mit Bauklötzen einen Tunnel für seinen Zug.

Einen interessanten Einblick, wie sich die räumlichen Vorstellungen während des zweiten Lebensjahres entwickeln, gibt uns das Spiel mit einem Puppenhaus. Die Art und Weise, wie das Kind mit Tisch, Stühlen und Geschirr umgeht, spiegelt seine Raumvorstellungen in den verschiedenen Altern wider. Mit 15 Mona-

*Vertikales/horizontales Bauen*

*Miniaturmöbelchen: räumliches Verständnis mit 18 (links) und 30 Monaten (rechts)*

ten hat es noch kein Verständnis dafür, wie die Stühlchen um einen Tisch herum anzuordnen sind. Mit 18 Monaten ist das Kind vor allem am Stapeln interessiert. Es stellt die Stühlchen weit eher aufeinander als um den Tisch.

Mit 24 bis 30 Monaten sind räumliche Vorstellung und funktionelles Verständnis so weit entwickelt, daß das Kind die Stühlchen an den Tisch rückt, die Puppen auf die Stühlchen setzt und den Tisch deckt.

**Dreidimensionales Bauen.** Zwischen drei und vier Jahren beginnen die Kinder dreidimensionale Gebilde zu bauen. Ein Knabe konstruiert beispielsweise mit Bauklötzen eine Garage für sein Auto. Bis zum fünften Lebensjahr ist das räumliche Vorstellungsvermögen der Kinder so weit fortgeschritten, daß sie mit Legosteinen und anderen Materialien ganze Häuser, Flugzeuge und Autos nachbauen können.

## Spielverhalten mit Symbolcharakter

Am Ende des ersten Lebensjahres hat das Kind durch das orale, manuelle und visuelle Erkunden seine Umwelt so weit kennengelernt, daß es die Gegenstände des Alltags voneinander unterscheiden und wiedererkennen kann (vgl. »Spielverhalten 4 bis 9 Monate«). Im zweiten Lebensjahr wendet sich sein Interesse den Funktionen zu, die Gegenstände innehaben können.

Die Nachahmung spielt bei der Entfaltung der Spielformen mit funktionellem Charakter eine wichtige Rolle. Bereits das Neugeborene ist in einer begrenzten Weise fähig, einfache Mundstellungen nachzuahmen (vgl. »Beziehungsverhalten 0 bis 3 Monate«). In den folgenden Lebensmonaten übernimmt der Säugling immer mehr die mimischen und körperlichen Ausdrucksformen von Eltern und Geschwistern und wiederholt Töne und Lautfolgen, die er von ihnen hört. Gegen Ende des ersten Lebensjahres beginnt er einfache Handlungen nachzuahmen.

Den Gebrauch von Gegenständen eignet sich das Kind über die direkte und verzögerte Nachahmung an (funktionelles Spiel). Es versucht mit dem Löffel zu essen, während es von der Mutter gefüttert wird (direkte Nachahmung). Eine verzögerte oder indirekte Nachahmung können wir beobachten, wenn das Kind für sich allein spielt. Es spielt Situationen nach, die es Stunden oder Tage zuvor erlebt hat.

Zwischen zwölf und 18 Monaten macht das Kind einen ersten Schritt hin zur Entwicklung von sogenannten Symbolfunktionen. Nach Piaget (1975 a, b) entsteht über die verzögerte Nachahmung eine innere Vorstellung einer Handlung. Diese innere Vorstellung ist unabhängig von den zeitlichen und örtlichen Gegebenheiten, bei denen das Kind die Handlung erlebt hat, und damit auf neue Situationen übertragbar. Dies ermöglicht dem Kind, eine Handlung wie beispielsweise »mit dem Löffel essen« nicht nur bei sich selber auszuführen, es kann auch die Mutter oder die Puppe mit dem Löffel füttern (repräsentatives Spiel I). In einem weiteren Schritt stellt es sich vor, daß die Puppe selbst den Löffel benützt

*Spaß beim Backen*

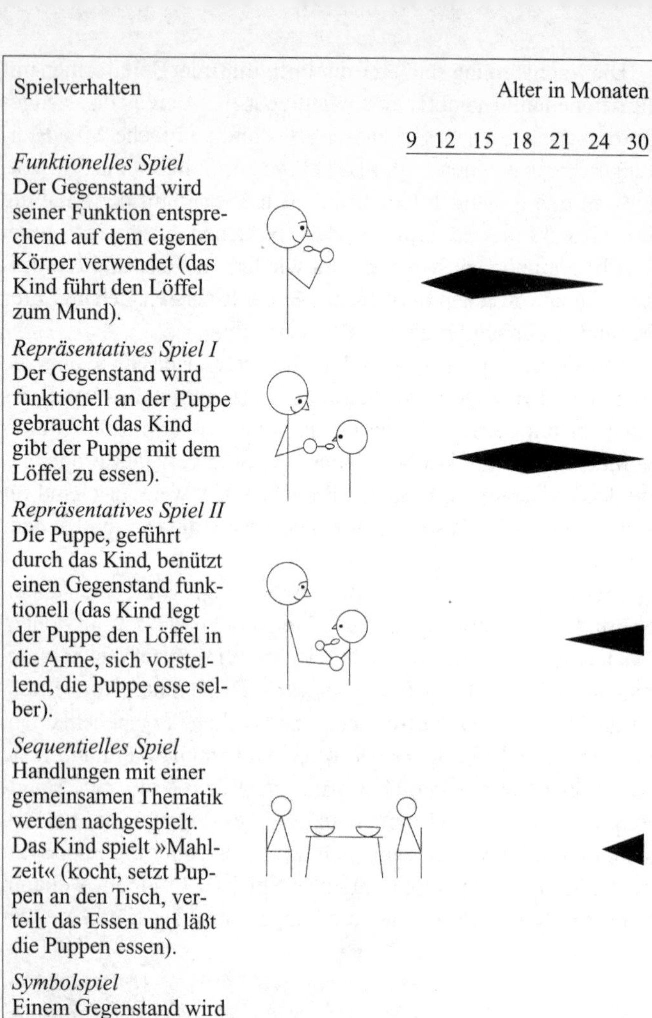

*Spielverhalten mit Symbolcharakter*

(repräsentatives Spiel II). Anfang des dritten Lebensjahres ist seine Vorstellungskraft schließlich so weit entwickelt, daß das Kind nicht nur einzelne Handlungen, sondern ganze Handlungsabläufe mit einer gemeinsamen Thematik zur Darstellung bringen kann (sequentielles Spiel). Es spielt beispielsweise in der Puppenstube »essen am Familientisch« oder »zu Bett gehen« nach. Die inneren Vorstellungen oder Symbolfunktionen sind von größter Bedeutung für das Denken, das Beziehungsverhalten und ganz besonders für die Sprachentwicklung (vgl. »Sprachentwicklung Einleitung«).

Gegenüber sind die verschiedenen Spielformen mit Symbolcharakter aufgeführt.

**Funktionelles Spiel.** Zwischen neun und zwölf Monaten beginnen die Kinder, einfache Handlungen nachzuahmen. Das Kind bürstet sich die Haare oder hält sich den Telefonhörer ans

*Funktionelles Spiel*

Ohr und plaudert. Wenn es einen Bleistift in die Hände bekommt, ahmt es die Eltern beim Schreiben und das Geschwister beim Zeichnen nach. Das Kind will und kann noch nicht etwas Bestimmtes zur Darstellung bringen. Es geht ihm lediglich darum, so zu tun, als ob es schreiben beziehungsweise zeichnen würde.

Das funktionelle Spiel stellt die einfachste Form des funktionellen Umgangs mit Gegenständen dar: Die Anwendung des Gegenstandes bleibt auf den Körper des Kindes beschränkt.

**Repräsentatives Spiel.** In einem Übergangsstadium zum repräsentativen Spiel verwendet das Kind einen Gegenstand nicht mehr an sich selbst, sondern an einer Zweitperson, vorzugsweise den Eltern. Das Kind füttert die Mutter oder kämmt dem Vater die Haare. In einem weiteren Schritt überträgt das Kind seine Handlungen auf eine Puppe (repräsentatives Spiel I).

Das Kind gibt der Puppe die Milchflasche oder hält ihr eine Tasse zum Trinken hin. Diese Spielform setzt mit zwölf bis 18 Monaten ein. Einige Monate später erweitert das Kind sein Spiel, indem es die Puppe zu einer handelnden Figur macht (repräsentatives Spiel II).

So setzt es die Puppe vor einen Spiegel, legt ihr die Haarbürste in die Arme und stellt sich dabei vor, die Puppe bürste sich die Haare selbst. Die Spielwarenfabrikanten wurden vor einigen Jahren auf dieses Spielverhalten aufmerksam und haben

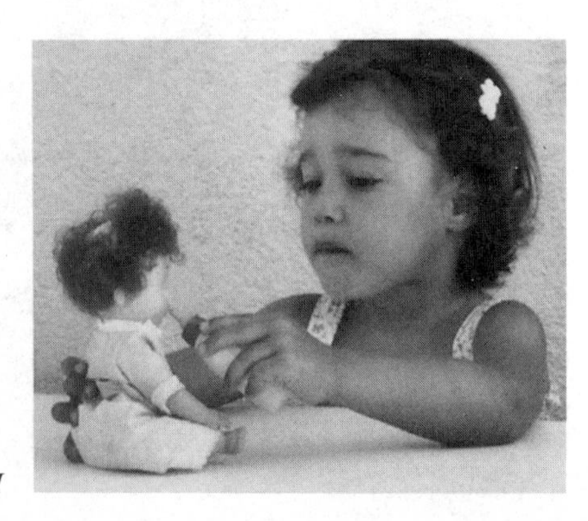

*Repräsentatives Spiel I*

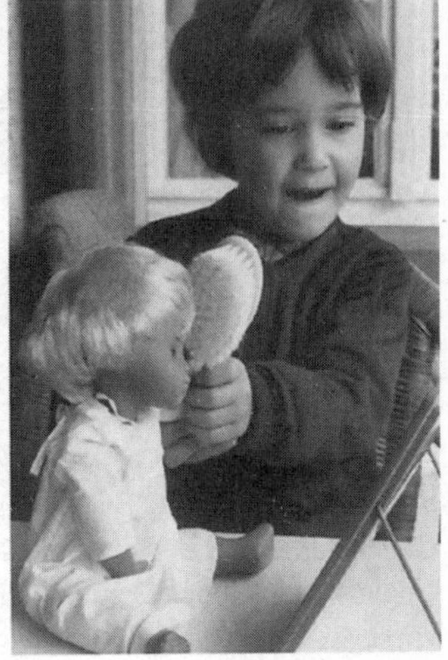

*Repräsentatives Spiel II. Das Kind stellt sich vor, daß die Puppe sich im Spiegel betrachtet und sich das Haar bürstet.*

rasch ihre Spielzeugmännchen und -frauen mit Werkzeughänden ausgestattet.

**Sequentielles Spiel.** Mit 21 bis 24 Monaten beginnt das Kind Handlungsabläufe darzustellen, die zu einer bestimmten Alltagssituation gehören. So spielt es beispielsweise »Mahlzeit«: Das Kind kocht, deckt den Tisch, trägt das Essen auf, setzt die Puppen an den Tisch und läßt sie essen.

*Sequentielles Spiel*

*Symbolspiel. Kathrin stellt sich vor, die Püppchen fahren Bus.*

**Symbolisches Spiel.** Bei diesem Spiel verleiht das Kind einem Gegenstand die Bedeutung eines anderen, nicht vorhandenen Gegenstandes, oder es stellt sich einen Gegenstand ganz einfach vor.

So setzt es beispielsweise eine Puppe in einen Schuh, der in seiner Vorstellung ein Auto darstellt, oder es bewegt die Puppe in der Luft herum und tut dabei so, als ob die Puppe in einem Flugzeug säße.

Das Symbolspiel entwickelt sich zwischen dem dritten und fünften Jahr zum Rollenspiel. Die Kinder spielen Szenen des Alltags wie beispielsweise »Spazierengehen« nach: Die Puppe wird angezogen, das Wägelchen bereitgestellt, die Puppe hineingelegt, und auf geht es zur Spazierfahrt. Ereignisse wie eine Hochzeit

*Spazierenfahren*

*Im Flugzeug*

oder eine Reise, welche die Kinder besonders beeindruckt haben, sind andere beliebte Sujets.

Eine weitere Stufe des Rollenspiels erreicht das Kind, wenn es fähig wird, einerseits eine bestimmte Tätigkeiten vorzugeben und andererseits auf die Handlungsweise anderer Kinder einzugehen. Ein beliebtes Spiel im Kindergartenalter ist das »Einkaufen«: Ein Kind übernimmt die Rolle der Verkäuferin, die anderen diejenige der Kunden.

## Kategorisieren

Zwischen 18 und 24 Monaten zeigen die Kinder ein Verhalten, das von einem Ordnungssinn bestimmt zu sein scheint: Alle Spielzeugautos werden in einer Reihe aufgestellt und alle Plastikmännchen in einer anderen. Die Stühle werden an einem Ort zusammengestellt, die Teller an einem anderen. Dieses Verhalten hat weniger mit einem Bedürfnis nach Ordnung zu tun als vielmehr mit der erwachenden Erkenntnis, daß Gegenstände aufgrund bestimmter Eigenschaften gleich oder verschieden sein können. Die Kinder sortieren oder gruppieren Spielsachen und Gegenstände nach bestimmten Eigenschaften.

Die Fähigkeit zu kategorisieren ermöglicht den Kindern, Ende des zweiten Lebensjahres einfache Formen voneinander zu unter-

*Gruppieren*

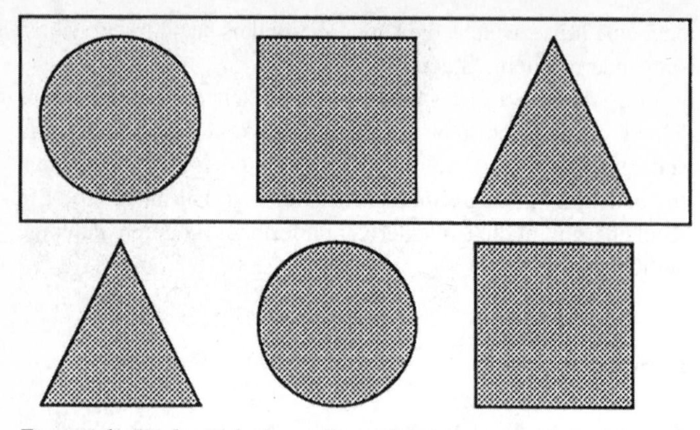

*Formen, die Kinder Ende des zweiten Lebensjahres einander zuordnen können*

scheiden beziehungsweise einander zuzuordnen. So können zweijährige Kinder Kreis, Quadrat und Dreieck in ein Formenbrett einlegen. Formenwürfel werden im dritten Lebensjahr ein beliebtes Spielzeug: Komplexe Formen sind in die entsprechenden Öffnungen einzupassen.

Die Kinder beginnen sich etwa im gleichen Alter mit Steckpuzzles zu beschäftigen. Im vierten Lebensjahr können sie Zusammensetzspiele mit zehn und mehr Einzelteilen zusammenfügen. Sie sind große Meister im Erkennen von Details, sei es von Formen, Farben oder Schnittstellen der Puzzleteilchen.

## Soziale Spiele

Das zweite Lebensjahr hat wie das erste seine sozialen Spiele. Manche bestehen in einem gegenseitigen Geben und Nehmen. Das Kind gibt dem Erwachsenen einen Gegenstand und erwartet, daß dieser wieder zurückgegeben wird. Der Ball rollt vom Kind zur Mutter und wieder zurück. Der Vater belädt den Spielzeuglaster mit Bauklötzen, der Sohn entlädt ihn, und der Vater belädt das Gefährt aufs neue. Das Faszinierende an diesem Spiel ist für das Kind, daß es eine bestimmte Erwartung hat, wie die andere

*Geben und nehmen*

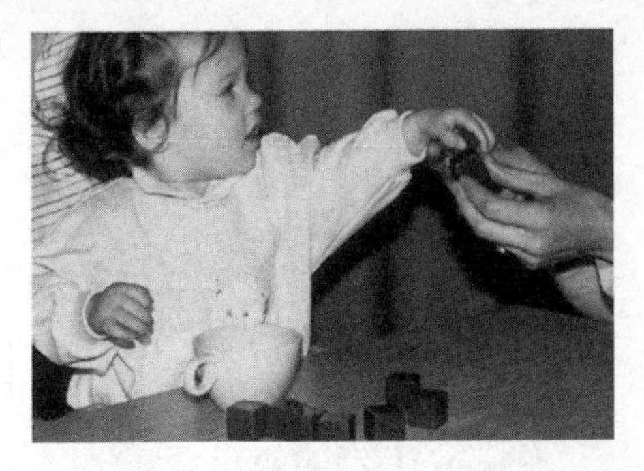

Person sich verhalten wird. Es will im Spiel herausfinden, ob seine Annahme richtig ist und ob es auf die andere Person Einfluß nehmen kann: Bitte mach, was ich mache!

## Weitere Spielverhaltensweisen

Viel Zeit verbringt das Kind im Spiel mit Sand, Erde und Wasser, sei es im Sandkasten, Garten oder in der Badewanne. Dabei erlebt es diese Elemente körperlich und erfährt die Wirkungen des eigenen Handelns. Was geschieht, wenn ich den schweren Stein in den Bach werfe? Das Kind macht auf vielerlei Weise die Erfahrung, daß es etwas bewirken und verändern kann.

Die Entwicklungsstadien der Motorik werden spielerisch eingeübt. Dies trifft ganz besonders auf das freie Gehen zu. Die Kinder gehen ohne ein bestimmtes Ziel umher. Sie wollen herausfinden, ob es ihnen, ohne hinzufallen, gelingt, auf dem Parkett, dem Küchenboden und auf unterschiedlich dicken Teppichen zu gehen. Sie versuchen über Türschwellen zu laufen, die Treppen rauf- und runterzusteigen, mit und ohne Halten am Geländer. Sind Kinder einmal in der Lage, einige Schritte frei zu gehen, kann diese neuerworbene Fähigkeit sie so in Beschlag nehmen, daß sie sich mit ihren Spielsachen kaum mehr beschäftigen.

*Wird es einen riesengroßen Platsch geben?*

## Die Rolle der Eltern

Für das zweite Lebensjahr gilt noch mehr als für das erste Jahr: Wenn wir uns bei der Wahl von Spielsachen vom Entwicklungsstand und den Bedürfnissen des Kindes leiten lassen, dann sind weniger käufliche Spielsachen gefragt als vielmehr all jene Gegenstände, mit denen das Kind tagtäglich in Berührung kommt. Hier eine Zusammenstellung der verschiedenen Verhaltensweisen und einige Hinweise auf Dinge, die als Spielzeug dienen können. Die Liste ist bei weitem nicht vollständig. Sie wartet darauf, von den Eltern kräftig ausgebaut zu werden!

| **Spielverhalten** | Entwicklungspsychologische Bedeutung | Spielsachen |
|---|---|---|
| **Räumliche Charakteristiken** | Kennenlernen der räumlichen Beziehungen zwischen Gegenständen | |
| Inhalt-Behälter-Spiel (ab 9 Monaten) | | Pfannen, Becher, Körbe, Plastikbehälter/-flaschen, Walnüsse, Korkzapfen, Roßkastanien, Wasser, Sand |
| Stapeln (ab 15 Monaten) | | Bauwürfel, Becher, Ringe auf Stab |
| Horizontales Bauen (ab 21 Monaten) | | Bauklötze, Spielzeugeisenbahn |
| Vertikales/horizontales Bauen (ab 30 Monaten) | | Bausteine, Duplo/Lego |
| **Symbolische Charakteristiken** | Kennenlernen des funktionellen Gebrauchs von Gegenständen. Verinnerlichen von Handlungen und Verhaltensweisen | |
| Funktionelles Spiel (ab 12 Monaten) | | Löffel, Tasse, Haarbürste, Spielbügeleisen, -geschirr, Spielhandwerkszeuge, Haushaltsgegenstände |
| Repräsentatives Spiel (ab 15 Monaten) | | Puppen, Teddybären u. ä. |
| Sequentielles Spiel (ab 21 Monaten) | | Puppenstube, Stall mit Holztieren |

| **Spielverhalten** | Entwicklungspsychologische Bedeutung | Spielsachen |
|---|---|---|
| Symbolspiel (ab 18 Monaten) | | Gegenstände der Natur wie Holzstücke, Steine, Schneckenhäuser, Muscheln |
| **Kategorisieren** | Zuordnen von bestimmten Eigenschaften | |
| Gruppieren, sortieren (ab 21 Monaten) | | Würfel, Becher verschiedener Größe und Farbe, Formenwürfel/-bretter, Einsteck- und andere Puzzles |

Das Kind in den Alltag mit einbeziehen ist oft leichter gesagt als getan. Wenn die kleine Doris den lieben langen Tag den Staubsauger ein- und ausschalten und in der ganzen Wohnung herumziehen möchte, ist dies weder der Familie noch dem Staubsauger

*Mithelfen in der Küche*

zuzumuten. Mit etwas Glück und Begeisterungsfähigkeit finden die Eltern aber andere Tätigkeiten innerhalb und außerhalb des Hauses, die Doris gleichermaßen begeistern und weniger geräuschvoll sind. Es sei nicht verschwiegen: Gelegentlich gibt es Kinder, die auf einen ungeeigneten Gegenstand oder eine Tätigkeit so fixiert sind, daß sie nur mit Mühe und Geschrei davon abzuhalten sind.

Auf die Gefahr hin, es einmal zuviel zu sagen: Mit dem Kind zu spielen ist gut. Dem Kind Vorbild zu sein, indem wir es in unsere Tätigkeiten mit einbeziehen, ist besser. Dabei sind nicht nur Eltern, Geschwister und Großeltern, Bekannte und Nachbarn angesprochen. Unsere ganze Gesellschaft sollte die Kinder wieder vermehrt in ihre Aktivitäten aufnehmen, zu Hause, am Arbeitsplatz, bei familiären und öffentlichen Anlässen.

## Das Wichtigste in Kürze

1. Das zweite Lebensjahr zeigt eine Fülle von Verhaltensweisen beim Spiel, die dem Kind zu vielfältigen Erfahrungen und Einsichten verhelfen.

2. Das Spielverhalten mit räumlichen Charakteristiken entwickelt sich in der folgenden Reihenfolge:
   - Inhalt-Behälter-Spiel;
   - vertikales Bauen;
   - horizontales Bauen;
   - vertikales/horizontales Bauen.

3. Das Spielverhalten mit Symbolcharakter entsteht aus der direkten und indirekten Nachahmung. Es tritt wie folgt auf:
   - funktionelles Spiel (funktioneller Gebrauch von Gegenständen);
   - repräsentatives Spiel (Handlungen ausgeführt an Puppen);
   - sequentielles Spiel (Handlungen mit gemeinsamer Thematik);

- Symbolspiel (der Gegenstand wird stellvertretend für einen anderen Gegenstand benützt).

4. Spielverhalten, das kategorisiert, ist:
   - Sortieren und Gruppieren von Gegenständen nach bestimmten Eigenschaften.

5. Spielsituationen, die dem Kind den Zusammenhang zwischen Ursache und Wirkung erschließen, ergeben sich besonders häufig im Umgang mit Elementen wie Sand und Wasser.

6. Gegenstände aus dem Alltag der Familie und der vertrauten Umgebung des Kindes sind oftmals weit attraktiver als käufliche Spielsachen.

7. Über die Nachahmung von Eltern, Geschwistern und anderen vertrauten Personen eignet sich das Kind den funktionellen Gebrauch von Gegenständen und soziales Handeln an.

8. Mit dem Kind zu spielen ist gut. Dem Kind Vorbild zu sein, indem wir es in unsere Aktivitäten mit einbeziehen, ist besser.

# Sprachentwicklung

# Einleitung

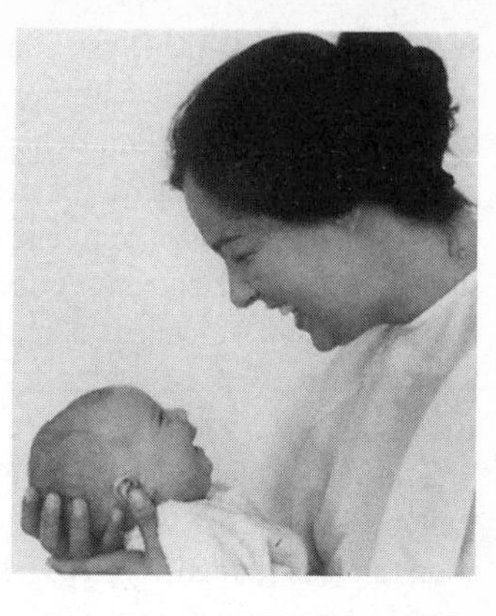

*»Man erzählt vom Hohenstaufen Kaiser Friedrich dem Zweiten (1194–1250), der mindestens sieben Sprachen beherrschte, er habe sich auch darum bemüht, die menschliche Ursprache zu erforschen. Zu diesem Zweck habe er eine Anzahl Kinder von Ammen aufziehen lassen, denen er aufs strengste verbot, mit den Kindern zu sprechen. Der Kaiser wollte nämlich ergründen, ob die Kinder die hebräische Sprache als die älteste oder Griechisch, Lateinisch oder Arabisch sprechen würden oder aber die Sprache der Eltern, die sie geboren hatten. Der Versuch mißglückte, denn die Kinder starben.«*

Ernst Kantorowicz

Kaiser Friedrich II. war ein hochgebildeter Mensch, was ihn aber nicht daran hinderte, einen solch unmenschlichen Versuch mit Kindern zu unternehmen. Dabei hatte er ein Vorbild: Herodot berichtet, daß ein ähnliches Experiment bereits vom Pharao Psammetich I. im 7. Jahrhundert vor Christus durchgeführt worden sei. Die Sprache als etwas spezifisch Menschliches hat die Menschen von jeher fasziniert. Wir hoffen, durch ein größeres Verständnis der Sprache auch unser Wesen besser zu begreifen.

Kinder brauchen zum Leben Zuwendung. Ohne Zuwendung sterben sie. Die Anweisung des Kaisers bede[...] die Ammen, die Kinder wohl zu ernähren, ihnen aber [...] geben. Daran sind sie gestorben. Die Sprac[...] tigsten Wurzeln im Beziehungsverhalten d[...] frühen sozialen Erfahrungen entwickelt si[...]

Eine weitere, biologische Voraussetzu[...] Gehirn. Die zuständigen Bereiche entste[...] Erfahrung mit dem Wort. Das Kind kom[...]

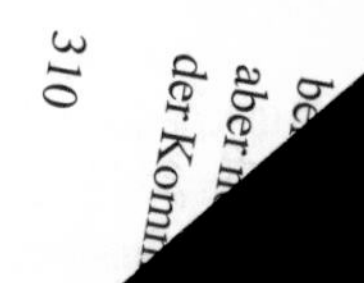

organ« auf die Welt. Dieses besteht aus zwei Zentren; das eine vermag, Sprache zu analysieren, das andere, Sprache zu erzeugen. Bei älteren Menschen, die einen Schlaganfall erleiden, erleben wir, welche gravierenden Folgen der Ausfall eines oder beider Sprachzentren haben kann. Wird durch den Schlaganfall ein Sprachzentrum verletzt, kann der Betreffende Gesagtes nicht mehr verstehen oder nicht mehr sprechen. Sind beide Zentren betroffen, ist weder das Verstehen noch das Reden mehr möglich.

Die dritte Wurzel der Sprache sind unsere geistigen Fähigkeiten. Sprache ist weit mehr, als nur Gesprochenes aufzunehmen und aus Lauten Wörter zu bilden. Der Inhalt der Wörter soll verstanden werden, und eigene Gedanken wollen ausgedrückt sein. Eine Mutter sagt beispielsweise zu ihrer zweijährigen Tochter: »Deine Puppe liegt auf dem Sofa.« Um diesen Satz zu verstehen, muß das Kind nicht nur wissen, welche unter all den Gegenständen, die in der Wohnung vorkommen, die Puppe und das Sofa sind. Es muß auch die Bedeutung des Wörtchens »auf« kennen. Dies setzt voraus, daß das Kind eine Vorstellung vom Raum hat. Nur so begreift es, in welcher räumlichen Beziehung die Puppe und das Sofa zueinander stehen: Die Puppe liegt nicht unter, hinter oder neben, sondern *auf* dem Sofa.

Bevor wir uns mit den drei Wurzeln der Sprache eingehender beschäftigen, wollen wir uns über den Begriff »Sprache« Klarheit verschaffen. Eine nicht einfache Sache: Wir benützen die Mittel der Sprache, um das Wesen der Sprache zu verstehen. Ein Ding der Unmöglichkeit?

## Was ist Sprache?

Versuchen wir, uns an diesen Begriff heranzutasten. Ein wichtiges Merkmal der Sprache ist der Austausch von Information. Mit dem gesprochenen und geschriebenen Wort teilen wir uns anderen Menschen mit. Doch wenn ein Säugling schreit, macht er [illegible]reits eine Mitteilung: Er hat Hunger. Sein Schreien würden wir [illegible]och nicht als Sprache bezeichnen. Es gehört zu den Formen [illegible]unikation, die unter den Tieren weit verbreitet sind. Der

Hund bellt einen anderen Hund an, um ihn von seinem Revier fernzuhalten. Das Vogelmännchen zwitschert, weil es ein Weibchen anlocken will. Beim Säugling löst der Hunger, beim Hund das Revierverhalten und beim Vogel der Sexualtrieb ein bestimmtes kommunikatives Verhalten aus. Säugling, Hund und Vogel vermitteln Signale, die an bestimmte innere oder äußere Gegebenheiten gebunden sind. Sprache ist aber mehr als das Vermitteln von Signalen.

Das eigentliche Kennzeichen der Sprache liegt laut Piaget darin, daß die Informationseinheiten der Sprache, Worte und Sätze, losgelöst von inneren und äußeren Gegebenheiten verwendet werden. Bereits das zweijährige Kind versteht die Präposition »auf« in verschiedenen sprachlichen Zusammenhängen. Es begreift, daß die Puppe in der vertikalen Dimension über dem Sofa ist. Es versteht aber auch, daß sich die Mütze auf dem Kopf oder der Apfel am Baum befindet. Das Kind gebraucht die Präposition nicht nur in dem Zusammenhang, in dem es das Wort von den Eltern, Geschwistern und anderen Leuten gehört hat. Es benützt »auf« losgelöst von der konkreten Erfahrung, die es mit der vertikalen Dimension des Raumes und dem Wörtchen »auf« gemacht hat. Es kann die Präposition auf alle vertikalen Beziehungen anwenden, die zwischen Objekten möglich sind.

Dadurch, daß sprachliche Begriffe in immer neuen Zusammenhängen benützt werden können, erhält die Sprache ihre unerschöpfliche Kreativität und ihre immense Produktivität. Wäre die menschliche Sprache nur Signalübermittlung wie bei den Tieren oder würde sie nur durch Nachahmung erworben, hätte unsere Kultur nicht entstehen können.

Verfügt nur der Mensch über Sprache im Piagetschen Sinne? Alle höheren und die meisten niedrigen Tiere kommunizieren miteinander. Sie benützen Signale, um ihr Zusammenleben zu regeln. Die höheren Tiere verwenden dafür Formen der sogenannten nichtverbalen Kommunikation, die auch uns Menschen vertraut und für unser Zusammenleben wichtig sind. Sie drücken sich durch die Haltung und die Bewegungen ihres Körpers, das Blickverhalten, die Mimik und bestimmte Laute aus. Die Katze macht einen Buckel vor dem Hund: eine Drohgebärde. Der

Hund wedelt mit dem Schwanz, um seine Sympathie zu zeigen, oder fletscht die Zähne, um seine Angriffsbereitschaft zu signalisieren.

Eine Sonderstellung unter den Tieren nehmen die Menschenaffen ein. Ausführliche Untersuchungen in den letzten Jahren haben ergeben, daß Schimpansen und Gorillas in der Lage sind, Gebärden- und Zeichensprache zu lernen (Premack und Premack). Menschenaffen können sich Sprache im oben definierten Sinne aneignen. So verbinden sie Gebärden und Zeichen zu neuen und sinnvollen Satzkonstruktionen. Affenmütter geben ihr sprachliches Wissen an ihre Jungen weiter. Die sprachlichen Möglichkeiten der Menschenaffen bleiben aber auch nach vieljährigem Training beschränkt. Sprachverständnis und Ausdrucksvermögen von Gorillas und Schimpansen erreichen im besten Fall den sprachlichen Entwicklungsstand eines zwei- bis dreijährigen Kindes.

Sprache im engeren Piagetschen Sinne tritt bei unseren Kindern erst im zweiten Lebensjahr auf. Zuvor besteht aber keineswegs ein Kommunikationsnotstand. Säuglinge kommunizieren mit ihrer Umgebung in vielfältigster Weise vom ersten Lebenstag an. Diese frühen Verständigungsformen, die aus dem Beziehungsverhalten entstehen, sind eine unabdingbare Voraussetzung für die Sprachentwicklung.

## Beziehungsverhalten: Wiege der Sprache

Im Umgang mit anderen Menschen neigen wir dazu, die Bedeutung der gesprochenen Sprache zu überschätzen. Wie wir uns fühlen und wie wir einem anderen Menschen gegenüber gestimmt sind, teilen wir weniger mit den konkreten Inhalten unserer Wörter mit als mit der Körpersprache, der sogenannten nichtverbalen Kommunikation. Wir brauchen kein Wort zu sagen, lediglich die Mundwinkel nach oben zu ziehen, dann weiß der andere Bescheid: Wir sind ihm wohlgesinnt. Wenn eine Person uns nicht ins Gesicht blickt, bedeutet dies: Sie will mit uns nichts zu tun haben. Unsere Ausdrucksmittel im zwischenmenschlichen Verhalten sind neben dem gesprochenen Wort der Körper, die

Mimik, das Blickverhalten, die Stimme und die Ausdünstung! Als Wahrnehmungsorgane dienen uns vor allem die Augen, aber auch der Berührungssinn, das Gehör und der Geruchssinn. Beim gesprochenen Wort ist der Inhalt oft weniger wichtig als die Art und Weise, wie wir etwas sagen. Ob das Wort »Schelm« zu einer kriminellen Einschätzung oder einem Kosewort wird, bestimmt allein der Ausdruck der Stimme.

| *Ausdruck* | *Wahrnehmung* | *Beispiel* |
|---|---|---|
| Körperhaltung | Sehen | Müde Haltung |
| Bewegung | Sehen | Dynamischer Schritt |
| Mimik | Sehen | Freudiges Gesicht |
| Blickverhalten | Sehen | Scheuer Blick |
| Schreien | Hören | Schmerzensschrei |
| Berührung | Berührungssinn | Streicheln |
| Ausdünstung | Riechen | Parfüm |

*Körpersprache*

In den ersten zwei Lebensjahren kommunizieren Kind und Eltern fast ausschließlich mit der Körpersprache. Wenn eine Mutter zu ihrem Säugling spricht, ist der Inhalt ihrer Wörter für das Kind ohne Bedeutung. Entscheidend sind die Tonlage, die Melodie und der Ausdruck der mütterlichen Stimme. Der Säugling wiederum teilt sein Befinden der Mutter mit seiner Körpermotorik, seiner Mimik sowie mit seinem Schrei- und Blickverhalten mit.

Die Körpersprache schafft die Beziehung zwischen dem Kind und den Eltern (vgl. »Beziehungsverhalten«). Eingebettet in die Beziehung, entwickelt sich die gesprochene Sprache.

## Die biologische Struktur der Sprache

Die außerordentlichen Entwicklungsfähigkeiten und Anpassungsmöglichkeiten des kindlichen Gehirns kommen beim Spracherwerb besonders deutlich zum Ausdruck. Die Kinder werden mit einem riesigen Sprachpotential geboren, das bereits in den ersten Lebensjahren erstaunliche Leistungen ermöglicht. Die Sprachentwicklung wird wesentlich durch die Hirnreifung bestimmt, die weit vor der Geburt beginnt und mit der Pubertät abgeschlossen wird (Lenneberg).

Kinder im Vorschul- und Schulalter erwerben Sprache anders als die meisten Erwachsenen. Sie eignen sich eine Sprache an, indem sie zuhören und das Gehörte mit Personen, Gegenständen und Vorgängen in ihrer Umwelt sowie ihren eigenen Handlungen in Beziehung bringen. Eltern müssen ihren Kindern die Sprache nicht beibringen. Es genügt, wenn diese sinnbezogene Erfahrungen mit der Sprache machen. Im Gegensatz zu den Erwachsenen lernen Kinder eine Zweit- und Drittsprache mit Leichtigkeit. Sie beherrschen eine Fremdsprache innerhalb von sechs, spätestens zwölf Monaten und dies grammatikalisch perfekt und akzentfrei.

Die Pubertät stellt einen eigentlichen Wendepunkt in der Sprachentwicklung dar: Die meisten Erwachsenen können eine Sprache nicht mehr ganzheitlich wie die Kinder, sondern nur noch über einen analytischen Umweg lernen. Sie müssen sich die Vokabeln mühsam ins Gedächtnis einprägen und sich eine Unzahl von Regeln über den Gebrauch der Wörter und über den Satzbau merken. Selbst nach 20 und mehr Jahren Erfahrung beherrschen nur wenige Erwachsene eine Fremdsprache grammatikalisch perfekt und akzentfrei wie die Einheimischen.

Die Fähigkeit, Sprachsignale zu analysieren und zu produzieren, ist biologisch determiniert und bereits im frühen Säuglingsalter vorhanden. Diese Annahme legen die folgenden Beobachtungen nahe:

**Sprachzentren.** Der Mensch verfügt nicht nur über ein hochspezialisiertes Gehör, sondern auch über ein komplexes Sprachorgan. Seit mehr als 100 Jahren ist bekannt, daß das menschliche Gehirn zwei Sprachzentren aufweist. Darunter werden bestimmte Bereiche im Schläfenlappen des Gehirns verstanden, die für die Verarbeitung der Sprache zuständig sind. Ein Zentrum dient dem Sprachverständnis; es wird nach seinem Entdecker das Wernickesche Sprachzentrum genannt. In diesem Hirnareal werden die akustischen Informationen analysiert, die über das Innenohr, den Hörnerv sowie zentrale Hirnkerne und -bahnen dem Sprachzentrum zugeführt werden. Das zweite Zentrum dient der Produktion der Sprache und wird, ebenfalls nach seinem Entdecker, Brocasches Sprachzentrum genannt. Diese beiden Zentren stehen in enger Beziehung zueinander sowie zu vielen anderen Arealen des Gehirns.

Bei rechtshändigen Menschen liegen die Sprachzentren in der linken, bei Linkshändern oft in der rechten Hirnhälfte (Penfield, Lassen u. a.). Nichtsprachliche akustische Signale, beispielsweise Musik, werden überwiegend in der anderen Hirnhälfte verarbeitet.

Erleidet ein Kind eine Verletzung eines Sprachzentrums, zum Beispiel bei einem Verkehrsunfall, gelingt es seinem Gehirn überraschend gut, die ausgefallenen Sprachfunktionen in Areale der anderen Hirnhälfte zu verlagern. Verliert ein Erwachsener durch einen Schlaganfall die Sprache, ist die Erholung unvollständig oder bleibt überhaupt aus. Das Gehirn ist in der Kindheit nicht nur aufnahme-, sondern auch weit anpassungsfähiger als im Erwachsenenalter.

**Spezifische Verarbeitung und Produktion der Sprachlaute.** In der Evolution wurden die Sprachfunktionen nicht nur von bestimmten Hirnarealen übernommen, ihre Verarbeitung und Produktion wurde auch auf die besonderen Bedürfnisse der menschlichen Kommunikation abgestimmt. Sprachlaute werden vom Gehirn grundlegend anders analysiert als Töne und Geräusche (die sogenannte kategorische Perzeption, nach Eimas). Diese unterschiedliche Verarbeitung erklärt, warum Kinder auf Sprachlaute anders reagieren als auf Töne und Geräusche.

**Universalität der Sprachlaute.** Die Sprachlaute werden von allen Menschen gleich analysiert und gebildet, unabhängig davon, welche Sprache sie sprechen. Lisker und seine Mitarbeiter haben elf sehr unterschiedliche Sprachen wie Italienisch, Deutsch und Finnisch untersucht und dabei festgestellt, daß die Lautproduktion in allen Sprachen den gleichen phonetischen Gesetzmäßigkeiten folgt. Wenn auf der Welt auch eine Vielzahl von Sprachen gesprochen wird, die biologische Grundlage ist für alle Sprachen gleich. So ist es verständlich, daß Kinder auf der ganzen

Welt in den ersten Lebensmonaten die gleichen Laute bilden (Weir).

**Biologische Determinierung der Grundstruktur der Sprache.** Die Fähigkeit, Sätze zu analysieren und zu bilden, setzt bei Kindern unterschiedlich rasch ein. Einige Kinder bilden die Zweiwortsätze bereits zwischen 18 und 24 Monaten, andere erst zwischen 30 und 36 Monaten. Unabhängig von dem Alter, in dem die Satzbildung einsetzt, verläuft sie bei allen Kindern gleich und unterliegt denselben Gesetzmäßigkeiten (Szagun).

Welche Leistung das Kind beim Spracherwerb erbringt, soll der folgende Satz aufzeigen: Peter ißt Brot. Damit ein Kind diesen einfachen Satz bilden kann, muß es mindestens zwei Wortklassen unterscheiden. Worte wie »Peter« und »Brot«, die sich auf Gegenstände und Personen beziehen und solche wie »essen«, die Tätigkeiten bezeichnen. Im weiteren hat das Kind begriffen, daß das Tätigkeitswort »essen« dem Subjekt »Peter« anzupassen ist. Die Regeln der Konjugation hat es anderen Personen abgehört.

Kinder machen – oft zum Ergötzen der Erwachsenen – ungewöhnliche Wortbildungen und Satzkonstruktionen. Dazu kommt es, weil sie aufgrund dessen, was sie hören, Regeln über den Gebrauch der Wörter und über den Satzbau aufstellen. Sie wenden ihre neugebildeten Regeln anfänglich zu allgemein an, was zu ungewöhnlichen Ergebnissen führt. Ausnahmen einer Regel, wie beispielsweise unregelmäßige Verben, spielen ihnen einen Streich. Die analoge Anwendung der Konjugationsregel kann dazu führen, daß das Kind sagt: »Peter ess(e)t«. Ähnliche Fehler können bei den Zeitformen der Tätigkeitswörter oder bei der Bildung der Mehrzahl auftreten. Das Kind sagt beispielsweise: »Ich denkte« oder »viele Mause«. Die Regelbildung über die Abfolge von Subjekt, Tätigkeitswort und Objekt ist ebenfalls mit Anfangsschwierigkeiten verbunden. Das Kind vertauscht beispielsweise »Peter« und »Brot« oder setzt das Tätigkeitswort an das Satzende.

Die Kinder merzen solche Fehler in Kürze aus. Es grenzt an ein kleines Wunder, wie rasch sie die vielfältigen Regeln der Wortbildung und des Satzbaus wie auch deren Ausnahmen erfassen. Und wohlgemerkt: ohne sich die Regeln je bewußtgemacht zu haben!

Die ungewöhnlichen Wortbildungen und Satzkonstruktionen sind ein guter Hinweis darauf, daß das Kind sich die Sprache durch Regelbildung aneignet und nicht durch Nachahmung erwirbt. Wäre letzteres der Fall, müßte es alle Sätze, die es bilden wird, zuvor einmal gehört haben. Das Kind lernt also nicht Wörter und Sätze auswendig. Es ist seine ureigene Leistung, aus den sprachlichen Erfahrungen Regeln über den hierarchischen Aufbau der Sprache abzuleiten. Chomsky hat postuliert, daß das Kind eine Prädisposition für die Struktur der Sprache aufweist. Er meint, daß es gewissermaßen ein Vorwissen über die Struktur der Sprache besitzt. Dieses Vorwissen ermöglicht es dem Kind, Sätze zu verstehen und zu bilden. Nochmals anders gesagt: Das Kind hat ein inneres Bedürfnis, Ordnung in seine Sprache zu bringen.

## Sprache und Denken

Was kommt zuerst: das Denken oder die Sprache? Für die meisten Erwachsenen ist Denken ohne Sprache undenkbar: »Womit soll ich denken, wenn ich keine sprachlichen Begriffe zum Denken habe?« So nehmen sie an, daß auch in der kindlichen Entwicklung die Sprache dem Denken vorausgeht. Jean Piaget kommt das Verdienst zu, überzeugend nachgewiesen zu haben, daß in den ersten Lebensjahren sich zuerst das Denken, dann erst die Sprache entwickelt. Die geistigen Einsichten sind eine unabdingbare Voraussetzung für die Entwicklung der Sprache. Die Beziehung zwischen geistiger Entwicklung und Sprache in den ersten Lebensjahren läßt sich folgendermaßen beschreiben: geistige Entwicklung → Sprachverständnis → sprachlicher Ausdruck.

Auf der folgenden Seite ist diese zeitliche Beziehung zwischen der geistigen Entwicklung und der Sprache anhand des Begriffs »essen« dargestellt. Gegen Ende des ersten Lebensjahres entwickelt das Kind ein Verständnis für die Tätigkeit »essen« (vgl. »Spielverhalten 10 bis 24 Monate«). Es versucht, zuerst mit den Händen, dann mit dem Löffel zu essen. Kurze Zeit später versteht das Kind auch, daß diese Tätigkeit mit dem Wort »essen« bezeichnet wird. Bei den meisten Kindern dauert es Wochen oder gar

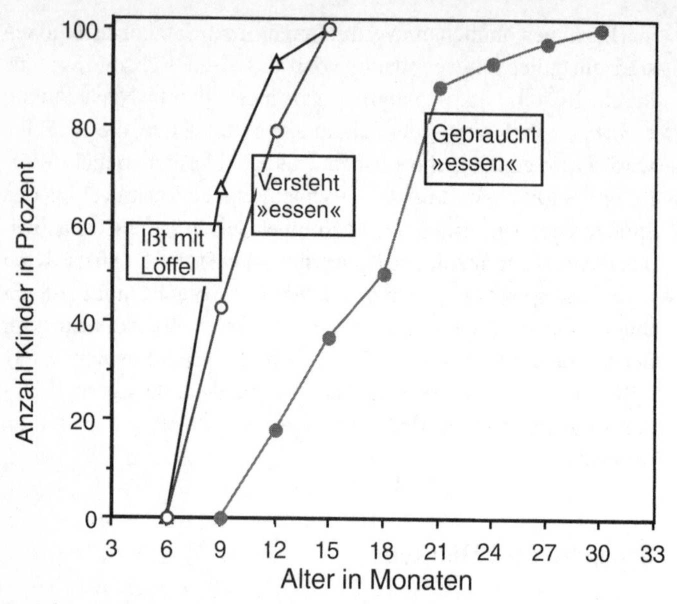


*Beziehung zwischen geistiger Entwicklung, sprachlichem Verständnis und Ausdruck, dargestellt anhand des Begriffs »essen«. Die Linien geben an, wie viele Kinder (in Prozent) den Löffel gebrauchen, das Wort »essen« verstehen und aussprechen.*

Monate, bis sie das Wort »essen« auch aussprechen und anwenden können.

Zuerst entwickelt das Kind also eine innere Vorstellung von der Handlung »essen«, dann versteht es das dazugehörige Wort, und schließlich benützt es dieses auch. Ein Kind versteht in jedem Alter immer mehr, als es sprachlich auszudrücken vermag. Dies trifft ganz besonders für das Kleinkind zu, gilt aber auch noch für uns Erwachsene. Wir begreifen mit unserem Verstand mehr, als wir in Worten ausdrücken können. Wir lesen und verstehen Goethe; kaum jemand von uns ist aber fähig, vergleichbare Texte zu verfassen.

Keine Regel ohne Ausnahme: Es gibt Bereiche, in denen sprachliche Begriffe eine Voraussetzung für das Denken bilden. Beispiele sind Logik und Mathematik. Für die ersten Lebensjahre aber gilt: Zuerst kommt das Denken, dann das Verstehen und schließlich das Sprechen.

## Die Rolle der Eltern

Kinder erwerben die Sprache wohl eigenständig, sie brauchen dazu aber einen intensiven Kontakt mit den Eltern, Geschwistern und anderen Bezugspersonen. Die Eltern bringen ihrem Kind die Sprache nicht bei, sie üben aber einen großen Einfluß auf die Sprachentwicklung ihres Kindes aus.

Die Beziehung zwischen dem Erziehungsstil der Eltern und der Sprachentwicklung der Kinder ist in verschiedenen Studien untersucht worden (Cadzen, Nelson). Die Studien haben im wesentlichen die folgenden Resultate erbracht: Eltern fördern die Sprachentwicklung ihres Kindes, wenn sie seine Ausdrucksweise inhaltlich, nicht aber in der Form korrigieren. Ist die Aussage des Kindes nicht richtig, stellen die Eltern den Sachverhalt klar und wiederholen allenfalls den Satz in seiner korrekten Form. Für das Kind ist es nicht hilfreich, wenn sie seine Aussprache und seinen Satzbau korrigieren und zum Wiederholen anhalten. Diese Befunde erstaunen nicht, wenn man bedenkt, daß das Kind die Sprache nicht über direkte Nachahmung erwirbt. Es eignet sich die Struktur der Sprache selber an, und zwar über deren Inhalt, nicht deren Form. Es dient daher seiner Sprachentwicklung nicht, wenn das Kind zum Nachsprechen angehalten wird.

Im weiteren wird die Sprachentwicklung gefördert, wenn die Eltern eine akzeptierende Erziehungshaltung haben, Fragen stellen und sich für das Spiel ihres Kindes interessieren. Negative Auswirkungen auf die Sprachentwicklung kann ein direktiver Erziehungsstil haben, der aus Befehlen, Instruktionen und Aufforderungen besteht.

Wie sollen die Eltern mit ihrem Kind sprechen? Ist die Babysprache sinnvoll? Form und Inhalt ihrer Sprache sollten die Eltern nicht dem sprachlichen Ausdruck des Kindes, sondern seinem Entwicklungsstand und seinem Sprachverständnis anpassen. Sie sind dann am verständlichsten, wenn sie sich konkret, das heißt handlungs- und sachbezogen ausdrücken. Ihre Sprache sollte der Vorstellungswelt des Kindes entsprechen und in einer sinnvollen Beziehung zu der Situation stehen, in der es sich befindet. Ein schwieriges Unterfangen! Da sagt ein Vater zu seinem zweijährigen Kind beim Gutenachtkuß: »Morgen gehen wir in den Zoo.« Die Bedeutung des Wortes »morgen« versteht es nicht, seine Vorstellungen über die Zeit sind noch kaum entwickelt. Wenn der Vater gesagt hätte: »Jetzt wirst du einschlafen. Wenn du aufwachst, gehen wir miteinander in den Zoo«, hätte das Kind ihn wohl eher verstanden. Solche Ungereimtheiten gehören zum Kinderalltag. Sie sind auch nicht weiter schlimm, denn die Kommunikation mit dem Vater ist für das Kind das Wesentliche und weit weniger die Bedeutung der einzelnen Wörter. Zur Kommunikation gehören das vertraute Gesicht des Vaters, seine Stimme und die Hand, die über seinen Kopf streicht. »Morgen gehen wir in den Zoo.« Das Kind hat »Zoo« gehört und freut sich auf die Tiere.

Für den sprachlichen Umgang mit Kindern jeden Alters läßt sich folgendes sagen: Die Art und Weise, wie wir mit einem Kind reden, sollten wir nicht nach seinem sprachlichen Ausdruck, sondern nach seinem Sprachverständnis richten. Wir sollten also nicht seine Sprache übernehmen, sondern so mit ihm reden, daß wir spüren: Das Kind versteht uns.

## Das Wichtigste in Kürze

1. Die menschliche Kommunikation umfaßt die Körpersprache und die Sprache im engeren Sinn.

2. Die Körpersprache regelt den Umgang mit anderen Menschen. Körperhaltung und -bewegung, Mimik, Blickverhalten, Berührung und Ausdünstung werden als Ausdrucksmittel eingesetzt.

3. Unter Sprache ist die Verwendung von Symbolen zu verstehen. Symbole sind innere Vorstellungen, die nicht mehr an ein unmittelbares Erleben gebunden sind.

4. Die gesprochene Sprache entwickelt sich aus dem frühen Beziehungsverhalten.

5. Die Sprachfunktionen sind strukturell an zwei Sprachzentren gebunden: eines für das Sprachverständnis und eines für den sprachlichen Ausdruck. Lautbildung (Phonetik) und Grundstruktur der Sprache (Syntax) sind biologisch vorgegeben.

6. Inhaltlich spiegelt die Sprache die geistige Entwicklung wider.

7. Die geistige Entwicklung geht der sprachlichen voraus: Zuerst entwickelt das Kind eine innere Vorstellung, dann versteht es den sprachlichen Begriff, der diese Vorstellung bezeichnet, und schließlich wendet es den Begriff an.

8. Die Art und Weise, wie wir mit einem Kind sprechen, sollten wir nicht nach seiner Ausdrucksweise, sondern nach seinem Sprachverständnis richten. Unsere Sprache sollte der Vorstellungswelt des Kindes angepaßt und in einer sinnvollen Beziehung zur aktuellen Situation sein.

9. Die beste Sprachförderung ist eine gute Beziehung zum Kind.

# Vor der Geburt

*Peter und Maria sitzen in einem Konzert. Maria ist weniger vom Furioso der Musik hingerissen als vielmehr vom Bewegungssturm ihres ungeborenen Kindes. Maria ist im siebten Monat schwanger. Das Kind strampelt nach allen Seiten und stößt ihr mehrmals schmerzhaft gegen den Rippenbogen.*

Hört das ungeborene Kind? Falls ja, was hört es, und wie bedeutungsvoll ist das Gehörte für das Kind? Fragen, die angehende Eltern, Mediziner und Psychologen gleichermaßen beschäftigen. Wir wissen, daß das Innenohr des Menschen (die sogenannte Cochlea) bereits in der 20. Schwangerschaftswoche Erwachsenengröße erreicht hat. Das Hörorgan ist in diesem frühen Alter auch teilweise funktionstüchtig. Mit 36 bis 40 Schwangerschaftswochen ist es ausgreift, die Hörzellen reagieren elektrophysiologisch wie beim erwachsenen Menschen (Leibermann). Mit dieser sehr frühen Ausbildung des Innenohrs vermeidet die Natur, daß sich die akustische Wahrnehmung durch ein Größerwerden des Hörorgans während der ersten Lebensjahre ständig verändert.

Bereits Anfang dieses Jahrhunderts versuchte man mit teilweise martialischen Methoden herauszufinden, ob das ungeborene Kind hört. Eine Versuchsanordnung bestand darin, schwangere Frauen in eine Badewanne zu setzen, mit einem Hammer gegen die Wanne zu schlagen und darauf zu achten, ob das Gedröhne Kindsbewegungen auslöste. Andere haben Musikinstrumente, mit Vorliebe Trompeten, auf den Bauch der schwangeren Frau gesetzt und motorische Reaktionen des Kindes mit Tönen zu provozieren versucht. In den letzten Jahren sind die Untersuchungsmethoden präziser und vor allem kindgerechter geworden. Mit Hilfe von Herzfrequenzaufzeichnung und Elektroenzephalogramm ließ sich nachweisen, daß das ungeborene Kind zuverlässig auf akustische Reize mit einer Änderung der Herzfrequenz und der Hirnaktivität reagiert.

Kann das ungeborene Kind zwischen Geräuschen, Tönen und Klängen unterscheiden? Hat die mütterliche Stimme eine besondere Bedeutung für das Kind? Freut es sich mit den Eltern, eine Beethovensonate im Konzertsaal anzuhören? Wie wichtig ist die vorgeburtliche Kommunikation zwischen Mutter und Kind?

Über diese Thematik ist in den letzten Jahren vieles, aber nur wenig wirklich Belegtes geschrieben worden. Es gibt Fachleute und Laien, die der vorgeburtlichen Erfahrung eine große Bedeutung beimessen. Wiederholt berichtet sind die folgenden Beobachtungen: Während laute Geräusche die Herzfrequenz ansteigen lassen und das ungeborene Kind sich vermehrt bewegt, führen die menschliche Stimme oder Musik zu einer Abnahme der Herzfrequenz und zur motorischen Beruhigung. Das ungeborene Kind scheint auf vertraute und unvertraute Stimmen unterschiedlich zu reagieren. Das Neugeborene vermag zwischen der Stimme der Mutter und derjenigen fremder Personen zu unterscheiden. Diese Befunde deuten darauf hin, daß akustische Reize für das ungeborene Kind von unterschiedlicher Bedeutung sind und daß es in der Schwangerschaft mit der mütterlichen Stimme vertraut wird.

Die Leistungen des ungeborenen Kindes sind bemerkenswert, wenn man bedenkt, daß eine Reihe von Faktoren seine akustische Wahrnehmung wesentlich einschränken. Als erstes ist anzumerken, daß die Gebärmutter kein ruhiger Ort ist. Das Kind ist einem ständigen Geräuschpegel von 60 bis 80 Dezibel ausgesetzt, was etwa der Lautstärke einer durchschnittlich lauten Stimme bei einem Gespräch entspricht. Dieser Lärmpegel wird durch zischende Strömungsgeräusche der Gebärmuttergefäße und der Körperschlagader sowie gurgelnde Geräusche des mütterlichen Darms hervorgerufen. Eine weitere wesentliche Einschränkung besteht darin, daß die menschliche Stimme, Klänge und Geräusche auf ihrem Weg zum Kind die mütterliche Bauchwand, die Gebärmutter und das Fruchtwasser zu durchqueren haben und dabei stark filtriert werden. Was das Kind in etwa zu hören bekommt, können wir erahnen, wenn wir uns in die volle Badewanne setzen, den Wasserhahn aufdrehen, den Kopf unter Wasser stecken und dabei versuchen, Musik zu hören oder einem Gespräch zu folgen.

Es gibt eine vorgeburtliche akustische Erfahrung. Schwierig abzuschätzen ist ihre Bedeutung für das ungeborene Kind. Wahrscheinlich ist sie ziemlich beschränkt – vielleicht zum Vorteil des Kindes. Denn wäre seine Aufnahmebereitschaft groß, wie würden sich wohl Fernseher und Radio, Straßenverkehr und der Staubsaugerlärm auswirken?

## Das Wichtigste in Kürze

1. Das Gehör ist mit 20 Schwangerschaftswochen teilweise und mit 36 bis 40 Schwangerschaftswochen voll funktionstüchtig.

2. Das ungeborene Kind reagiert auf akustische Reize wie Geräusche, Klänge und die menschliche Stimme unterschiedlich. Es scheint in der Schwangerschaft mit der mütterlichen Stimme vertraut zu werden.

# 0 bis 3 Monate

*Die zwei Wochen alte Lisa liegt nach dem Stillen satt und zufrieden im Arm der Mutter. Die Mutter spricht leise zu ihr. Nach einiger Zeit sucht Lisa mit ihren Augen das Gesicht der Mutter und hört ihr aufmerksam zu.*

Viele Jahre lang waren namhafte Fachleute der Meinung, daß Neugeborene nicht hören. Begründet wurde diese Ansicht unter anderem mit einer Unreife des Gehörs und mit Flüssigkeit im Mittelohr. Die Mütter wußten es besser. Sie sprachen dennoch mit ihren Kindern. Sie spürten, daß das Kind an ihrer Stimme interessiert war. Seit einigen Jahren wissen es auch die Fachleute: Die Hörschwelle ist in den ersten Lebenstagen nur unwesentlich höher als im Erwachsenenalter (Leibermann u. a.). Das Gehör ist bei der Geburt funktionsbereit.

In diesem Kapitel wollen wir uns zuerst mit den Anfangsstadien der Sprachentwicklung beschäftigen. Im zweiten Teil geht es um die Frage, warum die Ammensprache dem Säugling entspricht.

## Babys hören

Bereits in den ersten Lebensstunden ist das Neugeborene an der menschlichen Stimme interessiert. Wenn es eine Stimme hört, bekommt es einen aufmerksamen Gesichtsausdruck, bewegt sich weniger oder auch mehr und versucht, vereinzelt eigene Töne zu bilden. Spricht die Mutter seitlich auf der Höhe der Ohren zu ihrem Kind, wendet es seine Augen und gelegentlich auch den Kopf der Mutter zu.

Das Neugeborene vermag nur kurze Zeit der Stimme der Mutter zu lauschen. Es ermüdet rasch, dreht den Kopf und die Augen

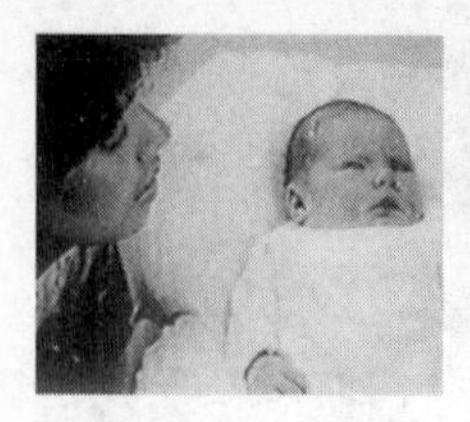
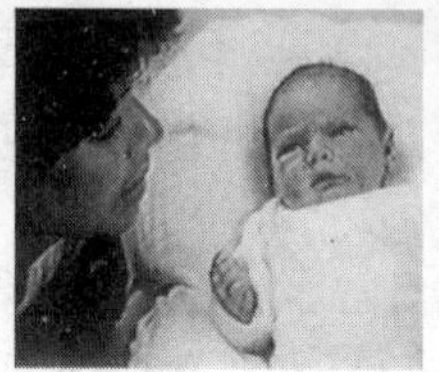
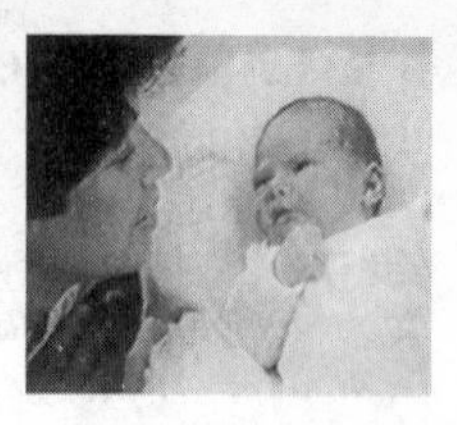

*Die Mutter spricht zu ihrem Neugeborenen. Das Kind wendet sich mit seinen Augen und dem Kopf der mütterlichen Stimme zu.*

weg. Es braucht eine Erholungspause, bevor es sich erneut für die mütterliche Stimme interessieren kann.

Für den Säugling ist kein akustischer Reiz so interessant wie die menschliche Stimme. Weder Geräusche noch Töne oder Klänge, selbst wenn sie aus Mozarts Feder stammen, vermögen seine Aufmerksamkeit so auf sich zu ziehen wie eine Stimme.

Eine Frauenstimme weckt das Interesse eines Säuglings eher als eine Männerstimme. Neben der höheren Stimmlage sind der Tonfall und der Ausdruck von besonderem Reiz. Der Inhalt der Wörter aber kümmert das Kind nicht. Ob wir Wörter oder Laute gebrauchen und was sie bedeuten, ist unwichtig. Die Stimme, nicht das Wort spricht zum Kind: Sie begrüßt und beruhigt es. Sie vermag mit ihrer Melodie und Lautstärke Gefühle auszudrücken. Recht bald kann das Kind eine freundliche von einer zornigen Stimme unterscheiden. Nach wenigen Wochen ist es an einer fremden Stimme weit weniger interessiert als an einer vertrauten. Mit zwei bis drei Monaten beginnt es, auf den Mund der Mutter zu schauen und auf ihre Lippenbewegungen zu achten, wenn sie mit ihm spricht.

In den ersten Lebensmonaten lernt der Säugling, den Ausdruck der mütterlichen Stimme und bestimmte Geräusche mit regelmäßig sich wiederholenden Ereignissen zu verbinden. Nach und nach werden ihm auch die Wörter vertraut, die die Mutter benützt, wenn sie beispielsweise die Milchflasche abfüllt oder das Bad zubereitet.

Der Säugling wendet sich nicht nur einer Stimme oder einem Geräusch zu. Er kann auch gezielt auf akustische Reize *nicht* reagieren. Diese Fähigkeit, störende Reize zu ignorieren, ist insbesondere im Schlaf von großer Bedeutung (vgl. »Schlafverhalten 0 bis 3 Monate«).

## Erste Laute

Nach dem ersten Lebensmonat bildet der Säugling zunehmend mehr und verschiedene Laute, vor allem gurrende wie a-a-a, oo-oo-oo oder guhr-guhr. Die Vokale überwiegen. Im dritten Monat werden es mehr singende Laute wie are-are oder agne-agne. Die ersten Konsonanten erscheinen. Wenn der Säugling vergnügt ist, äußert er seine Lebensfreude im ersten und zweiten Lebensmonat mit charakteristischen Schreilauten. Im dritten Lebensmonat ersetzt er das Schreien immer mehr durch freudige Laute. Die Äußerungen der ersten drei Lebensmonate sind dieser Altersperiode eigen und haben wenig gemeinsam mit den später auftretenden Sprachlauten.

Der Säugling freut sich, wenn die Mutter, der Vater oder ein Geschwister seine Laute wiederholen. Gelegentlich ahmt er sie auch nach. Gegen Ende des dritten Lebensmonats begrüßt der Säugling die Mutter, wenn sie sich ihm nähert, mit Plaudern. Wenn er auf sich aufmerksam machen will, schreit er nun immer weniger und versucht dafür mit Plaudern die Aufmerksamkeit der Eltern und der Geschwister auf sich zu ziehen.

Der Säugling plaudert nicht nur, wenn er ein Gegenüber hat, sondern häufig auch, wenn er allein ist, beispielsweise am Morgen nach dem Aufwachen oder nach dem Füttern in der Babyliege. Er plappert vor sich hin und spielt mit seinen Tönen.

## Babysprache ja oder nein?

Während des Tages gibt es zahllose Gelegenheiten, mit dem Kind zu plaudern: beim Füttern, beim Windelnwechseln, beim Baden oder beim Schlafenlegen.

Mütter und Väter, aber auch fremde Erwachsene und größere Kinder nehmen eine charakteristische Sprechweise an, wenn sie sich mit einem Säugling unterhalten: Sie erhöhen ihre Stimmlage

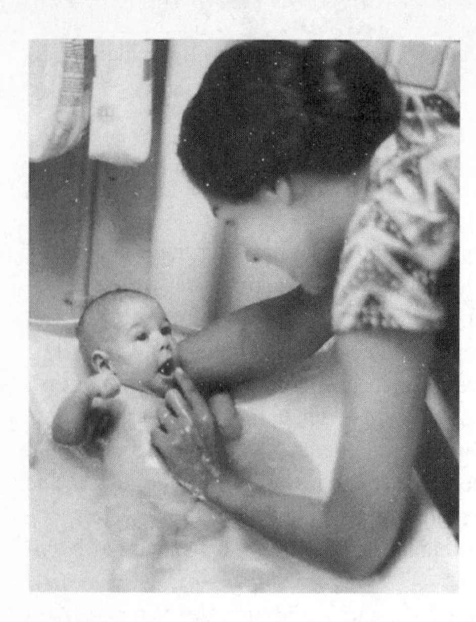

*Plaudern beim Baden*

und verwenden viele Vokale. Sie dehnen die Laute, übertreiben und wiederholen sie – oft vielfach. Sie spüren, daß er aufmerksamer ist, wenn sie so mit ihm sprechen. Dieser sprachliche Umgang entspricht dem Säugling und ist daher sinnvoll. Mit der Ammensprache passen wir uns seinen begrenzten Aufnahmefähigkeiten an. Wir verlangsamen das Sprechtempo, übersteigern den Ausdruck und wiederholen uns. Diese Anpassung machen wir nicht nur sprachlich, sondern in unserem ganzen Verhalten. Verlangsamung, Übertreibung und Wiederholung bestimmen auch unser Blickverhalten, unsere Mimik und unsere Bewegungen im Umgang mit dem Säugling (umfassender dargestellt in »Beziehungsverhalten 0 bis 3 Monate«).

Die Aufmerksamkeitsspanne der Neugeborenen und Säuglinge ist noch kurz. Zuhören ist für sie anstrengend, sie ermüden rasch. Nach einigen Wochen kennen die Eltern ihr Kind gut genug, um zu spüren, wann es innerlich bereit ist zuzuhören. Sie überfordern es nicht und hören auf, mit ihm zu sprechen, wenn es nicht mehr aufnahmefähig ist.

Im frühen Säuglingsalter ist die Sprachentwicklung noch ganz eingebettet in das Beziehungsverhalten. Das Gefühlsmäßige der Sprache und die Beziehung sind für das Kind das Wesentliche. Zuhören und Plaudern gehören zum Wechselspiel zwischen ihm und den Bezugspersonen.

## Das Wichtigste in Kürze

1. Nach der Geburt ist das Gehör bereits funktionstüchtig.

2. Der Säugling ist am Ausdruck der Stimme interessiert. Der Inhalt der Wörter ist für ihn noch ohne Bedeutung.

3. Langsames, vereinfachtes, sich wiederholendes und ausdrucksstarkes Sprechen entspricht der Aufnahmefähigkeit des Säuglings und ist daher sinnvoll (Baby- oder Ammensprache).

4. Der Säugling drückt sich in den ersten drei Lebensmonate immer weniger durch Schreien und immer mehr durch Vokalisieren aus.

5. Der Säugling ist fähig, sich im Schlaf vor störenden akustischen Reizen zu schützen.

# 4 bis 9 Monate

*Der Vater ist aufgebracht. Der dreijährige Alex hat versucht, mit seinen Bausteinen einen möglichst hohen Turm zu bauen. Als der Turm schließlich zusammenstürzt, ist Alex so frustriert, daß er die Bauklötze durchs Zimmer schmeißt. Ein Bauklotz trifft die sechs Monate alte Eva beinahe am Kopf. Als der Vater mit erregter Stimme Alex auf sein gefährliches Tun hinweist, fängt nicht Alex, sondern das Baby an zu weinen.*

In den ersten sechs Lebensmonaten sind Wörter und Sätze für das Kind noch ohne Inhalt. Es erfaßt aber den gefühlsmäßigen Ausdruck der menschlichen Stimme. Daß sie beinahe von einem Bauklotz getroffen wurde, hat Eva nicht realisiert. Was der Vater zu Alex sagt, kann sie noch nicht begreifen. Daß der Vater zornig ist, spürt Eva aber sehr wohl an seiner Stimme.

In der zweiten Hälfte des ersten Lebensjahres beginnt sich ein erstes Verständnis für Wörter heranzubilden. Die Sprache bekommt nun neben einer gefühls- und beziehungsmäßigen auch eine konkrete Bedeutung für das Kind. Die Lautbildung macht in diesem Alter ebenfalls große Fortschritte. Am Ende des ersten Lebensjahres verfügen einige Kinder bereits über erste Wörter.

In diesem Kapitel wollen wir uns zuerst mit den Anfängen des Sprachverständnisses und anschließend mit der Lautbildung und Gesten beschäftigen. Gesten sind ein weiteres Vorstadium der gesprochenen Sprache.

## Erstes Verstehen

Mit etwa sechs Monaten beginnt das Kind, die Bedeutung bestimmter Wörter zu begreifen. Als erstes bringt es Namen mit Personen in Verbindung. Wenn es mit seinem Namen angesprochen wird, hält es in seinem Spiel inne. Hört es die Mutter »Papa« sagen, schaut das Kind zum Vater. Wenn die Mutter eines der Geschwister ruft, sucht es mit seinen Augen danach. Etwas später setzt das Kind bestimmte Worte mit Gegenständen und Situationen in Beziehung. Es kennt nun Gegenstände des Alltags wie Milchflasche oder Schnuller beim Namen. Wenn die Mutter Wörter wie »essen«, »baden«, »spazierengehen« gebraucht, weiß das Kind, welche Situationen und Aktivitäten damit gemeint sind. Das Kind beginnt auch zu begreifen, was mit Begriffen wie »komm«, »auf Wiedersehen« oder »nein« gemeint ist.

Das erste Sprachverständnis ist in einem hohen Maße an das Vorhandensein der angesprochenen Personen und Gegenstände wie auch an die aktuelle Situation gebunden. Das Kind »erlebt« die Wörter. So versteht es anfänglich das Wort »spazierengehen« nur im Zusammenhang mit Jacke-und-Mütze-Anziehen und Ins-Wägelchen-gesetzt-Werden. Einige Zeit später wird das Wort allein von ausreichender Bedeutung.

Mit etwa neun Monaten beginnt das Kind, sich für Gespräche zu interessieren. Es hört aufmerksam zu, wenn Eltern und Geschwister miteinander reden. Es ist Zeit, das Kind an den Familientisch zu nehmen.

## Plaudern

In den ersten fünf Lebensmonaten ist die Lautproduktion unbeeinflußt von der Umgebung, in der das Kind aufwächst. Kinder verschiedenster Kulturkreise bilden die gleichen Laute. Ihr Plaudern tönt in Europa, Afrika und Amerika gleich. Nach dem fünften Lebensmonat wird die Lautproduktion spezifisch für die Umgebung und die Kultur, in der das Kind lebt (Weir).

Gehörlose Kinder plaudern in den ersten fünf Monaten genauso wie hörende Kinder. Ein weiterer Hinweis darauf, daß die Lautproduktion anfänglich aus dem Kind selbst kommt und noch keine Nachahmung von Sprachlauten darstellt. Während das hörende Kind nach dem sechsten Monat sein Repertoire an Lauten ständig ausweitet, macht das gehörlose Kind immer weniger Laute. Es verstummt schließlich gegen Ende des ersten Lebensjahres. Das Stagnieren der Sprachentwicklung beim gehörlosen Kind zeigt uns, wie wichtig es ist, daß wir bereits im ersten Lebensjahr mit unseren Kindern sprechen. Auch wenn sie in den ersten Lebensmonaten wenig nachahmen, nehmen sie doch die Laute wahr und verarbeiten sie.

Zwischen dem vierten und sechsten Monat macht der Säugling immer mehr Vokallaute wie oh-oh und ah-ah. Zusammen mit p-, b- und m-ähnlichen Konsonanten entstehen Lautfolgen wie gl-gl, goo-goo oder meh-meh. Innerhalb kurzer Zeit bildet der Säugling vier und mehr verschiedene Lautketten. Charakteristisch für das Alter von sechs Monaten sind Blas- und Reiblaute. Das Kind spielt mit seinem Speichel und dem Lippenschluß. Nach dem sechsten Lebensmonat verwendet es zunehmend mehr Konsonanten. Es hängt zwei und mehr Silben aneinander, Lautfolgen wie bah-bah-bah, gah-gah-gah oder ogoo-ogoo-ogoo entstehen.

Spricht die Mutter mit dem Säugling und ahmt sie sein Plaudern nach, lächelt er und setzt das Plaudern fort. Eine erste einfache Form der Konversation! Das Kind plaudert auch, wenn es allein ist, beispielsweise vor dem Einschlafen oder nach dem Aufwachen. Wenn es sich im Spiegel erblickt, plappert es mit seinem Konterfei. Es beginnt, sein Mißbehagen immer mehr mit

Lauten und immer weniger durch Schreien auszudrücken. Wenn es ein Spielzeug haben will, das es nicht erreichen kann, beginnt es zu schimpfen; sein Plappern bekommt einen ärgerlichen Unterton. Will es Zuwendung, schreit es nicht mehr, sondern macht sich mit lockenden oder klagenden Lauten bemerkbar. Der Säugling paßt die Lautstärke seiner Stimme den Distanzen an. Sein Plaudern wird lauter, wenn sich die Mutter entfernt. Schließlich beginnt er auch die Tonhöhe seiner Stimme zu verändern; sein Geplauder nimmt einen singsangähnlichen Charakter an.

Mit sieben bis acht Monaten setzt die Fähigkeit zur unmittelbaren Nachahmung ein. Die Kinder ahmen zuerst Laute nach, die sich bereits in ihrem Repertoire befinden, dann auch Laute, die ihnen noch nicht vertraut sind. Aus der Abbildung können wir ersehen, daß sie unterschiedlich rasch nachahmen. Bei einigen Jungen setzt das Nachahmen erst im zweiten Lebensjahr ein.

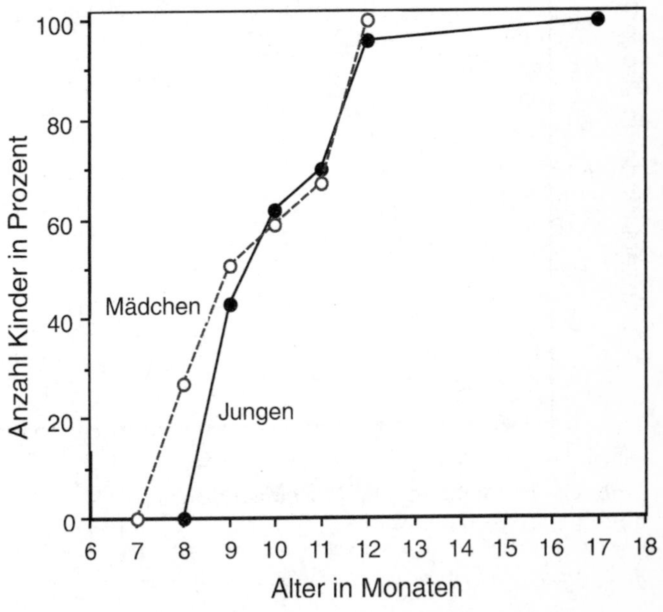


*Anzahl der Kinder (in Prozent), die Laute nachahmen (nach Largo u. a. 1986)*

Aus den Lautverbindungen entstehen mit acht bis zehn Monaten Silbenketten wie ta-ta, ma-ma oder ba-ba. Aus solchen Lautfolgen leitet das Kind die ersten Namen für seine Eltern ab. Ob daraus zuerst »Mama« oder »Papa« wird, hängt nicht nur von der Beziehung des Kindes zu Mutter und Vater ab, sondern auch davon, welche Silben es zuerst artikulieren kann. Nicht selten schafft es als erstes »Papa«, sehr zur Freude des stolzen Vaters. Auf der ganzen Welt geben die Kinder ihren Eltern ähnliche Namen, was darauf hinweist, daß die Lautbildung auch in diesem Alter aufgrund innerer Gesetzmäßigkeiten immer noch ziemlich einheitlich verläuft. Zunächst gebrauchen die Kinder »Mama« und »Papa« eher zufällig. Nach kurzer Zeit wenden sie die Namen gezielt an.

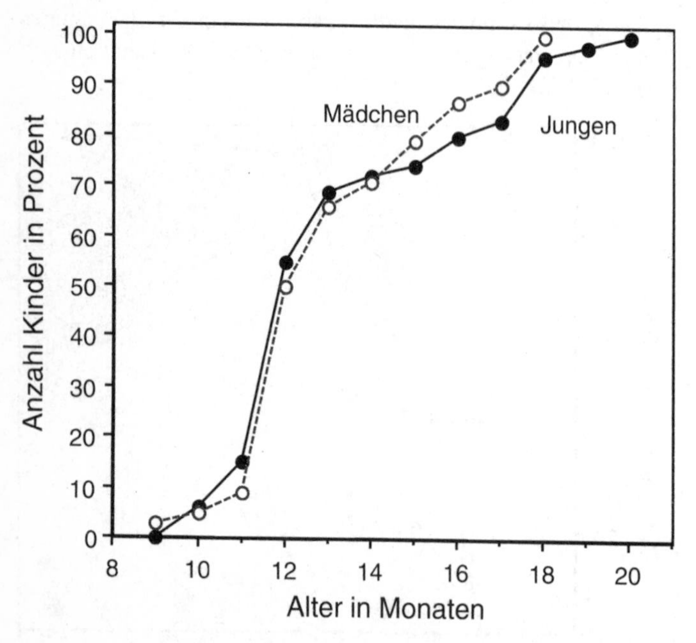


*Die Punkte geben an, wie viele Kinder (in Prozent) in einem bestimmten Alter »Mama« und »Papa« gezielt anwenden (nach Largo u. a. 1986).*

Das zeitliche Auftreten von »Mama« und »Papa« ist von Kind zu Kind sehr unterschiedlich. Einige haben bereits mit neun bis zehn Monaten Namen für ihre Eltern. Bei etwa der Hälfte der Kinder ist dies mit zwölf Monaten der Fall. Andere, vor allem Jungen, rufen ihre Eltern erst mit 15 bis 20 Monaten beim Namen.

Die acht bis zwölf Monate alten Kinder ahmen nicht nur die Laute nach. Sie sind auch fasziniert vom Gesicht und insbesondere vom Mund, der die Laute hervorbringt. Sie betasten häufig den Mund anderer Menschen mit ihren Fingern.

In der zweiten Hälfte des ersten Lebensjahres weitet sich nicht nur die Fähigkeit zur sprachlichen, sondern auch zur nichtsprachlichen Nachahmung stark aus. Das Kind verwendet Gesten, also Bewegungsabläufe und Stellungen der Hand, denen eine bestimmte Bedeutung zukommt. Es winkt auf Wiedersehen,

*Herausfinden, wo die Laute herkommen*

klatscht in die Hände, um seine Freude auszudrücken, und verweigert seine Zustimmung, indem es den Kopf schüttelt. Wenn es einen Gegenstand haben möchte, den es nicht erreichen kann, zeigt es darauf zuerst mit der ganzen Hand, später mit dem Zeigefinger. Das Gugu-Dada-Spiel in all seinen Varianten erfreut Kind und Eltern (vgl. »Beziehungsverhalten 4 bis 9 Monate«, »Spielverhalten 4 bis 9 Monate«).

## Die Rolle der Eltern

Wie sollen die Eltern mit ihrem Kind in diesem Altersabschnitt sprachlich umgehen? Das Kind hat ein großes Bedürfnis, mit anderen Menschen zusammenzusein. Es möchte dabeisein, wenn andere Leute miteinander reden. Indem es zuhört, nimmt es die Laute und Sprachmelodien seiner Muttersprache auf.

Bis weit in das zweite Lebensjahr ist für das Kind das Verständnis von Wörtern aufs engste mit Personen, Gegenständen, Handlungen und Situationen verbunden. Wenn die Eltern bei Spiel, Füttern und Pflege die Gegenstände benennen, die das Kind in den Händen hat oder sieht, eignet es sich die entsprechenden Namen an. Machen die Eltern es zum Spazierengehen bereit, tönt es für das Kind etwa so: Die Eltern ziehen ihm das »Mäntelchen« und die »Schuhe« an, setzen ihm die »Mütze« auf den »Kopf« und holen das »Wägelchen« hervor.

Das Wichtigste, was die Eltern ihrem Kind vermitteln können, ist das *Erleben* der gesprochenen Sprache. Alles, was sie ansprechen, sollte das Kind gleichzeitig auch sehen, hören oder fühlen können.

## Das Wichtigste in Kürze

1. Nach dem sechsten Lebensmonat setzt das Sprachverständnis ein. Es bezieht sich auf die Benennung von Personen, Gegenständen, Handlungen und Situationen.

2. Das Kind beginnt, sich für Gespräche zwischen Familienmitgliedern zu interessieren.

3. Das Kind eignet sich die Laute der Umgangssprache an. Es ahmt die Sprachmelodie nach.

4. Aus Kettenlauten entwickelt es die ersten Wortgebilde wie Mama und Papa, die es zuerst zufällig, dann personenbezogen benützt.

5. Mit etwa neun Monaten versteht und verwendet das Kind eine Reihe von Gesten wie In-die-Hände-Klatschen oder Auf-Wiedersehen-Winken.

6. Die Worte, die wir an das Kind richten, sollten in einem unmittelbaren Bezug zum Kind und seinem Erleben stehen. Alles, was wir ansprechen, sollte das Kind gleichzeitig sehen, hören oder fühlen können.

*Karl ist zwei Jahre alt und spricht noch kein Wort. Seine Schwester bildete im gleichen Alter bereits einfache Sätze. Karl versteht alles, was die Mutter zu ihm sagt. Wenn er etwas will, das für ihn unerreichbar ist, führt er die Mutter an der Hand durch die Wohnung, zeigt mit dem Zeigefinger auf das Gewünschte und macht mh-mh. Oft ist Karl verstimmt, weil er seine Anliegen nicht in Worten ausdrücken kann. Vor einigen Tagen bekam er einen Tobsuchtsanfall, als die Eltern auch mit größtem Bemühen nicht erraten konnten, was er ihnen mitteilen wollte.*

So wie Eltern erwarten, daß ein Kind mit einem Jahr die ersten Schritte macht, nehmen sie auch an, daß es mit zwei Jahren spricht. Genauso wie die motorische Entwicklung von Kind zu Kind unterschiedlich rasch verläuft, setzt auch das Sprechen in verschiedenen Altersstufen ein. Während einige Kinder bereits gegen Ende des ersten Lebensjahres zu sprechen beginnen, läßt das Reden bei anderen bis ins dritte Lebensjahr auf sich warten. Diese große Streubreite betrifft vor allem das Sprechen, weniger das Verstehen. Kinder gleichen Alters unterscheiden sich deshalb in ihren sprachlichen Ausdrucksmöglichkeiten weit mehr als in ihrem Sprachverständnis.

## Verstehen

Gegen Ende des ersten Lebensjahres kennt das Kind die Personen und Gegenstände, mit denen es tagtäglich in Berührung kommt, beim Namen. Es versteht einfache Aufforderungen wie: »Gib mir den Ball!« Es reagiert sinngemäß auf Fragen wie: »Wo ist der Papa?« Sagt die Mutter »Nein!«, hält das Kind – mindestens einen Augenblick lang – in seiner Tätigkeit inne. Gegen Ende des zweiten Lebensjahres versteht es bereits längere Sätze wie: »Wenn wir auf dem Spielplatz sind, darfst du mit dem Ball spielen.«

Zwischen zwölf und 18 Monaten wächst das Interesse des Kindes an Gesprächen. Es hört aufmerksam zu, wenn Eltern und Geschwister miteinander sprechen. Sein Sprachverständnis ist nun so weit entwickelt, daß die Wörter auch einen Sinn haben, wenn die angesprochenen Personen und Gegenstände nicht gegenwärtig sind. Wenn die Mutter das Kind auffordert, seine Schuhe aus einem anderen Raum zu holen, weiß es, welcher Gegenstand gemeint ist und wo er sich befindet. Schaut die Mutter mit ihm ein Bilderbuch an und nennt ein Tier beim Namen, zeigt das Kind auf das erwähnte Tier. Es kennt die Namen einiger Körperteile wie Mund, Augen oder Füße und Kleidungsstücke wie Schuhe oder Mütze.

Tätigkeitswörter aus dem Alltag wie »essen«, »schlafen« oder »spielen« erhalten für das Kind eine konkrete Bedeutung. Anfänglich verbindet es damit eine sehr weite Vorstellung. Das Wort »schlafen« beispielsweise kann alles umfassen, was sich abspielt vom abendlichen Einschlafzeremoniell über das eigentliche Schlafen bis zum Aufgenommenwerden durch die Mutter am nächsten Morgen. »Schlafen« kann auch eine Bezeichnung für das Bett sein. Über Monate und Jahre hinweg engt sich der Bedeutungsgehalt des Wortes immer mehr ein und wird damit immer spezifischer. Das Wort »schlafen« bezeichnet schließlich nur noch ein bestimmtes Verhalten.

Im zweiten Lebensjahr beginnt das Kind, räumliche Verhältniswörter wie »in« oder »auf« zu verstehen. Deren Verständnis setzt eine innere Vorstellung des Raumes voraus, die das Kind erwirbt, indem es sich im Raum bewegt und mit Gegenständen spielt (vgl. »Spielverhalten 10 bis 24 Monate«).

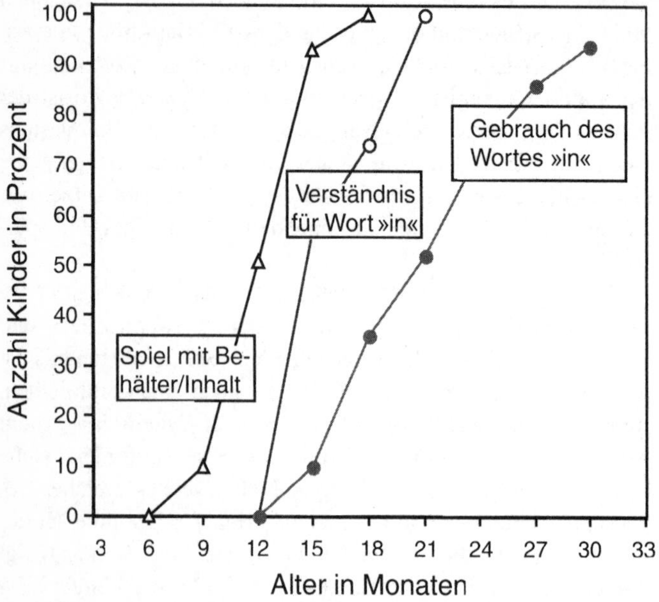


*Entwicklung des Inhalt-Behälter-Spiels, des Sprachverständnisses für die Präposition »in« und deren sprachliche Anwendung. Die Kurven repräsentieren die Anzahl Kinder (in Prozent), die in einem bestimmten Alter mit Behältern spielen, die Präposition »in« verstehen beziehungsweise gebrauchen.*

Zuerst eignet sich das Kind ein Verständnis für das Verhältniswort »in« an. Bereits am Ende des ersten Lebensjahres begreift es, daß ein Gegenstand in einem anderen Gegenstand sein kann. Im sogenannten Inhalt-Behälter-Spiel setzt es sich mit dieser räumlichen Vorstellung auseinander. Am Anfang des zweiten Lebensjahres begreift es, daß das Verhältniswort »in« für diese räumliche Beziehung zwischen zwei Gegenständen steht. Wenn die Mutter sagt: »Der Apfel ist in meiner Tasche«, sucht das Kind in der mütterlichen Handtasche nach dem Apfel. Es vergehen Wochen und Monate, bis es das Wort »in« auch aussprechen kann. Die meisten Kinder benützen das Wort erst gegen Ende des zweiten Lebensjahres.

Unten ist die Reihenfolge dargestellt, in der die räumlichen Verhältniswörter auftreten. Die Abfolge der Wörter ist im wesentlichen bei allen Kindern gleich. Auf das Wörtchen »in« folgt »auf«. Wenn sie von der Mutter aufgenommen werden wollen, sagen sie »auf«, häufig auch, wenn sie auf den Boden zurück möchten. Mit »auf« meinen sie eine Bewegung in der Vertikalen: hinauf und hinunter. Auf das Verhältniswort »auf« folgt »unter«, mit zweieinhalb bis drei Jahren »hinter« und schließlich »vor«.

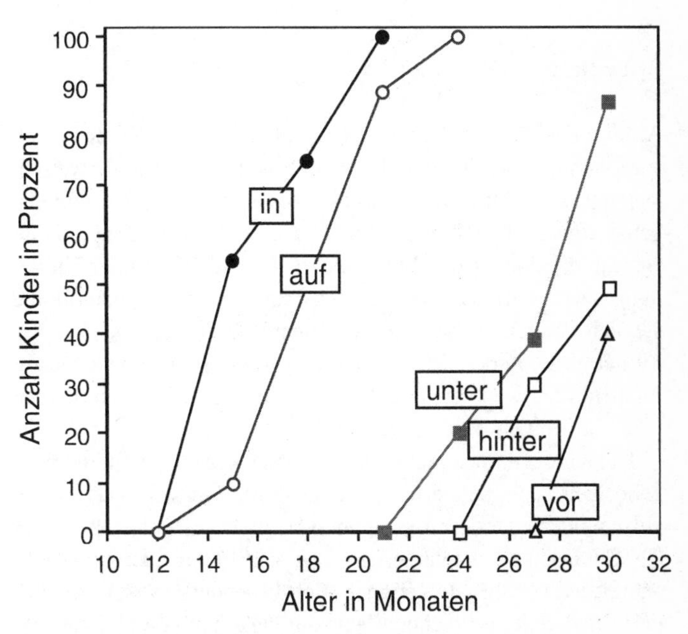


*Entwicklung des Verständnisses für räumliche Verhältniswörter*

Im zweiten Lebensjahr ist das Verständnis für die Fürwörter »du« oder »dein« noch sehr beschränkt. »Gib dem Papa die Schuhe« versteht ein zweijähriges Kind besser als »Gib mir die Schuhe«. Besonders große Mühe bereiten ihm die persönlichen Pronomen. Es ist daher sinnvoller, es mit seinem Namen und nicht mit »du« anzusprechen. Eltern spüren, daß diese Wortkategorie ihrem Kind noch Schwierigkeiten bereitet. Sie vermeiden daher Fürwörter und gebrauchen Eigennamen.

Kleinkinder haben eine große Vorliebe für Kinderreime. Sie können sich mühelos lange Reime mit Hilfe der Melodie und rhythmischer Begleitbewegungen merken. Die Inhalte der Reime interessieren sie weit weniger als Melodie und Rhythmus. So ist das ABC-Lied ohne jeden Sinn für das Kind, die Melodie und der Rhythmus haben es ihm aber angetan.

## Sprechen

Anfang des zweiten Lebensjahres entwickeln die Kinder einen sogenannten Sprechjargon. Es handelt sich um ein Kauderwelsch, das sich aus längeren Lautfolgen zusammensetzt und zumeist keine eigentlichen Wörter enthält. Das Charakteristische daran ist, daß die Kinder den Fluß, Rhythmus und Tonfall der Umgebungssprache nachahmen. Je nach Stimmung und Situation, die sie sich vorstellen, tönt ihr Geplauder wie die Sprechweise der Mutter, des Vaters oder eines Geschwisters. Sie benützen häufig ihren Jargon, wenn sie allein spielen, ein Bilderbuch anschauen oder am Morgen wach im Bettchen liegen.

Die Kinder ahmen nicht nur die Sprechweisen der Familienangehörigen nach, sondern auch andere Äußerungen wie Niesen, Husten oder Schmatzen. Umgebungslaute wie Hundegebell oder das Geräusch eines fahrenden Autos sind für sie ebenfalls nachahmenswert. Tierlaute erfreuen sich besonders großer Beliebtheit. Die Kinder bezeichnen Tiere anfänglich mit den Lauten, die für die Tiere charakteristisch sind. Die Tierlaute liegen ihren sprachlichen Ausdrucksmöglichkeiten näher als die Tiernamen, die Erwachsene verwenden.

Eltern warten gespannt auf das Auftreten der ersten Wörter.

Die meisten Kinder äußern die ersten Worte zwischen zwölf und 18 Monaten, frühestens aber zwischen acht und zwölf Monaten. Einige Eltern müssen sich besonders lange gedulden: Ihre Kinder reden nicht vor 20 bis 30 Monaten. Wenn ein Kind beginnt frei zu gehen, kann es gelegentlich zum Stillstand in der Sprachentwickung kommen. Das Kind ist so beschäftigt, seine neuerworbene motorische Fähigkeit zu erproben, daß der Wortschatz für einige Wochen unverändert bleibt. Oftmals geht es dafür danach um so rasanter vorwärts. Bei vielen Kindern besitzt die frühe Sprachentwicklung einen sprunghaften Charakter; der Wortschatz weitet sich nicht kontinuierlich, sondern in Schüben aus.

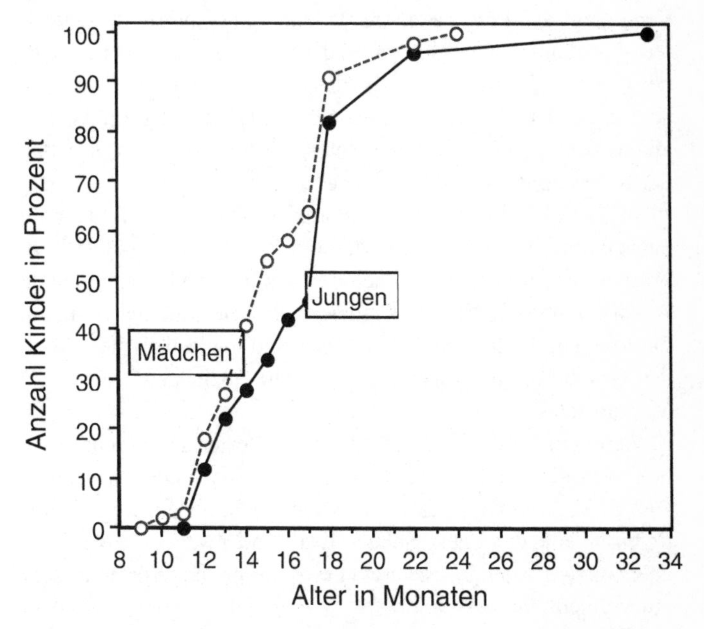


*Auftreten der ersten drei Wörter (außer Papa, Mama). Die Graphik gibt an, wieviel Prozent der Kinder in verschiedenem Alter über drei oder mehr Wörter verfügen (nach Largo u. a. 1986).*

Aus der Abbildung können wir ersehen, daß die Sprachentwicklung bei Mädchen etwas rascher verläuft als bei Jungen. So sind es mehr Mädchen, die Ende des ersten Lebensjahres zu reden anfangen, und mehr Jungen, die erst nach dem zweiten Lebensjahr sprechen.

Die ersten Wörter werden häufig noch undeutlich und unvollständig ausgesprochen. »Muh« ist eine Kuh, »Agge« ein Bagger. Eltern und Geschwister verstehen das Kind, weil sie mit seiner Aussprache vertraut sind und die Bedeutung seiner Worte kennen. Für Außenstehende aber kann es schwierig oder gar unmöglich sein, es zu verstehen.

Eine weitere Eigenheit der frühen Sprachentwicklung besteht darin, daß das Kind häufig die Bedeutung eines Wortes ausweitet. Mit »Kuh« bezeichnet es beispielsweise alle größeren Tiere, also nicht nur Kühe, sondern auch Pferde, Schafe und Ziegen. Das Kind neigt nicht nur dazu, die Bedeutung der Wörter auszuweiten, gelegentlich engt es deren Bedeutung auch ein. So braucht es beispielsweise »Auto« nur für das Fahrzeug der Familie, nicht aber für andere Autos. Auch ein Spielzeugauto oder ein Auto in einem Bilderbuch sind keine Autos. »Auto« ist gewissermaßen der Name für die Familienkutsche.

Weil das Kind nur einzelne Wörter benützt, ist die Bedeutung eines Wortes in einem hohem Maße an die Intonation und die konkrete Situation gebunden. »Schuhe« kann je nach sprachlichem Ausdruck und Gestik des Kindes sowie der aktuellen Situation die folgende Bedeutung haben: Dies sind meine Schuhe. – Sind das Schuhe? – Ich möchte die Schuhe anziehen. – Das sind Mamas Schuhe.

Wenn der Wortschatz auf 20 bis 50 Wörter angewachsen ist, beginnen die Kinder Zweiwortsätze zu bilden. Diese entstehen aus der Verbindung zweier Wörter, die nicht als ein Begriff auftreten. »Papa, da« oder »Schuhe Eva« sind Zweiwortsätze, nicht aber »Guten Abend«. Sie treten wie die ersten Wörter in sehr unterschiedlichem Alter auf.

Die Kinder benützen Zweiwortsätze frühestens mit 15 bis 18 Monaten, spätestens im Alter von drei bis dreieinhalb Jahren. Mädchen weisen wiederum eine etwas raschere Entwicklung auf als Jungen.

Mit Zweiwortsätzen kann sich das Kind wesentlich differenzierter ausdrücken als mit einzelnen Wörtern. Es kann mit einem Zweiwortsatz mitteilen, daß eine Person oder ein Gegenstand

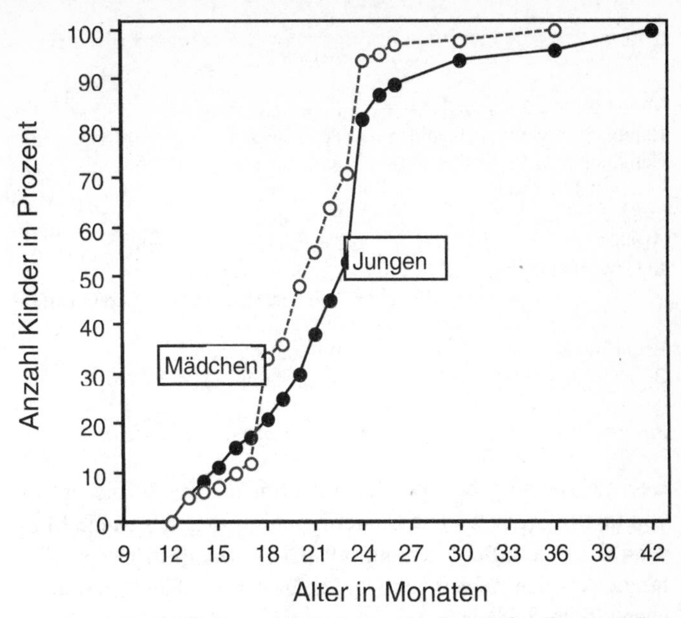


*Anzahl der Kinder (in Prozent), die in verschiedenem Alter Zweiwortsätze bilden (nach Largo u. a. 1986)*

anwesend oder abwesend ist. Es vermag Handlungen und Personen Orten zuzuordnen und kann seine Wünsche und Absichten äußern. Letzteres setzt voraus, daß sich das Kind als Person wahrnimmt. Damit verbunden ist ein Bewußtwerden der eigenen Sinnesempfindungen: »Ich höre«, und von körperlichen Bedürfnissen: »Trinken« = »Ich habe Durst«.

Schließlich kann das Kind auch Angaben darüber machen, was wem in der Familie gehört: Mutters Schuhe, die Puppe der Schwester. Solche Besitzangaben sind wiederum nur möglich, wenn die Persönlichkeitsentwicklung einen gewissen Stand erreicht hat. Das Kind muß ein Bewußtsein seines Selbst und anderer Personen haben, damit es Gegenstände Personen zuordnen kann.

Kleinkinder haben ein großes Interesse, die Namen von allen möglichen Gegenständen zu erfahren und sich Aussagen, wie sie oben aufgeführt sind, erklären oder bestätigen zu lassen. Sie stellen den lieben langen Tag Was-Fragen und erwarten, daß die

| *Bedeutung* | *Beispiel* |
| --- | --- |
| Vorhanden/nicht vorhanden sein | Puppe da, Auto fort |
| Handlungsträger und Handlung | Peter spielen |
| Handlung mit Ortsbezeichnung | Küche essen |
| Gegenstand/Person mit Ortsbezeichnung | Baby Bett |
| Absicht | Susi spielen (Susi = ich) |
| Eigenwahrnehmung | Großvater hören (ich höre den Großvater kommen) |
| Bedürfnisse | Will Schokolade |
| Besitzangabe | Mami Tasche (Mutters Tasche) |

*Ausdrucksmöglichkeiten mit Zweiwortsätzen (modifiziert nach Bloom)*

Eltern Auskunft geben. Das Kind greift in die Geschirrschublade und fragt: »Messer?« Die Mutter bestätigt: »Ja, dies ist ein Messer.« Es zeigt auf die Zeitung: »Papi?« – »Ja, das ist Papis Zeitung.« Auf den Armen getragen, zeigt das Kind auf alle möglichen Gegenstände in der Wohnung und will deren Namen hören.

Zweiwortsätze sind wie einzelne Wörter oft vieldeutig. Das Kind greift nach dem Apfel: »Mama, essen.« Je nach Intonation, Mimik und Gestik sowie aktueller Situation kann dies bedeuten: Ich habe Hunger! Mamas Apfel? Darf ich den Apfel essen?

Zwischen 15 und 18 Monaten beginnen einige Kinder ihren Vornamen zu gebrauchen. Diese Fähigkeit ist aufs engste mit der Ich-Entwicklung verbunden: Die Kinder bilden zwischen 18 und 24 Monaten eine erste Vorstellung von ihrer Person (vgl. »Beziehungsverhalten 10 bis 24 Monate«). Damit wird es ihnen möglich, von sich selbst zu sprechen.

Die meisten Kinder fangen zwischen 18 und 27 Monaten an, ihren Vornamen zu gebrauchen. Eine kleine Zahl Jungen ist dazu erst gegen Ende des dritten Lebensjahres fähig.

Nur ganz wenige Kinder sind bereits Ende des zweiten Lebensjahres in der Lage, in der Ichform zu sprechen.

Die meisten zweijährigen Kinder sprechen von sich, indem sie ihren Vornamen gebrauchen. Im dritten Lebensjahr sind »mein« und »mir« diejenigen Fürwörter, welche die Kinder zuerst verwenden. Es folgen »du« und schließlich »ich«. Die richtige An-

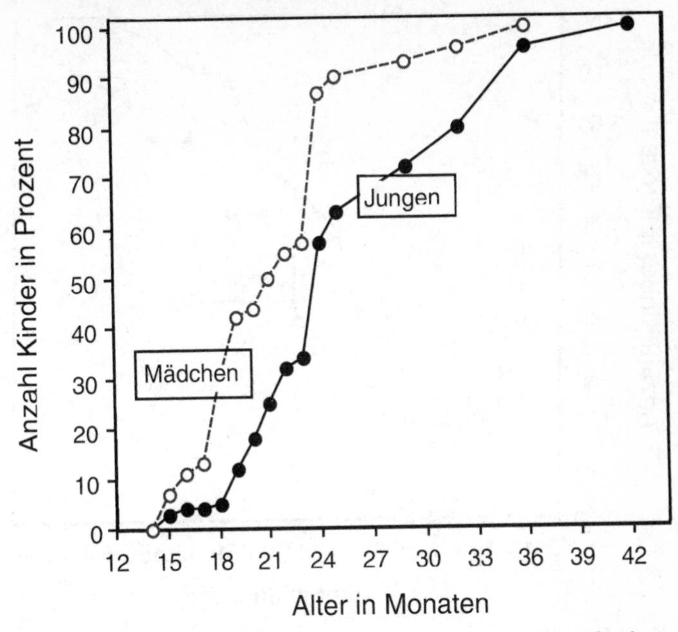


*Anzahl der Kinder (in Prozent), die in den verschiedenen Altersstufen ihren Vornamen verwenden*

wendung der Ichform ist eine Leistung, die das Kind ganz allein erbringt. Eine erstaunliche Leistung, wenn man bedenkt, daß Eltern und Geschwister von sich in der Ichform sprechen und das Kind mit »du« anreden. Das Kind muß die folgende Regel selbständig ableiten: Wenn eine Person von sich spricht, sagt sie »ich«, wenn sie zu einer anderen Person spricht: »du«. Damit ein Kind diese Regel überhaupt aufstellen kann, muß die Entwicklung des Selbst und die Abgrenzung von anderen Personen einen gewissen Stand erreicht haben (vgl. »Beziehungsverhalten 10 bis 24 Monate«).

Kinder, die in der Sprechentwicklung langsam sind, sind auch im zweiten und dritten Lebensjahr noch sehr auf Gestik und Mimik als Kommunikationsmittel angewiesen. Sie benützen Gesicht, Hände und gelegentlich auch andere Körperteile, um sich auszudrücken. Einzelne Kinder entwickeln sich dabei zu richtigen Mimen. Nicht wenige leiden unter diesem Zustand: Sie

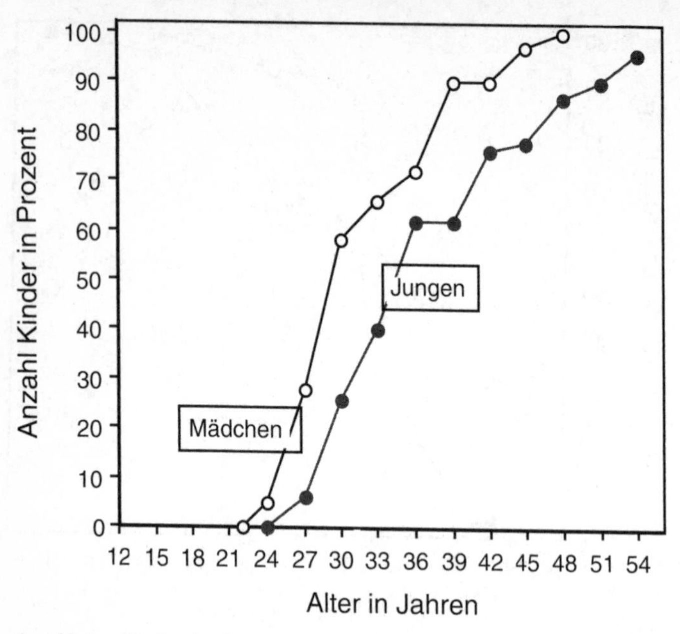


*Anzahl der Kinder (in Prozent), die in verschiedenem Alter die Ichform benützen*

verstehen ihre Umgebung genauso gut wie andere Kinder. Sie wissen auch genau, was sie sagen möchten, aber ihr Mundwerk macht nicht mit. Ihre Frustration kann so weit gehen, daß sie wie Karl in einen regelrechten Tobsuchtsanfall ausbrechen, wenn sie nicht verstanden werden.

Die Sprachentwicklung unter Geschwistern kann recht unterschiedlich verlaufen. Erbfaktoren, die unter den Kindern verschieden verteilt sind, das Geschlecht und die Geschwisterfolge spielen dabei eine Rolle. In unseren Studien haben wir festgestellt, daß die Sprachentwicklung bei erstgeborenen Kindern rascher verläuft als bei zweitgeborenen (Largo u. a. 1986). Dritt- und Spätergeborene wiederum weisen eine schnellere Sprachentwicklung als Zweitgeborene auf, oft vergleichbar der der Erstgeborenen. Diese Beobachtungen lassen sich folgendermaßen erklären: Für das erstgeborene Kind hat die Mutter mehr Zeit als für die nächstgeborenen Kinder. Von allen Kindern spricht sie mit ihm am meisten. Dadurch erklärt sich die rasche Sprachentwicklung erstgeborener Kinder. Bei Dritt- und Spätergeborenen verläuft die Sprachentwicklung schneller als bei Zweitgeborenen, weil die älteren Kinder mit ihren jüngeren Geschwistern sprechen. Nicht unbedeutend ist dabei der Altersabstand. Geschwister, die zwei bis vier Jahre älter sind, sind ideale Gesprächspartner für ein Kleinkind, weil sich ihre Interessen, Verhaltens- und sprachlichen Ausdrucksweisen ähnlich sind. Je älter sie sind, desto verschiedener sind sie und desto geringer ist ihr Einfluß auf die Sprachentwicklung der jüngeren Kinder.

## Die Rolle der Eltern

Die Eltern passen sich auch im zweiten und dritten Lebensjahr dem begrenzten Sprachverständnis ihres Kindes an. Ihre Sprechweise ist wohl anspruchsvoller als im ersten Lebensjahr, enthält aber immer noch eine Reihe von Vereinfachungen.

---

*Sprechweise*
Langsamere Sprechgeschwindigkeit
Höhere Tonlage
Verstärkter Wechsel der Tonlage
Wiederholung von Wörtern, Satzteilen und ganzen Sätzen

*Satzbau*
Oft nur einzelne Wörter
Vereinfachte Sätze (v. a. Hauptwörter, weniger Tätigkeitswörter)
Gegenwartsform der Tätigkeitswörter, keine Vergangenheits- oder Zukunftsform
Einfache Form der Hauptwörter, Eigenschaftswörter
Viele Fragen

---

*Merkmale der Erwachsenensprache im Umgang mit Kleinkindern (Szagun)*

Eltern sprechen mit einem Kleinkind langsamer als mit älteren Kindern oder Erwachsenen. Die Tonlage ihrer Stimme ist immer noch etwas erhöht, die Modulation ausgeprägter. Die Eltern wiederholen sich häufig. Sie vereinfachen den Satzbau. Sie verwenden vor allem Hauptwörter, weniger Eigenschaftswörter und vermeiden Vergangenheits- oder Zukunftsformen der Tätigkeitswörter. Sie stellen viele Fragen. Die Eltern passen die Sprache der aktuellen Situation an. In Alltagssituationen ist ihre Sprache einfach, beispielsweise beim Essen oder beim Schlafengehen. Wenn sie mit dem Kind ein Bilderbuch anschauen, ist ihre Sprache differenzierter.

Wenn die Eltern das Wort mit einer Tätigkeit verbinden, erleichtern sie dem Kind das Verstehen. Häufig übernimmt das Kind ihre Ausdrucksweise, beispielsweise beim Bilderbuchanschauen: Das Kind schlüpft in die Rolle der Mutter und kommentiert Bilder und Text.

Das Sprachverständnis zweijähriger Kinder ist beschränkt. Die Eltern spüren intuitiv, welche Wörter und Satzkonstruktionen ihr Kind verstehen kann, und passen ihre Sprechweise seinem Sprachverständnis an. Sie sollten nicht die Sprechweise des Kindes übernehmen, sondern ihre Sprache nur so weit vereinfachen, daß sie vom Kind verstanden wird.

Wie bereits im einleitenden Kapitel ausgeführt, wirkt sich der folgende Umgang fördernd auf die Sprachentwicklung aus: Die Eltern haben eine akzeptierende Grundhaltung, können gut zuhören und das Kind bestätigen. Sie korrigieren nur die inhaltliche Aussage und den Wahrheitsgehalt dessen, was es sagt, nicht aber die grammatikalische Form. Sie berichtigen eine falsche Satzkonstruktion nicht, solange die Aussage verständlich ist. Allen-

*Bilderbuch anschauen: Eva in der Rolle der Mutter*

falls wiederholen sie die Aussage grammatikalisch berichtigt. Sie stellen viele Fragen. Negativ wirkt sich folgendes elterliches Verhalten auf die Sprachentwicklung aus: Eltern geben ihrem Kind laufend Anweisungen und korrigieren es bei Aussprache und Satzstellung. Sie können nicht zuhören.

Die Eltern müssen ihrem Kind die Sprache nicht beibringen! Es kommt selbst zur Sprache, wenn es Gelegenheit hat, Sprache zu hören und anzuwenden. Es ist nicht sinnvoll, Kinder, die in ihrer Sprachentwicklung langsam sind, zum Reden zu drängen, indem die Eltern beispielsweise nicht auf ihre Gesten und Mimik eingehen. Die Eltern können die Sprachentwicklung ihres Kindes am besten fördern, wenn sie ihm möglichst viel Gelegenheit geben, Sprache bei Alltagsbeschäftigungen und im Spiel mitzuerleben und anzuwenden. Entscheidend für die Sprachentwicklung ist das elterliche Interesse am Kind und die innere Bereitschaft zur Kommunikation.

## Zwei- und Mehrsprachigkeit

Kinder, die mit mehr als einer Sprache aufwachsen, lernen nicht nur eine, sondern zwei oder gar mehrere Sprachen: Ein immenser Vorteil im späteren Leben! Vorübergehend muß dieser Vorteil mit einer langsameren Sprachentwicklung in den ersten Lebensjahren erkauft werden. Die Verzögerung kann sich mit einem kleineren Wortschatz und einem einfacheren Satzbau bis ins frühe Schulalter bemerkbar machen. Dieser Nachteil sollte aber Eltern nicht davon abhalten, ihrem Kind mehr als eine Sprache zu vermitteln. Eine Einschränkung gilt es zu berücksichtigen: Jede Bezugsperson sollte mit dem Kind in den ersten Jahren nur eine Sprache sprechen. Wenn die Mutter nur Italienisch und der Vater nur Deutsch spricht, kann es sich sprachlich darauf einstellen. Schwierig kann es für das Kind werden, wenn die Mutter oder der Vater abwechselnd Italienisch und Deutsch spricht. Dies kann zu einer Überforderung führen.

## Wie geht es weiter?

Zweijährige Kinder haben ein erstaunliches Sprachverständnis. Manche Eltern haben den Eindruck, ihr Kind verstehe alles. Und doch stehen sie noch immer am Anfang ihrer Sprachentwicklung. Die Differenzierung der Sprache nimmt viele weitere Jahre in Anspruch.

Nachfolgend werden einige Hauptmerkmale der Sprachentwicklung zwischen zwei und fünf Jahren beschrieben:

**Eigenschaftswörter.** Zweijährige Kinder verwenden sie noch kaum. Eine Ausnahme bildet das Wörtchen »heiß«, das häufig und früh im Wortschatz erscheint. Kochherd, Ofen oder Kerze sind heiß: Nicht berühren! Die Wahrnehmung der Kinder und die gefühlsmäßige Bedeutung, welche die Eltern dem Wort geben, sind für die meisten Kinder derart einprägsam, daß sich ihnen dieses Wort gewissermaßen »einbrennt«.

**Tätigkeitswörter.** Zweijährige Kinder verwenden sie nur in der Infinitivform. Sie passen die Tätigkeitswörter noch nicht dem Subjekt an. Die Beugung (Konjugation) wie auch die verschiedenen Zeitformen der Tätigkeitswörter beginnen die Kinder im dritten bis fünften Lebensjahr anzuwenden. Die geistigen Voraussetzungen dafür sind, daß das Kind sich und andere Menschen als eigenständige Personen wahrnimmt sowie über einen Mengen- und Zeitbegriff verfügt.

**Räumliche Verhältniswörter.** Die Kinder verstehen mit zwei Jahren die Vorwörter »in«, »auf« und »unter«. Die anderen räumlichen Präpositionen begreifen sie bis zum vierten Lebensjahr.

**Zeitbegriffe.** Wenn der Vater am Morgen, bevor er zur Arbeit geht, zu seinem zweijährigen Kind sagt: »Heute abend werden wir miteinander spielen«, so versteht das Kind nur »spielen«. Der Begriff »heute abend« ist für das Kind noch ohne Bedeutung. Es lebt in diesem Alter gewissermaßen noch zeitlos. Begriffe wie »gestern«, »heute« oder »morgen« versteht ein zweijähriges Kind nicht. Die ersten einfachen Vorstellungen über eine begrenzte Zeitspanne entwickeln sich im dritten Lebensjahr. Die Mutter sagt beispielsweise am Morgen: »Nach dem Mittagsschlaf gehen wir auf den Spielplatz.« Das Kind hat eine innere Vorstellung über den Tagesablauf: Am Morgen wache ich auf. Wir gehen einkaufen, dann gibt es den Brei, und anschließend gehe ich schlafen. Nach dem Schlafen gehen wir auf den Spielplatz. Im vierten Lebensjahr beginnen die Kinder zeitliche Begriffe wie »gestern« oder »morgen« zu verstehen.

**Kategorisieren.** Ende des zweiten Lebensjahres begreifen Kinder, daß Gegenstände aufgrund bestimmter Eigenschaften gleich oder verschieden sein können (vgl. »Spielverhalten 10 bis 24 Monate«). Sie realisieren beispielsweise, daß Löffel gleich aussehen und sich von Messern und Gabeln in der Form unterscheiden. Im dritten Lebensjahr beginnen sie zu kategorisieren, indem sie Zuordnungen aufgrund bestimmter Eigenschaften machen. So gehören das Kind und die Geschwister zur Kategorie »Kinder«, die Eltern und Großeltern zur Kategorie »Erwachsene«. Nach dem gleichen Prinzip verfährt das Kind mit den Farben. Zuerst ordnet es die Farben einander zu, dann lernt es die Namen der Farben kennen, und schließlich benennt es die Farben.

**Mengenbegriff.** Bereits zweijährige Kinder können bis fünf oder mehr zählen. Zählen ist für sie wie das Hersagen eines Reims. Einen Zahlenbegriff, eine innere Vorstellung der Zahlen, haben sie noch nicht. Die erste Unterscheidung von Mengen, die das Kind im dritten Lebensjahr vornimmt, umfaßt die Vorstellungen »eines« und »vieles«. Damit ist es ihm möglich, Einzahl und Mehrzahl von Hauptwörtern zu verstehen. Erst im vierten und fünften Lebensjahr weitet sich der Zahlenbegriff weiter aus. Er bleibt aber bis zum Schuleintritt bei den meisten Kindern auf unter fünf beschränkt.

**Persönliche Fürwörter.** Zweijährige Kinder sprechen von sich, indem sie ihren Vornamen benützen. Im dritten Lebensjahr sind »mein« und »mir« diejenigen Fürwörter, welche die Kinder zuerst verwenden. Es folgen »du« und schließlich »ich«. Mit den ersten Mengenvorstellungen erschließt sich dem Kind auch die Bedeutung der Wirform.

**Kausalbegriffe.** Ursächliche Zusammenhänge beginnen die Kinder bereits gegen Ende des ersten Lebensjahres zu erfassen (vgl. »Spielverhalten 4 bis 9 Monate«). Ein Bewußtwerden von Kausalzusammenhängen setzt aber erst im dritten und vierten

Lebensjahr ein. Die Kinder kommen ins Frage-Alter. Sie stellen den lieben langen Tag Warum-Fragen und nicht nur über Zusammenhänge, die sie nicht verstehen. Gelegentlich bekommen die Eltern den Eindruck, die Kinder fragen um des Fragens willen. Dem ist aber nur ausnahmsweise so: Sie stellen häufig Fragen über Sachverhalte, die ihnen bereits bekannt sind, nicht um die Eltern zu ärgern, sondern um sich zu vergewissern, daß ihre Annahmen auch zutreffen.

Mit dem Eintritt in den Kindergarten ist die Sprache bei den meisten Kindern so weit entwickelt, daß sie im täglichen Umgang in vollständigen, grammatikalisch korrekten Sätzen sprechen. Die Artikulation ist auch für Außenstehende gut verständlich. Gewisse Sprechauffälligkeiten, insbesondere bei der Aussprache von S-, Sch- und R-Lauten, finden sich aber noch bei rund der Hälfte der Kindergartenkinder.

## Das Wichtigste in Kürze

1. Ende des ersten Lebensjahres kennt das Kind vertraute Personen und Gegenstände beim Namen. Im zweiten Lebensjahr lernt es die Bezeichnungen von Handlungen und räumlichen Beziehungen kennen.

2. Im zweiten Lebensjahr braucht das Kind beim Spiel häufig einen Sprechjargon, der Tonfall und Rhythmus der Umgangssprache imitiert, aber noch keine eigentlichen Wörter enthält.

3. Die ersten Wörter spricht das Kind zwischen zehn und 30 Monaten. Überdehnungen und Verkürzungen von Wortbedeutungen sind häufig.

4. Zweiwortsätze treten zwischen 15 und 42 Monaten auf.

5. Ihren Vornamen beginnen die Kinder zwischen 18 und 36 Monaten zu benützen.

6. Kinder verstehen immer weit mehr, als sie in Worten ausdrücken können.

7. Mädchen sind in jedem Alter in der Sprachentwicklung etwas weiter als Jungen.

8. Eltern sollen ihre Sprechweise nicht nach derjenigen des Kindes, sondern nach seinem Sprach*verständnis* richten.

# Trinken und Essen

# Einleitung

*Die Großeltern sind zu Besuch. Sie haben dem Vater eine Flasche Wein, der Mutter einen Blumenstrauß und dem zweijährigen Jean einen großen Hasen aus Schokolade mitgebracht. Mit sichtlicher Genugtuung schauen sie zu, wie der Enkel die Verpackung aufreißt und sich über den Hasen hermacht. Noch mehr freuen sie sich an den dankbaren Blicken, die ihnen Jean aus seinem schokoladenverschmierten Gesichtchen schenkt.*

Essen und Trinken sind physiologische Notwendigkeiten wie Atmen oder Schlafen. Hunger- und Durstgefühle zwingen uns, diese elementaren körperlichen Bedürfnisse zu befriedigen. Freier sind wir in der Art und Weise, wie wir uns ernähren. Was wir essen, wie wir die Nahrung zu uns nehmen und welche gefühlsmäßige und soziale Bedeutung wir dem Essen zumessen, ist von Mensch zu Mensch, von Familie zu Familie und von Gesellschaft zu Gesellschaft sehr verschieden. Während Fleisch für manche Menschen zu jeder Mahlzeit gehört, ernähren sich andere Menschen ausschließlich vegetarisch. Gewisse Familien bereiten die Mahlzeiten mit großem zeitlichen Aufwand und viel Sorgfalt zu, andere ernähren sich vorwiegend mit Fertignahrung.

Bereits Neugeborene unterscheiden sich voneinander in ihrem Trinkverhalten. Kleinkinder können ausgeprägte Abneigungen und Vorlieben für bestimmte Speisen haben. Das Eßverhalten und die Bedeutung, welche die Nahrung und das Essen für ein Kind bekommen, sind aber nicht nur Ausdruck individueller Eigenheiten, sie werden auch geprägt durch die familiären Erfahrungen. Eltern ernähren nicht nur ihre Kinder, sie erziehen sie auch durch ihr Vorbild und ihre Wertvorstellungen zu einem bestimmten Eßverhalten. Ob Kaviar für einen Heranwachsenden eine Delikatesse oder nur »fades Kugellager« ist, ist ebenso eine Frage seines persönlichen Geschmacks wie auch seiner Erziehung.

## Drei Ernährungsformen

Im ersten Lebensjahr wird das Kind auf drei verschiedene Arten ernährt. Jede Ernährungsform ist dem jeweiligen Entwicklungsstand des kindlichen Organismus angepaßt. Sie entspricht seinen Möglichkeiten der Nahrungsaufnahme, der Verdauung, des Stoffwechsels und der Ausscheidung.

**Flüssige Nahrung.** Muttermilch und Säuglingsmilchnahrung sind die ideale Nahrung in den ersten Lebensmonaten. Sie sind leicht verdaulich und belasten Stoffwechsel und Nieren nicht im Übermaß. Die Muttermilch enthält zudem Abwehrstoffe, die das Kind vor Infektionen schützen. Fünf bis 14 Tage nach der Geburt kann sich das Kind so viel Nahrung zuführen, daß seine weitere Entwicklung und sein Wachstum gewährleistet sind.

**Breinahrung.** Nach dem vierten Lebensmonat genügt die Milch dem Nährstoff- und Energiebedarf des Säuglings immer weniger. Die Verdauung, der Stoffwechsel und die Ausscheidung sind so weit fortgeschritten, daß das Kind langsam von flüssiger Nahrung auf Breimahlzeiten übergehen kann. In dieser Altersperiode beginnt es auch, sich selbst Nahrung zuzuführen.

**Feste Nahrung.** Im zweiten Lebensjahr sind Mundmotorik und Darmfunktion so weit entwickelt, daß sich das Kind von Erwachsenenkost ernähren kann. Es ist fähig, zu beißen und auch etwas zu kauen. Seine Grobmotorik erlaubt es, daß es am Familientisch sitzen kann.

## Stillen ist wieder »in«

Bis ins letzte Jahrhundert wurden Säuglinge gestillt. War es einer Mutter nicht möglich, ihr Kind zu stillen, wurde es von einer Amme ernährt. Praxis und Umgang mit Stillschwierigkeiten gaben die Mütter und weiblichen Verwandten an die nächste Generation weiter. Nur unter besonderen Umständen wurden einem Säugling während einer begrenzten Zeit Kuh-, Schafs- oder Ziegenmilch eingeflößt.

Mitte des letzten Jahrhunderts wurden die ersten Milchflaschen hergestellt. In den zwanziger Jahren unseres Jahrhunderts setzte die industrielle Produktion von Säuglingsmilchnahrung auf Kuhmilchbasis ein. Die Ernährung mit der Milchflasche konkurrierte in den folgenden 40 Jahren immer mehr mit dem Stillen. Flaschenmilch wurde als sichere und billige Säuglingsnahrung angepriesen. Zeitgeist, Rollenwandel der Frau und eine ganze Reihe von Vorurteilen haben den Müttern das Stillen zusätzlich erschwert:

- Stillen ist umständlich;
- Stillen macht müde;
- Stillen ruiniert die Figur;
- Stillen verhindert Berufstätigkeit;
- Stillen schränkt die persönliche Freiheit ein;
- Stillen ist nicht in der Öffentlichkeit möglich;
- Stillen ist ein Zeichen für niedrigen sozialen Status;
- die Trinkmenge läßt sich mit der Milchflasche besser kontrollieren.

Nachteilig wirkte sich schließlich auch der fehlende Wille von Ärzten, Schwestern und Hebammen aus, sich für das Stillen einzusetzen. Bis in die Mitte unseres Jahrhunderts führte diese Haltung zu einem starken Rückgang des Stillens in den westlichen Gesellschaften.

Vor etwa 30 Jahren setzte ein Umdenken ein, das vor allem von Laienorganisationen wie »La Leche Liga« ausging und immer noch ausgeht. In der Medizin wurde der biologische Wert der Muttermilch und die psychologische Bedeutung des Stillens wiederentdeckt. Heutzutage werden in allen Gebärkliniken die Mütter im Wochenbett zum Stillen angehalten.

Die biologische und soziale Aufwertung des Stillens hat sich auf die Stillhäufigkeit positiv ausgewirkt: In den Vereinigten Staaten haben Mitte der 1960er Jahre lediglich 20 Prozent der Mütter bei der Entlassung aus der Geburtsklinik gestillt; heutzutage sind es 60 Prozent. Dreimal mehr Frauen stillen zwei Monate nach der Entbindung, viermal mehr nach vier Monaten und fünfmal mehr nach sechs Monaten als vor 30 Jahren (Neifert und Seacat). In Europa hat die Bereitschaft zum Stillen in einem ähnlichen, in gewissen Regionen in einem noch größeren Ausmaß zugenommen.

Das Stillen ist wieder weit verbreitet, aber es ist noch nicht in den Familien verankert. Viele junge Mütter fühlen sich mit ihren Stillschwierigkeiten allein gelassen. Sie können oft ihre eigenen Mütter und weiblichen Verwandten nicht um Rat fragen, da diese ihre Kinder nicht gestillt haben. Erfahrene Frauen und Selbsthilfeorganisationen sind daher für junge, im Stillen noch unerfahrene Mütter außerordentlich hilfreich. In verschiedenen europäischen Ländern wurde in den letzten Jahren damit begonnen, Stillberaterinnen auszubilden.

»Gestillte Kinder sind glücklicher.« »Stillen ist die Voraussetzung für eine gute Kind-Mutter-Beziehung.« So nachzulesen in zahlreichen Büchern und Zeitschriften. Die vorgebrachten diätetischen und psychologischen Argumente sind überzeugend: Stillen ist die ideale Ernährungsform für den Säugling. Von dieser Einsicht ist der Weg nicht weit zu der Ideologie: Jede richtige Mutter stillt ihr Kind. Es können aber nicht alle Frauen stillen. Es gibt äußere Umstände wie Frühgeburt, Krankheit des Kindes oder der Mutter, die ein Stillen unmöglich machen. Mindestens zehn Prozent aller Frauen können ihr Kind nicht stillen. Für diese Frauen wird der Anspruch »jede Mutter kann stillen« zum psychischen Terror. Sie entwickeln ihrem Kind gegenüber Schuldgefühle. Sie fühlen sich als Versager und werden von der Angst geplagt, daß ihr »Unvermögen« dem Kind einen erfolgreichen Start ins Leben verwehrt.

Stillen ist für Kind und Mutter erstrebenswert, ist aber nicht die einzige Möglichkeit, einen Säugling zu ernähren. Ein Kind kann mit der Milchflasche vollwertig ernährt werden. Zwischen Mutter und Kind kann eine genauso tiefe Beziehung entstehen wie beim Stillen. *Es gibt keine Studie, die überzeugend belegen würde, daß Kinder, die mit der Flasche ernährt werden, sich in ihrem Wachstum und in ihrer Beziehungsfähigkeit von gestillten Kindern unterscheiden.*

## Muttermilch oder Flaschenmilch?

Säugetiere – dazu gehört auch der Mensch – ernähren ihre Jungen während der ersten Wochen und Monate mit Milch. Die Milch jeder Tierart ist den Bedürfnissen der Jungen angepaßt. Ihre Zusammensetzung aus Kohlehydraten, Eiweißen, Fetten und anderen Nährstoffen ist auf das Wachstum, die motorische Aktivität und die Wärmeproduktion des jungen Tieres abgestimmt. Ratten verdoppeln ihr Geburtsgewicht innerhalb von nur sechs Tagen, Kühe brauchen dazu 45 bis 60 Tage, Menschen gar 150 Tage. Die Ernährung ist dem unterschiedlichen Wachstumstempo angepaßt: Die Milch der rasch wachsenden Ratte enthält viermal mehr Eiweiß, den wichtigsten Baustoff, als die der Kuh und zehnmal mehr als die des Menschen. Der Energiegehalt der Milch ist bei der Ratte ebenfalls wesentlich höher als bei der Kuh und beim Menschen. Daraus läßt sich ersehen, daß sich Kuh-, Schafs- oder Ziegenmilch in ihrem Nährstoff- und Energiegehalt wesentlich von Muttermilch unterscheiden müssen und daher keine ideale Nahrung für einen menschlichen Säugling sein können.

Die Vorteile der Muttermilch gegenüber der Kuhmilch sind auf der folgenden Seite aufgeführt. Sie umfassen den Energie- und Nährstoffbedarf des Säuglings, seinen Stoffwechsel, die Abwehr von Infektionen und die Vermeidung einer frühzeitigen Allergisierung. Letztere ist vor allem für Säuglinge wichtig, in deren Familien gehäuft Allergien wie Hautekzeme, Asthma und Heuschnupfen vorkommen.

Muttermilch
- ist optimal abgestimmt auf den Energie- und Nährstoffbedarf des Säuglings;
- ist angepaßt an die Verdauungsfunktionen des Darmes;
- ist angepaßt an die eingeschränkte Ausscheidungskapazität der Nieren;
- enthält zahlreiche Spurenelemente und ermöglicht eine optimale Resorption von Eisen;
- enthält Abwehrstoffe gegen Krankheitserreger:
  - Sekretorische Immunglobuline (IgA) verhindern, daß sich Krankheitskeime an der Darmwand festsetzen können;
  - Enzyme beschleunigen die Auflösung von Krankheitserregern (Lysozyme); entziehen den Krankheitserregern Eisen (Lactoferrin); zerstören Krankheitserreger (Lactoperoxidase-System);
  - Abwehrzellen (Makrophagen, Granulozyten, Lymphozyten);
- enthält den Bifidusfaktor, einen Wachstumsfaktor für Lactobazillus bifidus. Dieses Bakterium bewirkt ein saures Darmmilieu, welches das Wachstum krankmachender Keime hemmt;
- ist keimarm;
- ist immer verfügbar;
- braucht nicht aufgewärmt zu werden;
- ist kostenlos;
- verhindert eine frühzeitige Allergisierung, insbesondere gegen Kuhmilcheiweiße.

*Vorteile der Muttermilch gegenüber der Kuhmilch*

Die Muttermilch weist gegenüber der Kuhmilch nicht nur Vorteile, sondern leider auch – menschengemachte – Nachteile auf. Die Industrie hat in den letzten Jahren zahlreiche chemische Substanzen entwickelt und in großen Mengen in der Umwelt verbreitet, die der Natur fremd sind. Insektizide und Pestizide werden versprüht, um die Pflanzen gegen Insektenfraß und Pilzbefall zu schützen. Chlorierte Kohlenwasserstoffe, die als Weichmacher für Kunststoffe und Lacke dienen, gelangen beim Abbau in die Luft, die Böden und das Trinkwasser. Diese Substanzen können von der Natur nur schwer oder überhaupt nicht abgebaut werden. Sie gelangen über Pflanzen und Tiere in den Menschen. Vom

Menschen werden sie kaum ausgeschieden, sondern vorzugsweise im Körperfett abgelagert. Beim Stillen werden die mütterlichen Fettreserven mobilisiert, und dabei gelangen die Substanzen auch in die Muttermilch. In dieser Nahrungskette erfahren diese Chemikalien eine Konzentration, die das Hundertfache des ursprünglichen Vorkommens in den Pflanzen weit übersteigen kann. In den vergangenen 20 Jahren hat sich die Konzentration der Pestizide um das Fünf- bis Zehnfache verringert, da die schädlichsten Pflanzenschutzmittel verboten wurden. Andere Schadstoffe wie die chlorierten Kohlenwasserstoffe sind unvermindert hoch konzentriert. Wenn wir in den nächsten Jahren mit unserer Umwelt nicht sorgsamer umgehen, kann es geschehen, daß etwas so Elementares und Natürliches wie das Stillen zu einem gesundheitlichen Risiko für das Kind wird.

Anfangs der zwanziger Jahre waren die biochemischen Untersuchungsmethoden so weit fortgeschritten, daß die genaue Zusammensetzung der Mutter- und Kuhmilch bestimmt werden konnte. Die Analysen ergaben, daß Kuhmilch zuviel und andersgeartete Eiweiße, zuwenig Fettsäuren, vor allem Linolsäure, und zu viele Mineralstoffe enthält. In der Folge unternahm die Industrie große Anstrengungen, die Kuhmilch durch Verdünnen und Zusetzen von Nährstoffen der Muttermilch anzupassen. Im Vergleich mit der Kuhmilch ist in der Säuglingsmilchnahrung

- das Gesamteiweiß reduziert, der Gehalt an Kasein vermindert und derjenige an Molkenproteinen erhöht;
- sind ungesättigte Fettsäuren zugesetzt;
- ist Milchzucker (Laktose) angereichert;
- der Gehalt an Mineralstoffen vermindert;
- sind Vitamine, insbesondere Vitamin D, und Eisen zugesetzt.

Die heutige Säuglingsmilchnahrung (oder Anfangsnahrung) ist im Nährstoff- und Energiegehalt weitgehend der Muttermilch angeglichen. Was ihr fehlt, sind Abwehrstoffe und je nach Zubereitung die Keimarmheit. Ihr Gehalt an Vitaminen und Eisen ist höher als derjenige der Muttermilch.

## Selbständigkeit

Das Neugeborene und der Säugling sind in ihrer Ernährung völlig von den Eltern und anderen Bezugspersonen abhängig. Erst im zweiten Lebenshalbjahr beginnt das Kind in seinem Trink- und Eßverhalten selbständig zu werden. Es hält die Milchflasche und führt die Brotrinde zum Mund. Gegen Ende des ersten Lebensjahres macht es die ersten Versuche, aus der Tasse zu trinken und mit dem Löffel zu essen. Das Kind liegt nicht mehr auf dem Arm der Mutter, es sitzt nun eigenständig in einem Stühlchen. Während des zweiten Lebensjahres eignet es sich die kulturspezifischen Eßtechniken an. Je nach Gesellschaft, in der das Kind aufwächst, ißt es mit dem Löffel, mit Stäbchen oder mit den Händen.

In den ersten zwei Lebensjahren wird aus dem hilflosen Säugling, der gefüttert werden muß, ein Kleinkind, das sich die Nahrung selbst zuführen kann und dies auch will!

## Suppenkasper und Zappelphilipp

Am Familientisch erlebt das Kind, wie sich Eltern und Geschwister beim Essen benehmen. Die Eltern machen es auf die Regeln bei Tisch aufmerksam, loben bestimmtes Verhalten und unterbinden anderes. Tischsitten sind wie Eßgewohnheiten von Gesellschaft zu Gesellschaft verschieden. So gilt in unserer Gesellschaft das Rülpsen als unanständig; das Kind wird von den Eltern angehalten, solche Äußerungen zu unterlassen. In anderen Kulturen lernt es, daß Rülpsen ein Zeichen des Wohlbehagens und des Lobes für den Gastgeber ist.

Die Tischsitten sind in unserer Gesellschaft seit Struwwelpeters Zeiten ziemlich in Verruf geraten. Viele Eltern versuchen sich von den strengen Tischsitten früherer Generationen zu lösen und einen kindgerechteren Umgang bei Tisch zu finden. Kein einfaches Unterfangen! Manche machen mit einem wohlgemeinten, aber zu nachgiebigen Erziehungsstil am Familientisch die Erfahrung: Ganz ohne Regeln kann Kind und Eltern die Lust am Essen vergehen.

## Ich hab dich zum Fressen gern

Gemeinsames Essen bringt die Menschen einander näher. Bei jeder wichtigen Begegnung wird ein Mahl eingenommen: an Hochzeiten, Taufen, Beerdigungen, aber auch bei Vereinsfesten und Staatsbesuchen. Gemeinsames Trinken und Essen erleben Menschen jeden Alters als eine Form der gegenseitigen Zuwendung.

Zuneigung mit Eßwaren auszudrücken ist selbst in unserer Überflußgesellschaft immer noch weit verbreitet. Die Großeltern beschenken Jean mit einem Schokoladenhasen und den Vater mit einer guten Flasche Wein. Damit sind sie sich der Zuneigung des Enkels und des Vaters gewiß. (Da die Mutter auf Diät ist, bekommt sie einen Blumenstrauß.)

Das Füttern des Säuglings ist nicht nur beim Stillen, sondern auch bei der Ernährung mit der Flasche mit viel Zuwendung und großer körperlicher Nähe verbunden. Ist das Kleinkind beim Essen und Trinken selbständig geworden, können Eltern immer noch Eßbares benützen, um ihrem Kind ihre Zuneigung oder auch Ablehnung zu zeigen. Das Kind kann mit Süßigkeiten belohnt und getröstet oder durch den Entzug von begehrten Speisen bestraft werden. Eßwaren sind jedoch ein fragwürdiges Erziehungsmittel, weil sie das Kind auf die Dauer in seinem psychischen Wohlbefinden von Nahrungsmitteln abhängig machen können.

»Mir hat es den Appetit verschlagen.« Eßverhalten und psychisches Befinden beeinflussen sich gegenseitig. Ein gutes Essen macht gute Laune und Wohlbehagen. Frustration führt bei manchen Menschen zu Appetitlosigkeit, bei anderen zu vermehrtem Essen. Eine Reihe von Nahrungsmitteln, insbesondere aber Süßigkeiten, sind für Kinder und Erwachsene willkommene Tröster und ein vermeintlicher Ersatz für vielfältigste unbefriedigte Bedürfnisse. Weil Nahrungsmittel in der westlichen Welt im Überfluß zu haben sind, sind dieser Art von Ersatzbefriedigung keine Grenzen gesetzt. Ein wichtiger Grund, weshalb Übergewichtigkeit in unserer Gesellschaft ein derart großes gesundheitliches Problem geworden ist.

In den ersten Lebensjahren lernt das Kind, wie es mit Enttäuschungen fertig werden kann. Ob dabei Nahrungsmittel als Tröster eine bedeutsame Rolle spielen, bestimmen weitgehend die Eltern. Wenn sie dem weinenden Kind keine Süßigkeiten geben, sondern es in den Arm nehmen und ihm Mut zusprechen, wird das Kind in den folgenden Jahren weniger versucht sein, seine Frustrationen mit Süßigkeiten zu bekämpfen.

Die Ernährung gibt nicht nur den Eltern Macht über das Kind, das Kind hat mit seinem Eßverhalten auch eine große Macht über die Eltern. Ein Kind, das beim Essen kräftig zulangt, erfreut die Eltern. Ein Kind, das wenig ißt, ängstigt sie. Eltern haben einen imperativen Drang, ihr Kind zu ernähren. Ein dickes Baby ist in vielen Gesellschaften ein Zeichen für gute Gesundheit und eine Auszeichnung für die Eltern. Ein Kind, das wenig ißt und mager ist, weckt Schuld- und Versagensgefühle bei den Eltern. Verweigert es das Essen, fühlen sich die Eltern abgelehnt und machen sich Sorgen um seine Gesundheit. Vermeintliche Appetitlosigkeit kann für sie einen lebensbedrohlichen Charakter annehmen, auch wenn das Kind gesund ist, spielt und motorisch aktiv ist. Eltern werden, wenn ihr Kind ein schlechter Esser ist, leicht erpreßbar.

Lassen Sie sich als Eltern nicht verunsichern: Ein gesundes Kind verweigert das Essen nie in einem solchen Ausmaß, daß seine Gesundheit und seine Entwicklung ernsthaft beeinträchtigt werden. Hunger und Durst sind Ihre mächtigen Gehilfen!

*Harmlose Verführungen*

Kinder können auf vielerlei Weise ernährt und zum Essen erzogen werden. Die ideale Art, ein Kind im Essen zu unterweisen, gibt es nicht. Jede Erziehungshaltung hat ihre ernährungs-, aber auch gefühls- und beziehungsmäßigen Vor- und Nachteile. Eltern können sich bemühen, ihr Kind zu einem gesunden und selbständigen Eßverhalten zu erziehen. Sie können das Kind aber auch mit Eßwaren belohnen und bestrafen. Das Kind kann mit seinem Eßverhalten die Eltern erfreuen oder ängstigen. Eßwaren und Essen sind für Kind und Eltern ein weites Feld gegenseitiger Verführungen.

Wie wir uns als Eltern auch immer verhalten: Wir legen den Grundstein für das spätere Eßverhalten eines Kindes in seinen ersten Lebensjahren.

## Das Wichtigste in Kürze

1. Der Säugling und das Kleinkind werden auf drei verschiedene Arten ernährt, die dem jeweiligen Entwicklungsstand des kindlichen Organismus angepaßt sind:
   - flüssige Nahrung in Form von Milch in den ersten vier Lebensmonaten;
   - Breinahrung zwischen vier und zwölf Monaten;
   - feste Nahrung im zweiten Lebensjahr.

2. Das Stillen ist aus biologischer und psychologischer Sicht die ideale Ernährungsform für den Säugling.

3. Muttermilch ist dem Nährstoff- und Energiebedarf des Säuglings angepaßt und enthält zahlreiche Abwehrstoffe.

4. Auch unter besten Bedingungen können nicht alle Mütter stillen. Mindestens zehn Prozent der Mütter sind auf die Ernährung mit der Flasche angewiesen.

5. Säuglingsmilchnahrung ist in Nährstoff- und Energiegehalt ein vollwertiger Ersatz für Muttermilch.

6. Mütter, die ihr Kind mit der Flasche ernähren, können eine genauso tiefe Beziehung zu ihrem Kind aufbauen wie stillende Mütter.

7. Mit Zuwendung und Liebesentzug beeinflussen die Eltern das Kind in seinem Trink- und Eßverhalten. Andererseits kann das Kind mit seinem Trink- und Eßverhalten eine große Macht auf die Eltern ausüben.

# Vor der Geburt

In den ersten neun Lebensmonaten wird das ungeborene Kind umfassend von der Mutter versorgt. Es bezieht von ihr alle Nährstoffe, die es für seine Entwicklung und sein Wachstum braucht: Kohlehydrate, Aminosäuren, Fettsäuren, Vitamine, Mineralstoffe und Spurenelemente. Die Endprodukte seines Stoffwechsels wiederum kann das Kind an die Mutter abgeben, die sie über ihre Nieren ausscheidet. Es atmet auch durch die Mutter. Es bezieht den Sauerstoff aus dem mütterlichen Blut und gibt die Kohlensäure auf demselben Weg ab. Diese umfassende Versorgung wird durch die Plazenta und die Nabelschnur gewährleistet, die den kindlichen Kreislauf mit demjenigen der Mutter verbinden. Schließlich umgibt der mütterliche Körper das Kind mit einem Wärmemantel.

Das Menschenkind wirkt im Vergleich mit anderen Säugetieren bei der Geburt unreif. Es kommt gewissermaßen zu früh auf die Welt. Das Neugeborene wurde deshalb von Portmann als eine »physiologische Frühgeburt« bezeichnet. Lange Zeit war man der Ansicht, daß beim Menschen die Tragzeit auf neun Monate beschränkt ist, weil das mütterliche Becken die Geburt eines größeren Kindes nicht zuläßt. Die Schwangerschaftsdauer scheint aber auch durch die Versorgungsmöglichkeiten der Mutter beschränkt zu werden. Eine weitere Größenzunahme des Kindes wäre mit einem Energie- und Nährstoffbedarf verbunden, den die Mutter nicht mehr aufbringen könnte.

Wenn das Kind während der Schwangerschaft auch umfassend versorgt wird, so verhält es sich nicht völlig passiv. Es bereitet sich frühzeitig auf die Einnahme flüssiger Nahrung vor. Mit acht bis zwölf Schwangerschaftswochen beginnt es an seinen Händchen zu saugen, trinkt Fruchtwasser, resorbiert die Flüssigkeit und scheidet sie über die Nieren wieder aus.

Bei der Geburt wird die umfassende Versorgung durch die Mutter abrupt unterbrochen. Die Nabelschnur wird durchtrennt, und die Plazenta löst sich von der Gebärmutter ab. Damit ist das Neugeborene innerhalb weniger Minuten ganz auf sich selbst gestellt.

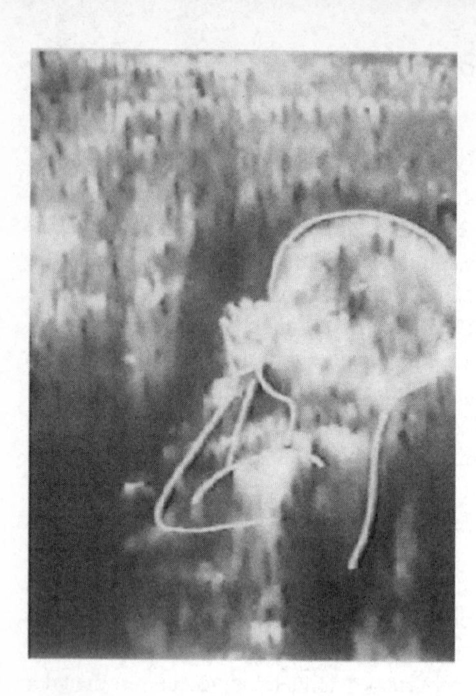

*Ungeborenes Kind, am Daumen saugend (14. Schwangerschaftswoche)*

## Ernährung während der Schwangerschaft

Damit sich das ungeborene Kind gut entwickeln kann, sollte sich die Mutter ausreichend und vielseitig ernähren. Eine kalorienarme wie auch eine zu kalorienreiche Ernährung oder Vitaminmangel können das Wachstum und die Entwicklung des Kindes beeinträchtigen. Letzteres kann bei einer streng vegetarischen Ernährungsweise auftreten.

In den industrialisierten Ländern gibt die Umweltverschmutzung zu immer größerer Besorgnis Anlaß. Davon betroffen ist unter anderem auch unsere Ernährung und im besonderen diejenige des ungeborenen Kindes. Als Einzelperson kann sich eine schwangere Frau diesen Einflüssen nur schwer entziehen. Was sie aber tun kann, ist, diejenigen Substanzen zu vermeiden, die sie sich gezielt zuführt und welche die Versorgung und Entwicklung des ungeborenen Kindes beeinträchtigen können. Dazu gehören Genußmittel wie Nikotin und Alkohol. Bei regelmäßigem Rauchen schränkt das Nikotin die Funktion der Plazenta ein. Kinder, deren Mütter während der Schwangerschaft regelmäßig geraucht haben, sind bei der Geburt durchschnittlich 300 Gramm leichter als Kinder von Nichtraucherinnen. Alkohol kann die Entwicklung des ungeborenen Kindes schwer beeinträchtigen; Entwicklungsbehinderungen sind bei unterschiedlichen Alkoholmengen beschrieben worden. Solange die Wirkung künstlicher Süßstoffe auf den menschlichen Stoffwechsel und insbesondere auf denjenigen des ungeborenen Kindes ungeklärt ist, sollte die schwangere Frau nach Möglichkeit auf diese Substanzen verzichten. Schließlich können auch Medikamente die Entwicklung des ungeborenen Kindes beeinträchtigen. Sie sollten von einer schwangeren Frau nur im Einverständnis mit ihrem Arzt eingenommen werden.

Viele Eltern bereiten sich vor der Geburt schon auf ihr Kind vor. Sie besuchen Kurse, die sie mit den Eigenheiten der Schwangerschaft und der Geburt vertraut machen und sie in die Ernährung und Pflege des Säuglings einführen. Weil in unserer Gesellschaft Praxis und Wissen über Schwangerschaft, Geburt und Umgang mit dem Säugling zwischen den Generationen kaum mehr vermittelt werden, sind solche Kurse für zukünftige Eltern sehr hilfreich.

## Das Wichtigste in Kürze

1. Während der Schwangerschaft wird das Kind umfassend von der Mutter mit Nährstoffen und Energie versorgt. Es atmet durch die Mutter und scheidet die Endprodukte seines Stoffwechsels über die Mutter aus.

2. Ab dem dritten Schwangerschaftsmonat übt das ungeborene Kind das Saugen und Schlucken von Flüssigkeit ein.

3. Um ein gutes Gedeihen des ungeborenen Kindes zu gewährleisten, sollte sich die Mutter ausreichend und vielseitig ernähren.

4. Alkohol, Nikotin und künstliche Süßstoffe können die Versorgung und damit die Entwicklung des ungeborenen Kindes beeinträchtigen. Das gilt auch für Medikamente, die nur nach Rücksprache mit dem Arzt eingenommen werden sollten.

# 0 bis 3 Monate

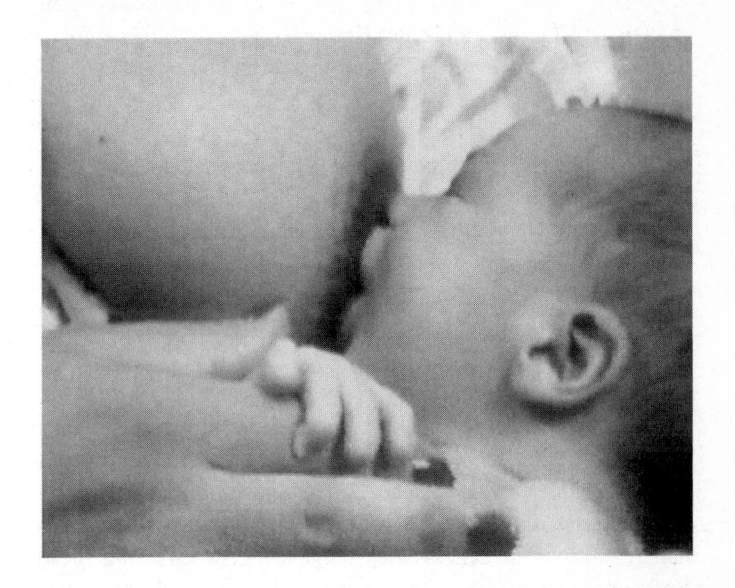

*Vor zwei Tagen ist die Mutter mit ihrem ersten Kind aus der Klinik nach Hause zurückgekehrt. Bettina verlangt alle zwei bis vier Stunden zu trinken. Sie schreit heftig, wenn sie Hunger hat, und saugt kräftig an der Brust. Die Mutter fühlt sich dennoch unsicher, ob ihr Kind genügend Milch bekommt. Am siebten Lebenstag wiegt Bettina immer noch hundert Gramm weniger als bei der Geburt.*

Die Wochen nach der Geburt sind eine Zeit der Umstellung für Kind und Mutter. Das Neugeborene muß sich an die neuen Lebensbedingungen anpassen. Atmung und Kreislauf bewältigen die Umstellung in den ersten Minuten nach der Geburt. Verdauung, Stoffwechsel und Ausscheidung kommen nur langsam über Tage in Gang.

In den ersten fünf bis zehn Lebenstagen sind die Nahrungszufuhr und die Verdauung ungenügend. Das Neugeborene braucht in den ersten Lebenstagen nicht voll ernährt zu werden. Im Gegenteil, es wäre ihm sogar abträglich. Die Natur hat für diese Zeit vorgesorgt: In den letzten Schwangerschaftswochen legt das Kind eine Nährstoff- und Energiereserve in Form eines Fettpolsters in der Unterhaut und eines Kohlehydratdepots (Glykogen) in der Leber an. Von diesen Reserven kann es in den ersten Lebenstagen zehren.

Die Mutter muß sich körperlich und psychisch von den Anstrengungen der Entbindung und den hormonellen Umstellungen nach der Geburt erholen. Sie braucht Zeit und Ruhe, damit sie mit ihrem Kind vertraut werden und das Stillen richtig einsetzen kann.

## Trinkverhalten

Wenn die Mutter ihr Kind in den ersten Minuten nach der Geburt an die Brust legt, sucht es nach der Brustwarze, leckt daran und macht die ersten Saugversuche. Saugen und Schlucken sind Verhaltensweisen, die das Kind vor der Geburt monatelang eingeübt hat. Spätestens in der 34. Schwangerschaftswoche sind diese Reflexmechanismen so weit entwickelt, daß ein Kind, das zu diesem Zeitpunkt zur Welt kommt, sich ernähren kann.

Die Nahrungsaufnahme wird in den ersten Lebensmonaten durch die folgenden Reflexverhalten sichergestellt:

**Suchreflex**. Berühren die Wange oder die Lippen eines hungrigen Neugeborenen die Brust, beginnt das Kind nach der Brustwarze zu suchen und bemüht sich, die Warze in den Mund zu bekommen. Allein die Körperwärme kann zu Suchbewegungen führen. Wenn der Säugling die Wärmeabstrahlung der mütterlichen Brust auf der Wange spürt, dreht er den Kopf zur Brust. Die Suchbewegungen können beim hungrigen Kind leicht mit einem Schnuller oder einem Finger ausgelöst werden.

Der Säugling orientiert sich auch nach dem Geruch der mütterlichen Brust. MacFarlane konnte zeigen, daß er bereits am fünften Lebenstag das Brusttüchlein der eigenen Mutter von denjenigen anderer Mütter zuverlässig unterscheiden kann.

**Saugreflex.** Berührt die Brustwarze die Lippen des Säuglings,

*Suchbewegungen eines hungrigen Säuglings an der Schulter der Mutter*

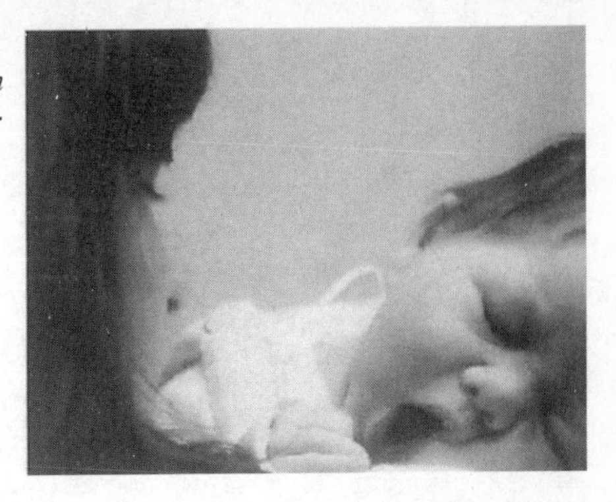

saugt er die Brustwarze tief in die Mundhöhle und hält sie mit Ober- und Unterkiefer fest. Die Zunge drückt die Brustwarze gegen den Gaumen und streicht die Milchzisternen der Brustdrüsen von hinten nach vorne aus. Anschließend öffnet sich der Mund etwas, der Druck der Zunge läßt nach, und die Zisternen füllen sich erneut. Der Saugreflex läßt sich wiederum mit einem Schnuller oder Finger leicht auslösen.

Nach zwei bis drei Wochen bildet sich an der Oberlippe ein kleines Saugpolster aus. Damit vermag der Säugling die Brustwarze oder den Sauger besser zu umfassen.

An der Brust trinkt der Säugling anders als an der Flasche. Beim Stillen melkt er die Milchzisternen mit der Zunge aus. Er saugt nicht eigentlich, indem er einen Unterdruck in der Mund-

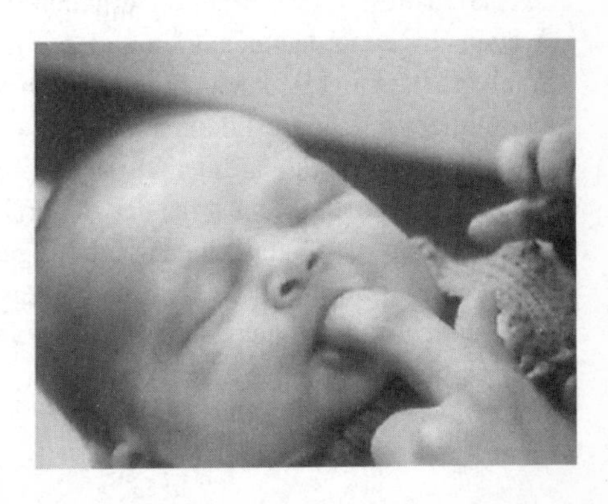

*Der Finger löst Saugbewegungen aus.*

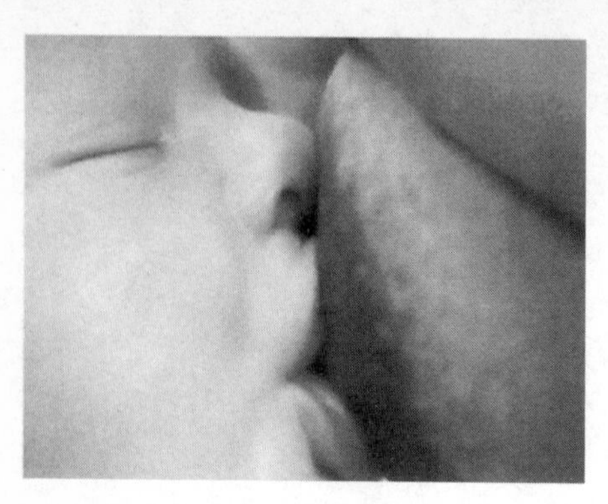

*Trinken an der Brust. Man beachte den offenen Mundwinkel!*

höhle erzeugt. Daß Trinken ohne Unterdruck möglich ist, zeigt der offene Mundwinkel in der folgenden Abbildung. An der Milchflasche wird der Flaschensauger von der Zunge ebenfalls ausgepreßt. Zusätzlich erzeugt der Säugling in der Mundhöhle einen Unterdruck, um der Flasche die Milch zu entziehen. Weil der Trinkvorgang an der Brust und an der Flasche verschieden ist, haben manche Kinder Mühe, von der Brust auf die Flasche und umgekehrt zu wechseln. Mit etwas Geduld ist eine Umstellung aber immer möglich.

Neugeborene und Säuglinge saugen nicht nur, wenn sie Hunger haben; sie saugen auch an ihren Händchen, um sich zu beruhigen, wenn sie mißgestimmt, gelangweilt oder müde sind oder einschlafen wollen (vgl. »Schreiverhalten«). Schließlich saugen sie auch an ihren Händchen, um diese kennenzulernen (vgl. »Spielverhalten 0 bis 3 Monate«). Saugbewegungen also sind nicht immer ein Hungersignal!

**Schluckreflex.** Monatelang trinkt das ungeborene Kind Fruchtwasser. Der Schluckreflex ist bei der Geburt bestens eingeübt und abgestimmt mit den Saug- und Atembewegungen. Beim Trinken macht der Säugling zehn bis 30 Saugbewegungen während etwa 15 Sekunden und schluckt dabei ein- bis viermal; nach ein bis zwei Schluckbewegungen macht er einen Atemzug. Der Säugling vermag etwas, was uns Erwachsenen nicht mehr gelingt: Er kann saugen und schlucken und dabei gleichzeitig durch die Nase

atmen. Da er ausschließlich durch die Nase atmet, ist er darauf angewiesen, daß diese immer durchgängig ist. Bereits ein banaler Schnupfen kann ihn beim Trinken schwer behindern.
**Greifreflex.** Beim Trinken hält sich der Säugling häufig an den Kleidern der Mutter, an seinem eigenen Hemdchen oder an der Flasche fest. Das Saugen verstärkt den Greif- und Umklammerungsreflex (vgl. »Motorik 0 bis 3 Monate«).

## Milchbildung

Während der Schwangerschaft wird die Brust durch Hormone in eine aktive Drüse verwandelt. Spätestens ab dem sechsten Schwangerschaftsmonat sind die Brustdrüsen funktionsbereit. Die Milchbildung wird durch die hormonellen Umstellungen bei der Geburt in Gang gesetzt. Der Säugling löst durch sein Saugen die Bildung und die Ausscheidung der Milch aus. Wie beim kindlichen Trinkverhalten spielen auch bei der Milchbildung Reflexmechanismen eine wichtige Rolle.
**Milchbildungsreflex.** Der Saugreiz des Kindes setzt bei der Mutter im Vorderlappen der Hirnanhangdrüse Prolactin frei. Dieses Hormon regt die Brustdrüse zur Milchbildung an. Je häufiger die Mutter das Neugeborene an die Brust legt, desto stärker wird die Brustdrüse stimuliert und desto größer ist die Milchmenge.
**Milchausscheidungsreflex.** Der Saugreiz bewirkt im Hinterlappen der Hirnanhangdrüse die Ausschüttung von Oxytocin ins mütterliche Blut. Dieses Hormon bringt die Muskelfasern, die sich um die Milchdrüsen und -gänge winden, zur Kontraktion. Dadurch wird die Milch aus den Zisternen gepreßt. Mit Hilfe des Milchausscheidungsreflexes kann der Säugling innerhalb von nur fünf Minuten eine Brust fast vollständig leer trinken. Massagen der Brust und viel Trinken fördern den Milchausscheidungsreflex. Körperliche und psychische Belastungen sowie Müdigkeit hemmen ihn.

Der Milchausscheidungsreflex kann so stark sein, daß er zu einem spontanen Milchfluß führt. Er wird gelegentlich bereits durch das Schreien des hungrigen Kindes oder die Vorbereitungen zum Stillen ausgelöst. Manche Mütter haben dabei eine angenehm prickelnde und kribbelnde Empfindung.

Oxytocin bewirkt auch eine beschleunigte Rückbildung der Gebärmutter durch eine erhöhte Muskelspannung.

Die Milchmenge beträgt am ersten Lebenstag 30 bis 60 Milliliter; sie nimmt an jedem der folgenden Tage um 40 bis 80 Milliliter zu. Am dritten bis siebten Tag nach der Entbindung beginnt die Milchmenge schlagartig anzusteigen (Milcheinschuß). Die Brust ist prall gefüllt, und die Körpertemperatur kann leicht erhöht sein. Häufiges Ansetzen des Kindes hilft, die Brust zu entspannen. Mit etwa sieben bis zwölf Tagen deckt die Milchmenge den Nährstoff- und Energiebedarf des Kindes.

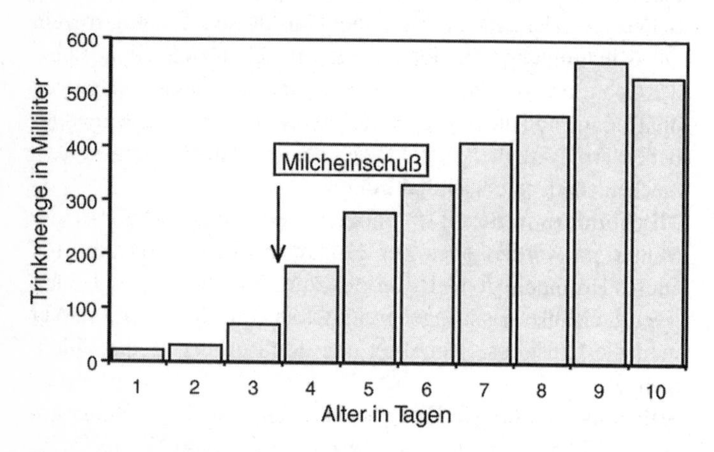


*Tägliche Trinkmengen eines Kindes in den ersten zehn Lebenstagen*

Während der ersten 14 Tage nimmt die Milch nicht nur stark zu, sie verändert sich auch in ihrer Zusammensetzung:

**Vormilch** (Kolostrum) wird in den ersten drei Tagen nach der Entbindung ausgeschieden. Die gelblich durchsichtige Vormilch ist reich an Abwehrstoffen. Sie wird deshalb als die »erste Schutzimpfung für das Neugeborene« bezeichnet.

**Übergangsmilch.** Mit dem Milcheinschuß steigt der Fett- und Energiegehalt der Milch an.

**Reife Milch.** Eine mehr oder weniger konstante Zusammensetzung der Milch wird mit zwei bis drei Wochen erreicht. Fett- und Energiegehalt nehmen in den folgenden Monaten noch leicht zu.

## Ein erfolgreicher Start beim Stillen

In der Gebärklinik haben sich die Schwestern, Hebammen und Ärzte um das Neugeborene gekümmert und der Mutter beim Stillen beigestanden. Nach Hause zurückgekehrt, liegt die ganze Verantwortung für die Ernährung des Neugeborenen bei der Mutter.

Die beiden wichtigsten Dinge für einen erfolgreichen Start beim Stillen sind: Zeit und Ruhe. Beides ist für viele Mütter nicht leicht zu haben. Manche Mutter fühlt sich müde, und die hormonelle Umstellung macht sie während einiger Tage schwermütig. Zu Hause erwartet sie die oft schwierige Aufgabe, die Versorgung und Pflege des Neugeborenen, aber auch der Geschwister, den Haushalt und andere Aktivitäten in einen geordneten Tagesablauf zu bringen. Es ist für die Mutter eine große Entlastung, wenn der Vater während der ersten zwei Wochen nach der Entbindung zu Hause bleiben, im Haushalt nach dem Rechten und nach den anderen Kindern sehen kann. Personen aus der Verwandtschaft und Bekanntschaft können auch viel dazu beitragen, damit Mutter und Kind Zeit und Ruhe finden, miteinander vertraut zu werden, und das Stillen richtig einsetzen kann. Die ersten zwei Wochen zu Hause entscheiden über Erfolg oder Mißerfolg beim Stillen!

Einige praktische Hinweise, die helfen, das Stillen erfolgreich zu gestalten:

**Wie das Kind anlegen?** Die Mutter kann ihr Kind auf verschiedene Weise an die Brust legen. Die folgende Haltung hat sich bewährt und ist wohl auch die häufigste: Das Kind liegt auf dem Arm der Mutter. Sein Gesicht ist der Mutter zugewandt. Sein Kopf liegt auf der Höhe der mütterlichen Brust. Mit der freien Hand unterstützt die Mutter die Brust und drückt sie mit zwei Fingern zusammen. Damit wird die Brustwarze für das Kind besser faßbar und seine Atmung nicht behindert. Es sollte soviel wie möglich von Warze und Hof in seine Mundhöhle aufnehmen, damit es die Milchausführungsgänge vollständig auspressen kann. Das Kind wird abwechslungsweise zuerst an die linke oder rechte Brust angesetzt. Es sollte immer auf beiden Seiten trinken, damit jede Brust angeregt wird.

**Wie das Kind von der Brust wegnehmen**? Ist das Kind gesättigt oder hat es die Brust leer getrunken, löst es sich selbständig von ihr. Falls die Mutter das Saugen vorher beenden möchte, schiebt sie einen Finger zwischen Ober- und Unterkiefer des Kindes. Sie unterbricht damit das Saugen und kann die Brustwarze, ohne sie zu strapazieren, herausnehmen.

**Wie oft anlegen?** In den ersten Lebenstagen erhält das Kind tagsüber alle zwei bis vier Stunden und wiederholt auch nachts die Brust. Damit wird weniger eine möglichst große Nahrungszufuhr als vielmehr eine bestmögliche Anregung der Brust zur Milchbildung erreicht. In folgender Abbildung können wir sehen, wie die Stillhäufigkeit nach dem Milcheinschuß zurückgeht und sich bei fünf bis sieben Mahlzeiten einpendelt.

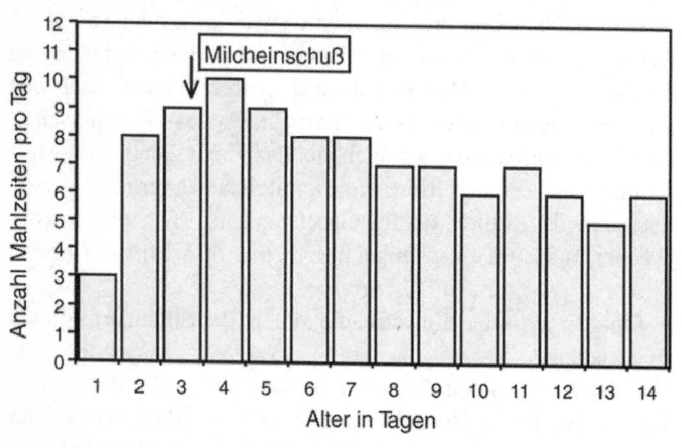


*Anzahl der Mahlzeiten bei einem gestillten Kind in den ersten zwei Lebenswochen*

**Wie lange an der Brust?** Am ersten Lebenstag saugt das Kind an jeder Brust etwa fünf Minuten, am zweiten Lebenstag zehn und an den folgenden Tagen nicht länger als 15 Minuten. Längeres

Anlegen ist nicht empfehlenswert, da das Kind kaum mehr Milch bekommt und die Brustwarzen überbeansprucht werden. Die Milchbildung wird nicht durch ausgedehnte Stillmahlzeiten, sondern durch häufiges Stillen angeregt.
**Gewicht.** Alle Kinder nehmen in den ersten Lebenstagen weniger Nahrung zu sich, als sie Flüssigkeit ausscheiden. Sie verlieren daher an Gewicht, manche Kinder bis zu sechs und mehr Prozent ihres Geburtsgewichtes. Mit sieben bis 14 Tagen haben sie ihr Geburtsgewicht wieder erreicht (vgl. »Wachstum 0 bis 3 Monate«).
**Zufüttern.** Wenn ein Neugeborenes sehr hungrig und durstig ist, mehr als zehn Prozent seines Geburtsgewichtes abgenommen hat, Fieber bekommt oder in der zweiten Lebenswoche nicht an Gewicht zunimmt, wird ihm nach dem Stillen etwas Tee, Zuckerlösung oder Flaschenmilch zugefüttert. Als Säuglingsmilch ist eine sogenannte hypoallergene Milch zu empfehlen, um einer frühzeitigen Allergisierung gegen Kuhmilcheiweiße vorzubeugen.
**Gelbsucht.** Manche Kinder werden in der ersten Lebenswoche leicht gelb. Die Gelbsucht macht sie häufig etwas schläfrig. Der Säugling kann aber trotzdem weitergestillt werden. Selten bleibt die Gelbsucht über die zweite Lebenswoche hinaus bestehen. Eine starke und mehr als zehn Tage dauernde Gelbsucht sollte durch den Kinderarzt kontrolliert werden.
**Stillprobleme**. Wenn sich die Mutter unsicher fühlt, Zweifel hat, ob ihre Milch ausreicht und ob das Kind gedeiht, oder wenn sich Stillprobleme wie wunde Brustwarzen einstellen, sollte sie frühzeitig eine erfahrene Mutter, Stillberaterin oder Mütterberatungsschwester um Rat fragen. Mit Geduld und der Unterstützung einer erfahrenen Person lassen sich die meisten Stillschwierigkeiten beheben.

## Mit der Flasche geht es auch

Aus verschiedenen Gründen können nicht alle Mütter ihre Kinder stillen. Manche Mütter entwöhnen ihre Kinder nach einigen Wochen und ernähren sie mit der Flasche.

Säuglingsmilchnahrung ist eine vollwertige Ernährung; was

ihr fehlt, sind die Abwehrstoffe der Muttermilch. Eine Mutter, die ihr Kind mit der Flasche aufzieht, kann zu ihm eine genauso tiefe Beziehung in den ersten Lebenswochen aufbauen wie eine stillende Mutter. Ein Vorteil der Ernährung mit der Milchflasche, der aber nicht vom Stillen abhalten sollte: Nicht nur die Mutter, auch der Vater und jede andere Bezugsperson kann das Kind füttern.

*Trinken und mit der Mutter Augenkontakt haben*

Säuglingsmilch ist einfach zuzubereiten, keimarm und gut verdaulich, wenn die folgenden Punkte beachtet werden:

- Um Darminfektionen zu vermeiden, sollte die Flasche immer heiß ausgewaschen und die Milch mit abgekochtem Wasser zubereitet werden.
- Es empfiehlt sich, jede Mahlzeit neu zuzubereiten. Die Tagesmenge an Säuglingsmilch kann aber durchaus am Morgen zubereitet und verschlossen im Kühlschrank bis zu 24 Stunden aufbewahrt werden. Angetrunkene Flaschen sollten nicht wieder verwendet werden.
- Zum Trinken sollte die Milch 30 bis 40 Grad warm sein. Vorsicht beim Aufwärmen im Mikrowellengerät: Die Milch kann bereits stark erhitzt sein, während die Flasche sich immer noch kalt anfühlt.
- Das Loch im Sauger sollte so klein sein, daß etwa ein Tropfen pro Sekunde von der gestürzten Flasche abtropft. Der Säugling soll sich beim Trinken etwas anstrengen müssen. Ein zu großes Saugerloch führt zu hastigem Trinken und vermehrtem Luftschlucken.

• Die Versuchung ist groß, die Milch mit etwas mehr Pulver anzumachen, als vom Hersteller empfohlen wird. Manche Eltern erhoffen sich von angereicherter Flaschenmilch, daß ihr Kind besser gedeiht, weniger schreit und eher durchschläft. Von dieser Praxis ist dringend abzuraten; sie bewirkt oft das Gegenteil. Nicht wenige Kinder haben bereits Mühe, die empfohlene Konzentration Milchpulver zu verdauen. Zuviel Milchpulver führt zu hartem Stuhl, Bauchschmerzen und vermehrtem Schreien. Der Meßlöffel soll deshalb nicht gehäuft, sondern mit einem Messerrücken abgestrichen werden.
• Weil der Nitratgehalt des Trinkwassers in gewissen Gegenden bedrohliche Werte erreicht hat, sind Eltern dazu übergegangen, die Milch anstatt mit Trinkwasser mit Mineralwasser anzumachen. Da die meisten Mineralwässer einen hohen Salzgehalt haben, der den kindlichen Organismus über Gebühr belastet und daher zu Flüssigkeitsverlust und Durchfall führen kann, ist diese Umstellung nicht zu empfehlen. Die Zusammensetzung des Trinkwassers ist nicht mehr so gut wie früher, aber für Säuglinge immer noch verträglicher als Mineralwasser.
• Fehlendes Gedeihen, Durchfall sowie viel und häufiges Schreien sind nur ausnahmsweise durch eine bestimmte Säuglingsmilchnahrung bedingt. Da die auf dem Markt befindlichen Anfangs- und Folgemilchprodukte eine ähnliche Zusammensetzung haben, bringt ein Wechsel nur ausnahmsweise eine Lösung des Problems. Die meisten Ernährungsstörungen sind auf die Menge und Zusammensetzung der Milch zurückzuführen: Das Kind bekommt entweder zuwenig oder zuviel Nahrung beziehungsweise zuwenig oder zuviel Flüssigkeit. Anstatt verschiedene Produkte auszuprobieren, sollten die Eltern den Kinderarzt oder die Mütterberatungsschwester um Rat fragen.
• Säuglingsmilch enthält alle notwendigen Vitamine und Eisen. Eine zusätzliche Abgabe von Vitaminen erübrigt sich.
• An Kinder aus Familien, in denen Allergien wie Heuschnupfen, Asthma oder Ekzeme gehäuft vorkommen, kann eine sogenannte hypoallergene Milch verfüttert werden. Diese Ernährungsform scheint das Allergierisiko mindestens im ersten und zweiten Lebensjahr zu vermindern.

## Ernährung in den ersten drei Monaten

Die Muttermilch wird nicht immer in der gleichen Menge gebildet und ist je nach Tageszeit unterschiedlich zusammengesetzt. Damit verändert sich auch der Sättigungsgrad der Milch von Mahlzeit zu Mahlzeit. Es erstaunt daher nicht, daß die Kinder verschieden viel trinken und nach unregelmäßigen Zeitabständen wieder Hunger haben. Während die Milchmenge von Mahlzeit zu Mahlzeit variiert, ist die tägliche Trinkmenge insgesamt ziemlich konstant. Unabhängig davon, wie oft eine Mutter ihr Kind anlegt, trinkt es pro Tag immer etwa die gleiche Menge.

Mit der Flasche ernährte Kinder trinken je nach Tageszeit ebenfalls unterschiedlich viel, obwohl die Fertignahrung immer die gleiche Zusammensetzung aufweist. Ihre tägliche Trinkmenge ist wie bei gestillten Kindern immer etwa gleich groß.

Die Milchmenge pro Tag und nicht die einzelne Mahlzeit ist also bei gestillten und mit der Flasche ernährten Kindern das zuverlässige Maß für die Einschätzung des Nahrungsbedarfes.

Die täglichen Trinkmengen sind bei gleichaltrigen Kindern verschieden groß. Im Alter von einem Monat trinken die meisten Kinder zwischen 500 und 600 Milliliter Milch pro Tag; einige

*Tägliche Trinkmengen gestillter Kinder in den ersten sechs Lebensmonaten (nach Wallgren)*

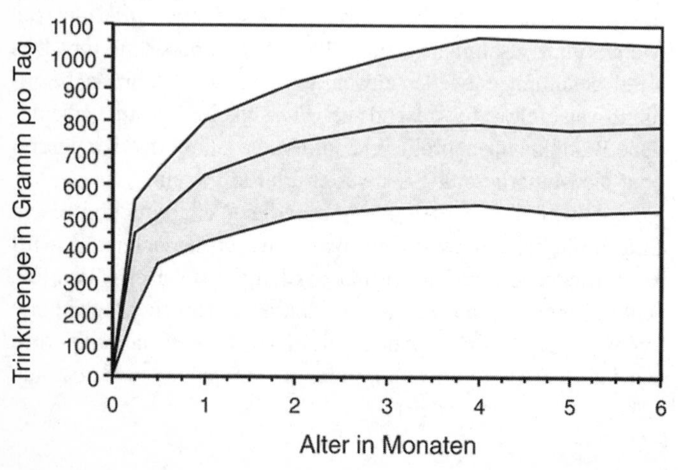

benötigen bis zu 800 Milliliter, andere kommen mit etwas mehr als 400 Milliliter aus. Die Hälfte der Kinder trinkt mit vier Wochen mehr Milch als ein Viertel der Kinder mit sechs Monaten. Die tägliche Trinkmenge hängt dabei nicht vom Körpergewicht ab (vgl. »Trinken und Essen 4 bis 9 Monate«). Schwere und große Kinder trinken oft nicht mehr als leichte und kleine.

Die Trinkmengen sind von Kind zu Kind verschieden, weil ihre Verdauung und ihr Stoffwechsel unterschiedlich arbeiten, die Kinder ungleich rasch wachsen und die Milch ihrer Mütter verschieden zusammengesetzt ist.

Eine Mahlzeit dauert an einer Brust zehn bis 15 Minuten; eine Brust kann aber auch bereits in fünf Minuten leer getrunken sein. Je mehr sich die Brust entleert, desto nährreicher wird die Milch. Der Fettgehalt kann während einer Mahlzeit um das Vierfache und der Eiweißgehalt um das Anderthalbfache ansteigen. Damit verändern sich der Geschmack und die taktile Empfindung für das Kind. Die Änderungen in der Zusammensetzung der Milch während der Mahlzeit scheinen den Appetit des Säuglings zu regulieren.

Kinder, die mit Flaschennahrung ernährt werden, trinken ebenfalls unterschiedlich rasch. Während einige innerhalb von fünf Minuten die Flasche leer trinken, brauchen andere wesentlich länger. Spätestens nach 20 Minuten ist die Trinkbereitschaft so weit zurückgegangen, daß die Mahlzeit beendet werden sollte.

In den ersten drei Lebensmonaten wird ein Säugling fünf- bis zehnmal pro Tag gestillt. Die meisten Kinder sind während mindestens zwei Stunden satt und zufrieden. Nach ein bis zwei Monaten treten gelegentlich ausgesprochene Appetitspurts auf, welche die Mutter verunsichern können: Sie bekommt den Eindruck, ihr Kind erhalte nicht mehr genügend Milch, und ist versucht, auf Flaschennahrung umzustellen. Wenn sie es häufiger ansetzt, wird die Milchmenge zunehmen und das Kind satt werden. Das Zufüttern sollte sie vermeiden, da dies zu einem Rückgang der Milchmenge führen kann.

| Alter (Monate) | 1 | 2 | 3 |
|---|---|---|---|
| Brustmahlzeiten | 5–10 | 5–8 | 5–8 |
| Flaschenmahlzeiten | 5–6 | 5 | 4–5 |
| Trinkmenge (ml/kg) | 150–210 | 140–190 | 130–190 |
| Trinkmenge pro Tag (ml) | 400–800 | 600–900 | 600–1000 |
| Gewichtszunahme | 80–300 g/Woche | 80–300 g/Woche | 80–300 g/Woche |

*Ernährung in den ersten drei Lebensmonaten (nach Wood und Walker-Smith, Fomon u. a., Wachtel)*

Kinder, die mit der Flasche ernährt werden, erhalten im ersten Lebensmonat fünf bis sechs Mahlzeiten pro Tag. Nach dem zweiten bis dritten Lebensmonat kommen die meisten mit vier Mahlzeiten aus. Nach dem vierten Lebensmonat benötigen sie die Nachtmahlzeiten nicht mehr. Gestillte Kinder neigen aus verschiedenen und durchaus vermeidbaren Gründen dazu, auch in den folgenden Lebensmonaten nachts nach der Brust zu verlangen (vgl. »Schlafverhalten 4 bis 9 Monate«).

Ein Mangel an Vitamin D wirkt sich auf die Knochenbildung nachteilig aus: Er kann zu Rachitis führen. Die Eigenbildung von Vitamin D benötigt Sonnenlicht und ist deshalb in den Wintermonaten oft ungenügend. Die in der Muttermilch enthaltene Menge an Vitamin D deckt den Bedarf gelegentlich nur unzureichend. Um ein Kind, das gestillt wird, wirksam vor Rachitis zu schützen, empfiehlt es sich, ihm in den sonnenarmen Jahreszeiten jeden Tag 400 Internationale Einheiten Vitamin D in Tropfenform vor einer Mahlzeit zu verabreichen. Kinder, die Fertignahrung bekommen, brauchen kein zusätzliches Vitamin D. Es ist der Säuglingsmilchnahrung bereits zugesetzt.

Breimahlzeiten sollten den Kindern in den ersten vier Lebensmonaten nicht verfüttert werden. Sie belasten die Verdauung, den Stoffwechsel und die Ausscheidung über Gebühr. Der Säugling ist während dieser Zeit mit Milch ausreichend ernährt.

## Aufstoßen

Jeder Säugling schluckt Luft beim Trinken, sei es an der Brust oder an der Flasche. Diese verschluckte Luft muß er wieder loswerden. Hat der Säugling keine Gelegenheit, die Luft aufzustoßen, kann es geschehen, daß während oder einige Zeit nach der Mahlzeit nicht nur Luft, sondern auch Milch hochkommt. Verschluckte Luft kann überdies zu schmerzhaften Blähungen führen, die wiederum Anlaß zu vermehrtem Schreien sein können (vgl. »Schreiverhalten«).

Bei manchen Kindern rinnt nach der Mahlzeit ein feines Bächlein Milch aus den Mundwinkeln, oder etwas Milch kommt im Schwall hoch. Sie stoßen auf, auch wenn sie ausreichend Gelegenheit hatten, die verschluckte Luft entweichen zu lassen. Bei diesen Kindern ist der Verschlußmuskel am Mageneingang noch nicht voll funktionstüchtig. Aufstoßen beeinträchtigt das Gedeihen eines Säuglings nicht, kann aber zu Unannehmlichkeiten führen, wenn die herausgegebene Milch einen häßlichen Fleck auf dem Sonntagskleidchen oder auf dem besten Hemd des Vaters hinterläßt und einen säuerlichen Geruch verbreitet. Es wird vermindert, wenn das Kind nach einer Mahlzeit herumgetragen und sanft sein Rücken beklopft, für mindestens eine halbe Stunde aufgesetzt oder mit hochgelagertem Oberkörper auf den Bauch gelegt wird. Die meisten Kinder hören nach wenigen Wochen damit auf; bei einigen hält das Aufstoßen ein ganzes Jahr an. Stößt das Kind in größeren Mengen auf oder erbricht es, sollten die Eltern es dem Hausarzt zeigen.

## Gedeiht das Kind?

Wie können Eltern die Ernährung und das Gedeihen ihres Säuglings beurteilen?

**»Jede Mutter hat genügend Milch für ihr Kind.«** Diese Annahme trifft für die meisten, aber nicht für alle Mütter zu. Eine große Brust oder ein spontanes Fließen der Milch ist nicht notwendigerweise Ausdruck reger Milchbildung. Eine Mutter, deren Milch spontan fließt, kann sogar wenig und fettarme Milch haben.

**»Das Kind nimmt sich, was es braucht, sonst schreit es.«** Hunger- und Sättigungsgefühle sind bereits in den ersten Lebenstagen von Kind zu Kind unterschiedlich ausgeprägt. Das eine Neugeborene schreit kräftig, wenn es Hunger hat, und wird krebsrot vor Anstrengung, um soviel Milch wie möglich zu bekommen; nach dem Trinken strahlt sein Gesicht Wohlbehagen aus. Ein anderes meldet sich kaum, wenn es Hunger hat. Es saugt weniger kräftig und gibt sich auch bald zufrieden. Das Schreien ist ein wichtiger, aber nicht immer zuverlässiger Hinweis, daß das Kind hungrig ist:

- Nicht jeder Säugling, der hungrig ist, schreit. Wenn er zufrieden, aufmerksam und motorisch aktiv ist, ist das ein gutes, aber nicht immer sicheres Zeichen dafür, daß er ausreichend ernährt ist. Die meisten Kinder sind nach einer Mahlzeit für zwei bis vier Stunden zufrieden. Es gibt aber Kinder, die, obwohl ungenügend ernährt, mehrere Stunden zufrieden und ruhig sind. Sie haben ihren Stoffwechsel auf ein Sparprogamm umgestellt.
- Nicht jeder Säugling, der schreit, hat Hunger. Er kann auch schreien, wenn er ein Bedürfnis nach Nähe hat, sich langweilt, müde ist oder sich unwohl fühlt (vgl. »Schreiverhalten«, »Beziehungsverhalten 0 bis 3 Monate«). Ein Säugling will nicht unbedingt gefüttert werden, wenn er schreit.

**Nasse und volle Windeln.** Nasse Windeln sagen etwas über die Flüssigkeits-, nicht aber über die Kalorienzufuhr aus. Auch die Häufigkeit der Stuhlentleerungen gibt keinen Hinweis auf das Gedeihen.

**Gewichtszunahme.** Lange Zeit wurden die Mütter dazu angehalten, ihre Kinder zu wiegen. Die Mütter überprüften das Gewicht ihres Kindes täglich, nicht wenige nach jeder Mahlzeit. Manche orientierten sich mehr an der Waage als am Gedeihen und Wohlbefinden ihres Kindes. Vor einigen Jahren erscholl der Ruf: Weg mit der Waage, hin zum Kind! Die Waage wurde verbannt, und das kindliche Verhalten wurde zum Richtmaß für das Gedeihen des Kindes.

Die kinderärztlichen Erfahrungen der letzten Jahre haben

gezeigt, daß auf die Waage nicht ganz verzichtet werden kann. Sie ist eine nützliche Orientierungshilfe, wenn sie maßvoll eingesetzt wird: In den ersten drei Lebensmonaten sollte ein Säugling einmal pro Woche gewogen werden. Die durchschnittliche wöchentliche Gewichtszunahme beträgt 170 Gramm; sie kann bis zu 300 oder nur 80 Gramm betragen. Es kommt durchaus vor, daß ein gesundes Kind während ein bis zwei Wochen kaum an Gewicht zunimmt.

Wenn Zweifel bestehen, ob das Kind genügend Nahrung erhält, kann es während einiger Tage vor und nach dem Stillen gewogen werden. Falls die Milchmenge zu klein ist, sollte das Kind häufiger gestillt werden. Stagniert das Gewicht über drei und mehr Wochen, sollten die Eltern es dem Hausarzt zeigen.

**Gewichtskurve.** Die Gewichtskurve ist der beste Indikator für das Gedeihen eines Säuglings. Gutes Gedeihen zeichnet sich dadurch aus, daß die Gewichtskurve mehr oder weniger parallel zu den Wachstumslinien, den sogenannten Perzentilen, verläuft (vgl. »Wachstum 0 bis 3 Monate« und Anhang).

## Stuhl

Das Neugeborene entleert den ersten Stuhl einige Stunden bis zwei Tage nach der Geburt. Der Stuhl ist geruchlos, von dunkelgrüner bis schwärzlicher Farbe und wird deshalb auch Kindspech (Mekonium) genannt. Er enthält Verdauungssäfte, Darmzellen und Fruchtwasser.

Gestillte Kinder haben in den ersten zwei Lebenswochen einen weichen, gelblichen, nach frischen Semmeln riechenden Stuhl. Danach wird der Stuhl gelb bis grün, bleibt weich, oft dünnflüssig. Mit der Flasche ernährte Kinder haben einen festeren Stuhl als gestillte Kinder. Er ist von weißlicher Farbe und riecht etwas faulig; häufig ist er durchmischt mit festeren Klumpen. Harter Stuhl, Schreien bei der Stuhlentleerung und allenfalls Blutspuren auf dem Stuhl sind deutliche Hinweise, daß die Nahrung mit zuviel Milchpulver angemacht wurde.

Der Säugling entleert mehrmals pro Tag bis zu einem Mal in

fünf Tagen Stuhl. Gestillte Kinder haben häufiger Stuhl als mit der Flasche ernährte. Oftmals kommt es nach einer Mahlzeit zu einer Darmentleerung.

## Ernährung der stillenden Mutter

Eine wichtige Vorbedingung für ein erfolgreiches Stillen ist eine gesunde Ernährung der Mutter. Ihre Ernährung sollte vielseitig sein, pflanzliche Lebensmittel, vor allem viel frisches Obst und Gemüse, aber auch Milchprodukte, Eier, Fleisch und Fisch umfassen. Beim Kochen empfiehlt es sich, jodiertes und fluoriertes Kochsalz zu verwenden.

Einige bedenkenswerte Hinweise:

**Zusätzliche Energien.** Um 100 Milliliter Milch zu bilden, muß die Mutter 80 Kilokalorien aufwenden. Diese Energie kommt aus der Nahrung und den eigenen Fettreserven. Mütter, deren Körpergewicht ihrem Sollgewicht entspricht oder darunterliegt, sollten pro Tag zusätzlich 500 bis 700 Kilokalorien an Nahrung zu sich nehmen. Von Abmagerungskuren ist wegen des erhöhten Energiebedarfs während der Stillzeit abzuraten.

**Milchprodukte.** Der Säugling wächst rasch. Er verdoppelt innerhalb von fünf Monaten sein Körpergewicht. Für die Knochenbildung benötigt er viel Kalzium und Phosphat, die aus der Muttermilch bezogen werden.

Milchprodukte und Milch sind ausgezeichnete Mineralstoffspender für eine stillende Mutter. Sie sollte jeden Tag 200 bis 500 Milliliter Milch oder Milchprodukte wie Joghurt, Quark oder Käse zu sich nehmen. Wenn sie sich nicht ausreichend mit Kalzium und Phosphat versorgt, werden diese Mineralstoffe ihrem Körper entzogen.

**Obst und Gemüse.** Säuglinge brauchen zahlreiche Vitamine, insbesondere Vitamin C. Die Mutter sollte mindestens einmal pro Tag Obst und Gemüse essen. Bei längerer Stilldauer und ungenügender Vitaminzufuhr werden die Vitamine dem mütterlichen Körper entzogen.

**Blähungen.** Gewisse Gemüsesorten wie Kohl, Lauch, Zwiebeln, Knoblauch und Hülsenfrüchte enthalten organische Schwefelverbindungen, die Blähungen hervorrufen. Es gibt Hinweise, daß diese Nahrungsmittel über die Muttermilch auch beim Kind zu Unpäßlichkeiten führen können. Diese Gemüse sind aber immer nur eine Ursache unter anderen für Blähungen beim Kind (vgl. »Schreiverhalten«).

**Vegetarische Ernährungsweisen.** Eine stillende Mutter kann sich fleischlos ernähren. Voraussetzung ist, daß Milchprodukte und Eier auf ihrem Speisezettel stehen.

Eine streng vegetarische Ernährung, das heißt keinerlei tierische Nahrungsmittel, kann zu einer ungenügenden Versorgung der Mutter und des Kindes führen. Die folgenden Nährstoffe, Vitamine und Mineralstoffe werden bei einer streng vegetarischen Ernährungsweise in nicht ausreichender Menge aufgenommen: Eiweiß, Vitamin $B_{12}$, Kalzium, Eisen und Jod. Diese Stoffe kommen in Leber, Fleisch, Fisch, Eiern und Milchprodukten vor. In Lebensmitteln pflanzlicher Herkunft sind sie nur in sehr kleinen Mengen enthalten.

**Eisen** braucht das Kind für die Blutbildung. Es ist vor allem in Leber, Fleisch und Eigelb enthalten. Mütter, die nach der Entbindung einen ungenügenden Hämoglobingehalt haben, sollten ein Eisenpräparat einnehmen.

**Flüssigkeit**. Eine Mutter, die stillt, benötigt zu ihrem normalen Bedarf mindestens einen Liter Flüssigkeit zusätzlich pro Tag. Als Getränke eignen sich Obst- und Gemüsesäfte, eventuell verdünnt, Milch, Sauermilch und andere Milcharten sowie verschiedene Tees.

**Genußmittel**. Koffein aus Kaffee und schwarzem Tee geht auf das Kind über. Zwei bis drei Tassen Kaffee pro Tag scheinen für ein Kind zuträglich zu sein. Alkohol gelangt ebenfalls in die Milch und hemmt außerdem deren Bildung. Gelegentlich ein Glas Wein schadet dem Kind nicht, wenn es nach dem Stillen getrunken wird.

**Nikotin** verengt die mütterlichen Blutgefäße, schränkt die Sauerstoffversorgung des Gewebes ein und führt damit zu einer Verminderung der Milchmenge. Es geht außerdem durch die Milch auf das Kind über. Schließlich beeinträchtigt die verrauchte Luft die Atmung des Kindes. Mütter und Väter (!) sollten unbedingt auf das Rauchen verzichten.

**Künstliche Süßstoffe** und deren Abbauprodukte gehen beim Stillen auf das Kind über. Da deren Wirkung nicht geklärt ist, sollte die Mutter künstliche Süßstoffe meiden.
**Medikamente** gelangen häufig in die Muttermilch. Wenn die Mutter ein Medikament einnehmen muß, sollte sie sich bei ihrem Arzt erkundigen, ob das Medikament in der Milch ausgeschieden wird und sich gegebenenfalls nachteilig auf das Kind auswirken kann.

## Familienplanung

Stillen wirkt empfängnisverhütend. Der Schutz vor Empfängnis ist um so größer, je häufiger die Mutter stillt; er ist aber nie vollständig. Mit der Pille sollte frühestens sechs Wochen nach der Entbindung begonnen werden. Die heute auf dem Markt befindlichen Antikonzeptiva beeinträchtigen die Milchbildung nicht mehr. Stillen während einer weiteren Schwangerschaft ist mit einer großen körperlichen Beanspruchung für die Mutter verbunden, häufig geht die Milchmenge stark zurück.

## Das Wichtigste in Kürze

1. In den ersten 14 Lebenstagen paßt sich das Neugeborene in Nahrungsaufnahme, Verdauung, Stoffwechsel und Ausscheidung an die neuen Lebensbedingungen an.

2. Die Nahrungsaufnahme wird durch verschiedene Reflexmechanismen sichergestellt:
   - Suchreflex;
   - Saugreflex;
   - Schluckreflex.

3. Die Milchbildung wird durch zwei Reflexmechanismen gesteuert:
   - Milchbildungsreflex;
   - Milchausscheidungsreflex.

4. Wichtigster Reiz für die Milchbildung ist das Saugen des Kindes an der Brust. Je häufiger das Kind angesetzt wird, desto größer ist die Milchmenge.

5. Die Milchmenge nimmt mit jedem Lebenstag um 40 bis 80 Milliliter zu. Der Milcheinschuß tritt drei bis sieben Tage nach der Entbindung auf. Nach fünf bis zehn Tagen deckt die Milchmenge den Nährstoff- und Energiebedarf des Säuglings.

6. Die Vormilch (Kolostrum) der ersten Lebenstage ist reich an Abwehrstoffen. Reife Milch wird nach einer Übergangsperiode von etwa zwei Wochen gebildet.

7. Säuglingsmilchnahrung gewährleistet eine vollwertige Ernährung des Säuglings. Was ihr fehlt, sind die Abwehrstoffe der Muttermilch.

8. Eine Mutter, die ihr Kind mit der Flasche ernährt, kann eine genauso tiefe Beziehung zu ihrem Kind aufbauen wie eine Mutter, die stillt.

9. Die Anzahl der Mahlzeiten und der einzelnen Trinkmengen sind von Kind zu Kind sehr unterschiedlich. Gewisse Kinder trinken doppelt soviel wie andere gleichaltrige Kinder. Die tägliche Trinkmenge hängt kaum vom Körpergewicht ab.

10. Das Gedeihen eines Kindes läßt sich anhand der folgenden Merkmale einschätzen:
    - Schreiverhalten;
    - Aufmerksamkeit und motorische Aktivität des wachen Kindes;
    - wöchentliche Gewichtszunahme;
    - Wachstumskurve (bester Indikator).

*Die Eltern sitzen nach einem guten Mittagessen beim Kaffee. Ihre drei Kinder tollen auf dem Spielplatz des Restaurants herum. Da kommt der vierjährige Urs hereingerannt, stürzt sich auf die Mutter, hebt mit einem raschen Griff ihre Bluse hoch und nuckelt an der Brust. Die Gäste an den Nachbartischen schauen dem Geschehen erstaunt zu.*

In den ersten Lebensmonaten ernährt sich das Kind ausschließlich von Milch. Mit etwa einem halben Jahr wird es zusätzlich mit Brei verköstigt. Anfang des zweiten Lebensjahres beginnt es, am Familientisch Erwachsenenkost zu essen. Wie rasch oder wie langsam ein Kind von der Milchflasche auf Breimahlzeiten und schließlich auf feste Nahrung übergeht, hängt von der Ausreifung der Verdauung, des Stoffwechsels, der Mundmotorik und der Zahnentwicklung ab. Die Eltern bestimmen mit ihren Eßgewohnheiten und ihrer Erziehungshaltung mit, wie diese Entwicklung bei ihrem Kind verlaufen wird.

Die meisten Mütter entwöhnen ihre Kinder im ersten Lebensjahr. Über längere Zeit gestillte Kinder verlieren das Interesse an Brustmahlzeiten während des zweiten Lebensjahres. Gelegentlich stillt eine Mutter ihr Kind bis ins Kindergartenalter. Je älter das Kind wird, um so weniger dient ihm die mütterliche Brust als Nährquelle und um so mehr wird sie ein Ort der mütterlichen Zuwendung. Urs saugt nicht an der Brust, weil er hungrig ist. Er hat sich auf dem Spielplatz weh getan und tröstet sich nun an der mütterlichen Brust.

## Warum Brei?

Zwischen vier und acht Monaten reicht Milch als ausschließliche Ernährungsform immer weniger aus. Der Nährstoff- und Energiebedarf des Kindes ist mit dem rasch zunehmenden Körpergewicht so groß geworden, daß flüssige Nahrung wie Muttermilch und Säuglingsmilchnahrung nicht mehr genügen. In diesem Alter sind die Verdauung, der Stoffwechsel und die Ausscheidung über die Nieren so weit entwickelt, daß das Kind festere und weniger aufgeschlossene Nahrung in Breiform aufnehmen und verdauen kann.

## Wann mit Breimahlzeiten beginnen?

Damit der Säugling Brei essen und verdauen kann, müssen verschiedene Körperfunktionen herangereift sein:

**Mundmotorik.** Vor dem vierten Lebensmonat wehrt sich der Säugling gegen halbfeste Speisen. Er stößt mit der Zunge gegen den Löffel und befördert den Brei nach außen. Damit die Einführung der Löffelmahlzeit gelingen kann, muß die Mundmotorik einen gewissen Entwicklungsstand erreicht haben: Der Säugling spürt den Brei im Mund, er kann die Nahrung mit der Zunge zum Rachen befördern und hinunterschlucken.

Im ersten Lebensjahr kann das Kind feste Speisen nicht kauen. Die Speisen müssen daher püriert werden. Mit neun bis zwölf Monaten kann ein Teil der Kinder halbfeste Speisen, die weich gekocht oder fein geschnitten sind, mit der Zunge zerdrücken und sie dann hinunterschlucken.

**Geschmack.** Neugeborene und Säuglinge sind ausschließlich auf Süßes ausgerichtet. Ein Tropfen zuckerhaltige Lösung auf der Zunge bringt die Augen eines Neugeborenen zum Strahlen. Es spitzt den Mund und beginnt zu saugen. Auf jeden anderen Geschmacksreiz wie Bitteres, Salziges oder Saures reagiert es mit Speien, verzieht das Gesicht und dreht den Kopf weg. Nach dem dritten Lebensmonat beginnt das Kind sich langsam für andere Geschmacksempfindungen zu interessieren.

**Verdauung.** Der Brei stellt weit höhere Anforderungen an den Darm und die Verdauungsdrüsen als die Milch. Breinahrung enthält weniger Flüssigkeit, und ihre Nährstoffe sind schwerer verdaulich als diejenigen der Muttermilch und der Säuglingsmilchnahrung.

**Ausscheidung.** Breie enthalten mehr Mineralstoffe als Muttermilch und Säuglingsmilch. Der Körper muß den größten Teil der Salze über die Nieren wieder ausscheiden. Mit etwa vier Monaten ist die Niere dafür ausreichend leistungsfähig.

Die verschiedenen Funktionen reifen von Kind zu Kind unterschiedlich rasch heran. Einige Kinder essen daher Brei bereits mit

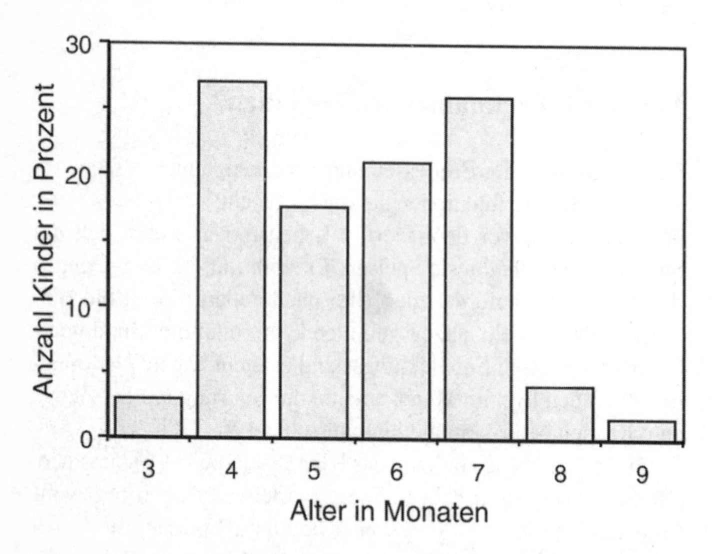


*Die Säulen geben an, wie viele Kinder (in Prozent) in einem bestimmten Alter erstmals mit Brei gefüttert werden. Die meisten Kinder beginnen zwischen vier und sieben Monaten Brei zu essen.*

vier, die meisten mit fünf bis sieben Monaten und einige erst mit acht bis neun Monaten. Ist ein Kind nach dem Stillen oder nach den Flaschenmahlzeiten noch hungrig, kann dies ein Hinweis sein, daß es Breimahlzeiten benötigt.

Die ersten Breimahlzeiten dienen dazu, das Kind mit dem Löffel, dem ungewohnten Geschmack und den neuen Empfindungen im Mund vertraut zu machen. Dabei sollten während mehrerer Tage nur kleine Portionen des gleichen Breies verfüttert werden, damit sich das Kind an die neue Nahrungsform gewöhnen kann. Wehrt es Löffel und Brei wiederholt ab, fühlt es sich unwohl. Kommt es zu Blähungen oder Durchfall, so werden die Breimahlzeiten für zwei bis vier Wochen aufgeschoben. Weitere Breie können leichter eingeführt werden, wenn sie anfänglich mit einem bereits vertrauten Brei gemischt werden. Flüssigkeit wie Milch oder Tee sollten dem Kind erst nach dem Brei angeboten werden.

*Der Mund öffnet sich erwartungsvoll.*

Ein Kind, das in seiner Entwicklung bereit ist, Brei zu essen, zeigt es in seinem Verhalten: Es öffnet erwartungsvoll den Mund, wenn der Löffel vom Teller abhebt. Die Kinder haben anfänglich Mühe, den Brei im Mund zu behalten. Sie stoßen einen Teil des Breies wieder heraus, gelegentlich spucken sie auch. Die Eltern können dem Breiabenteuer entspannter entgegensehen, wenn sie Körper und Arme des Kindes mit einem großen Latz schützen, die Fütterung nicht in der guten Stube, sondern in der Küche abhalten und sich ausreichend Zeit dafür nehmen.

## Was zu essen geben?

Die Ernährung in der zweiten Hälfte des ersten Lebensjahres besteht aus den Breimahlzeiten, Milch und Zwischenmahlzeiten.

Die Breimahlzeiten setzen sich im wesentlichen aus vier Gruppen von Nahrungsmitteln zusammen:

**Getreide** enthält reichlich Kohlehydrate und Eiweiße. Glutenfreies Getreide wie Hirse, Reis und Mais wird frühestens im fünften Monat verfüttert. Nach dem sechsten Monat können auch glutenhaltige Getreide wie Weizen oder Hafer verwendet werden. Gluten ist eine Substanz, die selten zu einer Unverträglichkeitsreaktion des Darmes und einer Gedeihstörung führen kann (Zöliakie).

**Früchte** sind reich an Vitaminen, vor allem an Vitamin C. Geeignet sind zerdrückte Bananen und geraspelte Äpfel, versuchsweise auch Orangensaft. Zitrusfrüchte enthalten aromatische Öle, die gelegentlich den Darm reizen und Durchfall hervorrufen können.

**Gemüse** sind Kohlehydrat-, Eiweiß- und Vitaminlieferanten. Zur Einführung von Gemüsebreimahlzeiten eignen sich Karotten, Fenchel und Zucchini. Gemüse, die Blähungen hervorrufen, sind zu vermeiden. Wird Gemüse mit Kartoffeln oder Reis kombiniert, kann ein besseres Sättigungsgefühl erreicht werden. Damit die Vitamine nicht vernichtet oder ausgeschwemmt werden, ist auf eine schonende Zubereitung zu achten: Gemüse nicht im Wasser liegen lassen, sondern unter fließendem Wasser kurz und gründlich waschen. Gemüse mit Zugabe von wenig Wasser

| Alter (Monate) | 3 | 4 | 5 | 6 | 7 | 8 | 9 | 10 | 11 | 12 |
|---|---|---|---|---|---|---|---|---|---|---|
| Milch-mahlzeiten | 4–5 | 4–5 | 4–5 | 2–3 | 2–3 | 2–3 | 2 | 2 | 2 | 2 |
| | Muttermilch | | | | | | | | | |
| | Anfangsmilch | | | | | | | | | |
| | | | Folgemilch | | | | | | | |
| | | | | | | | | | Vollmilch | |
| Brei-mahlzeiten | | | 0–1 | 0–2 | 0–2 | 1–3 | 2–3 | 3 | 3 | 3 |
| | | | Früchte | | | | | | | |
| | | | Gemüse | | | | | | | |
| | | | Fleisch/Leber/Eigelb | | | | | | | |
| | | | Joghurt (Vollmilch) | | | | | | | |
| | | | Getreide/Kartoffelbrei | | | | | | | |
| Zwischen-mahlzeiten | | | | Hartes Brot, Zwieback, Getreidestengel | | | | | | |
| Übergang zu Erwachsenenkost | | | | | | | Teigwaren, Reis | | | |

*Ernährung vier bis zwölf Monate*

weichdämpfen und nicht sieden, eventuell garen im Mikrowellengerät. Wenn mehrere Gemüsemahlzeiten auf einmal zubereitet und portionsweise tiefgekühlt werden, läßt sich der Arbeitsaufwand erheblich verringern. Beim Auftauen wird der Vitamingehalt etwas vermindert, die Arbeitsersparnis rechtfertigt aber diese Einbuße. Das Gericht läßt sich mit einem halben Teelöffel Butter oder Speiseöl verfeinern. Gemüsesaft erübrigt sich, wenn das Kind frisches Gemüse bekommt.

**Fleisch und Ei** enthalten Eisen, andere Spurenelemente und verschiedene Vitamine, vor allem das wichtige Vitamin $B_{12}$. Geeignet sind Rind-, Kalb-, Hähnchen- und Schweinefleisch oder Leber ein- bis zweimal pro Woche sowie ein Eigelb pro Woche.

Milch bleibt auch nach der Einführung der Breimahlzeiten ein wichtiges Nahrungsmittel. Sie enthält wertvolle Eiweiße sowie Kalzium und Phosphat für den Knochenaufbau. Jeden Tag sollte ein Kind zwei bis fünf Deziliter Milch trinken. Entwickelt es eine Abneigung gegen Milch, sollte ihm die Milch nicht aufgedrängt werden. Das Kind kann das notwendige Kalzium auch aus Milchprodukten wie Joghurt beziehen.

Während des ersten Lebensjahres reifen Verdauung und Immunabwehr so weit heran, daß mit fünf bis sechs Monaten von Anfangsmilch auf Folgemilch und mit zwölf Monaten auf Vollmilch (keine teilentrahmte Milch!) übergegangen werden kann. Folgemilch und Vollmilch haben einen höheren Sättigungsgrad als Anfangsmilch.

Naturjoghurt, versetzt mit frischen Früchten, ist Früchtejoghurts vorzuziehen, da letztere viel Zucker enthalten. Quark sollte im ersten Lebensjahr nicht gefüttert werden, da sein hoher Eiweißgehalt den kindlichen Organismus über Gebühr belastet.

In Familien mit Ekzemen, Asthma und Heuschnupfen sind, um einer frühzeitigen Allergisierung vorzubeugen, die folgenden Nahrungsmittel im ersten Lebensjahr zu vermeiden: Weizen, Soja, Eier, Fisch, Schokolade, Kakao, Nüsse und Südfrüchte.

Die Breie sollten als Vorbereitung auf die Erwachsenenkost eine allmählich breiter werdende Geschmackspalette enthalten. Beim Kochen sollten Zucker und Salz (mit Jod- und eventuell Fluorzusatz) sparsam verwendet werden. Gewürze und Kräuter sind verträglicher als Salz, da letzteres die Ausscheidung der Niere belastet und dem Körper Wasser entzieht. Im letzten Vierteljahr des ersten Lebensjahres kann langsam auf leicht gesalzene Erwachsenenkost übergegangen werden. Von der Verwendung von künstlichen Süßstoffen ist abzuraten, da deren Wirkung auf den kindlichen Organismus nicht geklärt ist.

Geeignete Getränke neben Milch sind Leitungswasser und ungezuckerter Kamillen- oder Fencheltee; Mineralwässer sind nicht zu empfehlen, da sie zu viele Mineralsalze enthalten, welche die Nieren belasten. Die Kohlensäure kann überdies Bauchbeschwerden hervorrufen. Von Fruchtsäften, außer bei Mahlzeiten, ist ebenfalls abzuraten. Ihre zerstörerische Wirkung auf die Zähne ist im Kapitel »Wachstum 10 bis 24 Monate« beschrieben.

## Wieviel muß ein Kind essen?

»Ein gesundes Kind ißt gerne und hat einen guten Appetit.« Diese Vorstellung ist bei den Eltern tief verwurzelt. Ein Kind, das beim

Essen so richtig zugreift, ist für sie eine Augenweide. Sie fühlen sich als Eltern bestätigt: Sie sorgen gut für das Kind. Ißt ein Kind aber nur wenig, bekommen sie Angst: Ist das Kind etwa krank? Um gesund zu bleiben, muß es doch essen! Was machen wir falsch? Die Angst und die aggressiven Gefühle, die ein Kind mit seinem Eßverhalten bei den Eltern auslösen kann, haben in der Geschichte des Suppenkaspers im Struwwelpeter eine treffliche Darstellung gefunden.

Wieviel muß oder wie wenig kann ein Kind essen, um gesund zu bleiben und sich normal zu entwickeln? Es ist für Eltern schwierig zu akzeptieren, aber eine biologische Gegebenheit: Gleichaltrige Kinder essen sehr unterschiedlich große Mengen. Wie wir aus folgender Abbildung ersehen können, essen einige Kinder mehr als doppelt soviel wie andere gleichen Alters.

Der Leser mag einwenden, daß große Kinder mehr essen als kleine. Wenn wir das Körpergewicht der Kinder berück-

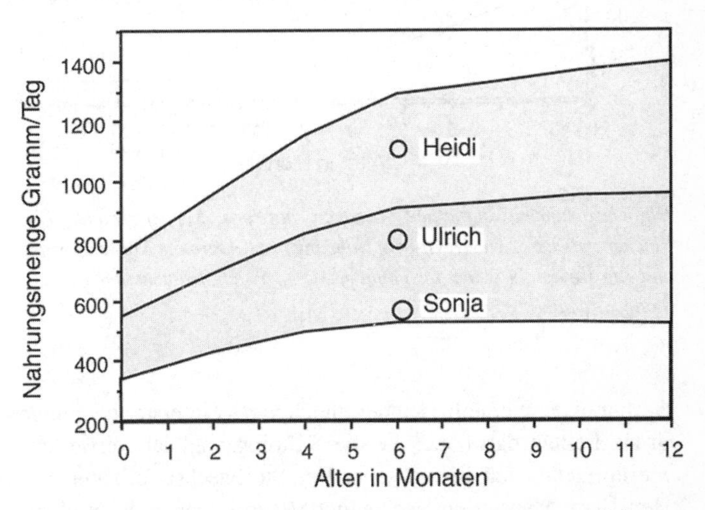


*Wieviel essen Kinder pro Tag? Die Flächen geben an, wieviel Nahrung Kinder in verschiedenem Alter zu sich nehmen (zusammengestellt aus Stolley u. a., Wachtel). Im Alter von sechs Monaten nimmt Sonja 500 Gramm Nahrung pro Tag zu sich, Ulrich 800 Gramm und Heidi 1100 Gramm. Heidi ißt mehr als doppelt soviel wie Sonja.*

sichtigen, indem wir die Nahrungsmengen auf das Körpergewicht beziehen, stellt sich heraus, daß die großen Unterschiede bestehen bleiben. Im Alter von neun Monaten beispielsweise gibt es Kinder, die mit 70 Gramm Nahrung pro Kilogramm Körpergewicht auskommen, während andere mehr als 140 Gramm Nahrung pro Kilogramm Körpergewicht zu sich nehmen.

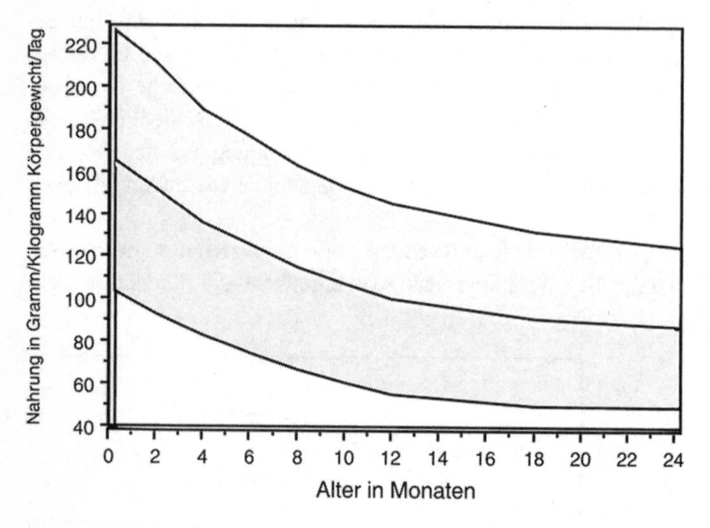


*Tägliche Nahrungsaufnahme, bezogen auf das Körpergewicht. Die Flächen geben an, wieviel Gramm Nahrung pro Kilogramm Körpergewicht und Tag Kinder in einem bestimmten Alter zu sich nehmen (nach Birch, Stolley, Wachtel).*

Warum essen nicht alle Kinder gleich viel? Ein erster wichtiger Grund besteht darin, daß sie die Nahrung ungleich verwerten, wie übrigens auch Erwachsene. Der Stoffwechsel arbeitet von Mensch zu Mensch unterschiedlich. Es gibt magere Menschen, die mehr essen als übergewichtige Menschen. Kinder essen zudem nicht immer gleich viel: Perioden mit großem Appetit wechseln ab mit solchen, in denen das Kind nur wenig ißt. Springt ein Kind an der frischen Luft herum, wird es mehr Appetit haben, als wenn es sich den ganzen Tag in der Wohnung aufhält. Schließlich essen die Kinder Nahrungsmittel mit verschieden hohen Nähr- und Energiewerten.

Wenn ein Kind krank ist, ißt es wenig oder gar nicht. Es kann innerhalb weniger Tage erheblich an Gewicht abnehmen. Wieder gesund, entwickelt es einen richtigen Heißhunger und legt rasch wieder an Gewicht zu.

Nicht nur die Mengen, welche die Kinder essen, sind ungleich groß, sie essen auch unterschiedlich oft. Nicht allen behagt es, drei große Mahlzeiten zu essen; manche fühlen sich wohler mit fünf kleinen Mahlzeiten.

Der Appetit eines Kindes und die Nahrungsmenge, die es zu sich nimmt, sind keine sehr zuverlässigen Gradmesser für sein Gedeihen. Wonach sollen sich die Eltern richten? Das Kind gedeiht, wenn:

- es zufrieden und aktiv ist;
- Anzeichen wie Fieber für eine Krankheit fehlen;
- der Stuhl normal geformt ist;
- die Wachstumskurven von Gewicht und Körpergröße parallel zu den Wachstumslinien verlaufen (vgl. »Wachstum 4 bis 9 Monate«). Der Verlauf der Wachstumskurven ist das beste Maß für das Gedeihen eines Kindes.

## Selbständig essen

Mit etwa einem halben Jahr beginnt das Kind, Interesse an festen Eßwaren zu zeigen.

Damit es an Biskuits, hartem Brot und ähnlichem knabbern und herumlutschen kann, müssen verschiedene Funktionen einen bestimmten Entwicklungsstand erreicht haben:

**Greifen.** Mit fünf Monaten beginnt der Säugling zu greifen. Er kann sich erstmals selbst Nahrung zuführen.

Der Mund dient in diesem Alter nicht nur der Nahrungsaufnahme. Er ist auch ein wichtiges Erkundungsorgan. Mit dem Mund untersucht der Säugling alle Gegenstände, deren er habhaft werden kann (vgl. »Spielverhalten 4 bis 9 Monate«).

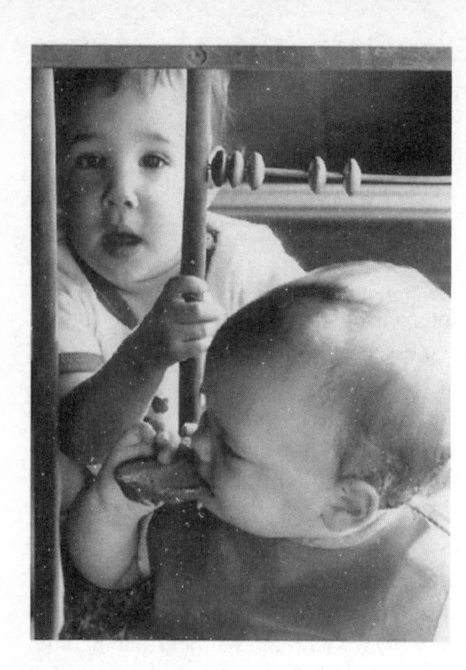

*Gibt es für mich auch etwas zu beißen?*

**Speichelproduktion.** Im Alter von zwei bis drei Monaten nimmt die Speichelbildung stark zu. Der Speichel enthält reichlich das Enzym Amylase, welches der Verdauung von Stärke dient.
**Zähne.** Bei den meisten Kindern brechen die ersten Zähne zwischen dem sechsten und zehnten Monat durch (vgl. »Wachstum 4 bis 9 Monate«). Zuerst erscheinen die Schneidezähne: Das Kind kann nun beißen. Da die Backenzähne erst im zweiten Lebensjahr durchbrechen, ist ein Kauen bis dahin nicht möglich. Der Säugling behilft sich, indem er feste Speisebrocken mit Speichel aufweicht, im Mund hin und her schiebt und zwischen Zunge und Gaumen wie auch zwischen Ober- und Unterkiefer zerdrückt.

Die Kinder beginnen zwischen dem fünften und siebten Monat an festen Eßwaren herumzukauen. Bei einigen wenigen ist dies erst am Ende des ersten Lebensjahres der Fall.

Zwischenmahlzeiten geben dem Kind Gelegenheit, Eßwaren zum Mund zu führen. Sie sollten keine Energie- und Nährstoff-

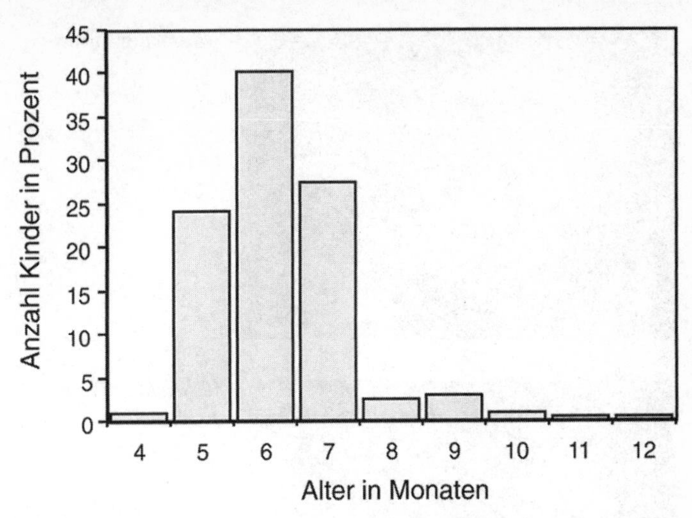


*Die Säulen geben an, wie viele Kinder (in Prozent) in einem bestimmten Alter beginnen, feste Eßwaren in den Mund zu nehmen.*

spender sein. Am besten eignen sich als Zwischenmahlzeiten hartes Brot oder Getreideriegel, beim älteren Säugling auch Obst. Kinderbiskuits enthalten häufig reichlich Zucker. Sie verderben wie andere Süßigkeiten den Appetit und schaden den Zähnen.

## Selbständig trinken

Sobald ein Kind greifen kann, versucht es beim Trinken die Flasche zu halten. Je nachdem, wie aktiv es ist und wie oft die Mutter ihm die Flasche überläßt, beginnt ein Kind frühestens mit fünf Monaten und spätestens mit zehn bis zwölf Monaten die Flasche selbst zu halten.

Aus einer Tasse zu trinken verlangt zusätzlich zum richtigen Halten der Tasse eine Anpassung der Mundmotorik. Der Flüssigkeitsstrom kann nicht mehr durch vermehrtes oder vermindertes Saugen kontrolliert werden.

Die Flüssigkeit rinnt in den Mund und wird in Portionen

*Selbständig trinken*

*Aus dem Glas trinken*

geschluckt. Wenn die Mundmotorik ausreichend entwickelt ist, gibt das Kind zu verstehen, daß es auch aus einer Tasse oder einem Glas trinken möchte.

Die Kinder beginnen frühestens mit sieben Monaten, die meisten mit neun bis zwölf Monaten, einige erst im zweiten Lebensjahr, aus der Tasse zu trinken.

Manche Kinder, die aus der Tasse trinken können, trennen sich nur ungern von der Flasche. Die Flasche dient ihnen nicht nur als Durstlöscher, sondern auch als Tröster. Sie versieht die Funktion eines Schnullers, wird zur Nuckelflasche. Wenn sich das Kind

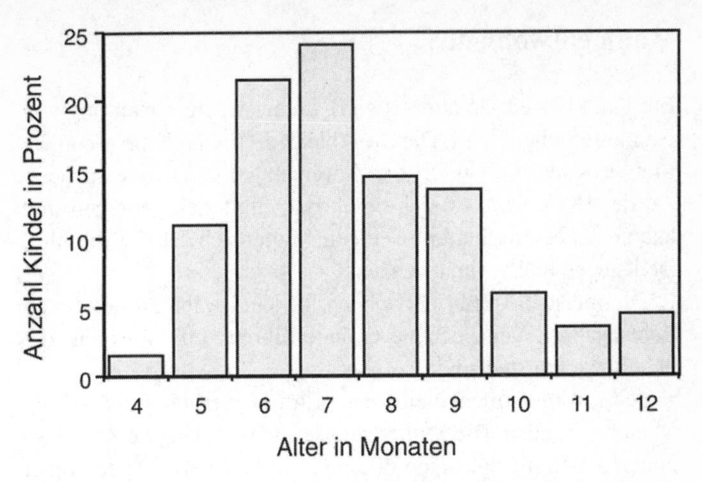


*Die Säulen geben an, wie viele Kinder (in Prozent) in einem bestimmten Alter beginnen, die Flasche mit beiden Händen zu halten.*

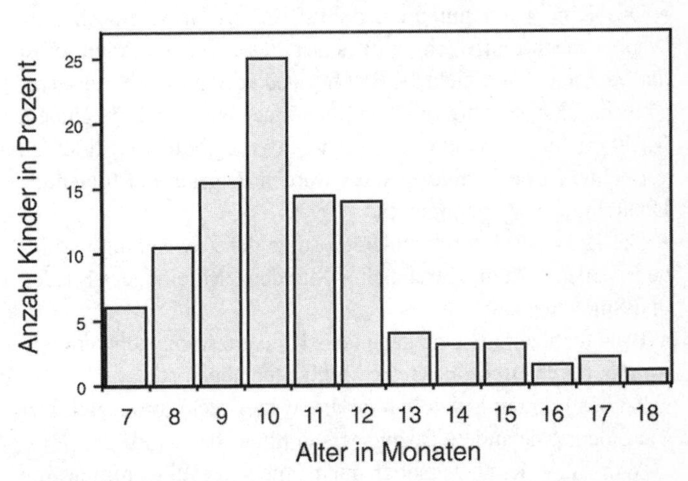


*Die Säulen geben an, wie viele Kinder (in Prozent) in einem bestimmten Alter beginnen, aus der Tasse zu trinken.*

unwohl fühlt, ihm etwas versagt wird, es sich langweilt oder müde ist, nuckelt es an seiner Flasche. Welche verheerenden Folgen die Nuckelflasche haben kann, ist im Kapitel »Wachstum 10 bis 24 Monate« nachzulesen.

## Wann entwöhnen?

Ein Kind bezieht, je älter es wird, immer weniger Nahrung von der mütterlichen Brust. Die Brust bleibt oft für das Kind, wenn die Mutter es so will, ein Ort der Zuwendung und ein Trostspender. An der Brust kann es sich beruhigen, fühlt sich geborgen und kann leichter einschlafen. Wenn die Mutter sich dabei wohl fühlt, ist dagegen nichts einzuwenden.

Die meisten Mütter entwöhnen ihr Kind während des ersten Lebensjahres. Verschiedene Gründe führen zum Abstillen; die beiden wichtigsten sind:

- Beim Weiterstillen bleibt das Kind körperlich stark an die Mutter gebunden. Die Mutter kann es nicht für längere Zeit einer anderen Betreuungsperson überlassen. Die Eltern können nicht gemeinsam ausgehen. Wenn sie eingeladen werden, müssen sie ihr Kind immer mitnehmen.
- Das Kind kann nur an der mütterlichen Brust einschlafen. Wenn es nachts aufwacht, will es gestillt werden. Oft kann selbst der Vater das Kind nicht zu Bett bringen oder nachts beruhigen.

Es hat sich bewährt, mit dem Entwöhnen tagsüber zu beginnen. Nachts ist es für Kind und Mutter schwierig, auf das Stillen zu verzichten. Über einige Wochen werden langsam die folgenden Umstellungen vorgenommen:

- Die Brust wird durch andere Formen der Zuwendung wie In-den-Armen-Halten, Streicheln, Zureden, Miteinander-Spaßen und Spielen ersetzt.
- Brustmahlzeiten, nach denen das Kind am wenigsten verlangt, werden durch Brei- oder feste Mahlzeiten abgelöst.
- Zu bestimmten Stillzeiten ist die Mutter nicht anwesend. Der Vater oder eine andere Bezugsperson füttert das Kind.

Wird das Kind tagsüber nicht mehr gestillt, nimmt die Milchmenge immer mehr ab, bis die Milch schließlich auch nachts ausbleibt. Ein Abstillen mit Medikamenten ist nur ausnahmsweise notwendig. Die Milchmenge geht um so mehr zurück, je weniger das Kind an der Brust saugt.

## Das Wichtigste in Kürze

1. Muttermilch und Säuglingsmilchnahrung genügen nach dem vierten Lebensmonat dem Nährstoff- und Energiebedarf des Kindes immer weniger.
2. Je nach Reifung von Mundmotorik und Verdauung ist ein Kind zwischen vier und acht Monaten für Breimahlzeiten bereit.
3. Breimahlzeiten setzen sich aus den folgenden Nahrungsmittelgruppen zusammen: Getreide, Früchte, Gemüse, Fleisch und Ei.
4. Milch und Milchprodukte bleiben wichtige Eiweiß-, Kalzium- und Phosphatlieferanten für die Knochenbildung. Nach dem vierten Monat kann die Anfangsmilch durch Folgemilch und diese wiederum mit zwölf Monaten durch Vollmilch ersetzt werden.
5. Zwischen fünf und sieben Monaten beginnt das Kind, feste Eßwaren in den Mund zu nehmen. Die Zwischenmahlzeiten sollten zucker- und kalorienarm sein.
6. Die täglich aufgenommene Nahrungsmenge ist in jedem Alter von Kind zu Kind unterschiedlich groß. Gewisse Kinder essen mehr als doppelt soviel wie andere gleichaltrige.
7. Das Gedeihen eines Kindes läßt sich folgendermaßen einschätzen:
   - Kind ist zufrieden und aktiv.
   - Das Kind wirkt gesund.
   - Stuhl ist normal geformt.
   - Wachstumskurven von Gewicht und Länge verlaufen etwa parallel zu den Wachstumslinien.
8. Appetit und verzehrte Nahrungsmenge sagen wenig über das Gedeihen eines Kindes aus.
9. Die Brust ist, je älter das Kind wird, immer weniger eine Nährquelle und um so mehr ein Ort der Zuwendung. Nach dem ersten Lebensjahr wird der Zeitpunkt der Entwöhnung weniger von der Ernährung als vielmehr von der Mutter-Kind-Beziehung bestimmt.

# 10 bis 24 Monate

*»Sitz aber selb zu Tisch bei Jungen oder Alten
so sollst du deine Füße still und zusammen halten,
die Ellenbogen dir nicht sollen Stützen sein,
die Arme lege nicht bis den selbigen ein.
Mit aufgerichtetem Leib zu sitzen dich gewöhne
und mit den Achseln dich nicht ungebührlich lehne,
Nicht kratz auf bloßem Haupt, nicht in dem Busen dein,
das Nasengrübeln gar laß underwegen sein.
Beidseits abwende dich im Schneutzen, Husten, Nießen,
das Riechen an der Speis tut männiglich verdrießen,
auch trinke nicht, wann du noch etwas in dem Mund,
nicht red dannzumal und gar nicht ohne Grund.«*

Johann Simmler, 1645

Zu Beginn des zweiten Lebensjahres beginnen die Kinder Erwachsenenkost am Familientisch zu essen. Mühe bekunden sie noch beim Kauen gewisser Speisen wie Fleisch oder Salat. Was ihnen auch noch fehlt, ist die Selbständigkeit beim Essen und Trinken. Und: Bescheidene Tischmanieren sollten sie auch lernen.

Wenn es darum geht, was und wie das Kind essen soll: Prägend ist allemal das Vorbild der Familie. Die Bedeutung, welche die Eltern dem Essen zumessen, ihre Ansichten über Nahrungsmittel, ihre persönlichen Vorlieben und Abneigungen bestimmen das Eßverhalten des Kindes in einem hohen Maße. Richten die Eltern die Mahlzeiten mit Sorgfalt her und ist ihnen das gemeinsame Mahl ein Anliegen, wird das Essen für das Kind eine andere Bedeutung bekommen, als wenn sich die Familie vor dem Fernseher in Schnellimbißmanier mit Fertiggerichten und aus Büchsen verpflegt. Eßverhalten wird weit weniger durch Erziehungsregeln anerzogen, als durch Nachahmung erworben.

## Vorlieben und Abneigungen

Wie sollte die Kost für ein Kleinkind zusammengesetzt sein? Die Ernährungsberaterin empfiehlt:

- Die Kost soll abwechslungsreich und vielseitig sein.
- Jeden Tag ißt das Kind Vollkornprodukte, Früchte, Gemüse und Salat roh oder gekocht.
- Jeden zweiten bis dritten Tag bekommt es Fleisch, Fisch(stäbchen) oder Eier.
- Jeden Tag trinkt es zwei bis vier Deziliter Milch oder ißt Milchprodukte wie Joghurt, Quark oder Käse.
- Als Zwischenmahlzeiten bekommt es Früchte, Karotten, Brot oder Getreideriegel.
- Süßigkeiten gibt es nur ausnahmsweise, da sie zumeist einen geringen Nährwert haben, den Appetit verderben und die Zähne schädigen.
- Beim Kochen werden Salz und Streuwürze sparsam verwendet und möglichst durch Kräuter ersetzt. Pflanzliche Fette werden tierischen vorgezogen.

Das wäre die Idealkost für ein Kleinkind. Keine Familie kann aber ihr Kind jeden Tag »ideal« ernähren. Abstriche müssen immer wieder gemacht werden – was die Kinder sehr wohl auch vertragen.

Die meisten Eltern möchten erreichen, daß ihr Kind von allem, was auf den Tisch kommt, ein wenig ißt. Das Vorhaben gelingt eher, wenn sie neue Speisen langsam und in kleinen Portionen einführen. Sie geben damit dem Kind Zeit, sich an den fremden Geschmack und die ungewohnte Konsistenz zu gewöhnen. Hat es eine Abneigung gegen eine bestimmte Speise, sollte ihm diese nicht aufgezwungen, sondern durch eine ähnliche ersetzt werden. Mag das Kind Spinat nicht, kann es Karotten, Bohnen oder ein anderes Gemüse essen. Spinat ist keine diätetische Notwendigkeit.

Kinder haben nicht nur Abneigungen gegen, sondern auch Vorlieben für bestimmte Speisen. Nicht wenige möchten sich während einiger Tage oder gar Wochen ausschließlich von einer Speise ernähren. Besonders beliebt sind Pommes frites und Fischstäbchen. Ausschlaggebend ist, daß das Kind nicht allein, sondern mit der Familie ißt und so erlebt, daß Eltern und Geschwister von allem essen, was auf den Tisch kommt. Schwierig kann es werden, wenn der Vater grundsätzlich kein Gemüse und keinen Salat ißt. Wie soll sich da das Kind für das Grünzeug begeistern? Es empfiehlt sich, ihm zuerst diejenigen Speisen, die es weniger gern hat, in kleinen Portionen zu geben, bevor es seine Lieblingsspeise bekommt.

Abneigungen und Vorlieben der Kinder bei bestimmten Speisen können die Eltern auf eine harte Probe stellen. Der Drang, einseitig zu essen, kann durchaus einige Wochen andauern. Da der Körper nach einer ausgewogenen Ernährung verlangt, ändert das Kind spontan sein Eßverhalten. Je weniger Aufhebens die Eltern von seinem Eßverhalten machen, desto eher findet es zurück zu einem vielseitigeren Speiseplan. Falls Eltern über die einseitige Ernährung ihres Kindes beunruhigt sind, sollten sie den Hausarzt oder eine Ernährungsberaterin um Rat fragen.

## Beißen und kauen

Wie lange müssen Speisen püriert und zerkleinert werden? Kinder beginnen in unterschiedlichem Alter zu beißen und zu kauen, da die Zähne von Kind zu Kind verschieden rasch durchbrechen (vgl. »Wachstum 4 bis 9 Monate«) und die Mundmotorik unterschiedlich rasch ausreift. Spätestens Ende des ersten Lebensjahres sind die Schneidezähne durchgebrochen: Das Kind kann ein Stück feste Nahrung abbeißen. Die Backenzähne kommen im zweiten Lebensjahr zum Vorschein. Das Kauvermögen ist bei den meisten Kindern im zweiten und bei einigen erst im dritten Lebensjahr ausreichend entwickelt. Im zweiten Lebensjahr brauchen Speisen nicht mehr püriert zu werden. Die Kinder können alle Speisen hinunterschlucken, wenn diese etwas zerdrückt und zerkleinert werden. Am längsten Schwierigkeiten bereitet ihnen das Zerkauen von Fleisch und Salat.

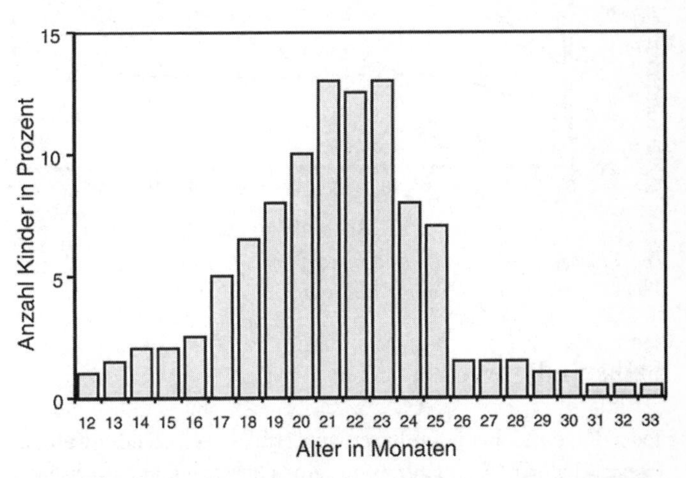


*Die Säulen geben an, wie viele Kinder (in Prozent) in einem bestimmten Alter beginnen, Speisen zu kauen.*

## Wieviel ist genug?

Im zweiten Lebensjahr nimmt der Appetit bei den meisten Kindern deutlich ab. Manche essen dann weniger als im ersten Lebensjahr. Das von Kind zu Kind sehr unterschiedliche Eßverhalten bleibt erhalten: Kinder, die wenig essen, nehmen mehr als zweimal weniger Nahrung zu sich als diejenigen, die am meisten essen. Die Gründe, warum dem so ist, sind im Kapitel »Trinken und Essen 4 bis 9 Monate« ausgeführt.

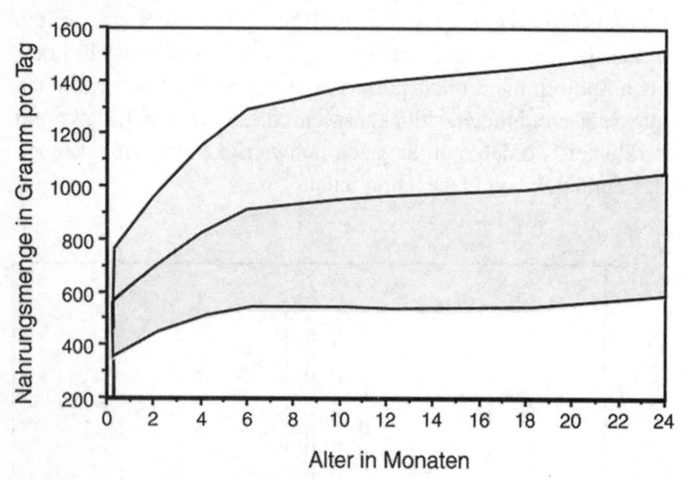


*Die Flächen geben die Nahrungsmenge an, die Kinder während eines Tages aufnehmen (nach Stolley, Wachtel).*

## Selbständig werden

Jedes Kind möchte beim Essen und Trinken selbständig werden. Dieses Bedürfnis erwacht, wenn seine geistigen und motorischen Fähigkeiten einen dafür ausreichenden Entwicklungsstand erreicht haben.

Wie man aus einer Tasse trinkt und mit einem Löffel ißt, lernt das Kind über das Nachahmen. Zwischen neun und 15 Monaten ist das Kind geistig so weit entwickelt, daß es einfache Handlungen zu imitieren vermag (vgl. »Spielverhalten 10 bis 24 Monate«). Wenn das Kind eine Tasse oder einen Löffel in die Hand bekommt, versucht es, daraus zu trinken beziehungsweise damit zu essen.

Das Kind muß nicht zum Essen erzogen werden. Was es vielmehr braucht, sind Vorbilder. Es eignet sich die notwendigen Fertigkeiten am Familientisch selber an, wenn es den Eltern und Geschwistern zuschauen kann, wie sie aus Gläsern und Tassen trinken und mit Löffel, Gabel und Messer essen.

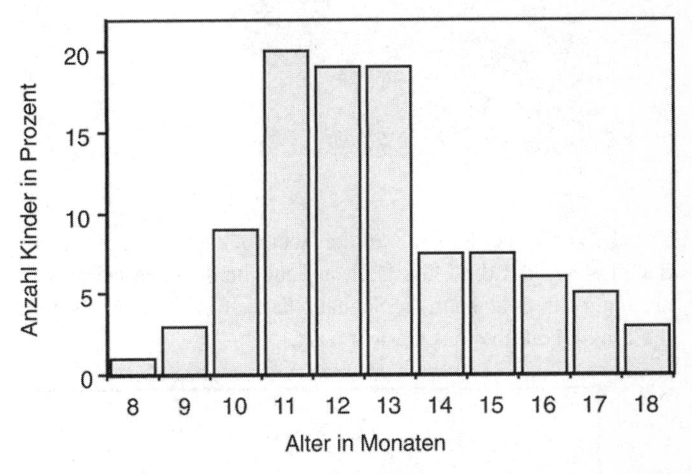


*Die Säulen geben an, wie viele Kinder (in Prozent) in einem bestimmten Alter beginnen, in ihrem Spiel Trink- und Eßverhalten nachzuahmen.*

Aus einer Tasse zu trinken erfordert viel Feingefühl: Sobald die Flüssigkeit die Lippen berührt und in den Mund zu rinnen beginnt, muß das Kind je nach Flüssigkeitsmenge die Tasse mehr oder weniger neigen. Die Tasse so weit zu kippen, daß die Flüssigkeit nur in den Mund und nicht über das Gesicht läuft, verlangt einiges feinmotorisches Geschick.

Einzelnen Kindern gelingt dieses Kunststück bereits Ende des ersten Lebensjahres. Die meisten können mit anderthalb Jahren selbständig aus der Tasse trinken.

Die Schnabeltasse erleichtert dem Kind den Übergang von der

*Trinken und beobachten*

Flasche zur Tasse. Es kann an der Schnabeltasse saugen wie an der Flasche oder die Flüssigkeit in den Mund rinnen lassen wie aus einer Tasse. Es kann die Schnabeltasse stürzen, ohne daß ihm die Flüssigkeit über das Gesicht läuft.

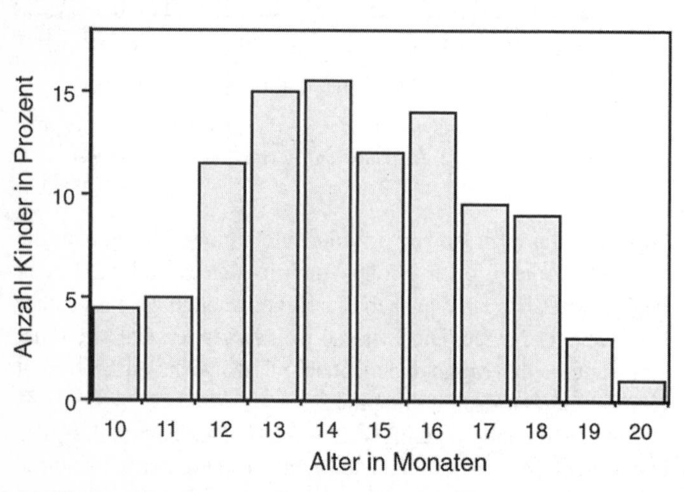


*Die Säulen geben an, wie viele Kinder (in Prozent) in einem bestimmten Alter anfangen, selbständig aus einer Tasse zu trinken.*

*Erste Eßversuche*

Mit dem Löffel zu essen erfordert ein noch größeres Geschick, als aus der Tasse zu trinken. Als erstes ist der Löffel mit Speise zu beladen, dann muß der Löffel zum Mund geführt werden, ohne ihn zu neigen oder zu drehen und dabei seinen Inhalt zu verlieren. Schließlich ist die Speise auch noch in den offenen Mund und nicht etwa zur Nase oder Wange zu befördern. Wie ist das Kind doch stolz, wenn es dies geschafft hat!

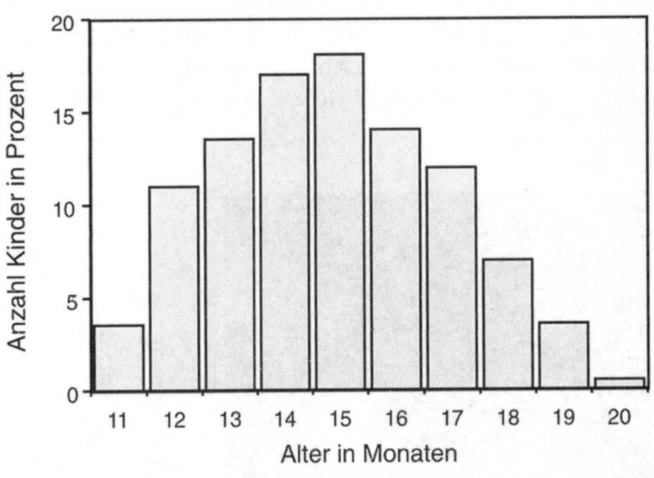


*Die Säulen geben an, wie viele Kinder (in Prozent) in einem bestimmten Alter die ersten Versuche machen, mit dem Löffel zu essen.*

Die Kinder sind in unterschiedlichem Alter bereit, den Löffel zu benützen. Einige versuchen bereits Ende des ersten Lebensjahres mit dem Löffel zu essen. Die meisten Kinder beginnen damit zwischen 12 und 18 Monaten. Wenn das Kind Interesse am Löffel zeigt und versucht, den Löffel vom Teller zum Mund zu führen, sollten die Eltern es gewähren lassen.

Mit dem Löffel zu essen ist für das Kind ein Vorgang, den es spielerisch einübt: Wie gelingt es mir, die Speise auf den Löffel zu laden? Wie muß ich den Löffel halten, damit die Speise nicht herunterfällt? In seinem Bemühen, herauszufinden, welche Bewegungsabläufe zum Ziel führen, lernt das Kind die Tücken eines Löffels kennen. Daß bei solchem Experimentieren Kind, Stühlchen und Fußboden bekleckert werden, ist nicht zu vermeiden. Die ersten Versuche mit dem Löffel werden daher besser nicht im Sonntagskleidchen und in der guten Stube auf dem Perserteppich durchgeführt. In der Küche mit einer Plastikfolie unter dem Hochsitz und einem Latz, der Körper und Arme abdeckt, können die Eltern entspannt den ersten eigenständigen Eßversuchen ihres Kindes zusehen. Dazu gehört, daß die Eltern vom Kind gefüttert werden.

Das Kind wird nach wenigen Tagen bis Wochen mit dem Löffel selbständig essen, wenn die Eltern ihm ausreichend Gelegenheit geben, die nötigen Erfahrungen zu machen. Den Gebrauch des Löffels können die Eltern ihm nicht eigentlich beibringen. Sie können ihm lediglich einige Hilfestellungen geben. Die Eltern

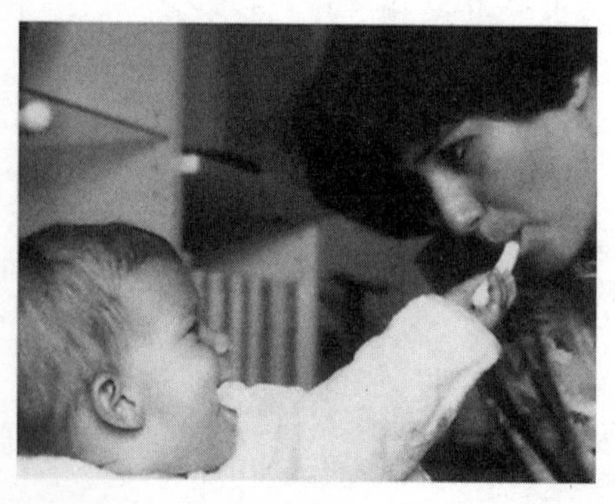

*Rollenumkehr*

*Hilfestellung*

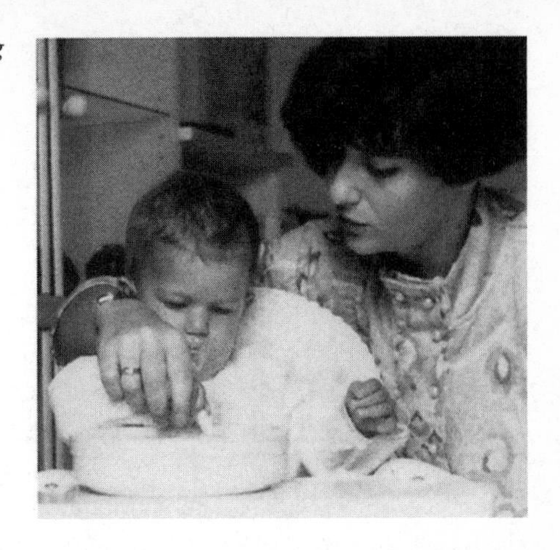

tragen am meisten zu diesem Lernprozeß bei, wenn sie sich für die Mahlzeiten ausreichend Zeit nehmen und die Eßsituation so gestalten, daß sie sich über das unvermeidliche Geklecker nicht ärgern müssen.

Bei seinen ersten Eßversuchen mit dem Löffel wird das Kind nicht satt. Während es sich mit dem Löffel abmüht, kann die Mutter zwischendurch etwas zufüttern. Es empfiehlt sich, einen separaten Teller zu benützen, das Kind wird sich so weniger bedrängt fühlen. Wenn es einige Zeit mit dem Löffel hantiert hat, läßt das Interesse am Löffel nach, und der Hunger wird stärker; es will nun gefüttert werden.

Einige Kinder essen bereits Anfang des zweiten Lebensjahres, die meisten mit 18 bis 20 Monaten selbständig mit dem Löffel.

Was geschieht, wenn Eltern ihr Kind daran hindern, mit dem Löffel zu essen? Es wird protestieren, allenfalls das Essen verweigern oder noch schlimmer: Sein Wille, selbständig zu werden, wird erlahmen. Das Kind wird zur Ansicht kommen, daß es für alle Zeiten gefüttert werden wird. Die Eltern dürfen sich nicht wundern, wenn es in den kommenden Jahren wenig Lust zeigt, selbständig zu essen. Das zweite Lebensjahr ist eine kritische Periode in der Entwicklung des Eßverhaltens: Das Kind hat ein großes Bedürfnis, selbständig zu werden. Kann dieses Bedürfnis nicht befriedigt werden, drohen gegebenenfalls Eßstörungen.

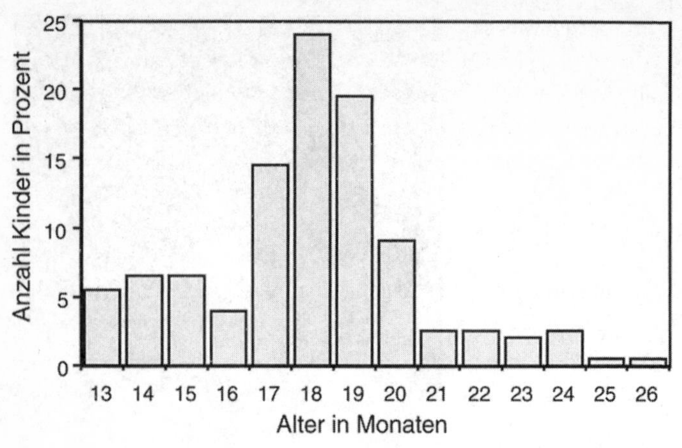


*Die Säulen geben an, wie viele Kinder (in Prozent) in einem bestimmten Alter mit dem Löffel selbständig essen.*

Eltern und größere Geschwister benützen beim Essen häufiger die Gabel als den Löffel. Es ist daher begreiflich, wenn das Kleinkind auch mit der Gabel essen möchte. Manchen Kindern fällt es zudem leichter, kleine Nahrungsstücke mit der Gabel aufzuspießen, als sie auf den Löffel aufzuladen.

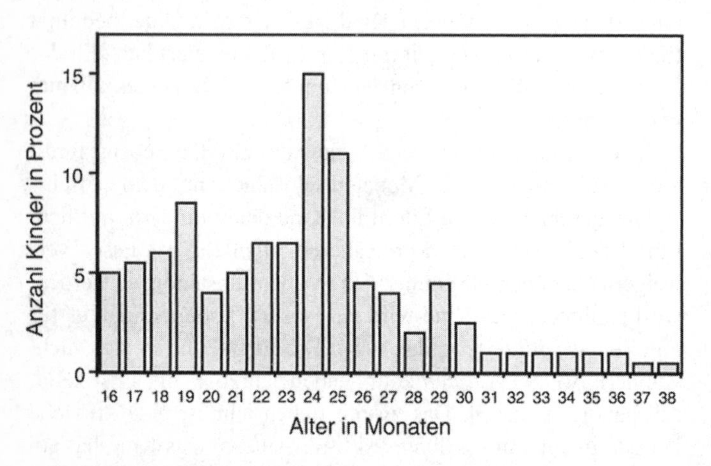


*Die Säulen geben an, wie viele Kinder (in Prozent) in einem bestimmten Alter beginnen, die Gabel zu benützen.*

In der Schweiz fangen die Kinder in sehr unterschiedlichem Alter an, mit der Gabel zu essen. Der Grund ist wahrscheinlich, daß viele Eltern ihr Kind nur ungern mit einer Gabel hantieren lassen. Sie befürchten, daß es sich dabei verletzen könnte. Die Verletzungsgefahr ist aber bei stumpfen Gabelzinken gering.

Ende des zweiten Lebensjahres beherrschen die meisten Kinder den Umgang mit Löffel und Gabel so weit, daß sie selbständig und einigermaßen »anständig« essen können. Gewisse Speisen überfordern aber auch das geschickteste Kleinkind. Spaghetti zu essen kann selbst für Erwachsene noch eine Herausforderung sein.

*Spaghetti*

## Speicheln

Mit drei Monaten nimmt die Speichelproduktion deutlich zu. Beim Essen, Schlafen und vor allem beim Spielen läuft dem Säugling ein dünnflüssiger Speichel aus dem Mund. Bei manchen Kindern ist dies nur gelegentlich und in kleinen Mengen der Fall, bei anderen so häufig und so viel, daß ihre Oberkleider durchnäßt werden. Das Speicheln nimmt Anfang des zweiten Lebensjahres ab. Nach dem 18. Lebensmonat speicheln die meisten Kinder nicht mehr.

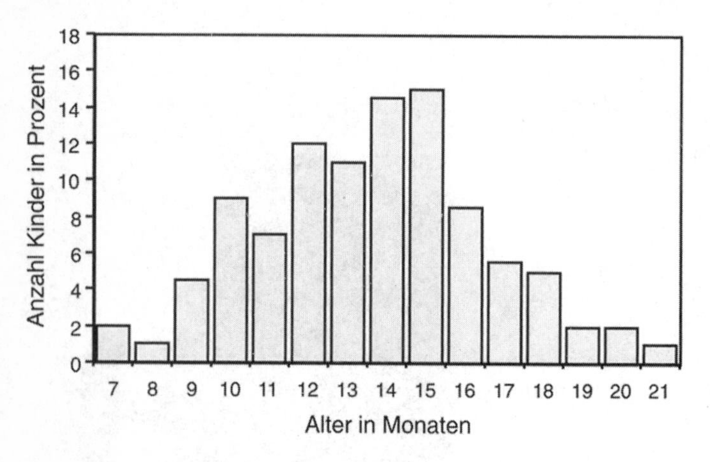


*Die Säulen geben an, wie viele Kinder (in Prozent) in einem bestimmten Alter aufhören zu speicheln.*

## Eßsitten

Die Großeltern – und in geringerem Maße auch noch unsere Eltern – haben großen Wert auf Tischmanieren gelegt. Wer kennt sie nicht, die Ermahnungen: Nicht mit den Fingern essen! Beim Kauen den Mund geschlossen halten! Die Ellenbogen nicht auf dem Tisch aufstützen und nicht auf dem Stuhl herumrutschen! Seither ist die Erziehung liberaler geworden, doch die elterlichen Nerven werden am Familientisch nach wie vor strapaziert.

Mahlzeiten sollten für die ganze Familie eine angenehme Zeit sein. Dazu braucht es einige Verhaltensregeln, die nicht nur auswärts, sondern auch zu Hause und für *alle* Geltung haben.

Tischmanieren werden dem Kind weniger anerzogen als vielmehr von Eltern und Geschwistern vorgelebt. Es ist das Vorbild, das erzieht, und nicht der Mahnfinger.

Nachfolgend einige Anregungen:

- Mahlzeiten so oft wie möglich gemeinsam einnehmen;
- weder Fernseher noch Radio laufen lassen, noch die Zeitung lesen;
- das Kind in das Gespräch mit einbeziehen. Wenn der Vater beim Abendessen während zehn und mehr Minuten der Mutter berichtet, welchen Ärger er am Arbeitsplatz erleben mußte, dürfen sich die Eltern nicht wundern, wenn das Kind das Essen verweigert, mit dem Essen spielt oder den Tisch vorzeitig verläßt.

Andererseits wirkt es sich auch nicht segensreich aus, wenn sich beide Eltern während der ganzen Mahlzeit auf das Kind ausrichten. Das Kind wird bald einmal nicht mehr ohne das Gefühl auskommen, am Familientisch immer der Mittelpunkt sein zu müssen.

- Dem Kind kleine Portionen geben, die es auf jeden Fall aufißt. Lieber nachfüllen, als den halbvollen Teller abräumen. Die Eltern sollten es nie zwingen, den Teller leer zu essen! Machtkämpfe verderben die Freude am Essen.
- Was das Kind ißt, bestimmen die Eltern. Dabei soll es nicht von allen Speisen essen müssen. Mag es beispielsweise ein bestimmtes Gemüse nicht, bekommt es ein anderes.
- Wieviel das Kind ißt, ist seine Sache und wird von den Eltern weder bestimmt noch kritisiert oder gelobt. »Brav gegessen« und ähnliche Kommentare sind zu vermeiden. Das Kind soll nicht den Eltern zuliebe, sondern seinem Bedürfnis entsprechend essen.
- Das Kind loben, wenn es bemüht ist, seinem Entwicklungsstand entsprechend »anständig« zu essen. Lob fördert seine Selbständigkeit.
- Spielt das Kind mit dem Essen oder wirft es zu Boden, ist es wahrscheinlich nicht mehr hungrig. Wenn es auf die Aufforderung, weiterzuessen, in seinem Tun fortfährt, nehmen die Eltern

das Essen weg. Es kann aber auch sein, daß sich das Kind zu Recht vernachlässigt fühlt und Aufmerksamkeit erregen will.

• Ißt das Kind nichts von den vorgesetzten Speisen, bekommt es auch kein Dessert.

• Bevor die Essenszeit um ist, wird das Kind auf das Ende der Mahlzeit aufmerksam gemacht. Kleinkinder haben noch kein Zeitgefühl. Ist der Teller nicht leer gegessen, wird er kommentarlos abgeräumt. Das Kind wird nicht zum Leeressen des Tellers gedrängt.

• Niemand geht vorzeitig vom Tisch. Zu berücksichtigen ist, daß ein Kleinkind kaum länger als 15 Minuten still sitzen kann.

• Wenn das Kind vor der nächsten Mahlzeit über Hunger und Durst klagt, bekommt es Früchte, aber keine zuckerhaltigen, kalorienreiche Getränke oder Eßwaren. Der Hunger soll bei den Haupt- und nicht bei den Zwischenmahlzeiten gestillt werden.

• Schlechte Esser sind eine Gefahr für den Familientisch: Sie verunsichern die Eltern. Die Ängste der Eltern und das Trotzverhalten des Kindes sind der beste Nährboden für Machtkämpfe bei den Mahlzeiten. Lassen Sie sich nicht verunsichern: Ein gesundes Kind ißt so viel, wie es braucht! Es schadet sich nicht selbst, indem es zu wenig ißt!

Essen soll bei aller gesunden Ernährung und Erziehung auch etwas Lustvolles sein und bleiben. Süßigkeiten gehören zu unserer Eßkultur. Sie sind kaum gesundheitsschädigend, wenn sie als Zwischenmahlzeit nicht Gewohnheit oder gar Hauptbestandteil der Ernährung werden.

*Eis am Stiel*

## Das Wichtigste in Kürze

1. Im zweiten Lebensjahr ißt das Kind am Familientisch. Seine Kost sollte abwechslungsreich und vielseitig sein. Milch bleibt ein wichtiger Mineralstoff- und Eiweißlieferant.

2. Ende des zweiten Lebensjahres ist das Kauvermögen so weit entwickelt, daß das Kind Erwachsenenkost essen kann.

3. Wer bestimmt was beim Essen?
   - Was das Kind ißt, bestimmen die Eltern.
   - Wieviel das Kind ißt, bestimmt das Kind.
   - Wie das Kind ißt, bestimmen anfänglich die Eltern, dann immer mehr das Kind.

4. Das Kind ißt in jedem Alter unterschiedlich viel. Solange es gesund und aktiv ist, seine Wachstumskurven von Gewicht und Länge parallel zu den Wachstumslinien verlaufen, gedeiht das Kind.

5. Damit ein Kind beim Essen und beim Trinken selbständig werden kann, braucht es Eltern, Geschwister und andere Bezugspersonen als Vorbilder. Das Kind wird durch Nachahmen selbständig.

6. Mit 18 bis 24 Monaten können die meisten Kinder selbständig aus einer Tasse trinken und mit dem Löffel essen.

7. Nach dem 18. Lebensmonat speicheln die meisten Kinder nicht mehr.

8. Eßsitten sind dazu da, die Mahlzeiten für die ganze Familie angenehm zu machen. Tischmanieren werden weniger anerzogen als vorgelebt.

# Wachstum

# Einleitung

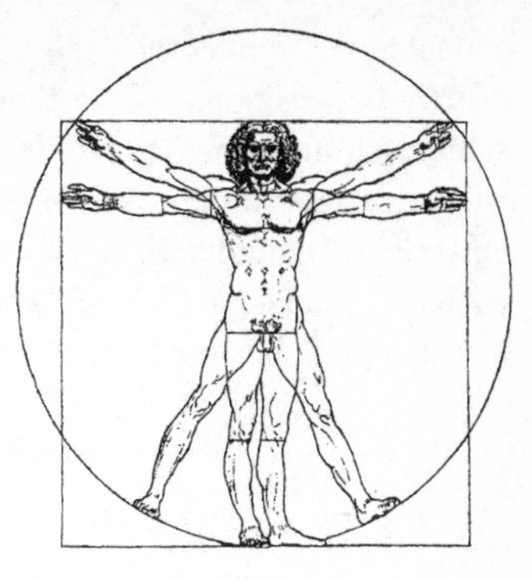

*Die Eltern sind mit der drei Monate alten Sonja bei den Großeltern zu Besuch. Bei der Begrüßung ist die Großmutter ein wenig enttäuscht: Die Enkelin trägt nicht den Anzug, den sie ihr zur Geburt geschenkt hat. Die Mutter erklärt entschuldigend: »Der Anzug ist Sonja bereits zu klein geworden.« Worauf die Großmutter erleichtert meint: »Ein gutes Zeichen. Sonja gedeiht prächtig!«*

Der Säugling wächst so rasch, daß ihm die Kleider innerhalb weniger Wochen zu klein werden und die Wiege ihm nach einigen Monaten nicht mehr genügend Platz bietet. Das Neugeborene ist ein Federgewicht, beim Füttern des halbjährigen Säuglings aber kann der Mutter bereits der Arm schwer werden. Das körperliche Wachstum ist nie größer als im ersten halben Lebensjahr. Danach nimmt es immer mehr ab; selbst der Wachstumsschub in der Pubertät erreicht nur mehr einen Bruchteil der frühkindlichen Größenzunahme.

Das Gedeihen ihres Kindes beschäftigt die Eltern in den ersten Lebensmonaten sehr: Gewichts- und Größenzunahme sind für sie Indikatoren der Gesundheit. Gedeiht ein Säugling prächtig, sind sie zufrieden. Nimmt er nicht an Gewicht zu oder sogar ab, sind sie zutiefst beunruhigt. Kenntnisse über das normale Wachstum, insbesondere über seine Variabilität, sind daher für die Eltern von großem Interesse.

## Dynamik des Wachstums

Die Wachstumsdynamik im ersten Lebensjahr schlägt sich in beeindruckenden Zahlen nieder: Im Alter von fünf Monaten hat der Säugling sein Geburtsgewicht verdoppelt und mit zwölf

Monaten verdreifacht. Die Gewichtszunahme ist im zweiten und dritten Lebensmonat am größten: Die Kinder nehmen durchschnittlich in einem Monat 800 bis 900 Gramm an Gewicht zu, was etwa 200 Gramm pro Woche oder rund 30 Gramm pro Tag entspricht. Die monatliche Gewichtszunahme ist dabei von Kind zu Kind unterschiedlich groß. Bei einigen Kindern beträgt sie lediglich 500, bei anderen bis zu 1200 Gramm.

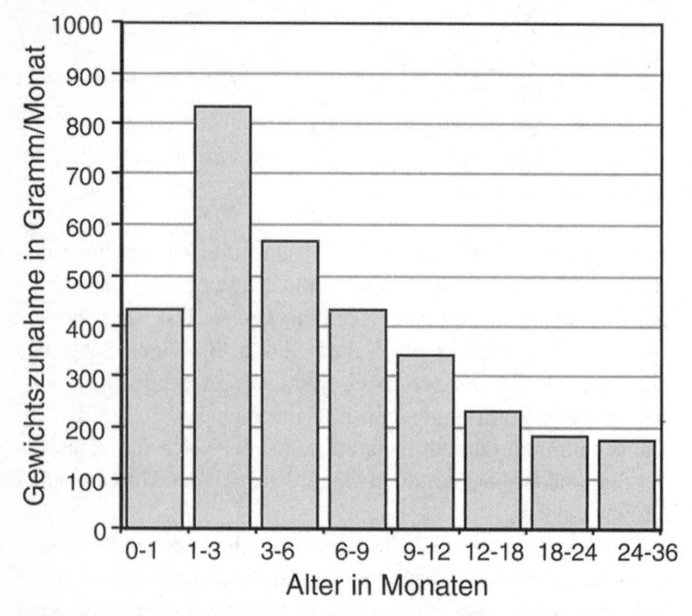


*Durchschnittliche monatliche Gewichtszunahme bei Mädchen in den ersten zwei Lebensjahren (nach Prader u. a.). Die monatliche Gewichtszunahme der Jungen ist geringfügig größer als diejenige der Mädchen.*

Nach dem dritten Lebensmonat verringert sich die Gewichtszunahme ständig. Am Ende des ersten Lebensjahres beträgt sie durchschnittlich 400 Gramm und Ende des zweiten Lebensjahres nur noch 200 Gramm pro Monat. Sie hat also in 24 Monaten um das Vierfache abgenommen. Diese Verlangsamung im körperlichen Wachstum läßt uns verstehen, warum Kinder mit dem Größerwerden nicht notwendigerweise mehr Nahrung zu sich nehmen. Im zweiten Lebensjahr ist die aufgenommene Nahrungsmenge oftmals kleiner als im ersten Lebensjahr.

Einen ähnlichen Verlauf wie das Gewicht zeigt das Längenwachstum in den ersten zwei Lebensjahren.

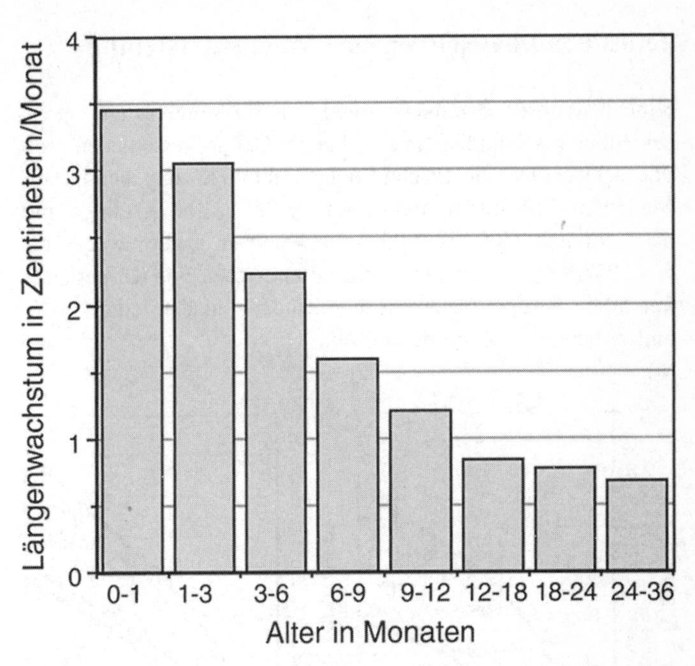


*Monatliches Längenwachstum bei Jungen in den ersten zwei Lebensjahren (nach Prader u. a.). Das Längenwachstum ist bei Mädchen etwas geringer.*

In den ersten drei Lebensmonaten wachsen die Kinder durchschnittlich 3,5 Zentimeter pro Monat, das heißt mehr als einen Millimeter pro Tag! Das Längenwachstum ist – wie die Gewichtszunahme – von Kind zu Kind unterschiedlich groß: Einige Kinder wachsen in einem Monat lediglich 1,5, andere bis zu 5,5 Zentimeter. Nach dem dritten Lebensmonat nimmt die Zunahme der Körperlänge wie diejenige des Gewichts zusehends ab. Zwischen drei und sechs Monaten beträgt die monatliche

Längenzunahme etwa zwei Zentimeter, Ende des ersten Lebensjahres noch etwa einen Zentimeter. Im dritten Lebensjahr wachsen die Kinder nur noch sieben Millimeter pro Monat, also fünfmal weniger als in den ersten drei Lebensmonaten.

## Jedes Kind hat sein eigenes Wachstumstempo

Kinder wachsen bereits während der Schwangerschaft unterschiedlich rasch und sind daher bei der Geburt verschieden groß und schwer. Das durchschnittliche Geburtsgewicht beträgt für Mädchen 3300 Gramm und für Jungen 3500 Gramm, einige sind aber lediglich 2500 bis 3000 Gramm schwer, andere wiegen bis zu 4500 und mehr Gramm. Neugeborene haben eine Körperlänge von 50 bis 52 Zentimetern. Einige Kinder sind aber lediglich 46, andere bereits 55 Zentimeter groß.

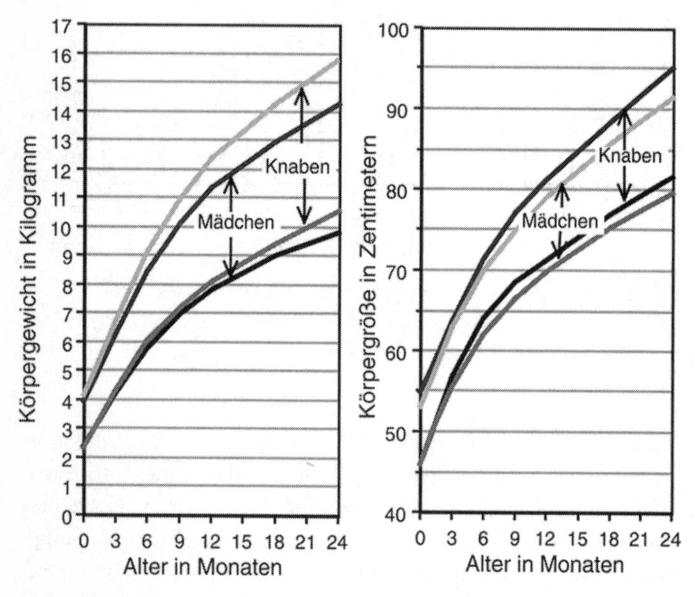


*Körpergewicht und Länge in den ersten zwei Lebensjahren. Man beachte die große Streubreite und den kleinen Geschlechtsunterschied (nach Prader u. a.).*

Diese Unterschiede in Gewicht und Größe bleiben in den folgenden Lebensjahren erhalten oder nehmen noch zu.

Wie wir sehen, ist die Mehrheit der Jungen und Mädchen gleich groß und gleich schwer. Ein kleiner Geschlechtsunterschied besteht insofern, als die größten und schwersten Kinder Jungen, die kleinsten und leichtesten Kinder Mädchen sind.

Weit bedeutsamer als der Geschlechtsunterschied ist die große Streubreite der Körpermaße. Am Ende des zweiten Lebensjahres haben die schwersten Jungen ein Körpergewicht von 16 Kilogramm, die leichtesten wiegen zwischen zehn und elf Kilogramm. Bei den Mädchen variiert das Gewicht zwischen zehn und 14,5 Kilogramm. Die größten Jungen haben mit zwei Jahren eine Körperlänge von 95, die größten Mädchen eine von 92 Zentimetern. Die kleinsten Knaben sind 82 und die kleinsten Mädchen 80 Zentimeter groß.

Warum sind Kinder gleichen Alters unterschiedlich groß und schwer? Verschiedene Faktoren beeinflussen das kindliche Wachstum:

**Vererbung.** Die Körpergröße ist genetisch festgelegt, das heißt, Kinder sind verschieden groß, weil ihre Eltern verschieden groß sind. Kleine Eltern haben eher kleine, große Eltern eher große Kinder. Der statistische Zusammenhang zwischen der Größe des Kindes und der seiner Eltern ist aber nicht so hoch, daß Ausnahmen von dieser Regel nicht immer wieder möglich wären.

**Entwicklungsgeschwindigkeit.** Die Unterschiede in der Körperlänge werden zusätzlich dadurch verstärkt, daß Kinder verschieden rasch und verschieden lange wachsen. Es gibt Kinder, die zunächst klein sind, weil sie langsam wachsen. Sie wachsen dafür länger als andere Kinder und sind als Erwachsene vergleichsweise größer. Andererseits gibt es Kinder, die größer sind als andere, weil sie rasch wachsen. Weil sie früh zu wachsen aufhören, sind sie als Erwachsene eher klein. Die meisten Leser werden sich an Schulkameraden erinnern, die einmal zu den Kleinsten gehörten, aber als Erwachsene von mittlerer oder sogar großer Statur sind. Andererseits gab es Kameraden, die frühreif und groß waren und nun als Erwachsene klein sind.

**Ernährung.** In Europa wird das kindliche Wachstum durch eine ungenügende Ernährung kaum mehr beeinträchtigt. In den Ländern der Dritten Welt wirken sich Mangel- und Fehlernährung leider immer noch nachhaltig auf das Wachstum und die Entwicklung der Kinder aus.

**Akzeleration.** In den vergangenen 150 Jahren wurde jede Generation in Europa im Mittel um etwa drei Zentimeter größer als die vorangegangene. Dieser sogenannte säkulare Trend oder die Akzeleration wird auf den immer besseren Ernährungs- und Gesundheitszustand der Bevölkerung sowie auf zahlreiche Umweltfaktoren wie die vermehrte Einwirkung von künstlichem Licht und Reizüberflutung zurückgeführt.

## Wächst das Kind normal?

Weil Kinder in jedem Alter unterschiedlich groß und schwer sind, können wir das Wachstum eines Kindes nur richtig einschätzen, wenn wir die normale Streubreite von Gewicht und Länge berücksichtigen und den individuellen Wachstumsverlauf betrachten. Die Streubreite läßt sich am besten mit sogenannten Perzentilenkurven erfassen. Perzentilenkurven beschreiben die Verteilung der Körpermaße in einer bestimmten Altersperiode (siehe Anhang). Eine Perzentilenkurve für die Körperlänge der Jungen ist auf der gegenüberliegenden Seite abgebildet. Auf der Horizontalen ist das Lebensalter in Monaten aufgetragen, auf der Senkrechten die Körperlänge.

Die Längenmaße von vier Jungen veranschaulichen die Bedeutung der Perzentilenkurven. Die Größe von Elias liegt im Alter von zehn Monaten zwischen der 50. und 75. Perzentile; der Junge weist eine Körpergröße auf, die leicht über dem Durchschnitt liegt. Uli liegt mit seiner Länge auf der 97. Perzentile. Er gehört zu den größten Kindern seines Alters; lediglich drei Prozent aller Jungen weisen eine Körperlänge auf, die über der 97. Perzentile liegt. Beat gehört zu den kleinsten Kindern. Bei drei Prozent aller Kinder liegt die Körpergröße unter der dritten Perzentile. Wie verschieden die Körpergröße unter Kindern sein kann, ersehen wir am Beispiel von Uli und Frank. Uli ist mit zehn Monaten bereits so groß wie Frank mit 22 Monaten.

Das Wachstum eines Kindes läßt sich aufgrund einer einzelnen

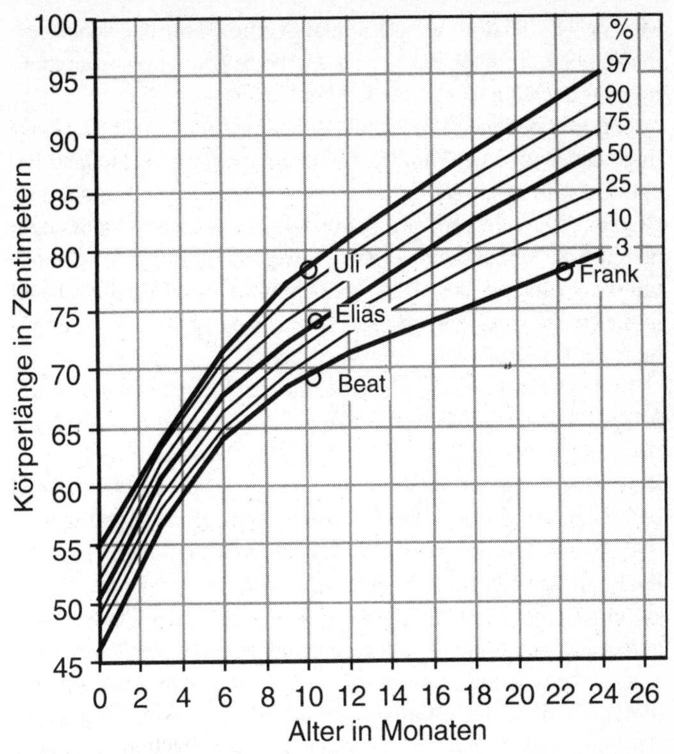


*Perzentilenkurven für die Körperlänge der Jungen. Zusätzlich sind die Längenmaße von vier Jungen eingetragen.*

Messung nur bedingt einschätzen. Weit wichtiger als ein einzelner Meßwert ist der Verlauf des Wachstums über Monate und allenfalls Jahre (vgl. »Wachstum 4 bis 9 Monate«).

## Gestaltwandel

Wachstum bedeutet nicht nur Größerwerden. Es beinhaltet auch einen Gestaltwandel: Im Verlauf der Kindheit verändern sich die Körperproportionen und das Erscheinungsbild des Menschen.

Zu Beginn hat die Entwicklung des Gehirns Vorrang. So nimmt der Kopf des ungeborenen Kindes im Alter von zwei

Monaten die Hälfte der Gesamtlänge ein. Beim Neugeborenen macht der Kopf noch ein Viertel und beim Erwachsenen schließlich nur noch ein Achtel der Gesamtlänge aus.

Die Proportionen des Kopfs verändern sich ebenfalls. Säuglinge haben einen großen Hirn- und einen kleinen Gesichtsschädel. Dieses Verhältnis ist nicht nur Menschenkindern, sondern allen Jungtieren eigen; es ist ein wichtiger Bestandteil des sogenannten Kindchenschemas (vgl. »Beziehungsverhalten Einleitung«). Während des Wachstums nimmt der Gesichtsschädel immer mehr an Größe zu. Bei den meisten Erwachsenen dominiert der Gesichtsschädel den Hirnschädel.

Im Gegensatz zum Kopf sind Arme und Beine beim ungeborenen Kind wenig entwickelt. Im zweiten Schwangerschaftsmonat machen die Beine lediglich ein Achtel der Gesamtlänge aus. Beim neugeborenen Kind ist die Beinlänge auf ein Drittel und beim Erwachsenen auf die Hälfte der Körpergröße angewachsen.

Neugeborene und Säuglinge haben O-Beine. Diese Beinstellung soll den Eltern nicht etwa das Wickeln erleichtern. Sie ist bedingt durch die engen Platzverhältnisse während der Schwangerschaft; Beine in O-Stellung schmiegen sich dem Körper des ungeborenen Kindes besser an. In den ersten zwei Lebensjahren bildet sich die O-Beinstellung immer mehr zurück. Ende des dritten Lebensjahres hat sie sich sogar ins Gegenteil verkehrt: Die

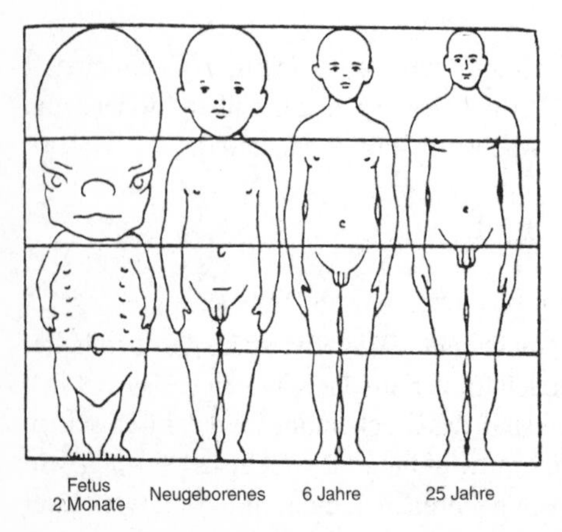


*Änderung der Körperproportionen während des Wachstums (nach Stratz)*

Kinder weisen nun eine leichte X-Beinstellung auf, die sich bis ins Schulalter wieder weitgehend zurückbildet.

Der Gestaltwandel kommt dadurch zustande, daß sich die Organe je nach Funktion und Alter unterschiedlich rasch entwickeln. Das Gehirn bestimmt die Entwicklung von Beginn an wesentlich mit. Es wächst ausgeprägt vor der Geburt und in den ersten zwei Lebensjahren. Bei der Geburt hat es bereits ein Drittel der Erwachsenengröße erreicht, während das Körpergewicht weniger als ein Zwanzigstel des Erwachsenengewichts ausmacht. Andere Organe, die sich ebenfalls frühzeitig entwickeln, sind die Augen und das Gehör. Die Beine werden bei der Geburt noch nicht benötigt und sind daher wenig entwickelt. Erst mit der neurologischen Ausreifung der Fortbewegung nimmt das Wachstum der Beine zu. In der Pubertät erfolgt der letzte Gestaltwandel mit einem Wachstumsschub und dem Auftreten der sekundären Geschlechtsmerkmale.

## Das Wichtigste in Kürze

1. In den ersten Lebensmonaten ist das Wachstum größer als in jedem anderen Altersabschnitt. Mit zunehmendem Alter gehen die Gewichts- und die Längenzunahme immer mehr zurück.

2. In jedem Alter sind die Kinder unterschiedlich groß und schwer. Im vorpubertären Alter sind die Jungen nur geringfügig größer und schwerer als die Mädchen.

3. Das Wachstum eines Kindes kann am besten mit Perzentilenkurven erfaßt werden (siehe Anhang).

4. Ein normales Wachstum zeichnet sich dadurch aus, daß die Kurven von Länge und Gewicht mehr oder weniger parallel zu den Perzentilenlinien verlaufen.

5. Mit dem Wachstum geht ein Gestaltwandel einher, der sich auf die Körperproportionen und damit auf das Erscheinungsbild des Kindes auswirkt.

# Vor der Geburt

Unser Wissen über die früheste Entwicklung des ungeborenen Kindes ist durch den wissenschaftlichen und technischen Fortschritt erweitert worden. Wir sind aber nach wie vor weit davon entfernt, die Anfänge des menschlichen Lebens wirklich zu verstehen.

Die körperliche Entwicklung zwischen Zeugung und Geburt dauert etwa 40 Wochen und umfaßt im wesentlichen drei Entwicklungsperioden von je etwa drei Monaten Dauer (Trimenon):

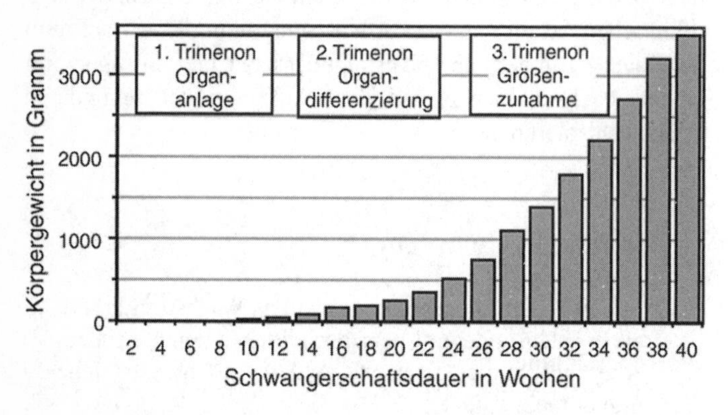


*Organentwicklung in der Schwangerschaft. Die Säulen geben das Körpergewicht in den verschiedenen Schwangerschaftswochen an. Man beachte die Zunahme des Gewichts im letzten Schwangerschaftsdrittel.*

**Anlage der Organe.** Im ersten und zweiten Schwangerschaftsmonat werden die Organe gebildet. Nach einer Phase intensiver Zellteilung formt sich mit 14 Tagen eine Körpersymmetrie: Es entsteht ein Kopf- und ein Schwanzende. Daraufhin beginnen sich die verschiedenen Gewebe zu differenzieren. Gehirn und Rückenmark werden angelegt. Zwischen 21 und 28 Tagen bilden sich die Herzkammern, Gefäße sprießen aus und vereinigen sich zu einem Blutkreislauf. Ein einfacher Darm entsteht, aus dem die Leber, die Bauchspeicheldrüse und die Lungenflügel durch Ausstülpungen hervorgehen. Die Extremitäten knospen aus;

Muskeln und Knorpel entstehen. Mit etwa 42 Tagen sind bereits die Fingerstrahlen sichtbar. Anfang des dritten Schwangerschaftsmonats sind alle Organe vorhanden. Das Kind ist zu diesem Zeitpunkt etwa 30 Gramm schwer und etwa sechs Zentimeter lang.

**Differenzierung der Organe.** Im dritten bis sechsten Schwangerschaftsmonat differenzieren sich die Organe bis zur Funktionstüchtigkeit. Lungenbläschen und Bronchien werden gebildet. Das Hörorgan und die Augen reifen aus. Die Mineralisation der Milchzähne setzt ein, zehn Monate bevor die Zähne durchbrechen.

Die Organe differenzieren sich nicht nur, sie üben ihre Funktionen auch ein, lange bevor sie gebraucht werden. So macht das ungeborene Kind Atembewegungen, schluckt Fruchtwasser, resorbiert die Flüssigkeit im Darm und scheidet sie über die Nieren wieder aus.

Ende des zweiten Schwangerschaftstrimenons sind die Organe so weit ausgereift, daß die Hälfte der Kinder, die in der 25. bis 27. Schwangerschaftswoche auf die Welt kommen, mit Hilfe der modernen Geburtshilfe und der Neonatologie überleben. Das Körpergewicht beträgt in diesem Alter 500 bis 800 Gramm und die Körperlänge etwa 35 Zentimeter.

**Größenzunahme.** Im letzten Schwangerschaftstrimenon nehmen die Kinder vor allem an Gewicht zu: Sie vergrößern ihr Körpergewicht zwischen der 26. und 40. Schwangerschaftswoche um das Vier- bis Siebenfache. Diese Gewichtszunahme wird durch eine Vergrößerung aller Organe und die Bildung eines kräftigen Unterhautfettgewebes erreicht. Der »Babyspeck« dient einerseits als Wärmeschutz und andererseits als Energiespeicher für die ersten Lebenstage, wenn die Nahrungszufuhr noch beschränkt ist.

Am Termin geboren, sind die Jungen durchschnittlich 3500 und die Mädchen 3300 Gramm schwer und weisen eine Körpergröße von 52 beziehungsweise 50 Zentimetern auf. Für Zwillinge reicht die plazentare Versorgung in den letzten Schwangerschaftswochen oftmals nicht mehr ganz aus. Ihr Geburtsgewicht ist deshalb im Durchschnitt 600 Gramm niedriger als dasjenige von Einzelkindern. Sie sind aber gleich groß wie Einzelkinder.

Drillinge und Vierlinge sind in ihrer Versorgung noch mehr eingeschränkt als Zwillinge. Sie sind daher bei der Geburt noch leichter und auch etwas kleiner als Einzelkinder.

## Für sich und das Kind Sorge tragen

Eine schwangere Frau trägt am meisten zum guten Gedeihen ihres ungeborenen Kindes bei, wenn sie in einem umfassenden Sinne für sich selbst Sorge trägt. Eine gesunde Ernährung, körperliches und psychisches Wohlbefinden sind die besten Voraussetzungen für eine normale körperliche Entwicklung des ungeborenen Kindes (vgl. »Trinken und Essen vor der Geburt«). Für viele schwangere Frauen sind die Lebensumstände leider so beschwerlich, daß sie sich nicht ausreichend um sich selbst kümmern können. Sie leben in familiären und beruflichen Verhältnissen, die ihnen große körperliche und psychische Belastungen auferlegen. Im Interesse zukünftiger Generationen ist zu hoffen, daß sich in unserer Gesellschaft die Einsicht durchsetzt, daß die schwangere Frau der Schonung bedarf.

Verschiedene äußere Faktoren können die Entwicklung und das Wachstum des ungeborenen Kindes beeinträchtigen. Dazu gehören Ansteckungen, welche die Mutter durchmacht und die sich auf das Kind übertragen. Zwei der häufigsten Infektionen, die das ungeborene Kind schädigen können, lassen sich vorbeugend vermeiden: Röteln und Toxoplasmose. Gegen Röteln bietet eine Impfung vor der Schwangerschaft sicheren Schutz. Ob die schwangere Frau Abwehrstoffe gegen Toxoplasmose besitzt und damit gegen diese Infektion geschützt ist, läßt sich zu Beginn der Schwangerschaft durch einen Bluttest feststellen. Falls keine Abwehrstoffe nachgewiesen werden, sollte die schwangere Frau kein rohes Fleisch essen und sich von Haustieren fernhalten.

## Das Wichtigste in Kürze

1. Die Entwicklung des ungeborenen Kindes umfaßt drei Perioden:
   - Im ersten Schwangerschaftstrimenon werden die Organe angelegt.
   - Im zweiten Schwangerschaftstrimenon differenzieren sich die Organe und werden funktionstüchtig.
   - Im dritten Schwangerschaftstrimenon nimmt das Kind an Gewicht und Größe zu. Unterhautfettgewebe wird gebildet, welches nach der Geburt als Wärmeschutz und Energiespeicher dient.

2. Eine gesunde Ernährung, körperliches und psychisches Wohlbefinden der Mutter sind wesentliche Voraussetzungen für ein gutes Gedeihen des ungeborenen Kindes.

# 0 bis 3 Monate

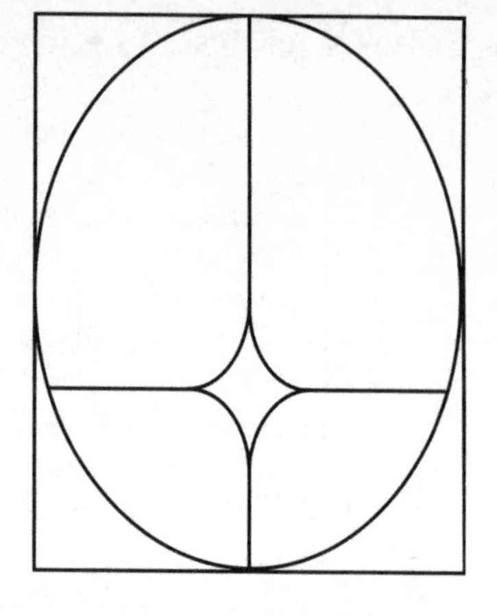

*Der einen Monat alte Stefan liegt im Arm der Mutter. Der vierjährige Lukas streichelt vorsichtig seinem Bruder über den Kopf. Plötzlich macht er ein erstauntes Gesicht, tastet mit dem Zeigefinger mehrmals über dieselbe Stelle und sagt zur Mutter: »Stefan hat ein Loch im Kopf.«*

Mit der Geburt ist die umfassende Versorgung des Kindes durch die Mutter beendet. Das Neugeborene muß nun weitgehend für sich selbst sorgen.

Nahrungsaufnahme und Verdauung kommen nur langsam in Gang. Das Neugeborene verbraucht in den ersten Lebenstagen mehr Kalorien, als es sich zuführen kann, und scheidet mehr Flüssigkeit aus, als es aufnimmt. Es nimmt daher in den ersten Lebenstagen an Gewicht ab. Diese Gewichtsabnahme ist normal. Da die Nahrungszufuhr gering ist, wächst das Neugeborene während der ersten Lebenstage auch nicht. Nach fünf bis zehn Tagen nimmt es so viel Nahrung zu sich, daß sein Wachstum wieder einsetzt, und dies nicht etwa langsam, sondern rasant.

## Übergangsphase

Alle Kinder nehmen in den ersten Lebenstagen an Gewicht ab, jedoch unterschiedlich viel. Die folgende Abbildung zeigt, wie verschieden sich das Körpergewicht in den ersten zwölf Tagen entwickeln kann. Dora nimmt in den ersten zwei Lebenstagen 100 Gramm an Gewicht ab. Am sechsten Lebenstag hat sie ihr Geburtsgewicht bereits wieder erreicht. Beat nimmt bis zum fünften Lebenstag 190 Gramm ab. Er hat sein Geburtsgewicht am neunten Lebenstag wieder erlangt. Res

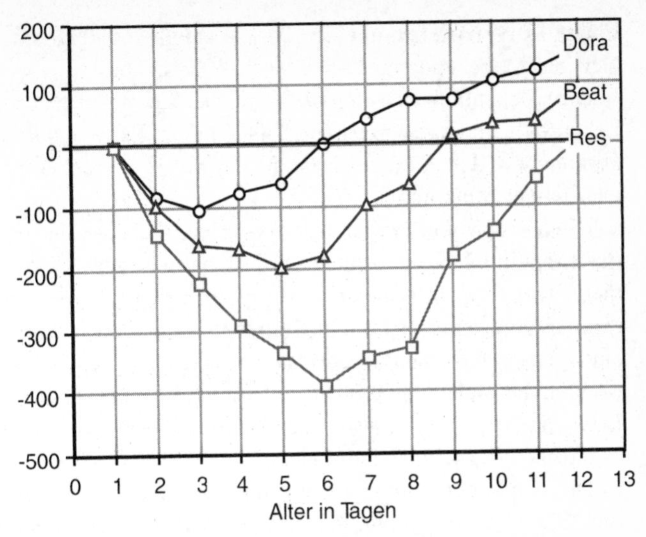


*Entwicklung des Körpergewichts bei drei Kindern in den ersten zwölf Lebenstagen. Horizontal ist das Alter in Tagen angegeben, in der Vertikalen die Abweichung vom Geburtsgewicht in Gramm.*

schließlich nimmt 395 Gramm ab, viermal soviel wie Dora. Das Geburtsgewicht stellt sich erst nach zwölf Tagen wieder ein.

Die meisten Kinder verlieren in den ersten Lebenstagen drei bis sechs Prozent ihres Geburtsgewichts. Bei einigen Kindern beträgt der Gewichtsverlust weniger als zwei, bei andern bis zu zehn und mehr Prozent des Geburtsgewichts.

## Wachstum in den ersten Lebensmonaten

Nach der Neugeborenenperiode läßt sich die körperliche Entwicklung wie folgt beschreiben:

**Gewicht.** Die Gewichtszunahme in den ersten Lebensmonaten ist rasant. Am größten ist sie im zweiten Lebensmonat: Die Kinder nehmen durchschnittlich 850 Gramm an Gewicht zu. Die Gewichtszunahme ist von Kind zu Kind sehr unterschiedlich, größere Abweichungen vom Durchschnittswert sind häufig.

Einige Kinder nehmen in einem Monat lediglich 500 Gramm an Gewicht zu, bei anderen sind es bis zu 1000 Gramm.

Die wöchentliche Gewichtszunahme beträgt in den ersten drei Lebensmonaten zwischen 80 und 300 Gramm. Es kann durchaus vorkommen, daß ein Kind während ein bis zwei Wochen kaum an Gewicht zunimmt.

Die **Körperlänge** nimmt in den ersten drei Lebensmonaten um durchschnittlich 3,5 Zentimeter pro Monat oder etwas mehr als einen Millimeter pro Tag zu.

Säuglinge lassen sich nur ungern messen, und die Messungen sind häufig recht ungenau. Längenmessungen sind daher im ersten Lebensjahr nicht sehr aussagekräftig. Wenn ein Kind regelmäßig an Gewicht zunimmt, ist auch sein Längenwachstum aller Wahrscheinlichkeit nach normal.

Das **Kopfwachstum** ist im ersten Lebensjahr ebenfalls ausgeprägt. Der Umfang nimmt jeden Monat um etwa einen Zentimeter zu. Der Kopf wächst in den ersten zwei Lebensjahren weit mehr als in der ganzen übrigen Entwicklung.

Bei der Geburt ist der Kopf bei allen Neugeborenen ähnlich geformt: Die Stirn ist abgeflacht und der Hinterkopf ausgezogen. Manche Kinder haben eine sogenannte Geburtsgeschwulst, eine umschriebene Verdickung der Kopfhaut, gelegentlich auch eine kleine Blutansammlung zwischen Schädelknochen und Kopfhaut. Die Geburtsgeschwulst markiert diejenige Stelle des Kopfes, die zuerst aus dem Geburtskanal ausgetreten ist. Die Geschwulst verschwindet innerhalb von Tagen oder Wochen.

Im ersten Lebensjahr bekommt jedes Kind die ihm eigene Kopfform, die wesentlich durch familiäre Merkmale geprägt ist. So vermerkt der Großvater mit Genugtuung, daß sich im Enkel der markante Schädel seiner Familie weitervererbt hat. Die Schwerkraft formt in den ersten Lebensmonaten den Kopf mit: Säuglinge, die auf dem Rücken schlafen, halten ihn überwiegend in einer Mittelstellung. Sie entwickeln einen eher rundlichen Kopf. Säuglinge, die auf dem Bauch schlafen, haben den Kopf zur Seite gedreht. Sie bekommen einen eher hohen und ausgezogenen Kopf. Wird ein Kind vorzeitig geboren, wirkt die Schwerkraft während Wochen seitlich auf die weichen Schädelknochen ein. Frühgeborene Kinder haben deshalb einen besonders schmalen, hohen und nach hinten ausgezogenen Kopf.

**Fontanelle.** Etwas oberhalb der Stirn, im vorderen Drittel des Mittelscheitels besteht eine Lücke im Schädelknochen. Lukas ist mit seinem Finger auf diese Lücke gestoßen. Viele Eltern scheuen sich davor, diese Stelle zu berühren. Eine Verletzungsgefahr besteht aber kaum: Auch wenn der Schädelknochen noch fehlt, eine kräftige Knochenhaut schützt das darunterliegende Gehirn. Diese Lücke ist nicht etwa ein Defekt. Weil das Gehirn in den ersten zwei Lebensjahren sehr schnell wächst, sind die Schädelnähte, die Berührungslinie zweier Knochen, noch offen. An der Kreuzungsstelle zweier Schädelnähte bildet sich die Fontanelle. Sie verschließt sich von Kind zu Kind unterschiedlich rasch. Bei den meisten Kindern geschieht dies zwischen neun und 18 Monaten, bei einigen bereits mit drei bis sechs Monaten, bei anderen wiederum erst zwischen 21 und 27 Monaten.

Die **Kopfbehaarung** ist bei neugeborenen Kindern sehr unterschiedlich ausgebildet. Während gewisse Kinder einen richtigen Wuschelkopf haben, können andere nur einige magere Härchen

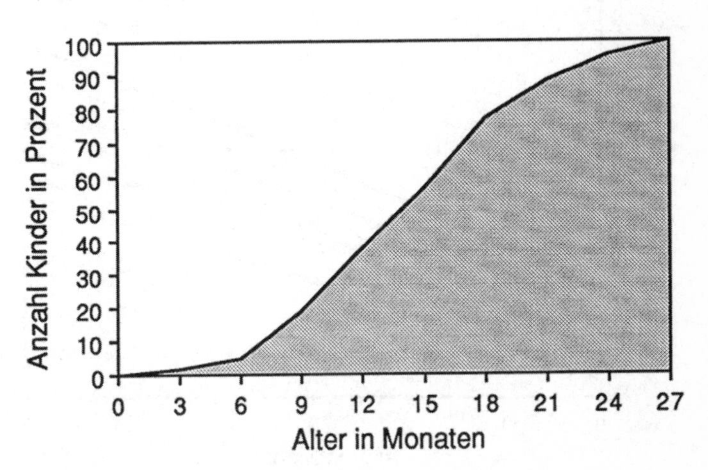


*Verschluß der vorderen Fontanelle. Die dunkle Fläche gibt an, bei wieviel Kindern in den verschiedenen Altersstufen die Fontanelle zugewachsen ist (nach Duc und Largo).*

vorzeigen. Die Haare fallen in den ersten Lebensmonaten teilweise aus und beginnen danach dichter und kräftiger nachzuwachsen.

## Normales Wachstum

Was ist unter normalem Wachstum zu verstehen? Am besten läßt sich das Wachstum eines Kindes anhand von sogenannten Perzentilenkurven einschätzen (vgl. »Wachstum Einleitung«). Perzentilenkurven für Gewicht und Länge sind im Anhang des Buches abgedruckt. Die Kurven können aus dem Buch kopiert und die Messungen der Kinder darauf eingetragen werden.

*Ein Kind wächst normal, wenn seine Wachstumskurven von Gewicht, Länge und Kopfumfang mehr oder weniger den Perzentilenkurven folgen.* In der folgenden Abbildung ist die Gewichtskurve von Simon zu sehen. Seine Wachstumskurve verläuft zwischen den unteren Perzentilenlinien. In drei Monaten durch-

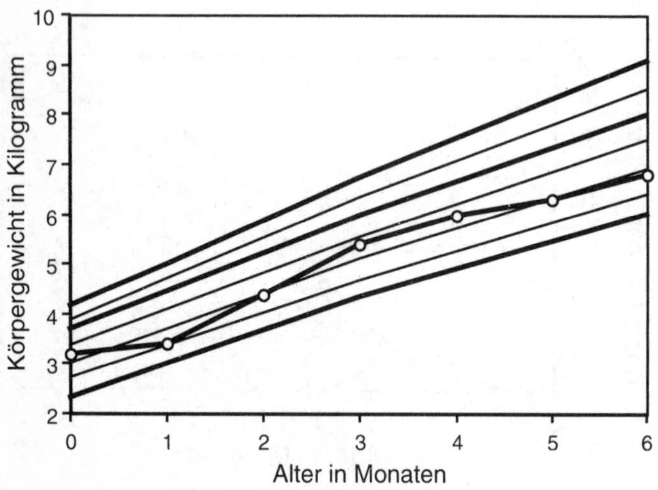


*Perzentilenkurven für das Gewicht. Die dicke Linie beschreibt die Gewichtszunahme von Simon. Sie folgt mehr oder weniger den Perzentilenlinien, was auf ein normales Wachstum hinweist.*

kreuzt die Kurve nicht mehr als zwei Perzentilenlinien. Bei der Beurteilung des Wachstums geht es weniger darum, ob ein Kind schwer oder leicht beziehungsweise groß oder klein ist, sondern wie es in Wochen und Monaten an Gewicht und Länge zunimmt.

Gedeiht ein Kind ungenügend, durchkreuzt seine Gewichtskurve die Perzentilenlinien nach unten. Bei einer übermäßigen Gewichtszunahme durchquert die Gewichtskurve die Perzentilenlinien nach oben. *Die Zunahme des Körpergewichtes ist der zuverlässigste Indikator für das Gedeihen eines Kindes.* Kinder sollten daher in den ersten Lebensmonaten alle ein bis zwei Wochen gewogen werden.

## Gefeit gegen Infektionen

Säuglinge sind kaum krank. Sie werden in den ersten Lebensmonaten durch Abwehrkörper geschützt, die sie während der Schwangerschaft von der Mutter erhalten haben. Dies bedeutet aber nicht, daß sie gegen alle Krankheiten gefeit sind. Sie sind recht gut geschützt gegen bakterielle, weit weniger gegen Virusinfektionen. Erwachsene und Kinder, die erkältet sind, sollten einem Säugling daher nicht nahe kommen. Selbst eine banale Erkältung kann ihn erheblich beeinträchtigen. Seine Atemwege sind noch wenig ausgebildet und von geringer Ausdehnung. Ein Schnupfen und vor allem eine Entzündung der Bronchien können ihm schwer zu schaffen machen.

### Das Wichtigste in Kürze

1. In den ersten Lebenstagen nimmt ein Neugeborenes bis zu sechs und mehr Prozent an Gewicht ab. Nach fünf bis 14 Tagen hat es sein Geburtsgewicht wieder erreicht.
2. Die Zunahme von Gewicht und Länge sowie das Kopfwachstum sind in den ersten drei Lebensmonaten ausgeprägt.

3. Das Wachstum eines Kindes läßt sich am besten anhand sogenannter Perzentilenkurven beurteilen (siehe Anhang). Ein normales Wachstum zeichnet sich durch Gewichts- und Längenkurven aus, die mehr oder weniger parallel zu den Perzentilenlinien verlaufen.

4. Die jedem Kind eigene Kopfform bildet sich im ersten Lebensjahr aus. Sie wird geprägt durch konstitutionelle Merkmale und die Einwirkung der Schwerkraft.

5. Die Fontanelle verschließt sich bei den meisten Kindern zwischen sechs und 24 Monaten.

6. In den ersten drei Lebensmonaten wird der Säugling durch die mütterlichen Abwehrstoffe weitgehend vor schweren Infektionen geschützt. Er ist aber anfällig für Virusinfektionen, die seine Atmung erheblich beeinträchtigen können. Erwachsene und Kinder, die erkältet sind, sollten daher einem Säugling nicht nahe kommen.

# 4 bis 9 Monate

*Die Mutter hat Urs in den ersten fünf Lebensmonaten ausschließlich gestillt. Sie wog den Säugling anfänglich wöchentlich. Da er regelmäßig an Gewicht zunahm, hat sie ab dem dritten Monat die Waage nicht mehr benützt. Mit fünf Monaten stellt sie bestürzt fest, daß Urs in den letzten drei Monaten lediglich 400 Gramm an Gewicht zugenommen hat. Dabei war er durchaus zufrieden und aktiv. Er hat auch kaum geschrien.*

Die Waage ist in den letzten Jahren in Verruf geraten. Zu Unrecht, wie in diesem Kapitel gezeigt werden wird: Das Wachstum eines Kindes läßt sich am besten durch die Zunahme seines Körpergewichts beurteilen.

Nach einigen Monaten haben die Eltern Vertrauen gefaßt in das Gedeihen ihres Kindes. Die Art und Weise, wie sie das Kind ernähren, hat sich bewährt: Es trinkt gut und nimmt an Gewicht zu. Zwischen dem vierten und zwölften Lebensmonat muß die Ernährung den veränderten kindlichen Bedürfnissen angepaßt werden: Das Kind wird abgestillt, bekommt Brei und schließlich feste Speisen zu essen. Damit stellt sich für die Eltern die Frage nach dem Gedeihen von neuem: Bekommt es ausreichend zu essen? Wächst es normal?

## Urs holt auf

Nach dem dritten Lebensmonat genügt es, das Kind einmal pro Monat zu wiegen. Ganz sollten die Eltern auf die Waage nicht verzichten. Wie das Beispiel von Urs zeigt: Wohlbefinden und rege motorische Aktivität schließen eine ungenügende Gewichtszunahme nicht aus. Seine Gewichtskurve ist auf der folgenden Seite abgebildet. Urs nahm in den ersten zwei Lebensmonaten normal an Gewicht zu; sein Gewicht verlief parallel zu den Perzentilenlinien. Später wog ihn die Mutter nicht mehr. Sie nahm an, daß die Ernährung ausreichend sei. Im Alter von fünf Monaten stellte der Hausarzt bei einer Routineuntersuchung fest,

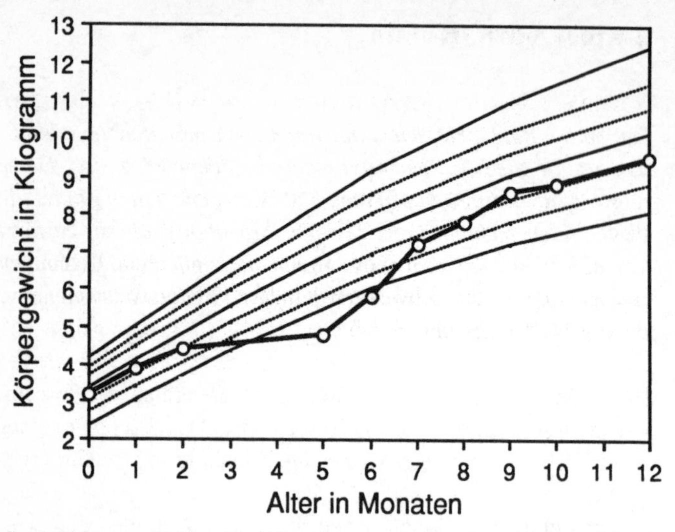


*Gewichtskurve von Urs. Die Kurve kreuzt zwischen dem dritten und fünften Lebensmonat die Perzentilenlinien: Urs nimmt kaum mehr an Gewicht zu. Nach dem fünften Monat kommt es zu einem Aufholwachstum. Nach dem siebten Lebensmonat verläuft die Gewichtskurve wieder parallel zu den Perzentilen.*

daß Urs in den vergangenen drei Monaten gerade mal 400 Gramm zugenommen hatte.

Die Mutter war bestürzt und verunsichert. Sie hatte angenommen, daß Urs sich häufiger melden und quengelig werden würde, wenn er zuwenig Milch bekäme. In den folgenden Tagen wog ihn die Mutter nach dem Stillen und stellte dabei fest, daß die Milchmenge nicht ausreichend war. Sie gab nach jedem Stillen zusätzlich die Flasche und begann ihn mit Brei zu füttern. Innerhalb von zwei Monaten machte Urs sein fehlendes Gewicht wett. Seine Gewichtskurve zeigt ein typisches Aufholwachstum. Nach dem siebten Lebensmonat folgte das Gewicht wieder den Perzentilenlinien.

## Zu dick oder zu dünn?

Wie in den Kapiteln »Wachstum Einleitung« und »Wachstum 0 bis 3 Monate« beschrieben, zeichnet sich ein gutes Gedeihen dadurch aus, daß die Wachstumskurven von Gewicht und Länge mehr oder weniger parallel zu den Perzentilenlinien verlaufen. Dabei spielt es keine Rolle, wie schwer und groß ein Kind ist. Unten sind die Gewichtskurven von drei Mädchen abgebildet. Eva gehört zu den schwersten Kindern, Maria weist ein etwa durchschnittliches und Sarah ein niedriges Körpergewicht auf. Die Gewichtskurven von allen drei Mädchen folgen den Perzentilenlinien.

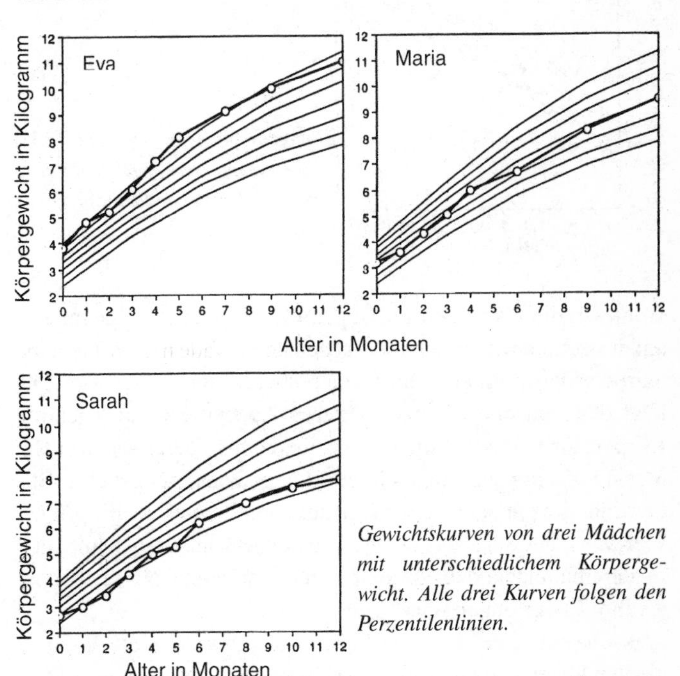


*Gewichtskurven von drei Mädchen mit unterschiedlichem Körpergewicht. Alle drei Kurven folgen den Perzentilenlinien.*

Wie die Gewichtskurven verläuft auch das Längenwachstum parallel zu den Perzentilenlinien.

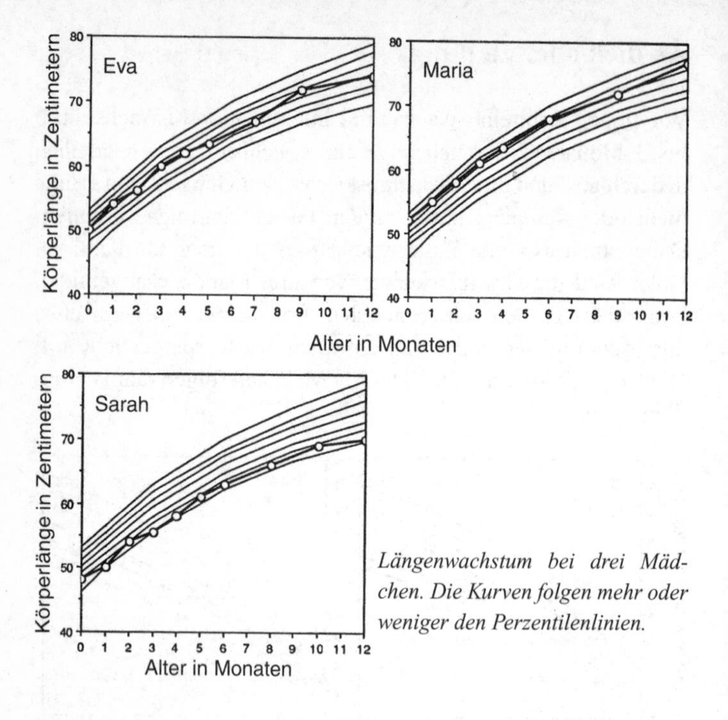


*Längenwachstum bei drei Mädchen. Die Kurven folgen mehr oder weniger den Perzentilenlinien.*

Wenn wir die Wachstumskurven von Gewicht und Länge miteinander vergleichen, können wir abschätzen, ob ein Kind für seine Körpergröße normal-, unter- oder übergewichtig. ist. Bei Eva liegt das Gewicht in einem höheren Perzentilenbereich als die Körpergröße: Eva ist für ihre Größe etwas übergewichtig. Bei Maria verhalten sich Gewicht und Länge genau umgekehrt. Das Gewicht liegt in einem tieferen Perzentilenbereich als die Länge: Maria ist eher mager. Gewicht und Länge von Sarah schließlich liegen im gleichen Perzentilenbereich: Sarah ist wohl klein, aber für ihre Länge gut ernährt.

## Der erste Zahn

Das Erscheinen des ersten Zahns ist gleichermaßen ein Anlaß zur Freude und Besorgnis. Die Freude: Der Durchbruch des ersten Zahns ist eine weitere Bestätigung, daß das Kind gedeiht und sich entwickelt. Die Besorgnis: Das Zahnen kann mit schmerzhaften Begleiterscheinungen einhergehen.

Bei den meisten Kindern erscheint der erste Zahn zwischen dem fünften und zehnten Monat. Selten kann ein Kind bereits bei der Geburt einen Zahn vorzeigen. Bei einigen läßt der erste Zahn bis ins zweite Lebensjahr auf sich warten. Gelegentlich erweitert sich das Zahnsäckchen zystisch. Eine Behandlung ist nie nötig. Das Säckchen platzt immer, und der Zahn bricht durch.

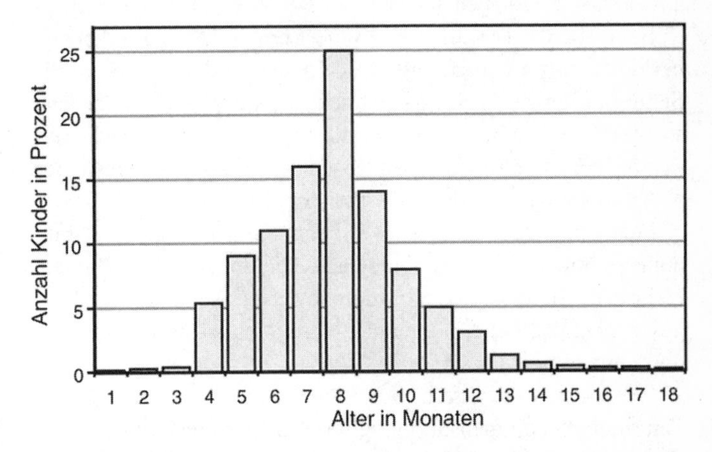


*Durchbruch des ersten Milchzahns. Die Säulen geben an, bei wieviel Kindern in einem bestimmten Monat der erste Zahn durchbricht.*

»Alles, was das Zahnen hervorbringt, sind Zähne.« Ganz anderer Ansicht war ein braunschweigischer Hofzahnarzt namens Girault. Er schrieb 1812 in einem Traktat für junge Mütter: »Die erste Zahnung ist das wichtigste Ereignis im Leben eines Kindes überhaupt, welches mit den folgenden Erscheinungen einhergeht: Heftiges Fieber, Krämpfe, konvulsive und epileptische Zuckungen. Oft bemächtigt sich ein Übermaß von Wildheit ihres Körpers, an Verderbtheit, die die ganze Gemütsart erfaßt, wenn der Schmerz eine Schwindsucht erzeugt oder Spasmen hervorruft. Die schrecklichen Folgen der Dentition sind zahllos. Sie hinterlassen bei der Mehrzahl der Kinder, die sie nicht dahinrafft, eine dauerhafte Komplikation. So gibt es kaum eine Familie, die nicht Opfer der ersten Dentition geworden ist …« (aus Gabka).

Ganz so schlimm erleben es heutzutage weder Eltern noch Kinderärzte. Dem Zahnen werden aber immer noch zahlreiche unangenehme Begleiterscheinungen zugeschrieben: vermehrter Speichelfluß, Unruhe und Schlaflosigkeit, Fieber und Infektionen, Durchfall und Verdauungsstörungen, Appetitlosigkeit, Beißlust und vermehrtes Weinen, rote Wangen und Entzündung am Gesäß (Walser-Schenker).

Bei mehr als der Hälfte der Kinder verursacht das Zahnen keinerlei Beschwerden. Bei etwa einem Viertel der Kinder ist die Stelle, an der der Zahn durchbricht, gerötet, geschwollen und schmerzt bei Berührung. Die Kinder speicheln und weinen vermehrt, beißen auf harte Gegenstände. Einige Kinder haben während des Zahnens dünnflüssigen Stuhl und ein wundes Gesäß.

Fieber und Infektionen sind mit dem Zahnen kaum in Verbindung zu bringen. Da Säuglinge und Kleinkinder bis zu zehn und mehr Erkältungen pro Jahr durchmachen, kann es durchaus geschehen, daß ein Kind gerade dann krank ist, wenn ein Zahn durchbricht.

Wie können die Eltern ihrem Kind beim Zahnen beistehen? Seit alters bekommen die Säuglinge sogenannte Beißringe, oft Familienerbstücke aus Elfenbein oder Silber. Manche tragen ein Zahnkettchen oder die Imitation einer Bernsteinkette. Jeder harte Gegenstand ist als Beißobjekt geeignet, der für den Säugling leicht zu halten ist, keine scharfen Kanten hat, unzerbrechlich und so groß ist, daß er nicht ganz in den Mund gesteckt werden kann. Zahngelees und -kügelchen, die ein schmerzstillendes Mittel enthalten, werden auf dem Markt gegen das Zahnen angeboten. Die meisten Produkte sind zwar zuckerfrei, aber künstlich gesüßt sowie mit einem Aroma versehen und deshalb bei Kindern beliebt. Manche schreien nach dem Zahngelee, nicht weil sie Schmerzen haben, sondern weil sie vom Süßstoff abhängig geworden sind.

## Fieber, Schnupfen und Husten

Nach dem vierten Lebensmonat nimmt der Schutz, den die mütterlichen Abwehrkörper dem Kind vor Infektionen gewährt haben, immer mehr ab. Fieberhafte Episoden mit Schnupfen, Husten, Hautausschlägen oder Durchfall häufen sich. Banale Infektionen können und sollen auch nicht vermieden werden. Kinder erkranken, weil sie sich mit den Krankheitserregern in unserer Umwelt auseinandersetzen und ihr Abwehrsystem trainieren müssen. Es klingt paradox, ist aber biologisch sinnvoll: Kinder bleiben auf Dauer nur gesund, wenn sie die gängigen Krankheiten durchmachen.

### Das Wichtigste in Kürze

1. Ein gutes Gedeihen ist gekennzeichnet durch einen Anstieg von Gewicht und Länge, der entlang der Perzentilenkurven verläuft.

2. Nach dem dritten Lebensmonat sollten die Kinder mindestens monatlich gewogen werden.

3. Die ersten Zähne brechen bei den meisten Kindern zwischen dem fünften und zehnten Lebensmonat durch; frühestens erscheinen sie bereits im ersten und spätestens im 18. Monat.

4. Der Zahndurchbruch ist bei den meisten Kindern schmerzlos und ohne andere Begleiterscheinungen. Etwa ein Viertel der Kinder speichelt vermehrt, ist weinerlich, hat allenfalls etwas Durchfall. Fieber und Symptome wie Schnupfen oder Husten sind nicht durch Zahnen bedingt.

5. Fieberhafte Episoden mit Schnupfen, Husten, Hautausschlägen oder Durchfall gehören nach dem sechsten Lebensmonat zur normalen Entwicklung.

# 10 bis 24 Monate

*Der Zahnarzt sieht sich die Bescherung an. Der 20 Monate alte Reto fiel, als er im Garten herumrannte, über eine Steinplatte und hat sich den Mund aufgeschlagen. Die Unterlippe blutet, und einer der oberen Schneidezähne steht schräg nach vorne. Der Zahnarzt bringt den beschädigten Zahn vorsichtig in seine ursprüngliche Stellung zurück und meint: »Mit etwas Glück bleibt der Zahn erhalten.«*

Kinder sind im zweiten Lebensjahr motorisch sehr aktiv. Sie fallen tagsüber oft mehrmals hin. Da kann es geschehen, daß sich ein Kind seine Zähne beschädigt. In diesem Kapitel wollen wir uns ausführlich mit den Zähnen beschäftigen. Dabei geht es im besonderen um die Kariesprophylaxe und die Lutschgewohnheiten der Kleinkinder.

## Zahnentwicklung

Die Milchzähne brechen meist in einer bestimmten Reihenfolge durch. Zuerst erscheinen die inneren Schneidezähne, dann die äußeren. Als nächstes folgen die ersten Backenzähne, die Eckzähne und schließlich die zweiten Backenzähne. Das untere Gebiß ist etwas weiter entwickelt als das obere. Diese Reihenfolge gilt nicht für alle Kinder; andere Abfolgen sind durchaus möglich. So können zuerst die äußeren und dann erst die inneren Schneidezähne durchbrechen. Gelegentlich erscheint als erster Zahn nicht ein Schneide-, sondern ein Backenzahn.

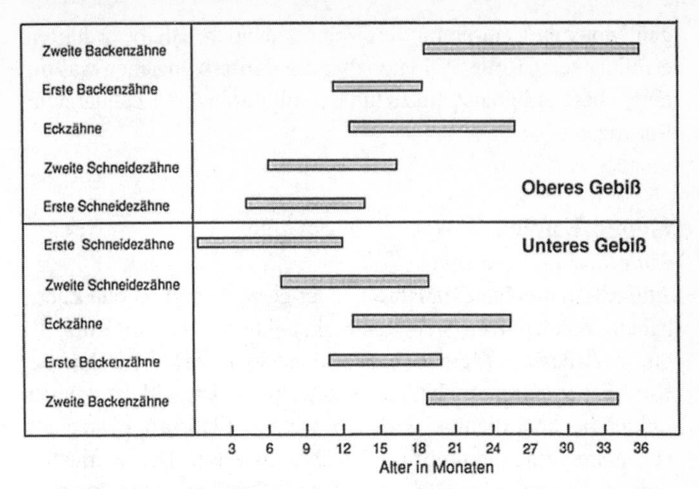


*Durchbruch der Milchzähne. Die Balken geben die Streubreite des Alters an, in welchem ein Zahn durchbrechen kann (nach Taranger u. a.).*

Wie wir aus obiger Abbildung sehen, erscheinen die einzelnen Zähne von Kind zu Kind in unterschiedlichem Alter. So können die Schneidezähne bereits in den ersten Lebenswochen oder aber erst nach dem zwölften Lebensmonat durchbrechen. Die zweiten Backenzähne können frühestens mit 19 Monaten und spätestens mit 36 Monaten erscheinen.

Im zweiten Lebensjahr beschäftigt das Zahnen die meisten Eltern nicht mehr. Die Zähne brechen ohne Schmerzen und andere Begleiterscheinungen durch. Oftmals bemerken die Eltern gar nicht, wenn ein Zahn am Durchbrechen ist. Eltern, die das Zahnen nach wie vor beschäftigt, seien auf das Kapitel »Wachstum 4 bis 9 Monate« verwiesen.

Fällt ein Kind – wie Reto – auf den Mund, kann ein Zahn gelockert werden. Er kann in das Zahnfleisch und den Kieferknochen hineingestoßen oder – was glücklicherweise selten geschieht – ganz herausgeschlagen werden. Was ist zu tun? Die Milchzähne sind wichtige Platzhalter für die zweiten Zähne und sollten daher möglichst erhalten bleiben. Selbst wenn ein Zahn herausgeschlagen ist, sollte er versuchsweise wieder eingesetzt werden. Er wird nie mehr richtig einwachsen und sich nach einigen Monaten grau-braun verfärben. Dennoch: Bleibt er haften, erfüllt er seine Rolle als Platzhalter. Sind Eltern unsicher, was mit einem beschädigten Zahn zu tun ist, sollten sie ihren Zahnarzt um Rat fragen.

## Gegen Karies

Alle Eltern möchten, daß ihre Kinder gesunde und schöne Zähne haben. Zähneputzen steht daher bei ihnen hoch im Kurs. Es gibt aber bessere Methoden als Zähneputzen, um die Zähne der Kinder kariesfrei zu halten. Zähneputzen ist wirksam gegen Zahnfäule, aber nicht so wirksam wie eine Fluorprophylaxe und vor allem eine vernünftige Ernährungsweise. Die Kariesforschung der letzten 20 Jahre hat folgende Resultate erbracht (Marthaler):

**Mundhygiene.** Zähneputzen ist nützlich, bringt allein aber nicht den erhofften Erfolg. Das Zähneputzen ist wichtiger für das Zahnfleisch als für die Zähne. Es bekämpft die Zahnfleischentzündung (Paradentose). Allzu häufiges und zu intensives Zähneputzen schadet den Zähnen, indem es zum Abrieb der Zähne und einem Zahnfleischschwund mit Freilegung der Zahnhälse führt. Mundhygiene sollte daher mit Maß betrieben werden.

Im zweiten Lebensjahr können die Kinder langsam in den Gebrauch der Zahnbürste eingeführt werden. Dabei geht es anfänglich nicht eigentlich um die Zahnreinigung. Durch das Nachahmen der Eltern und Geschwister soll das Zähneputzen zu einem festen Bestandteil der Abend- und Morgentoilette werden.

Normale Zahnpasten haben oftmals einen Geschmack, der für kleine Kinder zu scharf und im Aroma unvertraut ist. Sie neigen zudem dazu, den Großteil der Zahnpasta zu verschlucken. Kinderzahnpasten enthalten weniger Fluor als normale Zahnpasten und sind geschmacklich angepaßt.

**Fluor.** Im Kanton Zürich hat die Karies in den vergangenen 25 Jahren bei Schulkindern um 85 Prozent abgenommen. In der übrigen Schweiz war ein Rückgang der Zahnfäule von 60 bis 80 Prozent festzustellen. Epidemiologische Studien belegen, daß dieser Rückgang auf die Fluorprophylaxe zurückzuführen ist.

Fluor kann dem Körper auf verschiedene Weise zugeführt werden: in Tablettenform, als Zusatz im Kochsalz, Trinkwasser, Zahnpasten oder Mundwasser.

Fluor wird irrtümlicherweise immer wieder als Gift bezeichnet. Fluor ist ein Spurenelement, das unser Körper genauso benötigt wie Eisen, Kalzium, Phosphor oder Jod. Bei einem Mangel eines Spurenelementes steht dem Körper kein Ersatz zur Verfügung. Der menschliche Körper kann mit einem großen Angebot von Fluor umgehen, ohne daß es zu einer körperlichen Beeinträchtigung kommt. Die einzige bekannte Nebenwirkung bei einer übermäßigen Zufuhr von Fluor besteht in einer fleckigen Verfärbung der Zähne.

**Ernährungsweise.** Der Bösewicht ist seit langem bekannt: Zucker, genauer gesagt die sogenannten Monosaccharide wie Glukose und Fruktose, führen zu Karies. Seit bald 50 Jahren weiß man, daß Zucker durch Bakterien, die massenweise im Mund vorkommen, zu Säuren abgebaut wird, welche die Zähne angreifen. Dabei spielt es keine Rolle, in welcher Form der Zucker eingenommen wird: Fruchtzucker und Traubenzucker sind genauso kariogen wie Würfelzucker. Sogenannter natürlicher Zucker wie Rohrzucker ist für die Zähne ebenso schädlich wie industriell hergestellter weißer Zucker. Anhänger der Reformernährung glauben oftmals, daß natürlicher Zucker, wie er beispielsweise im Honig oder in Dörrfrüchten sehr konzentriert enthalten ist, für die Zähne unschädlich sei. Ein folgenschwerer Irrtum. Schon Aristoteles beobachtete, daß häufiger Dattelkonsum zu Zahnfäule führt. Datteln enthalten wie Dörrfrüchte viel Zucker und haften wegen ihrer Klebrigkeit sehr lange an den Zähnen. Bei gleicher Konsumhäufigkeit sind Honig, Fruchtsäfte und Dörrfrüchte genauso kariogen wie Schokoladenriegel, Bonbons und Speiseeis. Zahnschädigend ist nicht die Art des Zuckers, sondern die Häufigkeit des Zuckergenusses.

Zuckerhaltige Nahrungsmittel lassen sich schwerlich vermeiden. Die wenigsten von uns wären wohl auch bereit, ganz darauf zu verzichten. Abstinenz ist für einen kariesfreien Erhalt der Zähne auch nicht notwendig. In einer schwedischen Studie konnten Gustafsson und seine Mitarbeiter nachweisen, daß die Menge Zucker, die während der Hauptmahlzeiten eingenommen wird, sich nur wenig auf die Karieshäufigkeit auswirkt. *Das Ausmaß der Karies wird weit mehr durch die Anzahl der Zwischenmahlzeiten und vor allem die Zuckermenge, die bei den Zwischenmahlzeiten eingenommen wird, bestimmt.*

Kinder brauchen Zwischenmahlzeiten. Was sollen sie also essen und trinken? Erste Wahl sind frische Früchte und Gemüse, wie Äpfel, Birnen und Karotten, sowie Wasser, ungezuckerter Tee oder Mineralwasser. (Achtung: Fertigtees enthalten häufig größere Mengen an Zucker, die auf der Packung nur im Kleingedruckten vermerkt sind.) Zweite Wahl sind Brot, Butter, Wurst und Milchprodukte wie Käse oder Joghurt. Nicht empfehlenswert als Zwischenmahlzeiten sind alle Süßigkeiten, die Zucker enthalten, wie Schokoladenriegel oder Eis.

Eine allzu einseitige Ernährung ist zu vermeiden. So sollten Früchte nicht im Übermaß verzehrt werden. Sie enthalten wohl wenig Zucker, dafür viel Fruchtsäure, welche die Zähne angreifen kann. Bananen sind ziemlich zuckerhaltig und klebrig, daher weniger geeignet als Kern- und Steinobst. Dörrfrüchte und Fruchtsäfte enthalten viel Zucker. Letztere greifen mit ihrem hohen Säuregehalt die Zähne zusätzlich an.

Eltern können ihre Kinder wirksam vor Zahnfäule schützen, wenn sie die folgenden drei Punkte beachten:

- Keine zuckerhaltigen Zwischenmahlzeiten: Die wichtigste Maßnahme!
- Fluorprophylaxe: Falls Unklarheiten über die vorteilhafteste Art der Fluoreinnahme bestehen, den Hausarzt um Rat fragen.
- Mundhygiene: Das Zähneputzen in den ersten Lebensjahren zur Gewohnheit machen!

## Lutschgewohnheiten

Kinder saugen nicht nur, wenn sie hungrig sind. Sie saugen an Daumen, Fingern oder Schnullern, um sich zu beruhigen, um den Schlaf zu finden und gelegentlich auch aus Müdigkeit und Langeweile. In den ersten zwei Lebensjahren lutschen praktisch alle Kinder. Etwa 80 Prozent der Schweizer Kinder benützen einen Schnuller, knapp 20 Prozent saugen am Daumen oder an den Fingern. Die Art und Weise, wie die Kinder ihre Finger in den Mund stecken, scheint in gewissen Familien vererbt zu werden. So gibt es Familien, deren Kinder nicht den Daumen, sondern Zeige-, Mittel- und Ringfinger benützen, genauso wie es einst Mutter oder Vater machte. Einige Kinder lutschen an Windeln, Kissenbezügen oder anderen Gegenständen.

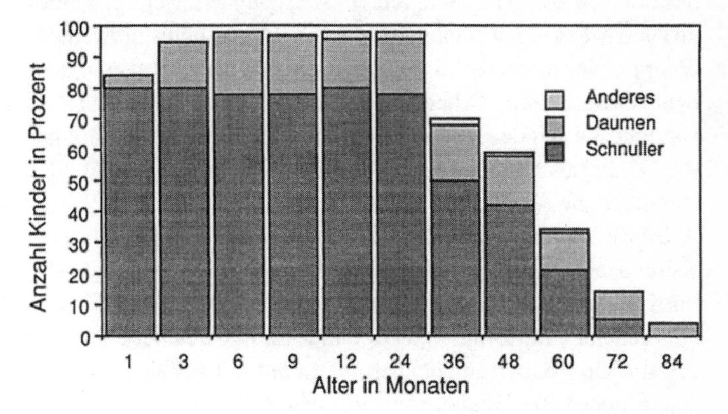


*Lutschgewohnheiten bei Schweizer Kindern (nach Peters)*

Nach dem zweiten Lebensjahr nimmt die Häufigkeit des Lutschens langsam ab. Im dritten und vierten Lebensjahr lutschen immer noch mehr als die Hälfte der Kinder. Mit fünf Jahren sind es noch 35 Prozent und mit sieben Jahren noch fünf Prozent der Kinder. Kinder, die an Daumen und Fingern lutschen, neigen dazu, später damit aufzuhören als Kinder, die einen Schnuller benützen. Vereinzelt lutschen auch Erwachsene noch am Daumen, vor allem beim Einschlafen.

Säuglinge und Kleinkinder vom Lutschen abzuhalten ist nicht sinnvoll und für Eltern auch nicht durchführbar. Die Frage ist daher nicht: Lutschen oder nicht lutschen? Sondern vielmehr: Woran lutschen? Daumen und Finger sind immer verfügbar, was angenehm ist für Kind und Eltern. Nachteilig wirkt sich aus, daß das Lutschen an Daumen und Fingern zu Deformationen des Ober- und seltener des Unterkiefers, einem sogenannten offenen

Biß, führen kann. Schnuller bewirken weniger häufig eine Verformung der Kiefer. Flache Schnuller scheinen denjenigen mit einer Kirschform diesbezüglich noch überlegen zu sein. Der Nachteil des Schnullers ist, daß er in den ersten Monaten ohne die Mithilfe der Eltern für das Kind nicht verfügbar ist. Mehrere Schnuller im Bett erhöhen die Chancen, daß das Kind immer ein Exemplar in Reichweite hat. Der Schnuller darf nicht mit einem Kettchen oder einer Schnur am Hals festgemacht werden. Ungefährlich sind kurze Ketten, die an der Kleidung befestigt werden.

Um einen offenen Biß zu vermeiden, empfiehlt es sich, dem Kind in den ersten Lebenswochen einen Schnuller anzubieten. Die meisten Kinder sind damit zufriedenzustellen. Es gibt aber solche, die standhaft den Daumen oder die Finger dem Schnuller vorziehen. So sei es denn.

In den letzten Jahren ist eine weitere Lutschvariante mit verheerender Wirkung populär geworden: die Nuckelflasche. Die Entwicklung der Plastikflasche hat zu einem richtigen Saftmißbrauch geführt. Immer mehr Kinder laufen den lieben langen Tag mit ihrer Saugtrompete herum, gefüllt mit Apfel-, Orangen- oder Traubensaft. Die Folgen sind katastrophal:

- Fruchtsäfte enthalten sehr viel Zucker und Säure, welche die Zähne angreifen. Die Kinder nehmen während eines Tages unzählige Male einen Schluck aus der Saftpulle und setzen damit ihre Zähne dauernd einer sauren Zuckerlösung aus.

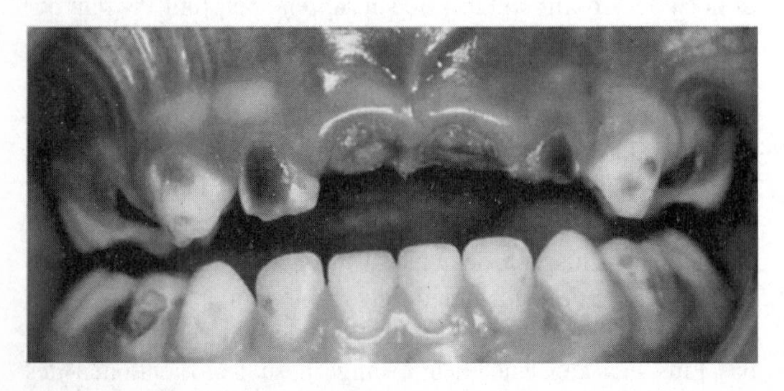

*Schwere Zahnfäule durch Nuckelflasche*

Besonders zerstörerisch ist die Wirkung der Nuckelflasche nachts: Im Schlaf bleibt die Flüssigkeit längere Zeit im Mund liegen, da die Kinder nur gelegentlich schlucken. Die Zähne werden recht eigentlich in Zucker und Säure gebadet. Nachts können nicht nur Fruchtsäfte, sondern auch mit Milch gefüllte Nuckelflaschen zu einer weitgehenden Zerstörung der Zähne führen.

- Die Kinder führen ihrem Körper ständig Kalorien und Flüssigkeit zu, verderben sich dabei den Appetit und werden zu schlechten Essern bei den Hauptmahlzeiten.
- Die übermäßige Zufuhr von Zucker, Säuren und aromatischen Stoffen kann zu Durchfall und einem wunden Gesäß führen.
- Die Kinder gewöhnen sich an einen ständigen Zuckerkonsum, was in den folgenden Jahren die Fettsucht begünstigt und weitreichende Folgen für ihre Gesundheit haben kann.

Wenn die Kinder Durst haben, brauchen sie nicht Kalorien, sondern Flüssigkeit in Form von Wasser oder ungezuckertem Tee. Sobald ein Kind selbständig aus einem Becher trinken kann, sollten die Eltern die Flasche aus dem Verkehr ziehen. Die Nuckelflasche ist ein miserabler Schnullerersatz.

## Wachstum und Gesundheit

Nach dem ersten Lebensjahr sorgen sich die Eltern kaum mehr um das Gedeihen ihres Kindes. Sie haben aufgehört, es zu wiegen. In den zurückliegenden zwölf Monaten haben sie erlebt: Ihr Kind wächst. Sie vertrauen darauf, daß sich sein Wachstum so wie bisher fortsetzt.

Die körperliche Entwicklung im zweiten und dritten Lebensjahr ist nicht mehr so spektakulär wie im ersten Lebensjahr. Die Zunahme von Gewicht und Länge sowie die Änderungen der Körperproportionen gehen langsamer voran. Die Eltern nehmen die körperlichen Veränderungen bei ihrem Kind oftmals nicht mehr bewußt wahr. Verwandten und Bekannten, die es nur gelegentlich sehen, fallen das Größerwerden und sein verändertes Aussehen eher auf als den Eltern.

Banale Erkrankungen häufen sich im zweiten Lebensjahr. Kinder, die eine Kinderkrippe besuchen, sind innerhalb von zwölf Monaten bis zu zehnmal und mehr krank. Selbst Kinder, die nur wenig in Kontakt mit anderen Erwachsenen und Kindern kommen, erkranken drei- bis fünfmal in einem Jahr. Kindern, die in den ersten Jahren wenig krank sind, bleiben die banalen Erkrankungen nicht erspart. Sie holen im Kindergartenalter die Krankheiten nach, die bei anderen Kindern bereits im Alter von zwei bis fünf Jahren aufgetreten sind.

Unsere Umwelt ist voller Krankheitskeime, die wir auch mit den besten hygienischen Bedingungen nicht eliminieren können. Und falls es möglich wäre, wäre es nachteilig für die Gesundheit der Kinder: Ihr Abwehrsystem muß sich mit Krankheitskeimen auseinandersetzen, um funktionstüchtig zu werden. Diese Auseinandersetzung geht nicht ohne Fieber, Unwohlsein und Symptome wie Schnupfen, Husten oder Durchfall ab. Kranksein gehört zur normalen Entwicklung.

## Das Wichtigste in Kürze

1. Zwischen 24 und 30 Monaten ist das Milchzahngebiß vollständig entwickelt.

2. Zahnfäule kann mit den folgenden drei Maßnahmen weitgehend vermieden werden:
   - Zuckerfreie oder mindestens zuckerarme Zwischenmahlzeiten;
   - Fluorprophylaxe;
   - Zähneputzen.

3. Mehr als 90 Prozent der Kinder lutschen in den ersten zwei Lebensjahren. Mit fünf Jahren lutschen noch 35 Prozent der Kinder.

4. Das Lutschen ist für das Kind sinnvoll. Es sollte von den Eltern nicht unterbunden werden.

5. Lutschen am Schnuller führt weniger häufig zu Verformungen von Gebiß und Kiefer als Daumenlutschen. Von Nuckelflaschen ist dringend abzuraten.

6. Durchschnittlich machen die Kinder im zweiten Lebensjahr sechs banale Krankheiten durch; einige weniger als sechs und einige bis zu zwölf Erkältungen.

7. Kranksein gehört zum Gesundsein. Das Abwehrsystem des Kindes muß sich mit den Krankheitserregern in unserer Umwelt auseinandersetzen, was zwangsläufig zu Krankheitssymptomen führt.

# Trocken und sauber werden

# Einleitung

*Jana verkündet der Mutter beim Zubettgehen, daß sie zum Schlafen keine Windeln mehr anziehen wolle. Die Mutter erstaunt die bestimmte Haltung ihrer 34 Monate alten Tochter nicht mehr. Jana war bereits tagsüber selbständig sauber und trocken geworden. Nach einem Augenblick des Zögerns ist sie mit dem Vorschlag ihrer Tochter einverstanden. Am anderen Morgen stellt die Mutter erfreut fest, daß Jana trocken geblieben ist. Die Tochter ist stolz, scheint darob aber weniger erstaunt zu sein als ihre Mutter. Für sie ist das trockene Bett eine Selbstverständlichkeit.*

Ist Jana ein Ausnahmekind, oder können alle Kinder selbständig sauber und trocken werden? Braucht es gar kein Sauberkeitstraining? Unsere Großelterngeneration hatte darauf noch eine eindeutige Antwort: Kinder müssen zur Sauberkeit erzogen werden. Im Verlaufe von zwei Generationen hat sich diese Erziehungshaltung – wie wir in diesem Kapitel sehen werden – grundlegend gewandelt. Die Eltern haben auch heutzutage noch ihren Beitrag zu leisten, damit das Kind sauber und trocken wird. Den Löwenanteil aber erbringt es selbst.

## Vor der Geburt

Ab dem dritten Schwangerschaftsmonat filtriert das ungeborene Kind mit seinen Nieren Flüssigkeit aus dem Blut und produziert damit Urin, der von der Blase in regelmäßigen Abständen in das Furchtwasser entleert wird.

## 0 bis 3 Monate

Manche Leserin und mancher Leser mögen sich schon gefragt haben: Wie kommt es, daß die Mütter in Afrika und in vielen anderen Ländern dieser Welt, die ihre Kinder auf dem Körper herumtragen, von diesen nicht beschmutzt werden? Damit dies nicht geschieht, hat die Natur den folgenden Mechanismus entwickelt: Einige Sekunden bevor der Säugling Urin oder Stuhl ausscheidet, stößt er einen kurzen, charakteristischen Schrei aus und macht mit Körper und Beinchen ruckartige Bewegungen. Durch dieses Signal vorgewarnt, hält die Mutter ihn so weit von ihrem Körper weg, daß sie von Urin und Stuhl nicht beschmutzt wird. Auch unsere Kinder zeigen dieses Verhalten im Neugeborenen- und Säuglingsalter (Duché). Weil wir aber darauf nicht reagieren, verliert sich das Verhalten nach einigen Wochen. Manche zeigen aber noch nach Monaten mit Schreien, motorischer Unruhe oder mimischen Reaktionen an, wenn sie die Blase oder den Darm entleeren müssen.

## 4 bis 10 Monate

Heutzutage beginnen Eltern mit der Sauberkeitserziehung nur noch ausnahmsweise im ersten Lebensjahr. Das war in den 1950er Jahren noch ganz anders (Largo). Einige nahmen das Training bereits in den ersten drei Lebensmonaten auf. Sie hielten ihr Kind über eine Windel, einen Topf oder die WC-Schüssel. Mit sechs Monaten waren es 32 Prozent der Eltern, die ihre Kinder auf den Topf setzten, mit neun Monaten 64 Prozent und mit zwölf Monaten über 90 Prozent.

In den 1960er und 1970er Jahren hat sich das elterliche Verhalten tiefgreifend verändert. Dazu beigetragen hat eine vermehrt kindorientierte Erziehungshaltung und vor allem der technische Fortschritt. Bereits Wäscheschwinge und Waschmaschine haben den Müttern das Windelnwaschen erleichtert. Den eigentlichen Durchbruch brachten aber die Wegwerfwindeln. Der technische Wandel und die veränderte Erziehungshaltung haben dazu geführt, daß der Beginn der Sauberkeitserziehung im Mittel um mehr als

14 Monate hinausgeschoben wurde. War damit eine Verzögerung in der Blasen- und Darmkontrolle verbunden? Nein! Aus den Zürcher Longitudinalstudien wissen wir, daß der riesige Aufwand, den die Großeltern in der Sauberkeitserziehung geleistet haben, nicht den erhofften Erfolg zeigte: Obwohl die Kinder sehr früh und mehrmals pro Tag auf den Topf gesetzt wurden, sind sie nicht früher sauber und trocken geworden als heutzutage.

## 10 bis 24 Monate

Die meisten Eltern beginnen mit der Sauberkeitserziehung im Verlaufe des zweiten Lebensjahres. Einige warten damit bis ins dritte und selbst vierte Lebensjahr.

Welches ist der richtige Zeitpunkt, um die Sauberkeitserziehung aufzunehmen?

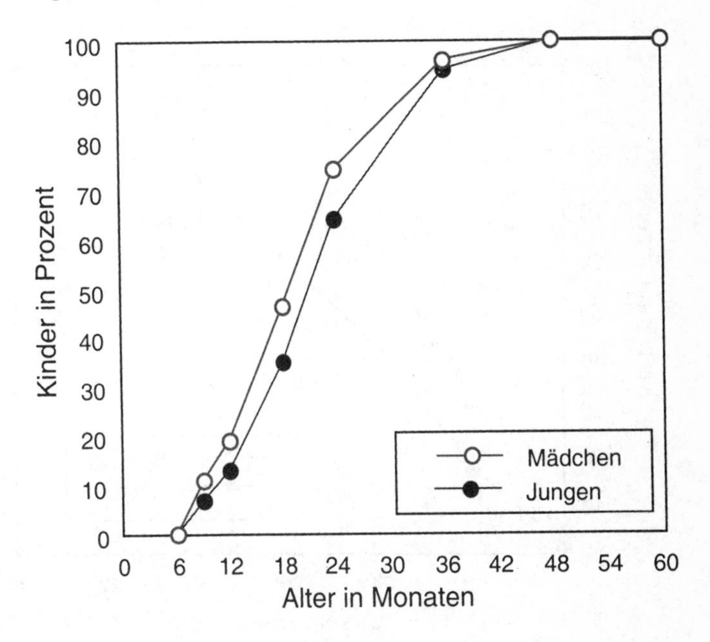


*Beginn der Sauberkeitserziehung. Anteil der Kinder (in Prozent), bei denen mit der Sauberkeitserziehung begonnen wurde.*

# Das Kind lesen

Die Eltern sollten mit der Sauberkeitserziehung so lange zuwarten, bis ihnen ihr Kind signalisiert, daß es bereit ist, sauber und trocken zu werden. Wenn ihm der Drang, die Blase oder den Darm zu entleeren, bewußt wird, drückt es dies in seinem Verhalten aus: Es verzieht sein Gesicht, nimmt eine charakteristische Körperhaltung ein und macht, falls es sich sprachlich ausreichend äußern kann, mit Worten auf den Abgang von Urin und Stuhl aufmerksam. Das bewußte Wahrnehmen der Blasen- und Darmentleerung ist die Voraussetzung, damit das Kind diesen Vorgang willentlich kontrollieren kann.

Läßt sich die Eigeninitiative allenfalls durch frühzeitiges Training fördern? Die Zürcher Studien haben ebenfalls gezeigt, daß das Kind den Urin- und Stuhldrang nicht früher spürt, wenn es sehr früh und häufig auf den Topf gesetzt wird.

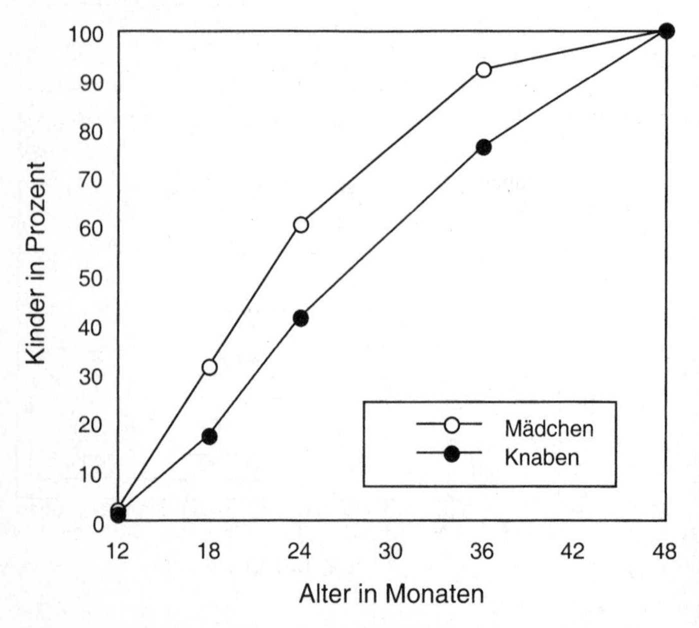


*Entwicklung der Eigeniniative. Anteil der Kinder (in Prozent), die bereit sind, sauber und trocken zu werden.*

Die Eigeninitiative tritt frühestens zwischen 12 und 18 Monaten, bei den meisten Kindern zwischen 18 und 36 Monaten auf. Die Mädchen sind dabei in jedem Alter weiter fortgeschritten als die Knaben, was dazu führt, daß die Mütter die Mädchen auch etwas früher auf den Topf setzen.

Die Eigeninitiative spiegelt das Bedürfnis des Kindes wider, sauber und trocken zu werden. Ein Kind, welches Eigeninitiative zeigt, kann in kürzester Zeit trocken und sauber werden. Für die Eltern ist nun der Zeitpunkt gekommen, die Sauberkeitserziehung in Angriff zu nehmen. Sie haben im wesentlichen zwei Aufgaben: dem Kind Vorbilder zu geben und ihm zur Selbständigkeit zu verhelfen.

## Vorbild sein

Damit ein Kind trocken und sauber wird, braucht es kein Topftraining, sondern Vorbilder. Wenn seine Eigeninitiative erwacht ist, beginnt es Interesse an der Toilette zu zeigen. Es will dabeisein, wenn die Eltern und Geschwister auf die Toilette gehen. Wenn ihm die Familie dazu Gelegenheit gibt, kann es lernen, wie dieses Geschäft verrichtet wird. Kinder, die wie Jana ältere Geschwister haben, haben es am leichtesten. Sie schauen sich bei ihnen das Verhalten auf der Toilette ab. Schwierigkeiten gibt es für ein Erstgeborenes, wenn ihm seine Eltern als Vorbilder nicht zur Verfügung stehen. Wenn die Eltern die Toilettentüre hinter sich schließen und ihrem Kind damit jede Möglichkeit zum Nachahmen nehmen, haben sie für ihre Diskretion einen unnötigen Mehraufwand zu leisten: Sie müssen – für sie und das Kind mühselig – ihm das Verhalten »anerziehen«.

Die Eltern haben neben der Vorbildfunktion noch eine weitere Aufgabe: Sie sollen ihr Kind in seinem Bestreben, selbständig zu werden, unterstützen. Es geht dabei um die folgenden praktischen Hilfen:

- Das Kind soll sich ohne fremde Hilfe von den Kleidern freimachen und diese auch wieder anziehen können. Am besten eignet sich dafür eine Hose mit einem elastischen Bund. Knöpfe, Reißverschlüsse und Träger dagegen behindern es.

*Kind auf Topf, Vater auf Toilette*

- Die Hose runterziehen kann das Kind zumeist problemlos. Was ihm häufig Schwierigkeiten bereitet, ist, die Hose wieder hochzuziehen, weil der Hosenbund am Hinterteil ansteht. Wenn die Eltern es dazu anleiten, mit einer Hand den Hosenbund hinten zu fassen, kann es die Hose mühelos hochziehen.
- Manche Kinder wollen nicht auf den Topf gesetzt werden, sondern das Klo benützen. Eltern und Geschwister gehen schließlich auch nicht auf den Topf. Ein Kleinkind fühlt sich aber auf dem Klo oft ungemütlich, weil es Angst davor hat, in das Klo, nach vorne oder seitlich zu fallen. Wenn die Öffnung des Klos mit einem Ring verkleinert wird und das Kind seine Füße auf einem Schemel abstützen und sich seitlich festhalten kann, wird es entspannt sein Geschäft verrichten können.

## Wie geht es weiter?

Nur einige wenige Kinder sind am Ende des zweiten Lebensjahres bereits sauber und trocken. Die meisten werden es erst im Verlaufe des dritten und vierten Lebensjahres.

Eine vollständige Darmkontrolle entwickelt sich bei der Hälfte der Kinder im dritten Lebensjahr. Zu Beginn des fünften Lebensjahres sind etwas mehr als 90 Prozent der Kinder sauber. Immerhin machen auch in diesem Alter immer noch fast zehn Prozent gelegentlich ihren Stuhl in die Hosen oder Windeln.

Die Blasenkontrolle tagsüber entwickelt sich etwa im gleichen Alter wie die Darmkontrolle. Beim einzelnen Kind setzt sie meistens etwas später ein als die Darmkontrolle.

Für die Eltern kann es eine Geduldsprobe werden, wenn das Kind bis ins vierte Lebensjahr hinein keine Eigeninitiative zeigt.

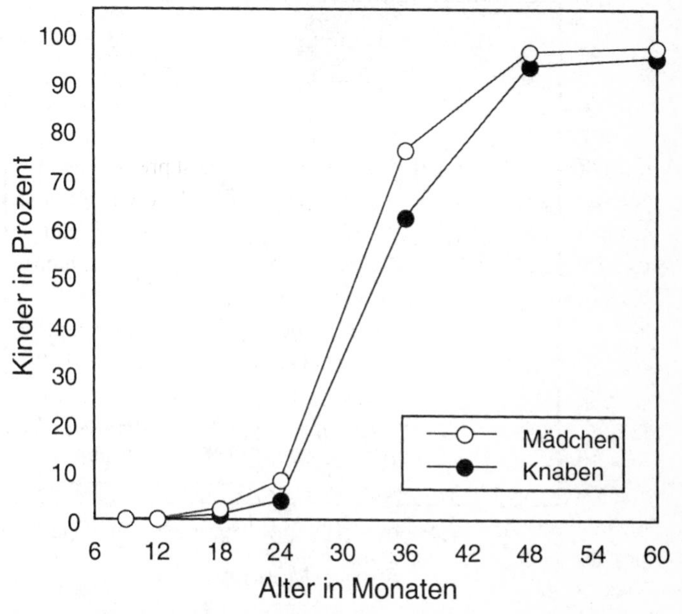


*Entwicklung der vollständigen Darmkontrolle. Anteil der Kinder (in Prozent), die vollständig sauber sind.*

Sie sollten sich aber nicht verunsichern lassen. Wie auf den Abbildungen zu ersehen ist, wird etwa ein Viertel der Kinder erst in diesem Alter sauber und trocken. Und vor allem: Mit Training läßt sich der Reifungsprozeß der Darm- und Blasenkontrolle nicht beschleunigen!

Können die Eltern den richtigen Zeitpunkt für die Sauberkeitserziehung allenfalls verpassen? Dies scheint in der Tat vorzukommen, nämlich dann, wenn sie nicht adäquat auf ihr Kind reagieren. Wenn es mit seinem Verhalten zeigt, daß es bereit ist, sauber und trocken zu werden, müssen die Eltern ihm helfen, selbständig zu werden, und es nicht weiterhin in seinen Windeln herumlaufen lassen. Die Annahme, es würde eines Tages der Windel von selbst überdrüssig, ist falsch. Das Gegenteil ist der Fall: Das Kind gewöhnt sich daran, bewußt und willentlich in die Windeln zu machen. Ein Verhalten, das später nur mit großem Aufwand zu verändern ist.

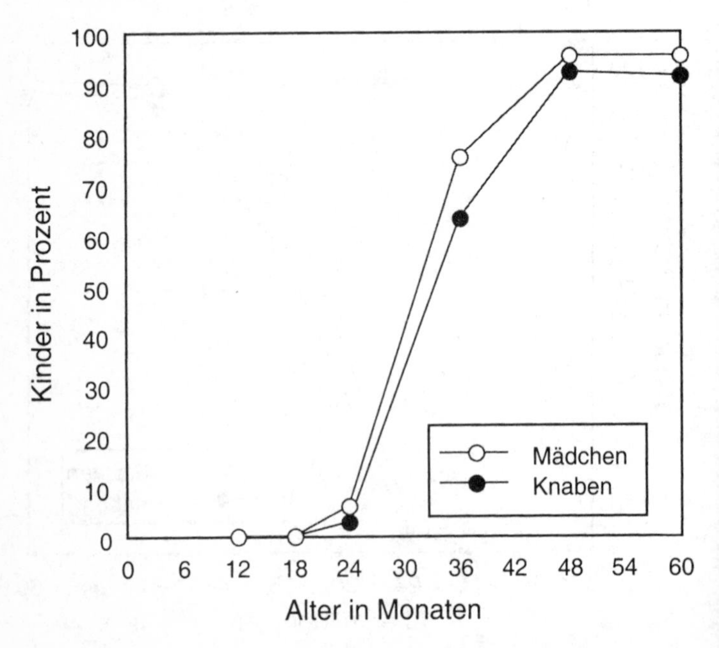


*Entwicklung der Blasenkontrolle tagsüber. Anteil der Kinder (in Prozent), die tagsüber vollständig trocken sind.*

Die Blasenkontrolle nachts stellt sich bei den meisten Kindern nach der Darm- und Blasenkontrolle tagsüber ein. 50 Prozent der Kinder werden erst im Verlauf des vierten Lebensjahres trocken. Im Kindergartenalter nässen mehr als zehn Prozent der Kinder, mehr Jungen als Mädchen, nachts gelegentlich ein. Häufig liegt dabei eine familiäre Reifungsverzögerung vor. Ein Elternteil und andere Verwandte sind ebenfalls erst spät nachts trocken geworden.

Die Sauberkeitserziehung ist für die Eltern wenig aufwendig, wenn sie sich auf ihr Kind einstellen: Es bestimmt den Zeitpunkt, an dem es sauber und trocken werden will. Sie unterstützen es mit ihrem Vorbild und in praktischen Belangen. Das Kind sollte möglichst aus eigener Kraft selbständig werden. So wird sein Selbstwertgefühl am meisten gestärkt.

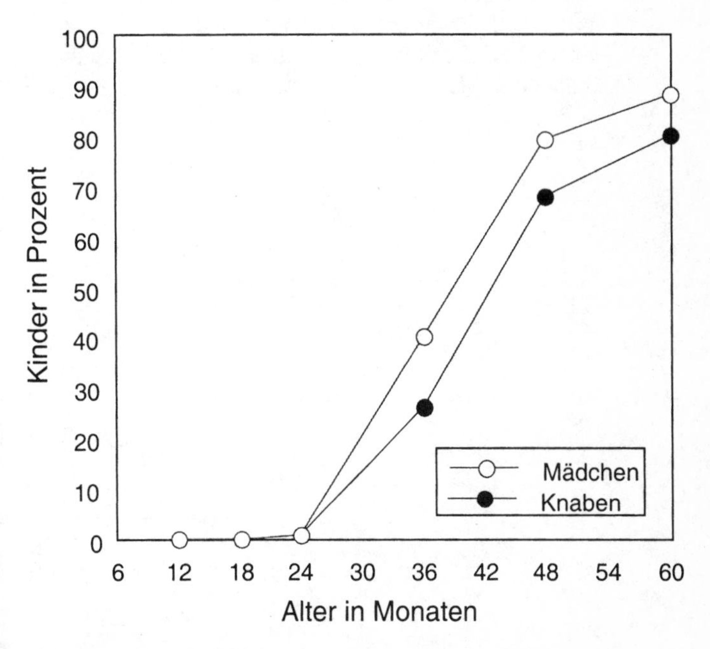


*Entwicklung der Blasenkontrolle nachts. Anteil der Kinder (in Prozent), die nachts vollständig trocken sind.*

## Das Wichtigste in Kürze

1. Das Alter, in dem die Kinder trocken und sauber werden, ist sehr unterschiedlich. Es wird durch die individuelle Reifung bestimmt.

2. Ein früher Beginn und eine hohe Intensität der Sauberkeitserziehung beschleunigt die Entwicklung der Blasen- und Darmkontrolle nicht.

3. Das Kind zeigt mit seiner Eigeninitiative an, wann es bereit ist, trocken und sauber zu werden.

4. Die Eigeninitiative signalisiert, daß das Kind den Urin- und Stuhldrang bewußt wahrnimmt und nun auch kontrollieren kann.

5. Um sauber und trocken zu werden, braucht das Kind kein Sauberkeitstraining, sondern Vorbilder zum Nachahmen und Unterstützung in seinem Bestreben, selbständig zu werden.

# Anhang

# Meilensteine der ersten 2½ Lebensjahre

| | Datum | Alter | Bemerkungen |
|---|---|---|---|
| **0 – 6 Monate** | | | |
| Lächelt | | | |
| Schläft nachts durch (6-8 Stunden) | | | |
| Dreht sich vom Bauch auf den Rücken | | | |
| Lacht | | | |
| Greift mit Händen | | | |
| Ißt Brei | | | |
| **6 – 12 Monate** | | | |
| Robbt | | | |
| Kriecht | | | |
| Ahmt laut nach | | | |
| Sitzt frei | | | |
| Steht auf | | | |
| Pinzettengriff | | | |
| Winkt | | | |
| Gugu-Dada | | | |
| Fremdelt | | | |
| **12 – 18 Monate** | | | |
| Ahmt einfache Handlungen nach | | | |
| Schaut Bilderbüchlein an | | | |
| Füllt und entleert Behälter | | | |
| Geht frei | | | |
| Sagt Mama, Papa | | | |
| Erste Wörter | | | |
| Kennt Körperteile wie Augen oder Mund | | | |
| Baut Turm | | | |
| Ißt vom Tisch | | | |
| **18 – 30 Monate** | | | |
| Spielt mit Puppe | | | |
| Spielt mit Lego, Bauklötzen | | | |
| Verwendet Vornamen | | | |
| Gebraucht Ichform | | | |
| Verwendet Mehrzahl | | | |
| Fährt Dreirad | | | |
| Steigt allein Treppe hinauf | | | |
| Steigt allein Treppe hinunter | | | |
| Trinkt aus Glas oder Becher | | | |
| Ißt selbständig mit Löffel | | | |
| Zieht Kleidungsstücke aus | | | |
| Zieht Kleidungsstücke an | | | |

# Gewichts- und Längentabellen

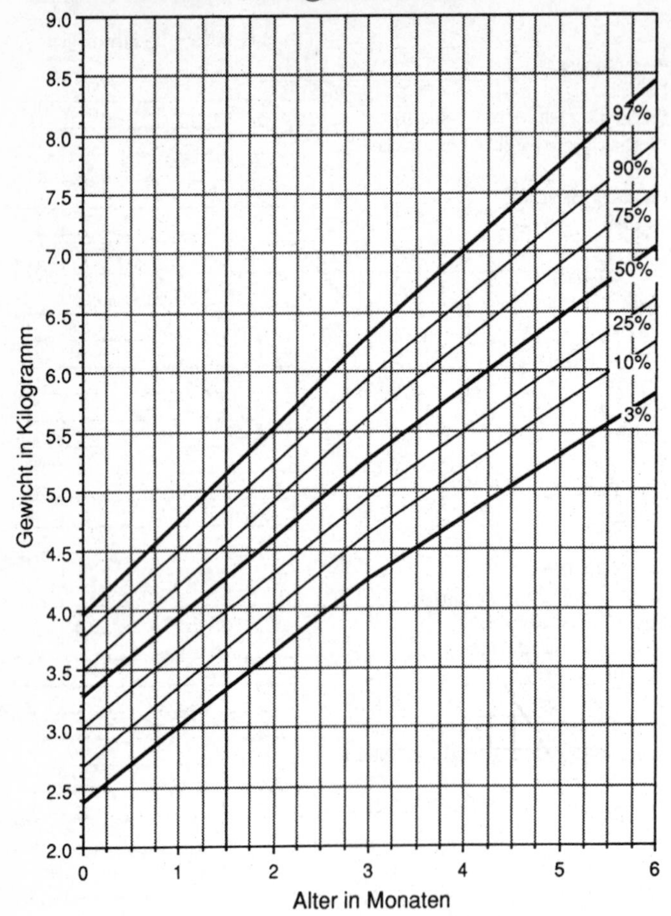


Gewicht Mädchen Geburt bis 6 Monate

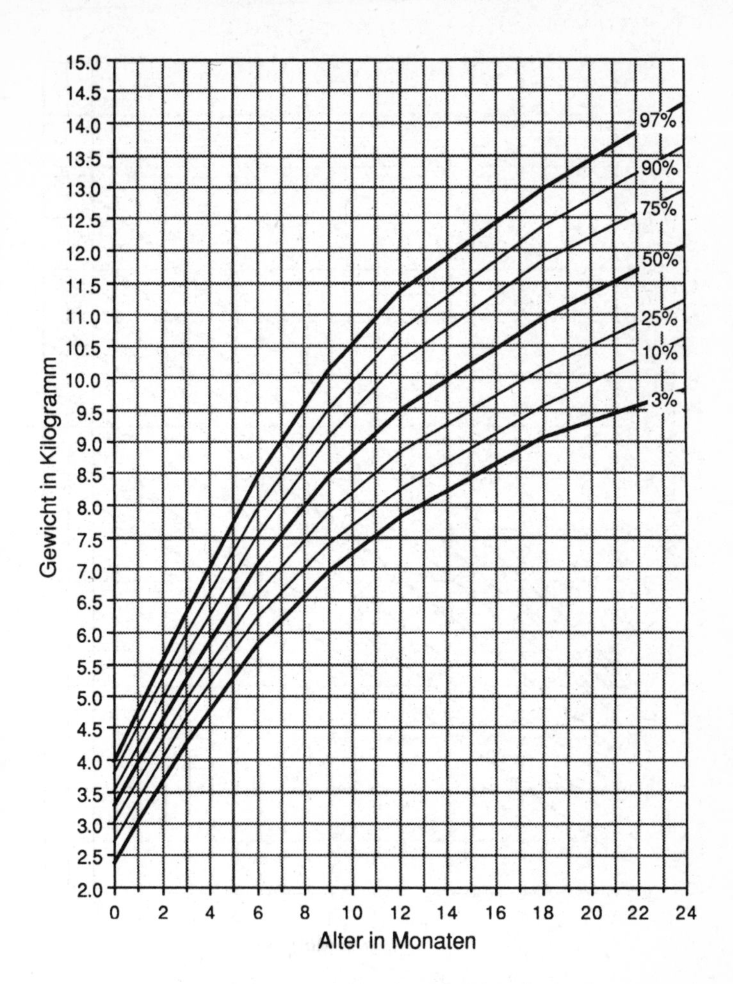


Gewicht Mädchen 0 bis 24 Monate

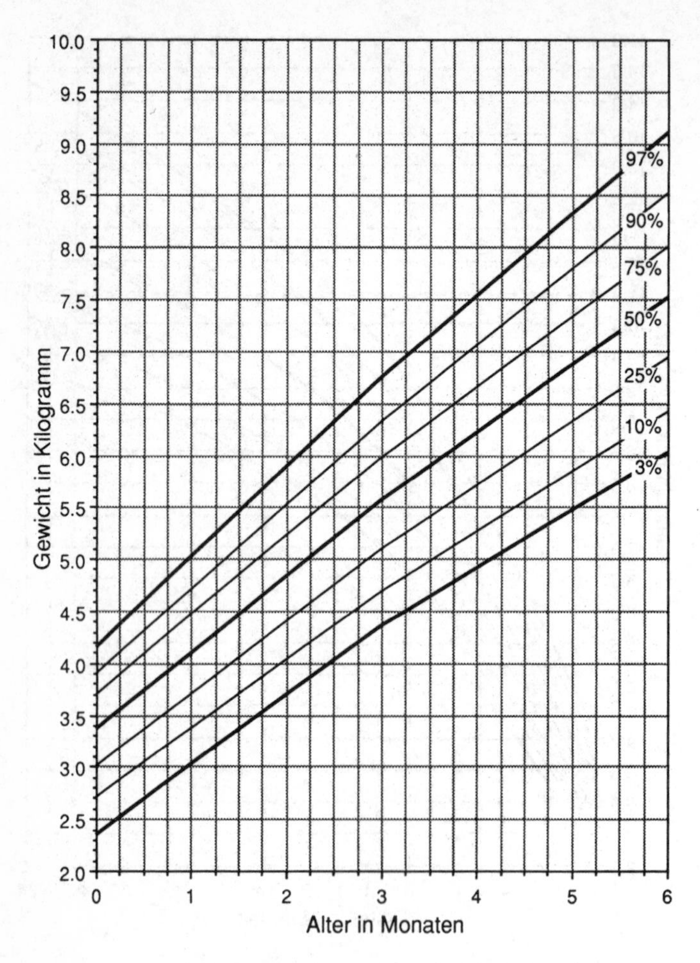


Gewicht Jungen Geburt bis 6 Monate

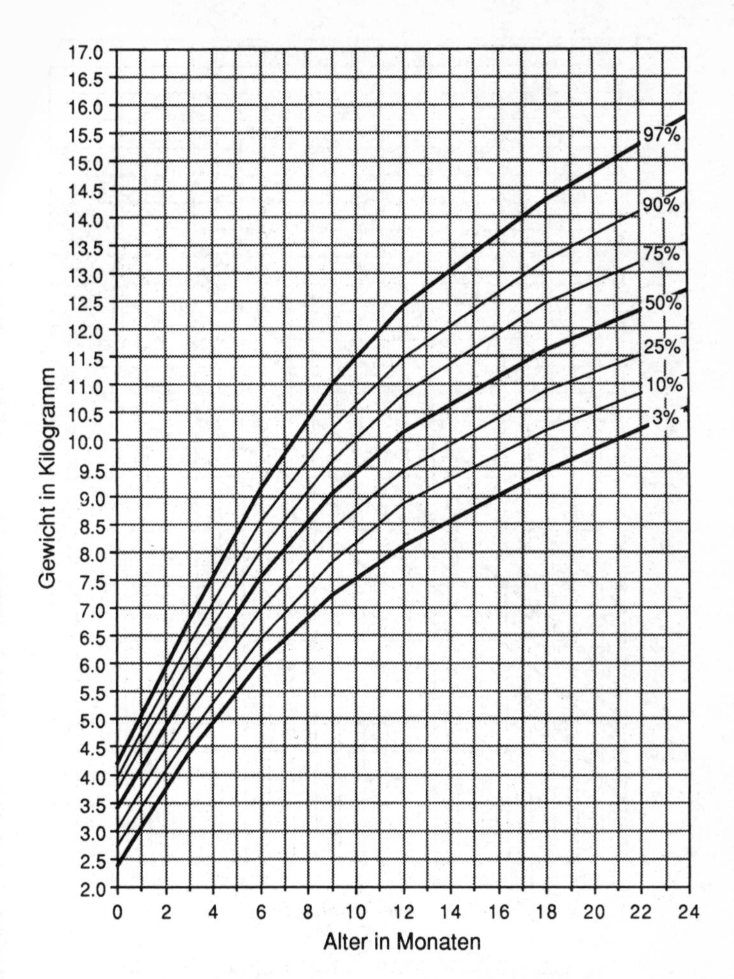


Gewicht Jungen 0 bis 24 Monate

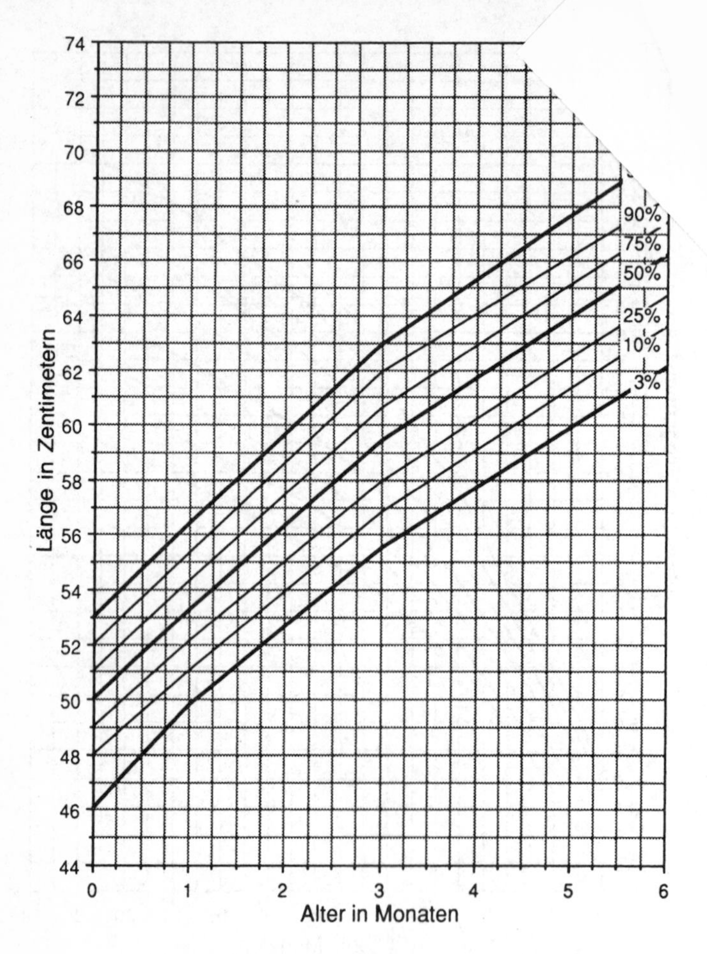


Länge Mädchen Geburt bis 6 Monate

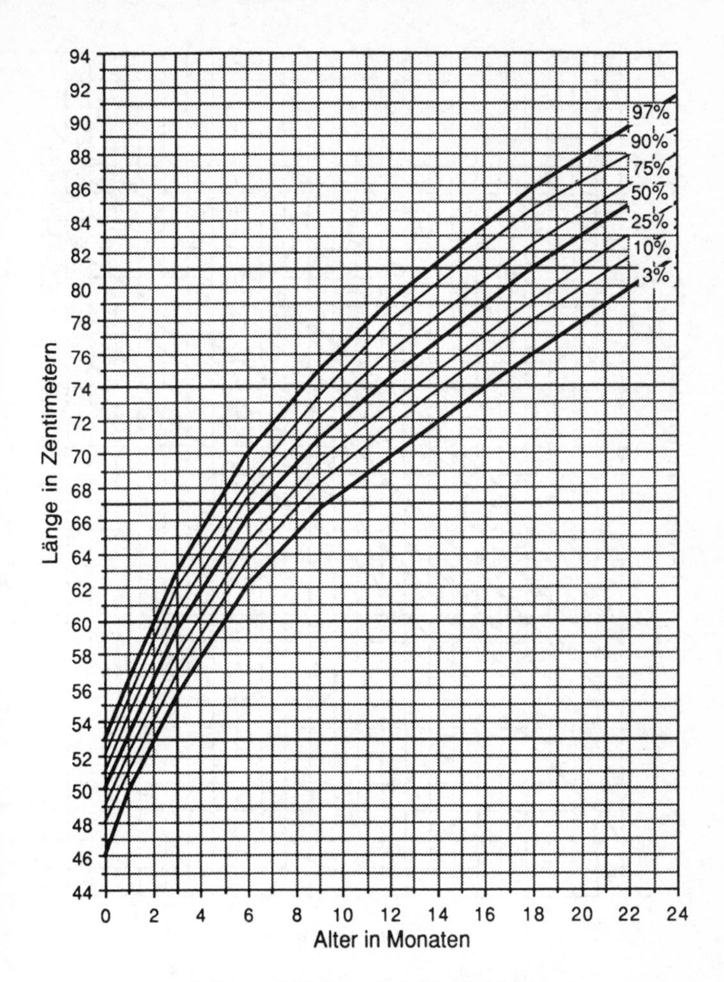


Länge Mädchen 0 bis 24 Monate

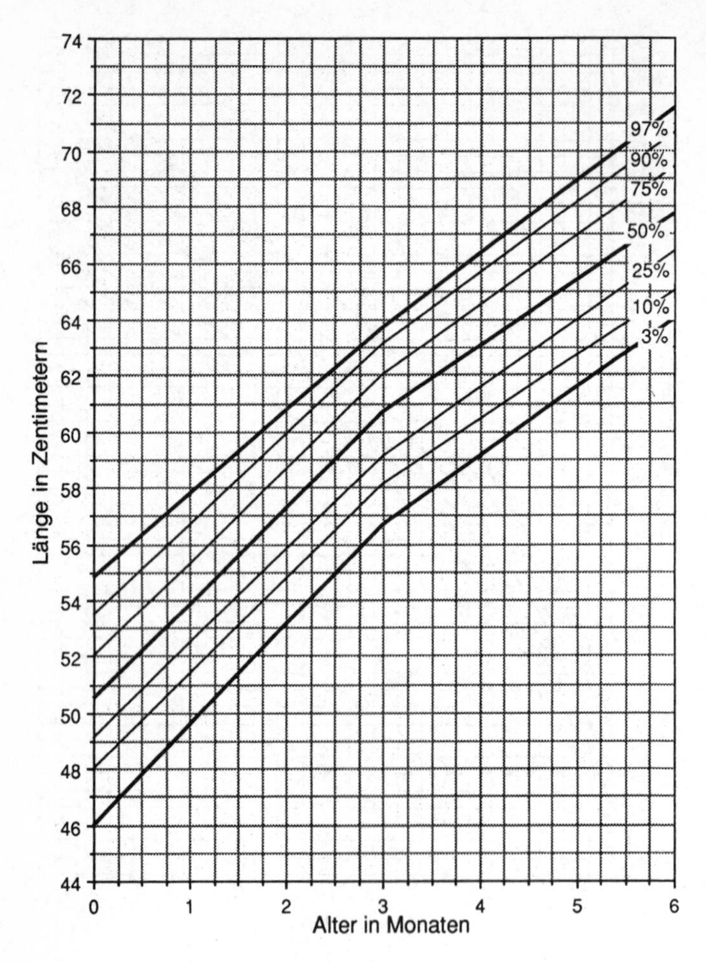


Länge Jungen Geburt bis 6 Monate

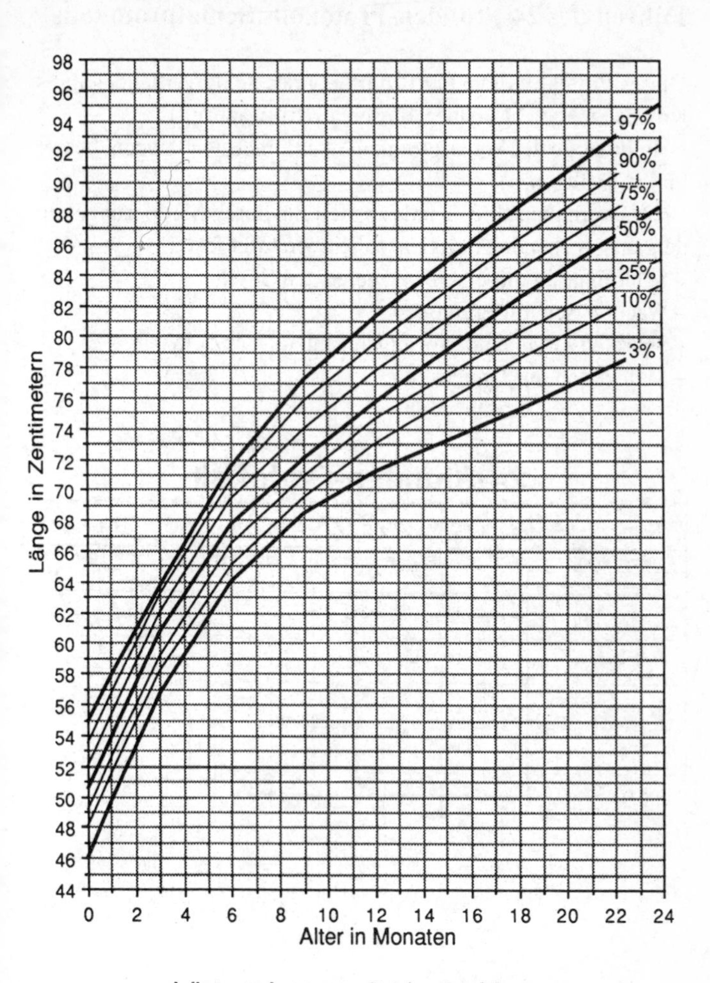


Länge Jungen 0 bis 24 Monate

## Führen des 24-Stunden-Protokolls/Schlafprotokolls

Dieses Protokoll dient der Ermittlung des Schlafverhaltens Ihres Kindes (z. B. Schlafdauer, Einschlaf-/Aufwachzeit).

Führen Sie das Schlafprotokoll über mindestens sieben, besser bis zu 14 Tagen.

Das Verhalten Ihres Kindes halten Sie durch Markierungen in den entsprechenden Stundenspalten wie folgt fest: (———)

- Schlafphasen mit einem waagerechten Strich:
- Wachphasen mit Freilassen
- Schreien mit mäanderförmigen Linien: (∿∿)
- Mahlzeiten mit Dreiecken: ( ▽ )

### 24-Stunden-Protokoll

Name Stefan Hagendorff-Muster Geburtsdat

| Uhrzeit ▶ / Datum ▼ | $6^{00}$ | $7^{00}$ | $8^{00}$ | $9^{00}$ | $10^{00}$ | $11^{00}$ | $12^{00}$ | $13^{00}$ | $14^{00}$ | $15^{00}$ | $16^{00}$ | 17 |
|---|---|---|---|---|---|---|---|---|---|---|---|---|
| 29.3 | | | | | | | | | | | | |
| 30.3 | | | | | | | | | | | | |
| 31.3 | | | | | | | | | | | | |
| 1.4 | | | | | | | | | | | | |
| 2.4 | | | | | | | | | | | | |

# 24-Stunden-Protokoll

Name ______________________ Geburtsdatum ______________ Alter ______________

| Uhrzeit ▶ / Datum ▼ | $6^{00}$ | $7^{00}$ | $8^{00}$ | $9^{00}$ | $10^{00}$ | $11^{00}$ | $12^{00}$ | $13^{00}$ | $14^{00}$ | $15^{00}$ | $16^{00}$ | $17^{00}$ | $18^{00}$ | $19^{00}$ | $20^{00}$ | $21^{00}$ | $22^{00}$ | $23^{00}$ | $24^{00}$ | $1^{00}$ | $2^{00}$ | $3^{00}$ | $4^{00}$ | $5^{00}$ |
|---|---|---|---|---|---|---|---|---|---|---|---|---|---|---|---|---|---|---|---|---|---|---|---|---|
| | | | | | | | | | | | | | | | | | | | | | | | | |
| | | | | | | | | | | | | | | | | | | | | | | | | |
| | | | | | | | | | | | | | | | | | | | | | | | | |
| | | | | | | | | | | | | | | | | | | | | | | | | |
| | | | | | | | | | | | | | | | | | | | | | | | | |
| | | | | | | | | | | | | | | | | | | | | | | | | |
| | | | | | | | | | | | | | | | | | | | | | | | | |
| | | | | | | | | | | | | | | | | | | | | | | | | |
| | | | | | | | | | | | | | | | | | | | | | | | | |
| | | | | | | | | | | | | | | | | | | | | | | | | |
| | | | | | | | | | | | | | | | | | | | | | | | | |
| | | | | | | | | | | | | | | | | | | | | | | | | |
| | | | | | | | | | | | | | | | | | | | | | | | | |
| | | | | | | | | | | | | | | | | | | | | | | | | |
| Uhrzeit ▶ | $6^{00}$ | $7^{00}$ | $8^{00}$ | $9^{00}$ | $10^{00}$ | $11^{00}$ | $12^{00}$ | $13^{00}$ | $14^{00}$ | $15^{00}$ | $16^{00}$ | $17^{00}$ | $18^{00}$ | $19^{00}$ | $20^{00}$ | $21^{00}$ | $22^{00}$ | $23^{00}$ | $24^{00}$ | $1^{00}$ | $2^{00}$ | $3^{00}$ | $4^{00}$ | $5^{00}$ |

Schlafphasen ( ——— ) Wachphasen (Freilassen) Schreien ( ∿∿∿ ) Mahlzeiten ( ▽ )

# Literaturverzeichnis

## Einführung

Ernst, C., von Luckner, N.: *Stellt die Frühkindheit die Weichen?* Stuttgart 1985

Piaget, J.: »Das Erwachen der Intelligenz beim Kinde«, in: ders.: *Gesammelte Werke 1* (Studienausgabe). Stuttgart 1975

Rutter, M.: »Separation, loss and family relationships«, in: Rutter, M., Hersov, L. (Hg.): *Child Psychiatry.* Oxford 1976

## Beziehungsverhalten

Ahrens, R.: »Beitrag zur Entwicklung des Physiognomie- und Mimikerkennens«, in: *Zeitschrift für Experimentelle und Angewandte Psychologie* 2/1954, 412–454, 599–633

Bischof-Köhler, D.: *Spiegelbild und Empathie.* Bern 1989

Bowlby, J.: *Attachment and Loss.* 1: Attachment. New York 1969

Bowlby, J.: *Attachment and Loss.* 2: Separation. New York 1975

Eibl-Eibesfeldt, I.: *Grundriß der vergleichenden Verhaltensforschung.* München 1974

Emde, R. N., Harmon, R. J.: »Endogenous and exogenous smiling system in early infancy«, in: *Journal of the American Academy of Child Psychiatry* 11/1972, 177–200

Erikson, E. H.: *Kindheit und Gesellschaft.* Stuttgart 1971

Fantz, R. L.: »Visual perception from birth as shown by pattern selectivity«, in: *Annual New York Academic Science* 118 (21) 1965, 793–814

Field, T.: »Interaction behaviors of primary versus secondary caretaker fathers«, in: *Developmental Psychology* 14/1978, 183–184

Gaddini, R.: »Transitional objects and the process of individuation: a study in three different social groups«, in: *Journal of the American Academy of Child Psychiatry* 9/1970, 347–365

Gallup, G. G.: »Self-recognition in primates«, in: *American Psychologist* 32/1977, 329–338

Hong, K. M., Townes, B. D.: »Infants' attachment to inanimate objects«, in: *Journal of the American Academy of Child Psychiatry* 15/1976, 49–61

Izard, C. E.: »The emergence of emotions and the development of consciousness in infancy«, in: Davidson, J. M., Davidson, R. J. (Hg.): *The psychobiology of consciousness*. New York 1980, 193–216

Klaus, M. G., Kennell, J. H.: *Maternal-Infant Bonding.* St. Louis 1976
Konner, M.: »Relations among infants and juveniles in comparative perspective«, in: Lewis, M., Rosenblum, L. A. (Hg.): *Friendship and Peer Relations.* New York 1975
Lamb, M. E. »Father-infant and mother-infant interaction in the first year of life«, in: *Child Development* 48/1977, 167–181
Lewis, M., Brooks-Gunn, J.: *Social Cognition and the Acquisition of Self.* New York 1979
MacFarlane, A.: *Olfaction in the developments of social preferences in the human neonate. Parent-Infant Interaction.* (CIBA Foundation Symposium 33) Amsterdam 1975
Mahler, M. S.: *Symbiose und Individuation* 1. Stuttgart 1979
Maurer, D.: »Infants' perception of facedness«, in: Field, T. M., Fox, N. A. (Hg.): *Social perceptions in infants*. Norwood 1985, 73–100.
Melzoff, A., Moore, M. K.: »Imitations of facial and manual gestures by human neonates«, in: *Science* 198/1977, 75–78
Molcho, S.: *Körpersprache*. München 1986
Montagu, A.: *Körperkontakt*. Stuttgart 1982
Morris, D.: *Manwatching*. Granada 1982
Morris, D.: *Körpersignale. Bodywatching.* München 1986
Parke, R. D.: »Perspectives on father-infant interaction«, in: Osofsky, J. D. (Hg.): *The Handbook of Infant Development.* New York 1978
Prechtl, H. F. R.: *Continuity of Neural Functions from Prenatal to Postnatal Life*. Oxford 1984
Providence, S., Lipton, R. C.: *Infants in Institutions.* New York 1962
Quinton, D., Rutter, M.: »Early hospital admissions, and later disturbances of behavior. An attempted replication of Douglas' findings«, in: *Developmental Medicine and Child Neurology* 18/1976, 447–459
Rutter, M.: »Separation, loss and family relationships«, in: Rutter, M., Hersov, L. (Hg.): *Child Psychiatry*. Oxford 1976
Scarr, S.: »Developmental theories for the 1990s. Development and individual differences«, in: *Child Development* 63/1992, 1–19
Stern, D.: *The First Relationship. Infant and Mother*. London 1977
Svejda, M. J., Pannabecher, B. J., Emde, R. N.: »Parent-to-infant attachment. A critique of the early ›bonding‹ model«, in: Emde, R. N., Harrison, R. J. (Hg.): *The development of attachment and affiliative systems.* New York 1982
Szasz, S.: *Körpersprache der Kinder.* Bergisch Gladbach 1979
Szasz, S., Taleporos, E.: *Körpersprache unter Geschwistern.* Bergisch Gladbach 1985

Watzlawick, P., Beavin, J. H., Jackson, D. D.: *Menschliche Kommunikation.* Bern 1974

Winnicott, D. W.: »Transitional objects and transitional phenomena«, in: *International Journal of Psychoanalysis* 34/1953, 666–682

Zahn-Waxler, C., Radke-Yarrow, M., Kind, R. A:. »Child rearing and children's prosocial initiations toward victims of distress«, in: *Child Development* 50/1979, 319–330

## Motorik

Largo, R. H., Weber, M., Comenale-Pinto, L., Duc, G.: »Early development of locomotion. Significance of prematurity, cerebral palsy and sex«, in: *Developmental Medicine and Child Neurology* 27/1985, 183–191

Leboyer, F.: *Sanfte Hände. Die traditionelle Kunst der indischen Baby-Massage.* München 1983

Montagu, A.: *Körperkontakt.* Stuttgart 1982

Pikler, E.: *Laß mir Zeit. Die selbständige Bewegungsentwicklung des Kindes bis zum freien Gehen.* München 1988

Prechtl, H. F. R.: »Beurteilung fetaler Bewegungsmuster bei Störungen des Nervensystems«, in: *Gynäkologe* 21/1988, 130–134

## Schlafverhalten

Basler, K., Largo, R. H., Molinari, L.: »Die Entwicklung des Schlafverhaltens in den ersten fünf Lebensjahren«, in: *Helvetica Paediatrica Acta* 35/1980, 211–223

Bühler, M., Largo, R. H.: »Aspekte des Schlafverhaltens zwischen 2 und 18 Jahren« (Longitudinalstudie), in: *Helvetica Paediatrica Acta* 36/1981, 533–541

Grunwaldt, E., Bates, T., Guthrie, D.: »The onset of sleeping through the night in preschool children«, in: *Journal of Child Psychology and Psychiatry* 21/1960, 5–17

Haslam, D.: *Schlaflose Kinder – unruhige Kinder.* München 1985

Hellbrügge, Th.: »Zeitliche Strukturen in der kindlichen Entwicklung«, in: *Monatsschrift für Kinderheilkunde* 113/1965, 252–262

Klackenberg, G.: »A prospective longitudinal study of children. Data on psychic health and development up to 8 years of age«, in: *Acta Paediatrica Scandinavica.* Supplementum 224/1971

Largo, R. H., Hunziker, U.: »A developmental approach in the management of children with sleep disturbances in the first three years of life«, in: *European Journal of Pediatrics* 142/1984, 170–173

Linden, K. J.: *Schlaf und Pharmakon*. Grenzach 1979
Peiper, A.: *Cerebral Function in Infancy and Childhood.* New York 1963
Roffwarg, H. P., Muzio, J. N., Dement, W. C.: »Ontogenetic development of the human sleep-dream cycle«, in: *Science* 152/1966, 604–619
Winfree, A. T.: *Biologische Uhren. Zeitstrukturen des Lebendigen.* Heidelberg 1988

## Schreiverhalten

Barr, R. G., Bakeman, R., Konner, M., Adamson, L.: »Crying in !Kung infants. Distress signals in a responsive context«, in: *American Journal of Diseases of Children* 141/1987, 386
Bell, S. M., Ainsworth, D. S.: »Infant crying and maternal responsiveness«, in: *Child Development* 43/1972, 1171–1190
Brazelton, T. B.: »Crying in infancy«, in: *Pediatrics* 29/1962, 579–588
Hunziker, U., Barr, R. G.: »Increased carrying reduces infant crying. A randomized controlled trial«, in: *Pediatrics* 77/1986, 641–648
Peiper, A.: *Cerebral Function in Infancy and Childhood.* New York 1964
Wasz-Höckert, O., Lind, J., Vuorenkoski, V., Partanen, T., Valanne, E.: »The Infant Cry. A Spectrographic and Auditory Analysis«, in: *Clinics in Developmental Medicine* 29/1968

## Spielverhalten

Dixon, S., Yogman, M. W., Tronick, E., Als, H., Adamson, L., Brazelton, T. B.: »Early social interaction of infants with parents and strangers«, in: *Journal of the American Academy of Child Psychiatry* 20/1981, 32
Ernst, C., von Luckner, N.: *Stellt die Frühkindlichkeit Weichen?* Stuttgart 1985
Held, R., Bauer, T.: »Visually guided reaching in infant monkeys after restricted rearing«, in: *Science* 155/1967, 718–720
Largo, R. H., Howard, J. A.: »Developmental progression in play behavior of children between nine and thirty months. I. Spontaneous play and imitation«, in: *Developmental Medicine and Child Neurology* 21/1979 (a), 299–310
Largo, R. H., Howard, J. A.: »Developmental progression in play behavior of children between nine and thirty months. II. Spontaneous play and language development«, in: *Developmental Medicine and Child Neurology* 21/1979 (b), 311

Papousek, H., Papousek, M.: »Early ontogeny of human social interaction: its biological roots and social dimensions«, in: Cranach, M. V., Foppa, K., Lepenies, W., Ploog, D. (Hg.): *Human Ethology. Claims and Limits of a New Discipline.* Cambridge 1979 (a)

Papousek, H., Papousek, M.: »The infant's fundamental adaptive response system in social interaction«, in: Thoman, E. B. (Hg.): *Origins of the Infant's Social Responsiveness*. Hillsdale N. J. 1979 (b)

Papousek, H., Papousek, M.: »Lernen im ersten Lebensjahr«, in: Montada, L. (Hg.): *Brennpunkte der Entwicklungspsychologie.* Stuttgart 1979 (c), 194–212

Piaget, J.: *Sprechen und Denken des Kindes*. Düsseldorf 1972

Piaget, J.: »Das Erwachen der Intelligenz beim Kinde«, in: ders.: *Gesammelte Werke 1*. Studienausgabe. Stuttgart 1975 (a)

Piaget, J.: »Nachahmung, Spiel und Traum«, in: ders.: *Gesammelte Werke 5*. Studienausgabe. Stuttgart 1975 (b)

Prechtl, H. F. R.: »Beurteilung fetaler Bewegungsmuster bei Störungen des Nervensystems«, in: *Gynäkologe* 21/1988, 130–134

Rose, S. A., Gottfried, A. W., Bridger, W. H.: »Cross-modal transfer in 6-month-old infants«, in: *Developmental Psychology* 17/1981, 661–669

Scarr, S.: *Wenn Mütter arbeiten.* München 1987

Stern, D.: *Mutter und Kind. Die erste Beziehung.* Stuttgart 1979

Vienne, G., Collet, J. Y.: *Le peuple singe.* Paris 1989

Watson, J.: »Smiling, cooing and ›the Game‹«, in: Bruner, J. S., Jolly, A., Sylva, K.: *Play*. New York 1972

## Sprachentwicklung

Bast, T. H.: »Ossification of the otic capsule in human fetuses«, in: *Contribution to Embryology* 121/1930, 53–82

Bloom, L.: »Das Sprechen lernen«, in: Prillwitz, B., Jochen, B., Stosch, E. (Hg.): *Der kindliche Spracherwerb.* Braunschweig 1975

Cadzen, C.: *Child language and education*. New York 1972

Chomsky, N.: *Aspects of the Theory of Syntax.* Cambridge/Mass. 1967

Eimas, P. D., Siqueland, E. R., Jusczyk, P., Vigorito, J.: »Speech Perception in infants«, in: *Science* 171/1971, 303

Kantorowicz, E.: *Kaiser Friedrich der Zweite.* 6. Aufl. Stuttgart 1985

Kimura, D.: »Cerebral dominance and the perception of verbal stimuli«, in: *Canadian Journal of Psychology* 15/1961, 166

Largo, R. H., Howard, J. A.: »Developmental progression in play behavior of children between nine and thirty months. II. Spontaneous play and

language development«, in: *Developmental Medicine and Child Neurology* 21/1979, 492
Largo, R. H., Comenale Pinto, L., Weber, M., Molinari, L., Duc, G.: »Language development during the first five years of life in term and preterm children. Significance of pre-, peri- and postnatal events«, in: *Developmental Medicine and Child Neurology* 28/1986, 33–350
Lassen, N. A., Ingvar, D. H., Skintzoi, E.: »Hirnfunktion und Hirndurchblutung«, in: *Spektrum der Wissenschaft: Gehirn und Nervensystem*, 2. Aufl. 1983
Leiberman, A., Sohmer, H., Szabo, G.: »Cochlear audiometry (electrocochleography) during the neonatal period«, in: *Developmental Medicine and Child Neurology* 15/1973, 8–13
Lenneberg, E. H.: *Biological Foundation of Language.* New York 1967
Lisker, L., Abramson, A. S.: »The voicing dimensions. Some experiments in comparative phonetics« (Proceedings of the sixth International Congress of Phonetic Sciences, Prague 1967), in: *Academia*. Prag 1970, 563
Nelson, K.: »Structure and strategy in learning to talk«, in: *Monographs of the Society for Research in Child Development* 38/1973 (1–2 Serial No. 149)
Penfield, W., Roberts, L.: *Speech and Brain Mechanisms.* Princeton 1959
Piaget, J.: *Sprechen und Denken des Kindes*. Düsseldorf 1972
Premack, D., Premack, A.: *The Mind of an Ape*. New York 1983
Szagun, G.: *Sprachentwicklung beim Kind.* München 1988
Weir, R. H.: »Some questions on the child's learning of phonology:, in: Smith, F., Miller, G.: *The genetics of language*. Cambridge/Mass. 1966, 153

## Trinken und Essen

Birch, L. L., Johnson, S. L., Andresen, G., Peters, J. C., Schulte, M. C.: »The variability of young children's energy intake«, in: *New England Journal of Medicine* 324/1991, 232–235
Fomon, S. J., Owen, G. M., Thomas, L. N.: »Milk or formula volume ingested by infants fed ad libitum«, in: *American Journal of Disease in Children* 108/1964, 601
Klaus, M. G., Kennell, J. H.: *Maternal-Infant Bonding*. St. Louis 1976
MacFarlane, J. A.: *In Parent-infant interaction* (Ciba Foundation Symposium). Amsterdam 1975
Neifert, M. R., Seacat, J. M.: »Medical management of sucessful breastfeeding«, in: *Pediatric Clinics of North America* 33/1986, 743–762

Portmann, A.: *Das Tier als soziales Wesen.* Zürich 1953
Prechtl, H. F. R.: »Beurteilung fetaler Bewegungsmuster bei Störungen des Nervensystems«, in: *Gynäkologe* 21/1988, 130–134
Stolley, H., Kersting, M., Droese, W.: »Energie- und Nährstoffbedarf von Kindern im Alter von 1 bis 14 Jahren«, in: *Ergebnisse der Inneren Medizin und Kinderheilkunde* 48/1982, 1–75
Wachtel, U.: *Ernährung von gesunden Säuglingen und Kleinkindern.* Stuttgart 1990
Wallgren, A.: »Breast milk consumption of healthy full-term infants«, in: *Acta Paediatrica Scandinavica* 32/1945, 778
Wood, C. B. S., Walker-Smith, J. A.: *MacKeith's Infant Feeding and Feeding Difficulties.* London 1981

## Wachstum

Duc, G., Largo, R. H.: »Anterior Fontanel: Size and closure in term and preterm infants«, in: *Pediatrics* 78/1986, 904–908
Gabka, J.: *Die erste Zahnung in der Geschichte des Aberglaubens.* Berlin 1971
Gustafsson, B. E., Quensel, C. E., Lanke, L. S.: »The Vipeholm dental caries study«, in: *Acta Odontologica Scandinavica* 11/1954, 232
Marthaler, Th. M.: *Zahnschäden sind vermeidbar.* Luzern 1987
Peters, N.: *Verwendung des Schnullers. Verbreitung, Ursache und Folgen.* Projektarbeit »Schweizer Jugend forscht« 1989
Prader, A., Largo, R. H., Molinari, L., Issler, C.: »Physical Growth of Swiss Children from Birth to 20 Years of Age (First Zurich Longitudinal Study of Growth and Development)«, in: *Helvetica Paediatrica Acta*, Supplementum 52/1989
Taranger, J., Lichtenstein, H., Svennberg-Redegren, I.: »Dental development from birth to 16 years«, in: *Acta Paediatrica Scandinavica*, Supplement 258/1976, 83–97
Walser-Schenker, S.: *Verursacht der Durchbruch der ersten Dentition lokale und/oder systemische Beschwerden?* Dissertation Universität Zürich 1987

## Trocken und sauber werden

Largo, R. H., Molinari, L., von Siebenthal, K., Wolfensberger, U.: »Does a profound change in toilet-training affect development of bowel and bladder control?«, in: *Developmental Medicine and Child Neurology* 38/1996, 1106–1116.

Duché, D. J.: »Patterns of micturition in infancy. An introduction to the study of enuresis«, in: Kolvin, I., MacKeith, R. C., Meadow, S. R.: *Bladder control and enuresis. Clinics in Developmental Medicine* 48, 49/ 1973.

# Abbildungsnachweis

## Fotografien

*Seite 22:* Hanns Reich: *Kinder aus aller Welt.* 1958, Abb. 50 – Mit freundlicher Genehmigung des Hanns Reich Verlags, Icking; Fotograf: Paul Almesy

*Seite 210:* Hanns Reich: *Kinder aus aller Welt.* 1958, Abb. 9, 13 – Mit freundlicher Genehmigung des Hanns Reich Verlags, Icking; Fotografen: F. Patelleni (links), Hanns Reich (rechts)

*Seite 236:* Sylvie Vienne – Mit freundlicher Genehmigung der Galaté Films, Paris

*Seite 35, 90, 215, 232, 234, 239, 245, 246 oben, 258 rechts, 260 rechts, 262, 304:* Käthi und Hansruedi Etter, Henggart

*Seite 464:* Wanda Gnoinski, Zahnärztliches Institut, Zürich

Alle anderen Fotografien stammen vom Autor.

## Ausschnitte aus Videofilmen

*Seite 141, 143, 203:* Verhaltensbeobachtungen beim gesunden Neugeborenen, Teil I. Abteilung für Wachstum und Entwicklung, Universitäts-Kinderklinik Zürich

*Seite 106, 113 unten, 115, 116 oben, 258 links, 260 links, 261, 372:* Verhaltensbeobachtungen beim gesunden Neugeborenen, Teil II. Abteilung für Wachstum und Entwicklung, Universitäts-Kinderklinik Zürich. Ultraschalluntersuchungen wurden von Heinz F. R. Prechtl und Mitarbeitern, Universität Groningen (Holland), freundlicherweise überlassen. Aufnahmen von Gorillas wurden freundlicherweise von Jürg Hess, Zoologischer Garten Basel, zur Verfügung gestellt.

*Seite 57, 58, 59, 216, 217, 256, 326, 375, 377 oben/unten, 378:* Verhaltensbeobachtungen beim gesunden Neugeborenen, Teil III. Abteilung für Wachstum und Entwicklung, Universitäts-Kinderklinik Zürich

*Seite 243:* Kindliche Spielverhalten der ersten drei Lebensjahre, Teil III. Abteilung für Wachstum und Entwicklung, Universitäts-Kinderklinik Zürich

Die Videofilme können über die Abteilung für Wachstum und Entwicklung, Universitäts-Kinderklinik, CH-8032 Zürich bezogen werden.

## Zeichnungen und Graphiken

*Seite 431:* Veränderte Darstellung aus Leonardo da Vinci: Gemälde, Zeichnungen und Studien. Hg. von G. Nicodemi. Zürich 1939

*Seite 39, 109, 110, 122, 123, 129, 132, 133:* Susanne Staubli, Zürich

Alle anderen Zeichnungen und Graphiken stammen vom Autor. Daten ohne Quellenangaben basieren auf den Zürcher Longitudinalstudien.

# Danksagung

Allen Kindern und Eltern, die ich in meiner klinischen und wissenschaftlichen Arbeit kennengelernt habe, bin ich zu großem Dank verpflichtet. Ohne die Begegnungen mit Tausenden von Familien während 20 Jahren hätte ich dieses Buch nicht schreiben können.

Wesentliches über die Freuden und Sorgen von Eltern würde in diesem Buch fehlen oder wäre nur trocken abgehandelt ohne die Erfahrungen, die ich als Vater von drei nun bald erwachsenen Kindern gemacht habe. Ich weiß, wie mühselig es ist, wenn man mehrmals pro Nacht aufstehen muß, um einen schreienden Säugling zu beruhigen. Schlimmer noch, wenn man anschließend den Schlaf nicht mehr findet, wach im Bett liegt und sich vorstellt, wie man sich übermüdet durch den morgigen Tag quälen wird. Ich weiß auch, wie sehr ein »schlechter Esser« Eltern, selbst wenn sie Ärzte sind, beunruhigen kann. Wunderbar ist es, als Eltern mitzuerleben, wie die Kinder die Welt entdecken. Meine drei Töchter haben mir nochmals das Kindsein nahegebracht. Nur durch sie verstand ich oft ein bestimmtes kindliches Verhalten. Und das Wichtigste: Meine Kinder haben mich das Staunen über das menschliche Wesen und diese Welt gelehrt.

Meiner Frau und meinen Töchtern danke ich für das Verständnis, das sie diesem Buchprojekt entgegengebracht haben. In den vergangenen drei Jahren habe ich viele Abende und Wochenenden mit Lesen, Sichten von Unterlagen und Schreiben verbracht. Meine Familie war nicht nur geduldig, sondern hat mir auch mit kritischen Kommentaren zu Text und Bildern sowie mit viel Unterstützung zur Seite gestanden.

Zahlreichen Personen, die die vorläufigen Fassungen des Manuskripts durchgesehen haben, verdanke ich Verbesserungsvorschläge. Danken möchte ich im besonderen Caroline Benz, Erika Bökenkröger, Noemi Gerschel, Franziska Neuhaus, Monika Neff, Josef Osterwalder, Beatrice Schärer, Markus Schmid und Otmar Tönz. Zu großem Dank verpflichtet bin ich Käthi Etter, die als Mutter von vier Kindern mit ihrer kritischen und konstruktiven Einstellung Wesentliches zum Gelingen des Buches beigetragen hat.

Den folgenden Familien möchte ich herzlich danken, daß ich Fotografien ihrer Kinder in das Buch aufnehmen durfte: Caroline und Daniel Benz, Maria und Jakob Eberhard, Käthi und Hansruedi Etter, Gabriele und Bruno Leu, Avelina und Aldo Largo, Nadia und Peter Reinhard, Esther und Bruno Signer, Evelyn und Stefan Stadler, Katherina Stucki und Hansruedi Werren, Dorothee und Peter Zwicky.

Sehr dankbar bin ich meinem Lektor, Wolfgang Schuler, der mit viel Umsicht und großem Engagement meine Arbeit begleitet hat.

Zürich Remo H. Largo

**Remo H. Largo, Monika Czernin**

### *Glückliche Scheidungskinder*

*Trennungen und wie Kinder damit fertig werden. 336 Seiten. Serie Piper*

Remo H. Largo und Monika Czernin machen Eltern Mut, die in der schwierigen Situation einer Scheidung sind: Kinder müssen unter der Trennung der Eltern nicht leiden – es gibt Wege, sie glücklich aufwachsen zu lassen. Getrennt leben, aber gemeinsam erziehen, das ist möglich. Die Autoren gehen anhand konkreter Beispiele auf die wichtigsten Fragen ein. Sie konzentrieren sich dabei auf die tatsächlichen Bedürfnisse der Kinder und zeigen Wege, diese zu erfüllen, egal, in welchem Familienmodell.

»Ein wichtiger Diskussionsbeitrag für unsere Gesellschaft, in der etwa jedes dritte Kind von der Trennung der Eltern betroffen ist. Tendenz steigend.«
Chrismon

05/2304/01/L

**Remo H. Largo**

### *Kinderjahre*

*Die Individualität des Kindes als erzieherische Herausforderung. 378 Seiten. Serie Piper*

Wie man Kinder fit fürs Leben macht, ihnen hilft, im Einklang mit ihrer Umwelt zu leben – das zeigt Remo H. Largo in diesem Buch. Er ist seit über zwanzig Jahren Leiter der Abteilung Wachstum und Entwicklung am Kinderspital in Zürich und kennt daher die ganze Bandbreite kindlicher Entwicklung. So kann er Eltern und Erziehern wirkliche Hilfe anbieten, nicht nur Theorien. Anschaulich führt er durch die entscheidenden Jahre zwischen dem Kleinkindalter und der Schwelle des Erwachsenseins. Wie entsteht die Individualität des Kindes? Welche Rolle spielen Anlagen und Umwelt? Wann und wie können Eltern die Entwicklung ihres Kindes unterstützen? Auf diese Fragen gibt der Autor fundierte Antworten mit praktischen Beispielen.

05/1355/01/R

SERIE PIPER

**Martin Stiefenhofer, Barbara Kurthues**

***Spiele für drinnen und draußen***

*Ideen für Kinder aller Altersstufen. Mit zahlreichen farbigen Abbildungen. 144 Seiten. Serie Piper*

Ob im Urlaub oder zu Hause, ob allein oder in der Gruppe – Gelegenheiten zum Spielen ergeben sich überall. Doch nicht immer hat man die richtige Idee. Dieses Buch schafft Abhilfe. Martin Stiefenhofer hat 140 tolle Spielideen für drinnen und draußen versammelt, Anregungen für Kinder aller Altersstufen: Kreisspiele, Wasserspiele, Hüpf- und Laufspiele und Spiele für unterwegs.

Liebevoll illustriert von Barbara Korthues, ist dieses Buch ein wunderbares Geschenk für Kinder, für Eltern und für alle anderen, die Kinder mögen und gern mit ihnen spielen.

05/1626/01/L

**Gisela Dürr, Martin Stiefenhofer**

***Schöne alte Kinderspiele***

*Ideen für Kinder aller Altersstufen. Mit zahlreichen farbigen Abbildungen. 144 Seiten. Serie Piper*

Von Schnitzeljagd und Hahnenkampf über Knobeln und Murmelschießen bis zu »Hänschen, piep mal« und Kettenfangen – dieses reizend illustrierte Buch enthält über 170 alte Kinderspiele für alle Altersgruppen. Kniereime, Abzählverse und Rätsel, Sing- und Tanzspiele, Ball- und Seilspiele, Gedächtnis- und Sprachspiele, Versteck- und Laufspiele und vieles mehr sind hier versammelt.

Ein Spieleschatz, der die Fantasie und die Entwicklung der Kinder fördert und unerschöpfliche Anregungen gibt für alle, die gern mit Kinder spielen.

05/1628/01/R

## Daphne de Marneffe

### *Die Lust, Mutter zu sein*

*Liebe, Kinder, Glück. Aus dem Amerikanischen von Juliane Gräbener-Müller. 464 Seiten. Serie Piper*

Ein Kind haben, es groß werden sehen – Daphne de Marneffe macht uns klar, wie elementar dieser Wunsch im Leben einer Frau sein kann, und beschreibt, wie oft wir diese tiefe Sehnsucht verraten. Die öffentliche Diskussion hat sich neu an der Frage entzündet, wohin die Frau gehört. Familienmutter oder Karrierefrau? De Marneffe legt die Brisanz des Themas offen, nimmt Stellung zu Problemen und zeigt Auswege, ohne Frauen zu bevormunden. Ihr revolutionäres Buch zeigt das Muttergefühl wieder als das, was es ist: ein großes Verlangen vieler Frauen und ein primäres Glück.

»Marneffe spricht – höchst reflektiert und beispielprall – von einem tabuisierten und in der Emanzipationsdebatte untergepflügten Verlangen vieler Frauen.«
Die Zeit

05/2171/01/L

## Martina Rellin

### *Bin ich eine gute Mutter?*

*Frauen erzählen. 240 Seiten. Serie Piper*

Jede Mutter kennt die ganz normalen Selbstzweifel: Habe ich zuwenig Zeit für die Kinder? Arbeite ich zuviel? Bin ich eine schlechte Mutter, wenn ich eine Runde Gameboy erlaube, nur weil ich in Ruhe telefonieren will? In Martina Rellins neuem Buch erzählen vierzehn Frauen und ein Mann aus dem richtigen Leben: herzerfrischend ungeschminkt, authentisch und nachvollziehbar. Endlich ein Mütterbuch, das kein schlechtes Gewissen macht!

»Herzerfrischende Protokolle über Frauen in der Zweifelsfalle.«
Hannoversche Allgemeine

05/2170/01/R